Au point

BATH NELSON
LANGUAGES

Michèle Deane Bob Powell Elaine Armstrong

Nelson

Thomas Nelson and Sons Ltd
Nelson House Mayfield Road
Walton-on-Thames Surrey
KT12 5PL UK

Nelson Blackie
Wester Cleddens Road
Bishopbriggs
Glasgow
G64 2NZ UK

Thomas Nelson (Hong Kong) Ltd
Toppan Building 10/F
22A Westlands Road
Quarry Bay Hong Kong

Thomas Nelson Australia
102 Dodds Street
South Melbourne
Victoria 3205 Australia

Nelson Canada
1120 Birchmount Road
Scarborough Ontario
M1K 5G4 Canada

First published by Thomas Nelson and Sons Ltd 1994

I(T)P Thomas Nelson is an International Publishing Company.

I(T)P is used under licence.

ISBN 0-17-449135-2
NPN 9 8 7 6 5 4 3 2 1

Printed in Great Britain

TABLE DES MATIERES

Overview

Chapter	Topic	Subtopic	Communication	Grammar	Study Skills	Reading
1 Il faut vivre sa vie !	Youth	■ Young people and... happiness the future rights	■ Expressing one's opinion ■ Phrases for hesitation in conversation ■ Talking about statistics ■ Talking about rights and duties	■ The infinitive after 'Ça veut dire' ■ The present tense ■ Nouns: gender	■ Collecting vocabulary in a database ■ Looking up nouns in a monolingual dictionary ■ Predicting gender of a noun	66 - 68
2 Entre toi et moi...	Relationships	■ Friendship ■ Love ■ Relationships	■ Prioritising ■ Taking part in a debate ■ Summarizing arguments	■ Two relative pronouns: 'qui'and 'que' ■ The perfect tense ■ The infinitive after another verb and after prepositions 'à', 'de', 'pour', 'sans'	■ An easy way of deciding between 'qui' and 'que' ■ Collecting more words for the database ■ A way of remembering the prepositions followed by the infinitive	69 - 71
3 Une école pour la réussite ?	Education	■ School and education ■ Career choices ■ Preparing for the future	■ Expressing possibility ■ Contrasting events	■ The imperative ■ The future tense ■ Adjectives	■ Taking notes ■ Speaking from notes ■ Writing a paragraph	72 - 74
4 En pleine forme	Health	■ Health ■ Food ■ Fitness	■ Asking questions ■ Answering questions without committing oneself ■ Using slang	■ Expressions of quantity ■ Adverbs ■ The imperfect tense ■ Syntax with the infinitive ■ 'Ça'	■ Collecting words of frequency ■ Verbs + 'de' or verbs + 'à' (a tip)	75 - 77
5 Evasion	Holidays and Travel	■ Holidays ■ Travel ■ Transport	■ Expressing an opinion tactfully ■ Writing a formal letter	■ Prepositions after 'aller' ■ The pluperfect tense ■ 'Tout' (all, every, very) ■ The present participle	■ Help with remembering the right proposition ■ 'Faux amis' ■ From verb to noun and from noun to verb ■ Recognising different accents	78 - 80
6 Si j'avais des sous...	Money	■ Spending and earning money ■ Third World ■ The language of money	■ Making suggestions ■ Protesting ■ Registers	■ The conditional ■ Introduction to the subjunctive mood ■ Partitive articles and pronoun	■ Writing an essay plan ■ Preparing for a written presentation	81 - 84
7 Ce que je crois	Beliefs	■ Religion ■ Superstition ■ Music ■ Astronomy	■ Talking about dreams ■ Stating one's religious beliefs ■ Stating one's artistic taste	■ Comparatives ■ More on the subjunctive ■ Adjectives	■ Help with forming the subjunctive ■ Sequence markers ■ Essay planning ■ Gender of words ending in '-isme'	194 - 196

Chapter	Topic	Subtopic	Communication	Grammar	Study Skills	Reading
8 Terre, où est ton avenir ?	Environment and pollution	■ Environment ■ Pollution ■ Ecology	■ Reporting back on group activities ■ Giving one's reactions to a text	■ Verbs of perception + infinitive ■ The passive form ■ The superlative	■ Avoiding repeating an object introduced by 'à' ■ Creating an ecological glossary	197 - 199
9 Culture des masses ?	Media	■ Influences ■ Media ■ Advertising	■ Presenting polite counter-arguments	■ Possessive pronouns ■ Relative pronouns	■ Extracting concepts ■ Letter-writing	200 - 202
10 Sur un pied d'égalité ?	Equal opportunities	■ Sex equality ■ Immigration ■ Racism	■ Giving a quick reaction, positive and negative ■ Giving reasons	■ Fractions ■ Demonstrative pronouns ■ Sequence of tenses after 'si' ■ 'La plupart'	■ Using fractions ■ Check-list for essay writing ■ Analysing a survey	203 - 205
11 Citoyen, citoyenne	Power	■ Politics ■ Europe	■ Showing awareness ■ Making promises	■ Direct and reported speech ■ 'N'importe...' ■ 'Se faire' + infinitive	■ Scanning headlines	206 - 208
12 Je m'en souviens bien !	War	■ War ■ The Second World War	■ Expressing one's emotions	■ Nationalities and capital letters ■ The past infinitive ■ The past historic tense	■ Analysing the power of words in poetry ■ Creative writing ■ Coursework preparation	209 - 211
13 La culture : tous azimuts	The Arts	■ Dance ■ Cinema ■ Literature ■ Francophonie	■ Defining and describing abstract ideas ■ Talking about poetry and novels	■ Partitive article + qualificative adjective ■ Impersonal verbs	■ Writing a summary ■ Problem-solving ■ Revision techniques ■ Literary appreciation skills	212 - 214
14 Qui juge ?	Moral dilemmas	■ Animal experimentation ■ Transplants ■ Violence ■ The French Judicial system; crime and punishment	■ Making initial judgements ■ Doubting and expressing the truth ■ Providing further evidence	■ 'Pouvoir', 'devoir', 'vouloir', 'savoir' ■ 'Faire' plus infinitive	■ Taking part in a debate ■ Examination skills	215 - 217
15 Demain, déjà ?	The Future	■ Adulthood ■ Scientific and medical research ■ The future	■ Expressing future obligations ■ Commenting on poetical images	■ Negative constructions ■ 'jusqu'à'	■ Examination skills : review of all four skills	218 - 220

Carte du monde francophone

Québec
St Pierre et Miquelon
Haïti
Belgique
Polynésie française
Guadeloupe
Martinique
France
Andorre
Guyane française
Maroc
Algérie
Mauritanie
Mali
Niger
Sénégal
Guinée
Burkina Faso
Bénin
Togo
Côte d'Ivoire
Gabon
Congo

Vanuatu
Nouvelle Calédonie
Vietnam
Luxembourg
Laos
Cambodge
Liban
Djibouti
République Centrafricaine
Rwanda
Seychelles
Burundi
Ile Maurice
Réunion
Madagascar

Welcome to **Au Point.** We hope that you will enjoy using this exciting new course, which has been developed to cover as many as possible of the topics, skills, grammar points and vocabulary items which you will need in order to prepare for your examination.

Au Point will also help you to make the transition from the kind of work you have been used to doing in French to higher level material and activities. Chapters 1-6 therefore deal with topics and grammar points which may well be familiar to you, but which are presented from a new perspective. In Chapters 7-15 you will gradually move towards more examination-style work.

Throughout the course, you will learn more about life in many parts of the French-speaking world and gain insights into important aspects of French culture. In our search for interesting resources, we have often drawn on magazines aimed at young French speakers. We are also very grateful to the numerous young people who have contributed their own thoughts and experiences.

Each chapter begins with a page outlining the topics, communicative goals and grammar points to be covered. And in each chapter you will find at least one **Grammaire** feature, providing explanation and practice of key grammar points. There is also a grammar reference section at the back of this book for further information, along with a glossary.

Another useful feature in each chapter is **Pour communiquer**, in which you will find a list of key phrases linked to practice activities which will help to develop your communication skills.

Other features to look out for are:

BONNE IDEE

Tips and hints to help you organise your work as effectively as possible.

Travail de recherche

Ideas for extended projects or coursework.

Plan professionnel

Life skills, often with a professional slant.

POINT GRAMMAIRE

Quick reminders of tricky points or rules.

AU FAIT

■ Snippets of useful background information.

Déjà vu

A cross-reference to remind you of a point already encountered.

During your course of study it will be important for you to take charge of your own language learning and be prepared to undertake as much independent study as possible. One of the cassettes for the course is a self-study cassette. Your teacher can make copies of this for you to do listening work at home. You will find activities to accompany the self-study cassette in the back of this book.

There are also two reading sections in this book, which have been designed for you to work on independently. For each chapter there is a series of texts from various sources, including extracts from works of literature, magazines and poems for you to choose from and possibly use in projects or coursework. You will find a suggested activity on each page of the reading sections.

To help you to find your way around the course, here are some of the symbols which have been used:

- Class cassette activity
- Self-study cassette activity
- 1 Activity on photocopiable worksheet
- Suggestion for using Information Technology

Remember that there is no substitution for regularly setting aside time to learn rules, vocabulary and phrases. You should then find, as you work your way through the course, that your grammatical knowledge and ability to understand and communicate will steadily improve.

Amusez-vous bien et bon courage!

Michèle Deane Bob Powell Elaine Armstrong

1 Il faut vivre sa vie !

Thèmes	Communiquer	Grammaire
• Les jeunes et… le bonheur l'avenir les droits	• Exprimer son opinion • Marquer l'hésitation	• L'infinitif après «ça veut dire» • Le présent • Le genre

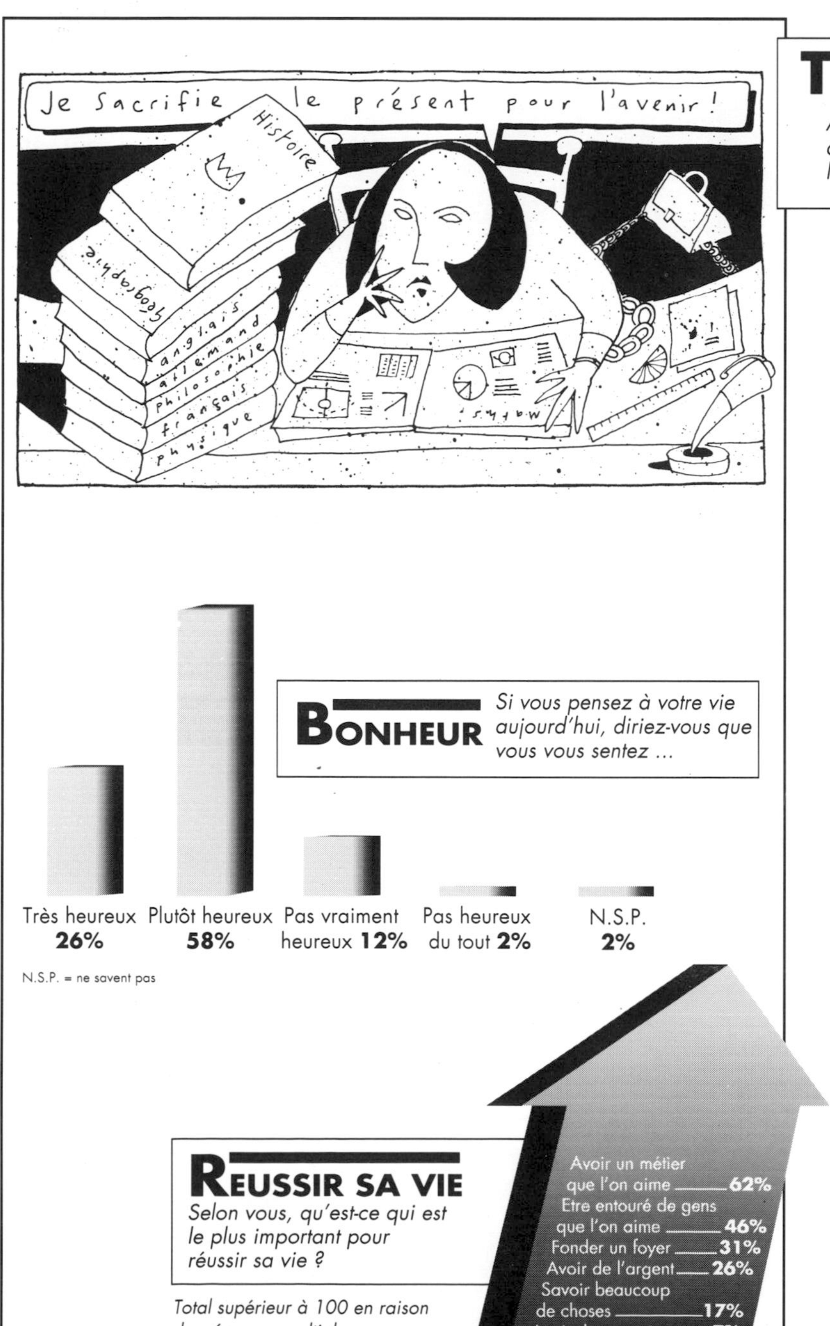

Je sacrifie le présent pour l'avenir !
Histoire
Géographie
anglais
allemand
philosophie
français
physique
maths
BONHEUR
Si vous pensez à votre vie aujourd'hui, diriez-vous que vous vous sentez …
Très heureux 26%
Plutôt heureux 58%
Pas vraiment heureux 12%
Pas heureux du tout 2%
N.S.P. 2%
N.S.P. = ne savent pas
REUSSIR SA VIE
Selon vous, qu'est-ce qui est le plus important pour réussir sa vie ?
Total supérieur à 100 en raison des réponses multiples
Avoir un métier que l'on aime 62%
Etre entouré de gens que l'on aime 46%
Fonder un foyer 31%
Avoir de l'argent 26%
Savoir beaucoup de choses 17%
Avoir du pouvoir 7%
Etre connu 4%

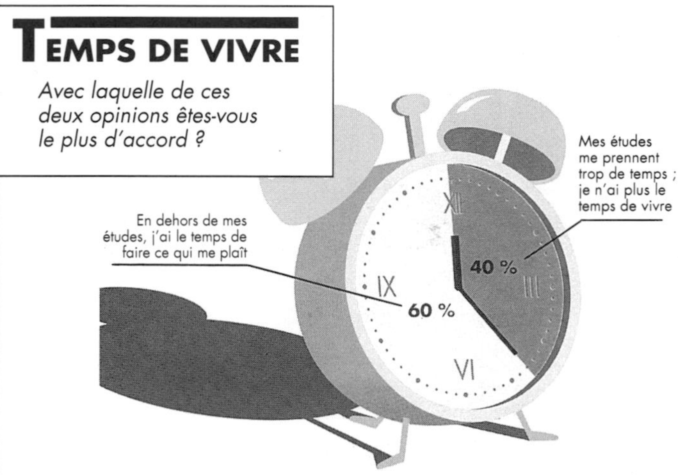

TEMPS DE VIVRE
Avec laquelle de ces deux opinions êtes-vous le plus d'accord ?
Mes études me prennent trop de temps ; je n'ai plus le temps de vivre
40 %
En dehors de mes études, j'ai le temps de faire ce qui me plaît
60 %

SOMMAIRE

Etre jeune ...

Nous avons demandé à de jeunes français :
«Pour vous, être jeune, ça veut dire quoi ?»

«Pour moi, être jeune ça veut dire se préparer un avenir tout en profitant de la vie.»
Arem, 17 ans

1

2

‹‹Pour moi, être jeune ça veut dire ne pas avoir d'obligations.››
Jérémy, 15 ans

«Pour moi, ça veut dire pouvoir s'amuser sans avoir trop de responsabilité.»
Séverine, 16 ans

3

4

‹‹Pour moi, être jeune ça signifie s'amuser, penser à mon avenir.››
Véronique, 18 ans

1 **Ça veut dire...**
Lisez ce que les jeunes ont dit. Trouvez dans les textes des expressions qui signifient la même chose que les phrases suivantes. Attention ! Pour certaines phrases il y a plus d'une possibilité.

a ça signifie
b se donner du bon temps
c penser à sa vie quand on sera plus vieux
d ne pas avoir à répondre de ses actions
e faire diverses activités avec des amis
f avoir des problèmes avec son père et sa mère
g avoir des problèmes au collège
h avoir une attitude jeune
i pas nécessairement

2 **Maintenant à vous !**
Ecrivez cinq réponses à la question : «Pour vous, être jeune, ça veut dire quoi ?».

ça veut dire	it means
l'avenir	future
profiter de la vie	to enjoy life
avoir des obligations	to have responsibilities
s'amuser	to have a good time
un copain/une copine	a friend
des ennuis	trouble
pas forcément	not necessarily

POINT GRAMMAIRE

Après «ça veut dire» ou «ça signifie» les verbes sont à l'infinitif. C'est-à-dire : le verbe finit en **-er**, **-ir** ou **-re**.
Exemple : Ça veut dire **avoir** des ennuis.

«Etre jeune, ça veut dire avoir un tas de copains et de copines. Ça veut aussi quelquefois dire avoir des ennuis avec ses parents ou ses études.»
Jean-Luc, 17 ans

5

‹‹Pour moi, ça veut dire faire du sport, sortir avec des copains.››
Saïd, 16 ans

6

«Pour moi, être jeune ça signifie l'être dans sa tête et pas forcément dans son corps : on peut être jeune à 80 ans !»
Caroline, 17 ans

7

3 **Qui est d'accord avec qui ?**
Lisez encore ce que les jeunes ont dit et décidez qui pense comme qui.
Exemple :
Arem pense comme Véronique : être jeune, ça veut dire penser à son avenir.

Décidez avec votre prof si vous allez faire cette activité à deux, oralement ou/et individuellement, par écrit.

4 **Et vous, vous êtes d'accord avec qui ?**
Travaillez à deux, oralement.
Un partenaire dit : «Pour moi, être jeune, ça veut dire...». L'autre partenaire dit s'il pense la même chose ou pas.
Exemple :
– Pour moi, être jeune, ça veut dire être libre.
– Ah ! Moi, je ne suis pas d'accord ! A mon avis, ça veut dire dépendre de ses parents.

Utilisez la liste écrite pour l'exercice n° 2 et les expressions de Pour communiquer.

POUR COMMUNIQUER

Exprimer la même opinion :
Je pense comme toi.
Je suis d'accord (avec toi).
Je pense pareil.
Je pense la même chose (que toi).

Exprimer une opinion contraire :
Je ne suis pas d'accord (avec toi).
Tu crois ?
Je ne pense pas !
Absolument pas !
Je ne vois pas ça comme toi !
Je dirais plutôt le contraire.

Etre jeune

Le bonheur ?

Alexandre

Sandrine

Françoise

1 **Reportage dans la rue**

Que pensent ces trois jeunes ? Ecrivez la lettre de l'affirmation et le nom de la personne qui pense ça. Attention ! Plusieurs personnes pensent la même chose.

a Les jeunes sont heureux.
b Les loisirs contribuent au bonheur.
c Un bon métier contribue au bonheur.
d Il y a trop de règles dans la vie d'un jeune.
e L'argent donne une certaine liberté.
f Ça dépend de certaines choses.
g Ça dépend des parents.
h Les adultes ne comprennent pas toujours les jeunes.

2 **Ben... Euh...**

Ecoutez encore les interviews d'Alexandre, de Sandrine et de Françoise. Copiez les mots et les expressions pour communiquer ci-dessous. Cochez-les (√) quand vous les entendez. Faites un cercle autour de l'expression que vous n'entendez pas du tout. Et vous, personnellement ? Vous en connaissez d'autres ?

POUR COMMUNIQUER

Marquer l'hésitation

Ben...	Mais enfin...	Euh...
Euh... voyons...	Ben alors là !	Bof !
Ça dépend !	Je sais pas, moi !	

3 **Parlez !**

A deux, lisez l'interview ci-dessous à voix haute.

A : Pardon, *Monsieur* ? Je fais un reportage sur les jeunes et le bonheur pour *un livre*. Voulez-vous répondre à quelques questions, s'il vous plaît ?
B : Oui, bien sûr !
A : Alors, votre nom, s'il vous plaît.
B : *Thomas.*
A : Et votre âge ?
B : *16 ans.*
A : A votre avis, *Thomas*, est-ce que les jeunes sont heureux ?
B : Oui, je pense !
A : Et... qu'est-ce qui les rend heureux ?
B : *Ben, les loisirs qu'il y a, c'est-à-dire, le cinéma, les concerts, enfin, plein de trucs à faire !*
A : Et vous, personnellement, êtes-vous heureux ?
B : *Bof !... Oui, je suppose, quoi !*

Relisez l'interview en changeant les mots en italique. Relisez encore en changeant encore plus de choses ; utilisez la cassette pour vous aider !

euh...
ben euh...
alors là !
Je sais pas, moi !
alors... voyons
ça dépend
bof !

Dans les médias, on appelle souvent les jeunes Français d'aujourd'hui «la bof génération». Est-ce que vous méritez vraiment d'être appelés comme ça ?

BONNE IDEE

Un dictionnaire électronique

Pour vous aider à apprendre les nouveaux mots que vous avez déjà rencontrés, créez un dictionnaire électronique en vous servant d'une base de données. Ajoutez les mots que vous voulez apprendre par cœur.

Choisissez une banque de données que vous connaissez, par exemple, **Grass**, **Phases**, etc.

Organisez un fichier.

CHAMPS	EXEMPLE
Français	jeunesse
Type	nom
Genre	f.
Thème	vie/âge
Anglais	youth

Entrez les données : tapez les mots de cette page qui vous intéressent et que vous voulez retrouver facilement selon l'exemple.

Le présent

Exemples tirés du texte :

- Les verbes **finissent** en -er.
- Je **pense** comme toi.
- Ça **dépend** des parents.
- **Voulez**-vous répondre ?

Note : Mots en caractères gras = verbes

• L'infinitif

Vous cherchez la signification d'un verbe dans un dictionnaire ? Trouvez l'infinitif (en anglais, *the infinitive*, par exemple *to find.*) En français, l'infinitif finit toujours par **-er**, **-ir** ou **-re**.

Voici un exemple de verbe dans un dictionnaire :

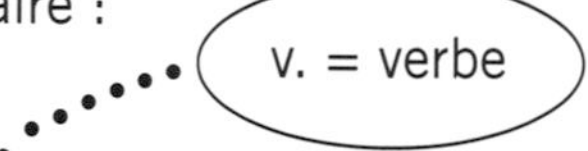
v. = verbe

METTRE v.t. (lat. *mitterre*, envoyer) [84]. **I. 1.** Placer (qqch ou qqn) dans un endroit déterminé. *Mettre ses clefs dans son sac. Mettre un enfant au lit.* **2.** Disposer sur le corps, revêtir; porter. *Mettre une robe neuve, un chapeau, des lunettes.* **3.** Inclure, mêler, introduire. *Mettre du sel dans une sauce.* **4.** Provoquer, fair naître. *Mettre du désordre.* **II. 1.** Placer dans une certaine position, une certaine situation. *Mettre à*

• Verbes irréguliers

Vous ne trouvez pas un verbe ? C'est peut-être un verbe irrégulier. Vérifiez dans la table des verbes irréguliers page 244.

▶ Trouvez le mot dans une des colonnes *tenses* (temps).

▶ Regardez dans la colonne *infinitive* correspondante pour trouver l'infinitif.

Vous avez oublié le présent d'un verbe ? Vérifiez-le dans la table des verbes page 244.

• Usage

Le présent décrit des **actions** ou des **états** (de fait ou d'esprit)... :

• qui prennent place **maintenant.**
Et qu'est-ce que tu fais?
Je fais mes devoirs.

• qui prennent place **généralement.**
LYCEE
Et tous les jours je vais au bahut!

• qui **continuent à se passer** même s'ils ont commencé il y a des millions d'années.

J'habite ici depuis 789 ans! Je m'ennuie.

• Formation

-e, **-ent** et **-es** s'écrivent à la fin du verbe mais ne se prononcent pas !

je, **il**, **elle** ou **on**	+ **-e**
elles ou **ils**	+ **-ent**
tu	+ **-es**

▶ Regardez les exemples ci-dessous et écoutez 📼 *Ça ne se dit pas.*

Exemples :

- Oui, je pens**e** !
- Les profs ne nous demand**ent** plus ce qu'on pense.
- Qu'est-ce que tu pens**es** de ça ?
- L'argent donn**e** la liberté.

▶ Copiez les phrases suivantes. Remplacez ... par les terminaisons correctes : -e, -es ou -ent.

1. En France, 75% des jeunes habit... toujours chez leurs parents.
2. J'estim... aussi que les jeunes fum... trop.
3. Est-ce que tu accept... facilement l'opinion des autres ?
4. Moi, je refus... de penser ça !
5. Une forte proportion de jeunes estim... que les adultes les jug... mal.

DEFIS GRAMMATICAUX

a Outils :

- la table des verbes page 244
- un dictionnaire bilingue
- trois minutes pour compléter le tableau suivant.

Verbes	Infinitif	Sens
je vis	vivre	I live

elle peut ils ont je veux ils boivent ils sont
je crois vous connaissez ça rend ça fait
ils finissent

b Outil : votre mémoire.
Donnez-vous 15 minutes trois soirs de suite pour apprendre le présent des verbes imprimés dans le tableau du défi grammatical **a**. Puis, demandez à un(e) partenaire de vous tester.

c Pour plus d'exercices, voir **1** et **2** + 📼 *Magasins Inter-discount.*

Ah! les adultes!

Zoë, jeune fille de 16 ans et demi, a de gros problèmes. Elle a écrit à un magazine pour jeunes pour demander des conseils. Voici sa lettre et quelques-unes des réponses que le magazine a reçues.

Chers amis,
Ma vie est intenable : mes parents ne s'intéressent qu'à une seule chose : la réussite scolaire. Conclusion, je n'ai pas le droit d'avoir des copains, je n'ai pas le droit de sortir, je n'ai pas le droit de recevoir de courrier, en bref, je n'ai le droit de rien !
Conseillez-moi ! *Zoë*

CHEZ NOUS AUSSI, ÇA «CRAQUE»

J'ai le même problème que toi, Zoë: mes parents sont très stricts et me laissent peu de liberté. Ils attendent de moi beaucoup de travail et de très bonnes notes. Mais bien sûr, à seize ans, on pense plutôt aux sorties en boîte et au cinéma avec les copains. L'ambiance familiale en souffre et de plus en plus souvent, on craque et on se dispute. Mon moral est assez bas. Si nos parents sont stricts, c'est sans doute parce qu'ils veulent notre futur bonheur. Seulement voilà, les plus belles années de notre vie sont gâchées.
Xavier

NON, ZOË, T'ES PAS TOUTE SEULE!

Non, Zoë, tu n'es pas la seule à avoir des parents autoritaires. Le téléphone? Vingt minutes et je me fais tuer. La télé, un rare film de temps en temps. Un baiser dans un film? On m'envoie me coucher. Pas le droit au sortie ni au ciné, sinon, je ne réussirais jamais à mes examens. J'ai été la première de ma classe, donc, je dois le rester. La conduite accompagnée? Et puis quoi encore? Voilà ma vie, à moi aussi... **Claire**

LE PLUS IMPORTANT: NE PAS TE DECEVOIR, TOI!

Même quelques mois avant les examens, on n'est pas obligé de passer tout son temps à travailler. En dehors du travail scolaire qui est bien sûr très important, il y a aussi la vie. Le travail ne devrait empêcher personne de vivre, c'est-à-dire d'avoir des loisirs, d'aller au cinéma, à des concerts, d'écouter de la musique, de lire... Et dis-toi une chose: c'est pour toi que tu travailles, et non pour tes parents. Le plus important, c'est de ne pas te décevoir, toi. **Wilfrid**

1 Les réactions et les conseils
Qui dit quoi ? Lisez les réponses de ces jeunes à la lettre de Zoë. Copiez le tableau suivant et cochez (√) les cases correctes.

	Claire	Wilfrid	Xavier	Yvette
Le travail scolaire est important				
Organise ta vie				
Pas le droit d'apprendre à conduire				
Je préfèrerais sortir avec des camarades				
Pas le droit de regarder des films d'amour				
Libère-toi moralement				
Tu travailles pour toi				
Tu seras heureuse plus tard				

2 Ah! Les parents!
A vous maintenant. Relisez les réactions des jeunes à la lettre de Zoë. Travaillez oralement à deux. Vos parents ne vous laissent aucune liberté! Plaignez-vous à votre partenaire.

Choisissez parmi ces exemples et trouvez-en d'autres.

Je n'ai pas le droit de Je ne dois pas	fumer. sortir avec les copains. etc.
Je suis obligé de Je dois	faire mes devoirs. rester à la maison. etc.

JE L'AVOUE, JE TRICHE

Je vais avoir 18 ans dans deux mois, et j'ai le même problème que toi, Zoë. Il est bien sûr possible de sortir et de travailler en même temps. Il suffit de savoir gérer sa vie. J'ai renoncé à me révolter. En fait, la liberté, ça se trouve dans sa tête. On est libre quand on vous considère comme responsable, quand on reconnaît votre personnalité, votre volonté et vos désirs. C'est ça, en fait, le plus important, bien plus que l'autorisation d'aller en boîte. **Yvette**

intenable	unbearable
la réussite scolaire	success at school
Conseillez-moi !	Give me some advice
Et puis quoi encore ?	You must be joking!
je me fais tuer	they come down on me like a ton of bricks
un baiser	a kiss
ne pas te décevoir, toi	don't let yourself down
dis-toi une chose	just think
Il suffit de	You only need to
gérer	to manage
la volonté	(the) will
une boîte	a disco
l'ambiance	the atmosphere
gâché	spoilt

3 **Les parents, contribuent-ils au bonheur des jeunes ?**

Une station de radio française a demandé aux jeunes de téléphoner pour parler de leurs relations avec leurs parents. Ecoutez les personnes qui parlent et complétez les affirmations suivantes. Servez-vous des mots encadrés ci-dessous.

- **a** Selon sa mère, Christine doit ...... enfermée dans sa chambre.
- **b** Comme elle ...... bien à l'école, Christine ...... qu'elle a le ...... de se relaxer.
- **c** Jean-François ...... le minimum pour avoir la paix.
- **d** Nicolas ...... un examen important.
- **e** Il ...... assurer son avenir.
- **f** Les parents de Nicolas ...... tout ce qu'ils ...... pour rendre sa vie de tous les jours plus facile.
- **g** Quand Anouchka ...... , elle ...... dire où elle ...... et avec qui elle ....

fait font sort pense veut doit rester droit de prépare est peuvent va

4 **Que demandez-vous aux adultes ?**

On a posé à un groupe de jeunes la question «Que demandez-vous aux adultes ?».

Je demande aux adultes	nécessaire %	pas nécessaire %	NSP %
de prendre le temps de discuter avec moi	95	4	1
de me faire profiter de leur expérience	81	18	1
d'avoir de l'autorité	49	46	5
de me laisser tranquille	66	28	6
de m'aider à réussir dans ma vie scolaire et professionnelle	81	17	2
de m'aimer	88	8	4
de me donner un logement et à manger	55	41	4
d'être des copains pour moi	79	18	3

Pour parler statistiques, voir 3.

Ecrivez une lettre imaginaire à un parent ou un adulte en utilisant les demandes dans le tableau ci-dessus. Expliquez dans la lettre ce que vous trouvez de bien dans vos relations avec eux. N'oubliez pas ce que vous trouvez embêtant !

Exemple :

Cher/chère ...

Je trouve ça vraiment chouette quand tu prends le temps de discuter avec moi ! Mais tu ne me laisses jamais tranquille et j'en ai marre. Je n'ai pas le droit de sortir avec mes copains : tu dis que je dois faire mes devoirs ...

Si vous avez besoin d'aide, voir 4.

5 **Fais pas ci, fais pas ça**

Chanson de Jacques Dutronc.

On a le droit ou pas ?

L'école avec laquelle votre collège est jumelé a réalisé pour votre classe ce poster «Les droits et les devoirs des jeunes en France».

1 Mots croisés
Lisez le poster avec attention.
Retrouvez-y les mots définis ci-dessous et mettez-les dans la grille qui se trouve sur **5**.

Horizontalement
- **1** Les mineurs doivent avoir une permission ... (9) pour faire certaines choses.
- **7** Un vélomoteur s'appelle aussi une ... (9).
- **9** Une section de la loi parle de ce que les hommes et les femmes doivent faire : leurs devoirs ; l'autre partie traite de ce qu'ils peuvent faire : leurs ... (6).
- **10** Une fille de moins de 18 ans est ... (7).
- **12** Les femmes ne font pas le service militaire ; si elles veulent, elles peuvent faire le service ... (8).
- **13** L'adresse légale des mineurs est l'adresse de leurs ... (7).
- **15** Les lettres qu'on reçoit s'appellent le ... (8).
- **17** Le service national est ... (11) pour les hommes.

Verticalement
- **2** Mes parents me donnent la permission de faire quelque chose : ils me donnent l'... (12).
- **3** Quand les mineurs n'ont pas de parents, leur gardien légal s'appelle un ... (6).
- **4** Pour choisir le président de la république, on ... (4).
- **5** Les jeunes ont le droit de choisir leur docteur : ils peuvent consulter le docteur de leur ... (5).
- **6** Les garçons doivent tous passer 12 mois dans l'armée : on dit qu'ils font leur ... (7).
- **8** Dire «non», c'est ... (7).
- **11** Quand une personne est condamnée, elle est ... (8) de devoir payer une amende ou d'être privée de liberté.
- **14,16** ... – ...(3, 4) ans, c'est l'âge de la majorité.

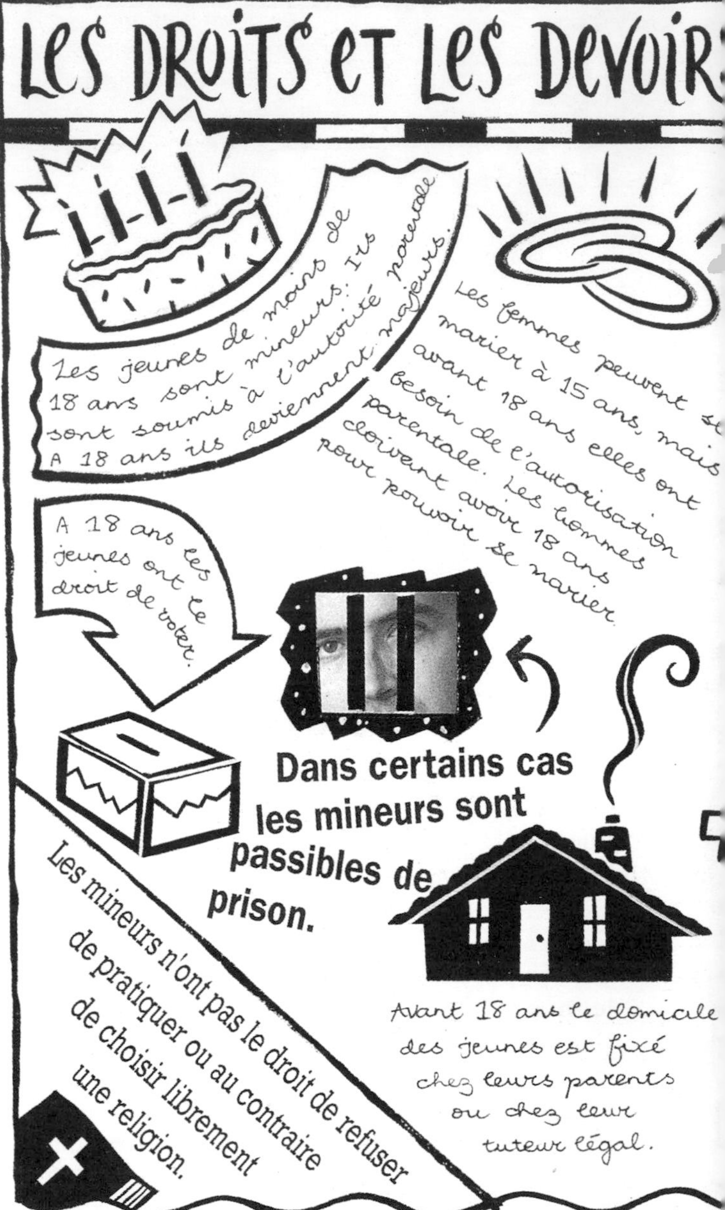
LES DROITS ET LES DEVOIR
Les jeunes de moins de 18 ans sont mineurs. Ils sont soumis à l'autorité parentale. A 18 ans ils deviennent majeurs.
Les femmes peuvent se marier à 15 ans, mais avant 18 ans elles ont besoin de l'autorisation parentale. Les hommes doivent avoir 18 ans pour pouvoir se marier
A 18 ans les jeunes ont le droit de voter.
Dans certains cas les mineurs sont passibles de prison.
Les mineurs n'ont pas le droit de refuser de pratiquer ou au contraire de choisir librement une religion.
Avant 18 ans le domicile des jeunes est fixé chez leurs parents ou chez leur tuteur légal.

2 Minorité / Majorité
Relisez le poster. Résumez les informations données sur ce poster. Utilisez un ordinateur pour présenter, si vous voulez.

Exemple :

Quand on est mineur / majeur,	on (ne) peut (pas)… on (ne) doit (pas)…

«J'ai 16 ans et je peux me marier si mes parents disent oui.»
Vrai ou faux ?

Des Jeunes en France
Une mineure peut obtenir une prescription contraceptive sans autorisation parentale.
T LE PERMIS DE CONDUIRE ?
14 ans pour les mobylettes de moins de 50cm³.
16 ans pour les mobylettes de 50 à 80 cm³.
18 ans pour les grosses motos et les voitures.
Les parents ont le droit d'ouvrir le courrier des mineurs.
Les jeunes de moins de 18 ans peuvent voir le médecin de leur choix.
Tous les hommes doivent faire leur service militaire; en général, ils le font dans l'année qui suit leur 19e anniversaire, mais il y a beaucoup d'exceptions.
Il y a aussi un service national féminin, mais il n'est pas obligatoire.

3 Vous avez besoin de conseils ?

Ecrivez ou enregistrez des phrases qui résument des situations dans lesquelles vous pourriez vous trouver personnellement – ou pas si personnellement.

Exemples :

- J'ai une amie qui a 15 ans. Elle veut prendre la pilule, mais ses parents ne doivent pas le savoir. Que peut-elle faire ?
- Mes parents se disputent tout le temps. Ils ont besoin d'aide, moi aussi ! A qui puis-je m'adresser ?

4 Concours de conseillers

Imaginez qu'on recherche un conseiller légal pour une station de radio. La sélection se fait par concours.

Toute la classe fait partie des personnes considérées. Vous êtes conseiller à tour de rôle. Les autres membres de la classe sont les auditeurs qui ont des problèmes et qui téléphonent pour demander conseil.

Très, très vite, le conseiller doit donner les réponses aux questions des auditeurs.

Exemple :

- J'ai 16 ans. Ma mère ouvre toutes mes lettres. Que puis-je faire ?
- Rien ! Elle a le droit de faire ça !

Si le conseiller hésite trop ou fait une erreur, il quitte son poste et est remplacé par un nouveau conseiller.

Quel conseiller donne le plus grand nombre de réponses ?

Travail de recherche

Faites un poster ou un article pour un lycée français :

Les droits et les devoirs des jeunes de mon pays.

Allez à la bibliothèque de votre école ou à la bibliothèque municipale.

Recherchez des informations sur les droits et les devoirs des jeunes dans votre pays. Si vous avez des difficultés à trouver de la documentation, demandez à la bibliothécaire ou à une documentaliste de vous aider.

Choisissez le format de votre présentation :

- Un poster en français pour la classe d'un lycée en France
- Un article en français pour le magazine du lycée français

A vos stylos ! Ou, si vous préférez, à vos traitements de texte ou à vos programmes de micro-édition.

Le genre des noms

- En français tous les noms sont masculins ou féminins.
  n. f. = nom féminin
  n. m. = nom masculin

▶ Cherchez les mots qui sont dans les bulles à droite dans un dictionnaire. Décidez si les noms écrits dans chaque bulle sont masculins ou féminins. Travaillez sur une bulle à la fois.

▶ Essayez de trouver des règles et des exceptions.
Exemple :
Tous les noms qui finissent par **-esse**, sont-ils masculins ou féminins ?

Y a-t-il des exceptions ?

Ecoutez aussi *Voici une page.*

▶ **Masculin ou féminin ?**
Ecoutez la cassette et décidez si les mots sont masculins ou féminins. Ecrivez les numéros et n. m. ou n.f.

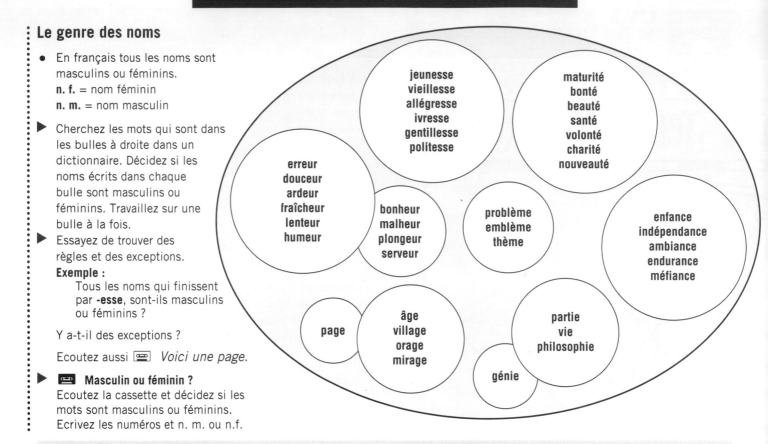

jeunesse
vieillesse
allégresse
ivresse
gentillesse
politesse

maturité
bonté
beauté
santé
volonté
charité
nouveauté

erreur
douceur
ardeur
fraîcheur
lenteur
humeur

bonheur
malheur
plongeur
serveur

problème
emblème
thème

enfance
indépendance
ambiance
endurance
méfiance

page

âge
village
orage
mirage

partie
vie
philosophie

génie

DEFIS GRAMMATICAUX

a Si on ouvre un dictionnaire monolingue, c'est-à-dire français-français, au mot **jeunesse,** on trouve :

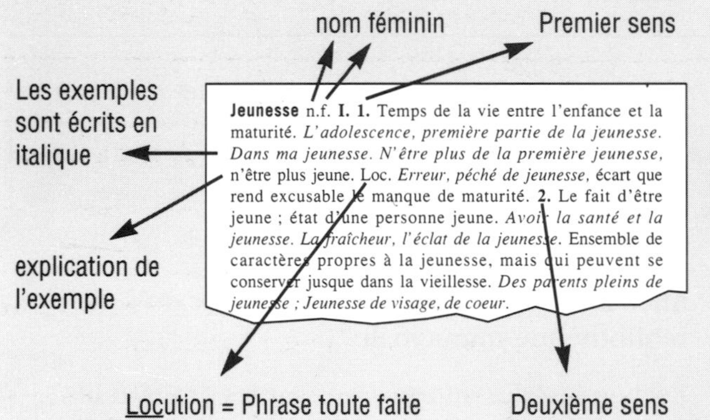
Jeunesse n.f. **I. 1.** Temps de la vie entre l'enfance et la maturité. *L'adolescence, première partie de la jeunesse. Dans ma jeunesse. N'être plus de la première jeunesse,* n'être plus jeune. Loc. *Erreur, péché de jeunesse,* écart que rend excusable le manque de maturité. **2.** Le fait d'être jeune ; état d'une personne jeune. *Avoir la santé et la jeunesse. La fraîcheur, l'éclat de la jeunesse.* Ensemble de caractères propres à la jeunesse, mais qui peuvent se conserver jusque dans la vieillesse. *Des parents pleins de jeunesse ; Jeunesse de visage, de coeur.*

nom féminin
Premier sens
Les exemples sont écrits en italique
explication de l'exemple
Locution = Phrase toute faite
Deuxième sens

Comprenez-vous les définitions ?
Selon les définitions du dictionnaire, les phrases suivantes, sont-elles vraies ou fausses ?

1 Un jeune a environ entre 13 et 18 ans.
2 L' adolescence ne fait pas partie de la jeunesse.
3 Un péché de jeunesse est grave.
4 Avoir la jeunesse, c'est être jeune.
5 Une vieille personne peut conserver sa jeunesse de caractère.

b Pour plus d'exercices sur le genre, voir **6**.

ET POUR FINIR

L'interview de Guillaume

Ecoutez l'interview avec Guillaume. Faites une liste des grands thèmes qu'il aborde.
Relevez, par écrit, en français :

- les idées que vous avez déjà rencontrées dans ce chapitre d'**Au point**.
- de nouvelles idées.
- des exemples de verbes au présent.
- des exemples d'expression qui marquent l'hésitation.

2 Entre toi et moi...

Thèmes	Communiquer	Grammaire
• L'amitié • L'amour • La vie à deux	• Classer en ordre d'importance • Contribuer à un débat	• Qui ou que • Le passé composé • L'infinitif

Elle m'aime...
Il m'aime...
un peu
beaucoup
passionnément
à la folie
pas du tout

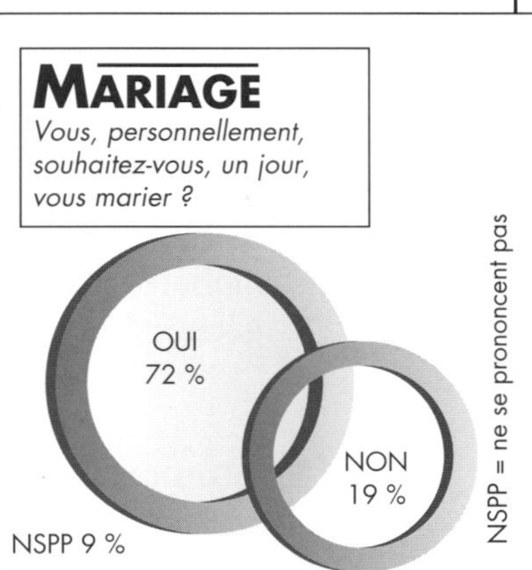
MARIAGE
Vous, personnellement, souhaitez-vous, un jour, vous marier ?
OUI 72 %
NON 19 %
NSPP 9 %
NSPP = ne se prononcent pas

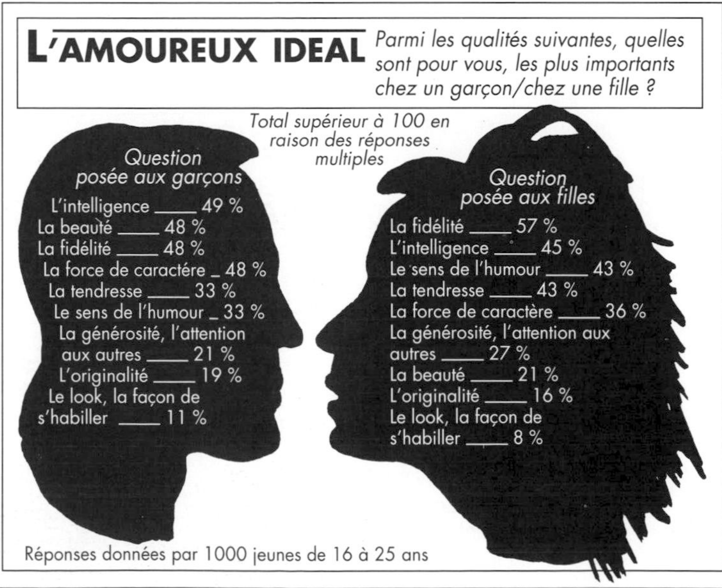
L'AMOUREUX IDEAL
Parmi les qualités suivantes, quelles sont pour vous, les plus importants chez un garçon/chez une fille ?
Total supérieur à 100 en raison des réponses multiples
Question posée aux garçons
L'intelligence ____ 49 %
La beauté ____ 48 %
La fidélité ____ 48 %
La force de caractère _ 48 %
La tendresse ____ 33 %
Le sens de l'humour _ 33 %
La générosité, l'attention aux autres ____ 21 %
L'originalité ____ 19 %
Le look, la façon de s'habiller ____ 11 %
Question posée aux filles
La fidélité ____ 57 %
L'intelligence ____ 45 %
Le sens de l'humour ____ 43 %
La tendresse ____ 43 %
La force de caractère ____ 36 %
La générosité, l'attention aux autres ____ 27 %
La beauté ____ 21 %
L'originalité ____ 16 %
Le look, la façon de s'habiller ____ 8 %
Réponses données par 1000 jeunes de 16 à 25 ans

SOMMAIRE

Entre amis...

Voici trois extraits de lettres parues dans la page «Courrier» d'un magazine pour jeunes.

Florence

J'ai seize ans et demi et j'ai une amie de dix-huit ans. Et c'est d'elle que vient le problème : elle est vraiment trop jalouse, trop exclusive. Par exemple, elle refuse de s'intégrer, de discuter avec les autres filles du lycée et, surtout, elle m'en empêche ! Oui, je n'ai pas le droit de discuter avec quelqu'un d'autre qu'elle. Je suis bien embêtée parce que beaucoup de filles de ma classe recherchent ma compagnie. Et il suffit que je parle à l'une d'entre elles pour que mon amie me fasse la tête toute la journée...

Antoine

Je me sens terriblement seul. J'ai un seul copain et quand il ne veut pas sortir, je ne sais vraiment pas vers qui me tourner. A seize ans, on a envie d'avoir pleins d'ami(e)s, mais moi je suis seul et j'ai l'impression de gâcher ma jeunesse.

Marie-Ange

Sophie est ma meilleure amie. Elle est brune, et assez ronde. Moi, je suis châtain clair et plutôt fluette. Quand on est ensemble, tout le monde nous remarque. Par exemple, nous avons acheté cet été les mêmes maillots et les mêmes fringues mais de couleurs différentes. Ce qui nous plaît, c'est de nous habiller pareil. Ça fait de l'effet, croyez-moi.

1 Qui a écrit ça ?

Lisez les extraits des lettres. Copiez la lettre de la phrase, et à côté, mettez le nom de la personne qui a écrit ça.

- **a** Moi, j'ai une très bonne copine.
- **b** J'ai une copine mais elle ne me laisse pas de liberté.
- **c** Je n'ai pas assez de copains et de copines.
- **d** Je ne peux pas parler avec qui je veux.
- **e** Ma copine ne fait pas d'efforts pour être acceptée par les autres.
- **f** Nous adorons porter les mêmes vêtements.
- **g** Je voudrais avoir beaucoup de copains et de copines.
- **h** Je suis assez mince.
- **i** Je suis assez populaire avec les gens de mon âge.
- **j** Si je discute avec une autre personne, ça ne plaît pas à ma copine.

2 Mariez-les

Trouvez dans la colonne de droite les équivalents des mots imprimés dans la colonne de gauche. Ecrivez les paires de mots qui veulent dire la même chose.

– assez ronde	– ça se remarque
– fluette	– parler
– des fringues	– ennuyé
– ça nous plaît	– un peu grosse
– habillées pareil	– très mince
– ça fait de l'effet	– des vêtements
– discuter	– ne pas profiter de
– embêté	– nous aimons
– gâcher	– portant les mêmes vêtements

3 Mon meilleur ami

Lisez et comprenez les expressions ci-dessous. Ecoutez Sébastien, Annie et Nicolas parler de leur meilleur(e) copain/copine. Pour chaque personne, trouvez l'intrus (c'est-à-dire l'idée que vous n'entendez pas).

Sébastien

Matthieu est un excellent copain.
Sébastien et Matthieu s'entendent bien.
Matthieu ne répète rien.
Il est sportif.
Il adore le cinéma.
Il donne des conseils.

Annie

Sa copine Véronique est géniale.
Elle écoute avec attention.
Elle est généreuse.
Elle donne son avis franchement.
Annie et Véronique partagent tout.
Elles rigolent bien ensemble.

Nicolas

Sa meilleure amie, Annabelle, est super sympa.
Ils ne sont pas amoureux.
Ils éprouvent de l'amitié l'un pour l'autre.
Ils ont grandi ensemble.
Annabelle le fait rire.
Elle donne son opinion sincèrement.

4 Les qualités d'un ami

Travaillez à deux. Lisez la liste de qualités d'un(e) ami(e). Assurez-vous que vous comprenez ces qualités. Ajoutez-en d'autres si vous voulez. Classez ces qualités en ordre d'importance. Si vous avez besoin d'aide, utilisez les expressions de Pour communiquer.

Qualités d'un(e) ami(e)

Un(e) ami(e) :
- *est toujours prêt(e) à vous aider*
- *n'hésite pas à vous dire la vérité*
- *vous fait rire*
- *garde des secrets*
- *aide à résoudre les problèmes*
- *porte les mêmes fringues que vous*
- *aime sortir avec vous.*

On peut tout confier à un(e) ami(e).

On a beaucoup de choses en commun avec un(e) ami(e).

POUR COMMUNIQUER

Classer en ordre d'importance :
Moi, je mettrais ça en premier.
Moi, je mettrais ça en deuxième.
Moi, je mettrais ça en troisième.
Moi, je mettrais ça en dernier.
Et toi ?

5 Amitié fille-garçon

L'amitié entre filles et garçons est-elle possible ? On a posé la question à six jeunes. Voir 7.

6 Qui ou que ?

Faut-il mettre qui ou que ? Réorganisez les phrases ci-dessous en utilisant **qui** ou **que**.

Exemple :

J'adore cette chanteuse.
Cette chanteuse est quelqu'un **que** j'adore.

a J'aime beaucoup cette vedette de cinéma.
b Je déteste ce chanteur pop.
c Ce chanteur chante mal.
d Il admire Alexandre Dumas.
e Alexandre Dumas écrit des romans sans fin.

7 Poème : Mon ami

Lisez le poème ci-contre. Ecrivez un poème semblable sur un(e) ami(e) ou quelqu'un que vous admirez. Utilisez les idées données sur ces deux pages pour vous inspirer.

Quand votre poème sera fini, affichez-le. Lisez tous les poèmes affichés et comparez-les : «personnellement, je préfère...».

8 Ami cherche ami

Chanson de Francis Cabrel.

poème **Michel, 18 ans**

Mon ami, c'est quelqu'un qui sait écouter,
Mon ami, c'est quelqu'un que j'écoute.
Mon ami, c'est quelqu'un qui me conseille.
Mon ami, c'est quelqu'un que je conseille.
Mon ami, c'est quelqu'un qui partage,
Mon ami, c'est quelqu'un que j'admire,
En un mot, mon ami, c'est quelqu'un que j'aime.

BONNE IDEE

qui + verbe
que + sujet (je, tu, il, elle, etc.) + verbe

POINT GRAMMAIRE

Qui ou que

- Mon ami(e) sait écouter.
- Mon ami(e), c'est quelqu'un **qui** sait écouter.

ami(e) / qui = le sujet du verbe ‹‹sait››

- J'admire mon ami(e).
- Mon ami(e), c'est quelqu'un **que** j'admire.

ami(e) / que = le complément d'objet direct du verbe ‹‹admire››

Et si c'était l'amour?

1 Courrier du cœur

Lisez très vite toutes les lettres reçues par un magazine pour jeunes. Lisez les titres des lettres ci-dessous et redonnez son titre à chaque lettre.

IL EST LAID ET JE L'AIME

JE N'OSE PAS LUI PARLER

COMMENT L'EMBRASSER ?

JE VIS UN AMOUR TRAGIQUE

EST-IL EXACT QUE LES GARÇONS N'AIMENT PAS LES FILLES QUI PRENNENT L'INITIATIVE ?

IL DIT QUE JE NE SUIS PAS ASSEZ CONSTANTE

JE VOUDRAIS QUE LES FILLES ME LAISSENT TRANQUILLE

COMMENT CACHER MON EMBARRAS ?

aborder	to approach
pas mal de ma personne	good-looking, pretty
une nana	a girl, woman (colloquial)
j'en ai marre	I've had enough
se dégrader	to deteriorate
rompre avec	to break up with
qu'on a pu	possible
veuille	would want to
je rougis	I blush

Lettre de la semaine

a

Salut ! Je m'appelle Sébastien et j'ai un problème. Voilà : j'aime une fille, c'est vraiment l'amour de ma vie. Elle est dans ma classe mais je ne sais pas comment l'aborder.
Sébastien

b

Je suis un garçon de dix-sept ans, et c'est vrai, je ne suis pas mal de ma personne. Mais je n'en peux plus ! Je ne peux plus discuter avec mes copains tranquillement : dès que je sors, tout un groupe de nanas de douze, treize ans ne me laissent pas un moment de paix ; elles me suivent partout. J'en ai vraiment marre : mes relations avec mes copains se dégradent à cause de ces gamines. Que puis-je faire pour pouvoir vivre ma vie en paix ?
Eric

c

Je vous écris parce que j'ai été obligée de rompre avec le garçon que j'aime à cause de mes origines et de mon éducation ! Elles sont très fortes à l'intérieur de moi et je n'ai pas pu lutter contre elles.
Voici de quoi il s'agit : je m'appelle Nadia, j'ai dix-huit ans et je suis marocaine. Chez nous, en particulier dans ma famille, une fille doit rester vierge jusqu'à son mariage. Quand j'ai rencontré Tabar, qui est marocain lui aussi, j'ai été irrésistiblement attirée vers lui. Pendant un mois et demi on est sorti ensemble, on s'est donné tous les baisers qu'on a pu et puis il a voulu aller plus loin. «Tabar, pas ça». «Pourquoi ? Nous en avons envie tous les deux. Tu m'aimes et je t'aime. Nadia, nous ne sommes plus des gamins.» «Tu as raison, mais tu sais que je ne peux pas. Je ne le ferai jamais avant le mariage.» Le jour de cette discussion, il m'a quittée brusquement, très en colère. Le soir je n'en ai pas dormi. Je savais qu'il avait raison et je le comprenais. Mais j'aurais voulu que lui aussi me comprenne et accepte mon refus.
Nadia

2 Mots imbriqués

Trouvez dans les lettres les mots qui correspondent aux définitions suivantes. Rayez-les dans la grille qui se trouve 8 et il vous restera 12 lettres qui forment le mot dont la définition est : «décrit une personne dont on est très amoureux.»

- **a** Faire la bise = ... (9)
- **b** Faire la bise = donner un ...... (6)
- **c** Il ne me trouve pas bien = je ne lui ...... (5) pas
- **d** Une fille qui ressent de l'amour = elle est ...... (9)
- **e** Elle est jolie = elle est ...... (8)
- **f** Il n'ose pas lui parler le premier = il n'ose pas l'...... (7)
- **g** Nous nous disputons de plus en plus = les choses se ...... (9) de plus en plus
- **h** Qui n'est plus à la mode, qui est démodé = ... (5+3)
- **i** Prendre l'initiative = faire le premier ...... (3)
- **j** Se défendre contre un sentiment très fort = ... (6)
- **k** Qui n'a pas eu de rapports sexuels = ... (6)
- **l** Comme par un champ magnétique = ... (7)
- **m** Vouloir, désirer = avoir ...... (5)
- **n** Mot familier pour enfant = ... (5)
- **o** Exagérer la vérité sur soi-même = se ...... (6)
- **p** J'ai joué de l'argent sur un fait = j'ai ...... (5)
- **q** Mot très très familier pour «un homme» = un ...... (3)
- **r** Un garçon ou une fille avec qui on sort = un ...... (5)

BONNE IDEE

Avez-vous compris tous les mots que vous avez trouvés ?
Oui ? Bravo !
Non ? Cherchez-les dans un dictionnaire.
Dans tous les cas, inscrivez-les dans votre banque de données et apprenez-les.

d

Comment faire : j'ai seize ans et je suis amoureuse folle d'un copain de mon frère. Je le vois souvent, mais il ne semble pas me remarquer. Je suis sûre que je ne lui plais pas. Que dois-je faire ? Est-il vrai que les mecs sont vieux jeu et qu'ils n'apprécient pas les nanas qui font le premier pas ?
Véronique

Je m'appelle Léa, j'ai 18 ans et demi. Je refuse de sortir avec des copains car j'ai peur que l'un d'eux veuille m'embrasser et qu'il se moque de moi si je ne sais pas lui rendre son baiser.
Léa

f

Aidez-moi ! Je m'appelle Thierry et j'ai dix-huit ans. J'ai un gros problème : je rougis quand je parle aux filles. Pourtant, j'aimerais tellement sortir avec une nana géniale qui est dans ma classe. Comment faire pour l'inviter sans devenir écarlate?
Thierry

Depuis deux mois, je suis très amoureuse de K, un garçon de ma classe. Seulement, je ne sais pas comment lui dire que j'aimerais sortir avec lui. Pour le rendre jaloux, je lui ai parlé de mes précédents flirts et surtout de M, le dernier. Mais cela n'a pas eu sur lui l'effet que j'espérais. K a dit à deux copains communs qu'il serait bien sorti avec moi si je ne changeais pas aussi vite de flirt.
M

g

Voilà, j'ai seize ans et sans me vanter, je me trouve plutôt mignonne. Il y a deux mois, j'ai parié avec ma meilleure amie que je sortirais avec le mec le plus laid du lycée. J'ai gagné mon pari… mais je me suis rendu compte que petit à petit, j'étais tombée amoureuse de lui ! J'ai eu le malheur de le dire à ma copine qui m'a tout simplement ri au nez. Elle est même allée le raconter à tout le monde au lycée…
Anne

CUBITUS

AIMEZ-VOUS LES UNS LES AUTRES

!

!! o

AIMEZ-VOUS LES UNS LES AUTRES

JE T'AIME!

©1988 LOMBARD/DUPA

3 Ecrire au courrier du cœur : la formule

Les lettres écrites au «courrier du cœur» semblent toutes suivre la même formule ; à quelques exceptions près, elles ont quatre éléments :

- Identification : nom, âge.
- Exposé de l'histoire qui précède le problème : qui, où, quand, les relations, etc.
- Présentation du problème.
- Appel au secours.

Exemple :

Je m'appelle Myriam, j'ai 18 ans et je suis d'origine algérienne.
La semaine dernière, j'ai rencontré un type extraordinaire qui m'a plu immédiatement ; son franc sourire m'a tout de suite attirée et nous avons vite sympathisé. Nous voudrions sortir ensemble.
Mais voilà, il est français et comme mes parents sont très stricts, j'ai peur qu'ils ne l'acceptent pas.
Comment faire pour avoir un peu de liberté ensemble?

Relisez les lettres et relevez deux ou trois exemples pour chaque élément de la formule.

Imaginez que vous avez un problème : écrivez une lettre au «courrier du cœur» pour demander de l'aide. Puis mettez votre lettre dans une boîte avec les autres lettres de la classe.

Imaginez que toute la classe est l'équipe d'édition d'un magazine. Voici les ordres de l'éditeur en chef à chaque personne : «Lisez une des lettres qui est dans la boîte. Décidez si le problème exposé est grave ou pas et s'il va être publié ou pas ; écrivez votre décision au bas de la lettre et affichez-la.»

4 La vie en rose
Chanson d'Edith Piaf.

Le passé composé

Exemples tirés du texte :
– J'ai rencontré Tabar.
– On est sorti ensemble.

● **Formation**
Le passé composé se compose de deux parties :

Auxiliaire	+ participe passé	
avoir ou **être**	+ **verbe** finissant en	-é -i -u/û -it -is -aint/eint/oint -ert

▶ Trouvez d'autres exemples de verbes au passé composé dans les lettres pages 14 et 15.

Les verbes qui utilisent **être** sont :
● Les verbes de mouvement :

aller venir
partir arriver
rester tomber
sortir entrer retourner
monter descendre
naître mourir

● Les verbes formés à partir de ces 13 verbes :

venir → devenir, parvenir, survenir
entrer → rentrer

● Les verbes réflexifs :

se réveiller, se lever, se laver, s'amuser, etc.

DEFIS GRAMMATICAUX

a Pour aider les étudiants à retenir les 13 verbes qui prennent **être** au passé composé, les profs inventent souvent des anagrammes avec les initiales de ces 13 verbes :

DR. M.M. PARAVENTS MR. VANS TRAMPED
MR. VAN DE TRAMPS MR. DAMP'S TAVERN

Ajoutez l'anagramme que vous avez apprise, si elle est différente. Ecrivez les lettres des anagrammes les unes sous les autres. A côté de chaque lettre, écrivez le verbe qui correspond (sans regarder la liste ci-dessus !).

b Jouez à deux personnes : le ping-pong verbal.

Premier jeu
1
sortir
1
tu
2
être
2
tu es sorti
1 point

Puis changez de rôle.

c *Histoire d'un amour.* Ecoutez la cassette et décidez quel dessin ne va pas dans l'histoire que vous entendez.

Rose
BLeU
Collège
LYCÉE

Ecoutez encore la cassette et essayez de relever tous les participes passés que vous entendez. Travaillez avec une autre personne et comparez vos listes. Faites une liste de vos deux listes et écoutez encore la cassette pour vérifier. Composez, oralement ou par écrit, une autre histoire d'amour en utilisant tous ces participes passés.

d Pour plus d'exercices, voir **9** et **10**.

Travail de recherche

Vous avez une semaine pour réaliser ce travail, à l'école ou à la maison. Travaillez en petits groupes de deux ou trois.

Outils :
- votre mémoire,
- la table des verbes page 244.

Trouvez des exemples de participes passés pour chacune des terminaisons (*endings*) imprimées dans le tableau en haut de la page à gauche :

participes passés en	exemples
-u	attendu reçu vu
-is	pris surpris

Organisez vos résultats en grands groupes de participes passés. Décidez du support visuel qui vous aidera le mieux à vous souvenir de ces grands groupes : par exemple, un poème, une affiche. Réalisez-le et affichez-le.

On passe devant monsieur le maire ou pas ?

L'UNION LIBRE ET LA LOI

Très répandu chez les jeunes couples, le concubinage est exposé à des règles de plus en plus précises.

BNP
GIANTS

Enfin des mesures qui facilitent la vie des couples modernes

Aucune obligation ou presque : tel est le contrat tacite passé entre deux personnes choisissant l'union libre. Mais la loi, permet d'organiser le concubinage.

Prouver la vie commune

Aucun texte de loi ne justifie l'existence d'un couple hors mariage. Pour des demandes particulières de l'administration, la mairie ou le commissariat peut établir un certificat de vie maritale (gratuit).

La cohabitation est facilitée

En cas de location, comme en cas d'achat, des arrangements sont prévus pour permettre aux couples qui ne sont pas passés devant monsieur le maire d'avoir un toit.

L'administration les reconnaît

Pour la Sécurité sociale, le compagnon ou la compagne sont reconnus.

Un couple en union libre a droit aux cartes de réduction SNCF et autres avantages professionnels.

L'état civil est intraitable : une concubine ne pourra jamais porter le nom de son concubin.

1 Mariage ou concubinage ?

Les mots et expressions suivants sont groupés par deux ou trois. Chaque groupe représente la même idée, mais un ou deux mots s'appliquent au couple marié, deux ou un, au couple hors mariage.

se marier - cohabiter
passer devant monsieur le maire - vivre maritalement
vivre ensemble - convoler en justes noces
l'union libre - le mariage
l'épouse - la compagne - la concubine
le concubin - l'époux - le compagnon
la femme - la bonne amie
le mari - le bon ami
divorcer - se séparer

Faites un tableau à deux colonnes : Couple marié et Couple hors mariage. Ecrivez chacun des mots ou expressions dans la bonne colonne. Utilisez le texte ou un dictionnaire pour vous aider. Trouvez un autre mot pour «l'union libre» dans le texte.

2 Débat : Mariage ou union libre ?

Un prof a organisé un débat sur les avantages et les inconvénients du mariage et de l'union libre. Ecoutez ce débat et relevez les arguments pour le mariage d'une part et les arguments pour l'union libre de l'autre.

le but	the goal, the aim
se rendre compte	(*ici*) to recognise
un mariage à l'essai	a trial marriage
en fin de compte	all told
les sentiments de mes parents	my parents' feelings
faire confiance	to trust
protéger	to protect
en revanche	on the other hand
la loi ne prévoit pas	the law does not cater for
les allocations familiales	family allowance
les impôts	(income) tax

3 A votre tour

Travaillez en deux groupes : un groupe est le défenseur du mariage et l'autre groupe est le supporteur de l'union libre. Chaque groupe prépare des arguments pour défendre sa position.

Vous pouvez, bien sûr, utiliser les idées que vous avez rencontrées en écoutant la cassette et dans l'article *L'union libre et la loi*. Utilisez aussi les expressions de Pour communiquer.

Après environ 10 à 15 minutes, la classe travaille encore ensemble et organise une discussion sur le mariage et l'union libre.

POUR COMMUNIQUER

Contribuer à un débat

(Pour intervenir)
A ce propos...
Puisqu'on parle de ça, je voudrais dire/ajouter/ faire remarquer que...
Je suis de ton/votre avis, mais...
Il faut aussi se souvenir que...

(Pour résumer les arguments)
En fin de compte
Ce que tu proposes, en fait, c'est...
Ce que tu dis, en fait, c'est...

Mariage à la française

En France, un jeune couple, pour être marié, peut avoir à se soumettre à deux cérémonies : une cérémonie civile et une cérémonie religieuse.

Le seul mariage qui compte aux yeux de la loi est le mariage civil qui se passe à la mairie de la commune où un des futurs conjoints habite. Six semaines avant leur mariage, l'homme et la femme doivent faire publier les bans de leur mariage aux mairies des communes où ils résident. Chacun est obligé de passer une visite médicale prénuptiale pour s'assurer qu'il ne souffre pas de diverses maladies (la tuberculose, certaines maladies sexuellement transmissibles, mais toujours pas le Sida) et pour s'assurer aussi que leurs groupes sanguins sont compatibles. Le médecin signe un papier spécial qui doit être remis à la mairie où le mariage va avoir lieu. On peut se marier tous les jours, sauf le dimanche.

C'est le Maire ou son Adjoint qui officie. Le Maire (ou son Adjoint) porte une ceinture bleu blanc rouge; il lit les extraits appropriés du Code Civil et demande au jeune homme: «Acceptez-vous de prendre Mademoiselle ... pour légitime épouse ?» Un seul mot suffit en guise de réponse : oui (ou non !). Le Maire pose ensuite la même question à la jeune femme qui ne répond que d'un mot. Puis les deux mariés et deux témoins, un pour la mariée et un pour le marié, apposent leurs signatures sur le registre des mariages. Le Maire déclare la femme et l'homme «unis par les liens du mariage» et leur remet, en plus de leur certificat de mariage, leur livret de famille qui est le document officiel où tous les événements légaux de leur vie de couple vont être enregistrés, à commencer par leur mariage, puis la naissance de leurs enfants (s'ils en ont), leur divorce (s'ils divorcent), la mort des conjoints.

Si le couple veut un mariage religieux, il doit se marier deux fois, une fois à la mairie et une fois à l'église de son choix. Généralement, la cérémonie civile a lieu le vendredi soir ou le samedi matin de bonne heure et la cérémonie religieuse se passe le samedi matin vers onze heures.

La cérémonie est souvent suivie d'un vin d'honneur où les amis et connaissances qui n'ont pas été invités au repas de noce viennent prendre un verre avec les mariés et offrir leurs vœux de bonheur. A certains mariages, le repas de noce peut durer cinq ou six heures pendant lesquelles les invités mangent, bien sûr, mais aussi chantent. Il est souvent suivi d'un bal de noce pendant lequel le marié et la mariée dansent avec leurs invités. La mariée déchire son voile en petits morceaux qu'elle distribue aux invités pour leur porter bonheur. Vers minuit ou une heure du matin, les mariés essaient de s'échapper sans être vus. Une ou deux heures plus tard, le reste de la noce part à leur recherche pour leur porter la soupe à l'oignon... au lit !

Les mariés ne partent en général pas en voyage de noce avant le lendemain de leur mariage.

Madame Georges Merlet
Monsieur et Madame Charles Guillemand

Monsieur et Madame Le Poulain
Monsieur et Madame Bertrand
Madame Alain Bertrand

ont la joie de vous faire part
du mariage
de leurs petits-enfants et de leurs enfants
Laetitia et Marc
et vous invitent
à participer ou à vous unir par la prière
à la messe de mariage
qui sera célébrée
le 27 avril
à 11 heures 30
en l'église Notre-Dame de la Charité

20, rue des Petits Pas, 49100 Angers
35, allée des Tanneurs, 35100 Rennes

16, avenue Foch, 33100 Bordeaux
1, rue Mille-Fleurs, 17350 Nieul-sur-Mer
49, rue du Port, 17100 La Rochelle

avoir lieu	to take place
une ceinture	*(ici)* a sash *(normalement)* a belt
code civil	official text, common law
un(e) conjoint(e)	a spouse
déchirer	to tear
un époux, une épouse	a spouse
le groupe sanguin	blood group
la loi	the law
la noce	the wedding
le Sida	aids
se soumettre	to be subjected
suivi	followed
un témoin	a witness
un voile	a veil

1 Faits sur le mariage en France
Lisez le texte *Mariage à la française*. Recopiez le texte ci-contre et identifiez d'abord les erreurs en les soulignant. Ensuite corrigez les erreurs.

Vous trouverez peut-être plus facile de copier le texte en utilisant un programme de traitement de texte. Cela permet de changer le texte plus facilement.

Exemple :

- En France, un homme et une femme qui veulent se marier <u>choisissent</u> la cérémonie qu'ils veulent : civile ou religieuse.
- En France, un homme et une femme qui veulent se marier ne peuvent pas choisir la cérémonie qu'ils veulent : civile ou religieuse.

◆ En France, un homme et une femme qui veulent se marier choisissent la cérémonie qu'ils veulent : civile ou religieuse. S'ils veulent leur union bénite par un prêtre, ils se marient à l'église.

La seule formalité à remplir avant le mariage est de faire publier les bans. Pendant la cérémonie du mariage, le marié et la mariée doivent répéter plusieurs longues phrases après le maire. A la fin de la cérémonie à la mairie, les mariés reçoivent seulement un livret de mariage. Le livret de mariage est un document sans importance. Au vin d'honneur, les invités offrent leurs condoléances aux mariés. La soupe à l'oignon est un plat traditionnel servi pendant le repas de noce. Au milieu de l'après-midi, les mariés se changent et partent en voyage de noce.

Déjà vu

L'âge légal pour le mariage : pour une femme ? pour un homme ?
Vérifiez pages 8-9.

2 Synonymes
Trouvez dans le texte *Mariage à la française* les synonymes des mots et expressions suivants :

a le mari
b la femme
c ils habitent
d prendre place (2 expressions différentes)
e avant le mariage
f le papier doit être porté ou envoyé
g signent
h le mariage à l'église
i la cérémonie à la mairie
j partir en lune de miel

3 Unis pour le meilleur et pour le pire
Ecoutez *Unis pour le meilleur et pour le pire.*
Y a-t-il des différences entre les cérémonies de mariage en France et au Québec ? Notez-les sous forme de tableau.

France	Québec
En France, quand on veut se marier à l'église, on doit se marier deux fois.	

GRAMMAIRE

L'infinitif

- Après un autre verbe (excepté avoir et être), un verbe se met à l'infinitif, c'est-à-dire qu'il se termine en **-er** ou **-ir** ou **-re**.

Exemples :
- l'homme et la femme doivent **faire publier**...
- Les amis viennent prendre un verre.

- Après **à**, **de**, **pour**, **sans**, un verbe se met à l'infinitif.

Exemples :
- un couple peut avoir à **se soumettre**
- chacun est obligé de **passer** une visite.

DEFIS GRAMMATICAUX

a Trouvez cinq autres exemples dans le texte *Mariage à la française* de verbes à l'infinitif après un autre verbe.

b Trouvez trois autres exemples dans le texte de verbes à l'infinitif après **de**.

c Traduisez en français :
A French couple who want to get married must do several things.
Before the wedding day, the man and the woman have to publish the bans and go through a medical examination.

d Pour plus d'exercices sur l'infinitif, voir **11**.

La vie à deux... un début et une fin

MARIAGE (En France)

Reprise après 15 ans de baisse • Un mariage sur dix concerne au moins un époux étranger • Le taux de célibat pourrait atteindre 45% à l'âge de 50 ans • Couples : être heureux ensemble et séparément • Pressions sociales et religieuses moins fortes que par le passé • Age moyen au mariage en hausse • Homogamie et endogamie toujours fortes.

30 ans de mariage

Evolution du nombre de mariages annuel (en milliers)

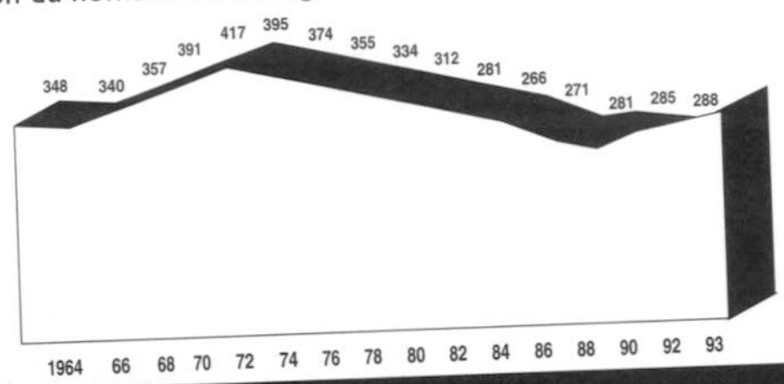
348
340
357
391
417
395
374
355
334
312
281
266
271
281
285
288
1964 66 68 70 72 74 76 78 80 82 84 86 88 90 92 93

COHABITATION (Quelques pays francophones)

Pourcentage de personnes vivant maritalement :
- en France 6,7
- en Belgique 3,2
- au Luxembourg 3,0

La nuptualité dans le monde

(Nombre de mariages pour 1 000 habitants en 1993)

FRANCE 4,9
Belgique 5,7
Canada 7,3

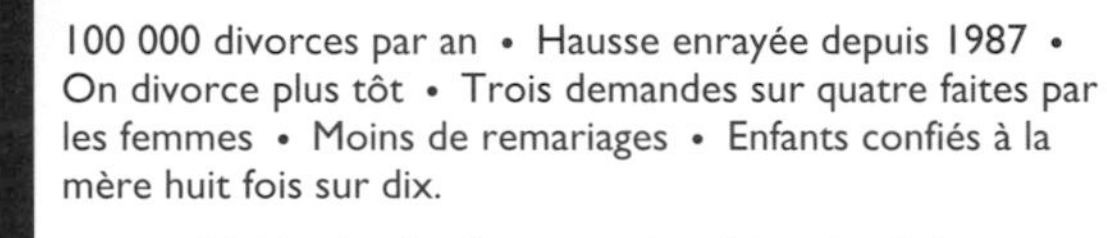

DIVORCE (En France)

100 000 divorces par an • Hausse enrayée depuis 1987 • On divorce plus tôt • Trois demandes sur quatre faites par les femmes • Moins de remariages • Enfants confiés à la mère huit fois sur dix.

10 fois plus de divorces qu'au début du siècle

Evolution du nombre de divorces annuel (en milliers)

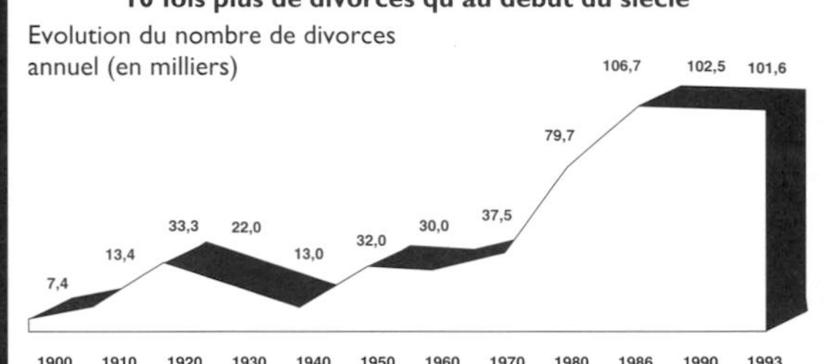
7,4
13,4
33,3
22,0
13,0
32,0
30,0
37,5
79,7
106,7
102,5
101,6
1900 1910 1920 1930 1940 1950 1960 1970 1980 1986 1990 1993

1 **Au fait ! La vie à deux...**
Un proverbe allemand dit : «Le mariage, contrairement à la fièvre, commence par le chaud et finit par le froid.»

En vous servant des statistiques données sur cette page, écrivez un paragraphe en français :
- dites si vous êtes d'accord ou pas avec le proverbe allemand ;
- justifiez votre position.

Dans un dictionnaire, recherchez les mots :
- le nombre de, le pourcentage de, le taux de
- en hausse, en augmentation, augmenter
- en baisse, baisser, en diminution, diminuer, en régression, régresser.

2 **Les enfants du divorce**
La présence d'enfants dans un couple ne semble pas influencer la décision de divorcer. Mais comment les enfants de parents divorcés vivent-ils la séparation ? Regardez 12.

Travail de recherche

Le mariage dans votre pays

Un ami français vous a demandé d'écrire un reportage sur le mariage dans votre pays pour le magazine de son école.

Si vous n'en êtes pas sûr(e), recherchez les grands moments d'un mariage dans votre pays. Pour trouver des renseignements, interrogez des adultes ou consultez des ouvrages à la bibliothèque municipale.

Inspirez-vous du passage du n°1 de la page 19 pour écrire un reportage d'environ 130 mots sur le mariage dans votre pays. Pour la présentation, si vous voulez .

3 Une école pour la réussite ?

Thèmes	Communiquer	Grammaire
• L'éducation • L'orientation • Préparation pour l'avenir	• Exprimer la possibilité • Contraster des événements	• L'impératif • Le futur • Les adjectifs

la solution pour bien choisir votre avenir.

BIEN CHOISIR SON ECOLE DE COMMERCE

PHILIPPE MANDRY

Un titre parmi près de 80 déjà parus :

l'Etudiant PRATIQUE

EN VENTE EN LIBRAIRIE

DU MERCREDI 25 AU SAMEDI 28 MARS 1992
(de 9 à 18 h)

salon européen étudiant

Mes études, mon métier, avec 800 universités de 23 pays

PARC EXPOSITIONS BRUXELLES - PALAIS 7 & 11 (métro Heysel)

POUR EN SAVOIR PLUS, CONTACTEZ : SALON EUROPÉEN DE L'ÉTUDIANT - RUE DE LA CASERNE 86 - 1000 BRUXELLES - TEL 02/502 54 96 - FAX 02/514 48 18.

RENAULT

RTT
BELGACOM

21
RADIO

Crédit Communal

LE VIF L'EXPRESS

LA LIBRE BELGIQUE

Métro, boulot, dodo... C'est pas une vie, ça Zazie !

A bas le collège
Vive le lycée

A l'école, orientons-nous
toutes directions.
Aujourd'hui, les métiers n'ont pas de sexe.
MINISTÈRE DES DROITS DE LA FEMME

Le bac, une porte sur la vie ? Ou la porte fermée aux loisirs ?

SOMMAIRE

L'organisation de l'enseignement en France

En France, les études sont organisées de la manière suivante :

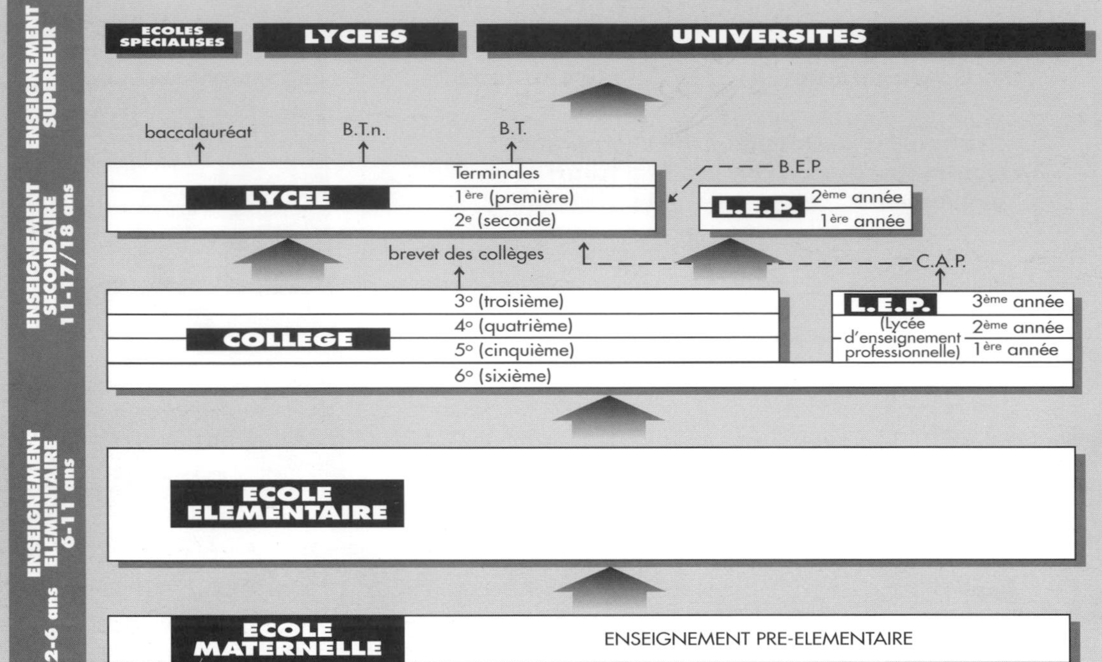

ENSEIGNEMENT SUPERIEUR
ECOLES SPECIALISES
LYCEES
UNIVERSITES
baccalauréat
B.T.n.
B.T.
ENSEIGNEMENT SECONDAIRE 11-17/18 ans
Terminales
LYCEE
1ère (première)
2e (seconde)
B.E.P.
L.E.P.
2ème année
1ère année
brevet des collèges
C.A.P.
3e (troisième)
COLLEGE
4e (quatrième)
5e (cinquième)
6e (sixième)
L.E.P.
(Lycée d'enseignement professionnelle)
3ème année
2ème année
1ère année
ENSEIGNEMENT ELEMENTAIRE 6-11 ans
ECOLE ELEMENTAIRE
2-6 ans
ECOLE MATERNELLE
ENSEIGNEMENT PRE-ELEMENTAIRE

Examens
B.E.P. Brevet d'Etudes Professionnelles
B.T. Brevet de Technicien
B.T.n. Baccalauréat de Technicien
C.A.P. Certificat d'Aptitude Professionnelle

1 **Les structures de l'enseignement en France**
Retrouvez les mots qui manquent en utilisant les renseignements donnés par le diagramme ci-dessus pour vous aider. Ecrivez les numéros des mots qui manquent, suivis des mots que vous pensez justes.

Même si la scolarité n'est pas encore obligatoire, je suis entrée à l'école ① à l'âge de 5 ans. A 6 ans, la scolarité devient obligatoire ; à cet âge-là, je suis entrée à l'école ② où tout s'est bien passé.

A 11 ans, je suis allée au ③ comme tout le monde. J'ai commencé à apprendre l'allemand et en quatrième, je me suis mise à l'anglais. A 15 ans, à la fin de la ④, j'ai quitté le ⑤ pour aller au ⑥ où j'ai suivi une filière scientifique.

En juin dernier, j'ai passé le bac S ; c'est un bac ⑦. J'ai choisi de ne pas aller à l' ⑧ : j'ai préféré rester au lycée, en maths spé où je prépare une ⑨ pour me diriger vers les finances. C'est vachement difficile : il faut travailler sans arrêt, ou... comme on dit en argot étudiant, on chiade dur...

Note : Maths spé est la classe préparatoire aux grandes écoles pour les spécialistes de mathématiques.

2 **Quelles études ont-ils suivies ?**
Ecoutez la cassette. Ecrivez, sous forme de notes, la route suivie par chaque personne qui parle.

Exemple :
Armelle : – 2 ans et demi : école maternelle
- 6 ans et demi – 11 ans : école élémentaire
- 11 ans – 16 ans : collège (a fait deux classes de sixième)
- Est maintenant au lycée en seconde
- Veut faire une «première A»
- Veut passer un bac littéraire
- Ne sait pas quoi faire plus tard

Thierry

Armelle

Fatoumata

BONNE IDEE

Pour prendre des notes, écrire seulement les mots-clés.

AU FAIT

LES GRANDES ECOLES

- Parmi les établissements d'enseignement supérieur, les grandes écoles ont une place privilégiée. Elles ont la réputation d'assurer un enseignement de très haute qualité. Elles forment les cadres supérieurs dans beaucoup de professions. Pour entrer dans une grande école, il faut réussir un concours.
Quelques grandes écoles :
- Les Ecoles Normales Supérieures comme La Rue d'Ulm ou Sèvres préparent à l'enseignement.
- L'ENA (l'Ecole Normale d'Administration) prépare aux postes importants de l'administration.
- Polytechnique n'est pas une sorte d'université, mais une grande école militaire.

Les différents bacs	
Bacs généraux	
L	Littéraire
S	Scientifique
ES	Economique et social
Bacs techniques	
STI	Sciences et techniques industrielles
STT	Sciences et techniques du tertiaire
STL	Sciences et techniques du laboratoire
SMS	Sciences médico-sociales

le cadre supérieur
préparer à l'enseignement
la scolarité
obligatoire
suivre des études
être en (+ classe)
une filière
un débouché

A rechercher dans un dictionnaire et à mettre dans la banque de données. (Voir page 4.)

3 **Prononcez : tout un tas de...**
Exercice de prononciation.

4 **Travail de préparation**
Préparez des notes sur votre scolarité. Assurez-vous que vous couvrez bien tous les grands moments :
- Commencement de la scolarité
- Entrée à l'école primaire + une impression
- Entrée à l'établissement d'enseignement secondaire + une impression
- Les espoirs pour l'avenir.

Exemple :
Commencé école à 3 ans : école maternelle
7 ans : entrée école primaire (copine Emma)
11 ans : entrée collège ; français ; collège très grand

5 **Travail oral**
Parler à partir des notes que vous avez écrites. Choisissez un des exercices suivants.

Soit :

Parler publiquement. Pratiquez seul(e) chez vous à voix haute et parlez 2 ou 3 minutes devant vos camarades de classe.

Ou :

Préparer un dossier sonore sur les études dans votre pays : sur une cassette, enregistrez les grands moments de votre scolarité.

Exemple :
«A l'âge de 3 ans, je suis allé(e) à l'école pour la première fois. C'était à l'école maternelle. Puis, à 7 ans, je suis entré(e) à l'école primaire. J'ai été content(e) de retrouver ma copine Emma...»

Du collège au lycée

LYCEE
CLAUDE
MONET

A la fin de la classe de troisième, à l'âge de 15-17 ans, les jeunes Français finissent le premier cycle d'enseignement secondaire : ils quittent le collège pour aller au lycée où ils suivent le deuxième cycle d'enseignement secondaire.

Au point a demandé à quelques jeunes Français s'ils préféraient le collège ou le lycée. La grande majorité des jeunes préfère le lycée. Voici leurs raisons.

Je préfère le lycée parce qu'on est beaucoup plus indépendant, même s'il y a des fois où c'est difficile à gérer. Je trouve que les cours sont plus pointus qu'au collège et donc beaucoup plus intéressants.
Isabelle (18 ans)

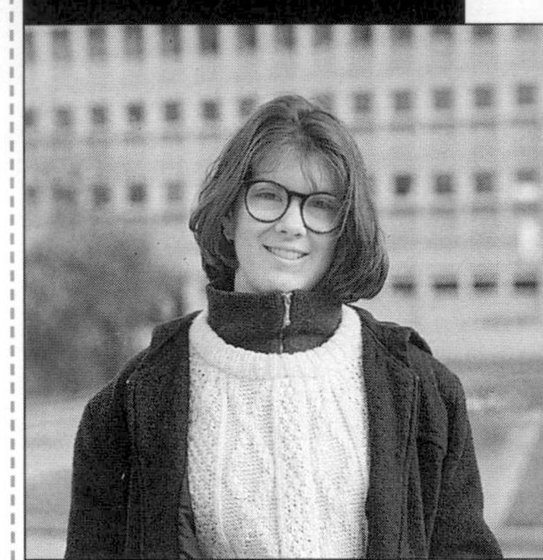

1 **Qui pense quoi ?**
Les phrases ci-dessous résument ce que pensent les jeunes. Ecrivez les numéros des phrases ; à côté, écrivez les noms des jeunes qui pensent ça. (Le chiffre entre parenthèses indique le nombre de personnes à trouver.)

a Le lycée donne la possibilité d'avoir des activités qui plaisent plus. (1)
b Le lycée offre la possibilité de développer des habitudes de travail personnelles. (2)
c Le lycée permet d'apprendre à utiliser ses heures libres aussi bien que possible. (1)
d Le lycée ne permet pas forcément de se sentir en sécurité. (2)
e Le lycée permet plus de liberté. (4)
f Le lycée permet une approche plus spécialisée. (1)
g Le collège permet une ambiance plus familiale. (2)
h Le collège permet un sentiment de sécurité plus fort. (1)

2 **Retrouvez les mots**
Dans les interviews, trouvez des expressions qui veulent dire la même chose que les expressions et phrases suivantes :

Exemple :
administrer au mieux une situation difficile (Isabelle) = gérer

a donne un sentiment de sécurité (Omar)
b ils ne vous aident plus du tout (Omar)
c très proches, très près les uns des autres (Omar)
d qui n'aime pas travailler (Blandine)
e se maintenir au niveau (Blandine)
f qui présente un fort degré de spécialisation (Isabelle)
g un travail qui consiste à écrire des centaines de mots sur un sujet donné (Caroline).

3 **Des adjectifs aux noms et des noms aux adjectifs**
Copiez le tableau suivant et complétez-le. Pour vous aider, utilisez les phrases des jeunes, les phrases de l'exercice précédent ou un dictionnaire monolingue. Pour chaque nom, notez le genre.

Adjectif	Nom
intéressant	intérêt (n.m.)
	facilité
libre	
	indépendance
	autonomie
sécurisant	
	paresse
	difficulté

Déjà vu

Donner le genre (masculin ou féminin) des noms. *Page 10.*

A mon avis, le lycée est mieux que le collège parce qu'on y est plus autonome. On nous laisse gérer notre temps libre : les profs nous donnent tant de temps pour faire une rédaction, et ne disent pas quel soir la faire, combien de temps y passer, etc.
Caroline (17 ans)

Je crois que je préfère le lycée mais ce n'est pas toujours facile : dans le collège, on n'était que 300 élèves... Quand on arrive en seconde dans un lycée on y est un peu perdu, mais on s'habitue vite.
Salif (16 ans)

Je crois que je préfère le collège : c'est plus sécurisant. Au collège les profs nous aident un peu tandis qu'au lycée, ils vous lâchent complètement. Vous êtes perdu au milieu de la foule. Au collège il y a un contact assez soudé, tout le monde se connaît.
Omar (17 ans)

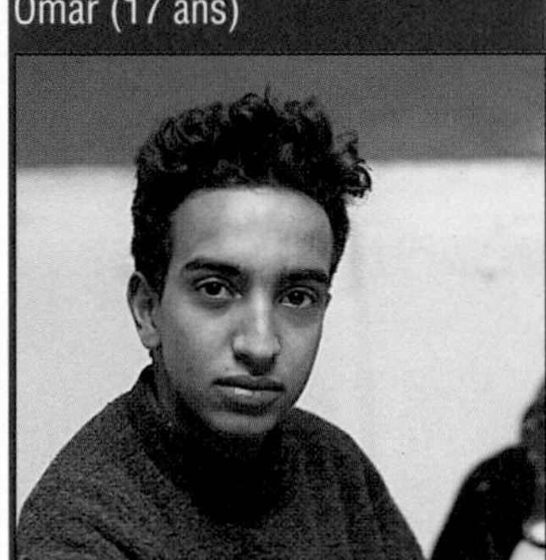

Je préfère le lycée. On a plus de liberté, les profs sont moins derrière nous, on travaille pour nous maintenant, on ne travaille pas pour le professeur. Si on ne travaille pas, c'est tant pis pour nous. Et si on est paresseux et qu'on n'étudie pas, on n'arrivera pas à suivre et donc à continuer.
Blandine (16 ans)

4 Que permet la classe dans laquelle vous êtes ?
Individuellement, faites une liste de toutes les choses que vous permet la classe dans laquelle vous êtes cette année. Pour vous aider, utilisez les mots et les idées rencontrés sur cette double page.

Essayez de varier les verbes qui expriment la possibilité. Comparez chaque possibilité avec ce qui se passait dans la classe où vous étiez l'an dernier. (Voir les expressions de Pour communiquer ci-dessous.)

Exemple :

- Cette année, on a la possibilité de porter ce qu'on veut alors que l'année dernière, on était obligé de porter un uniforme.
- Cette année comme l'année dernière, il y a beaucoup trop de devoirs.

POUR COMMUNIQUER

Exprimer la possibilité
permet (+ nom)
permet de (+ verbe à l'inf.)
donne la possibilité de (+ verbe à l'inf.)
offre la possibilité de (+ verbe à l'inf.)

Contraster des événements
tandis que (différent)
alors que (différent)
en revanche (différent)
comme (pareil)
tout comme (pareil)

Pour la classe entière, il faut une grande feuille de papier et un feutre épais ou 🖫. Chaque étudiant devient secrétaire pour cinq propositions. Un par un, les étudiants font des propositions : «La première permet...». La classe décide si chaque proposition est acceptable. Si elle l'est, elle est inscrite sur le poster, sinon, on écoute une autre proposition. A la fin de l'activité, affichez le poster.

Déjà vu

Comment exprimer accord et désaccord.
Page 3.

5 Personnellement
Choisissez un des sujets suivants :

- Les avantages de ma nouvelle classe sur la classe de l'an dernier.
- Ma nouvelle classe, classe d'ouverture.

Ecrivez un court paragraphe (entre 40 et 60 mots) sur le sujet choisi. Utilisez les mots, les expressions et les phrases que vous avez rencontrés dans ce chapitre d'**Au point** !

BONNE IDEE

Pour écrire un paragraphe bien construit, il faut :
- une introduction de l'idée
- une explication avec un exemple
- une conclusion

Pour un exemple, voir **13**.

Orientation

1 **Définitions**
Regardez les définitions ci-contre données dans un dictionnaire français-français pour les mots «orientation» et «s'orienter».

Pour chaque mot, quelle définition (1, 2 ou ?) correspond au contexte scolaire ? Quelle expression anglaise choisiriez-vous pour traduire «orientation» ?

2 **Jeu de mots**
Retrouvez dans le texte, *Boussole, carte et compas*, les mots qui correspondent aux définitions suivantes. Ecrivez-les horizontalement dans les cases de la grille **14**.

Si vous trouvez tous les mots horizontaux, dans la colonne verticale sombre apparaîtra la clé de beaucoup de problèmes qui se posent aux jeunes des lycées.

- **a** d'après, du point de vue de, en fonction de
- **b** ensemble de caractéristiques et de résultats qu'une personne présente pour un métier
- **c** pensez à (un métier, une option)
- **d** en d'autres mots
- **e** examen sélectif qui permet d'entrer dans une école ou dans un emploi
- **f** le contraire de choisir ou sélectionner
- **g** le meilleur choix, c'est de
- **h** procédé de sélection qui consiste à parler au candidat et à lui poser des questions
- **i** feuille de papier qui confirme que vous avez réussi à un examen
- **j** s'ouvrent sur, donnent accès à
- **k** veulent absolument.

3 **Quel métier choisir si...**
Pour chaque début de phrase ci-dessous, choisissez une fin correcte selon le texte *Boussole, carte et compas*.

ORIENTATION n.f. **1.** Action de déterminer, du lieu où l'on se trouve, la direction des points cardinaux. ◇ *Sens de l'orientation :* aptitude à savoir où l'on se situe, à retrouver facilement son chemin. – SPORTS. *Course d'orientation :* compétition sportive consistant à accomplir à pied, le plus rapidement possible, un parcours balisé, en s'aidant d'une carte et d'une boussole. (Née à la fin du XIXe s., la course d'orientation est devenue un sport olympique.) **2.** Manière dont qqch est disposé par rapport aux points cardinaux. *Orientation plein sud d'une chambre.* **3.** Action d'orienter qqn dans ses études, le choix de son métier. ◇ *Orientation scolaire et professionnelle :* détermination de la meilleure voie, dans l'enseignement secondaire, professionnel et supérieur, en fonction des aptitudes et des motivations du sujet, ainsi que du marché de l'emploi. **4.** Direction prise par une action, une activité. *Orientation d'une enquête.* **5.** Tendance politique, idéologie. 6. MATH. *Orientation d'un espace vectoriel :* répartition de l'ensemble des bases de cet espace en deux classes d'équivalence, celle des bases dites directes et celle des bases dites rétrogrades. (Sur la droite, l'orientation est fixée par le choix des points d'abscisse 0 et 1.) **7.** ÉTHOL. *Réaction d'orientation :* réaction de déplacement ou de stabilisation de la posture provoquée par un stimulus externe (physique ou chimique) provenant d'un objet, d'un congénère ou d'un animal d'une autre espèce.

ORIENTER v.t. (de *orient*). **1.** Disposer (qqch) par rapport aux points cardinaux. **2.** Tourner, diriger (qqch) dans une certaine direction. **3.** Indiquer la direction à prendre à (qqn). *Orienter le public vers la sortie.* 4. Diriger, engager (qqn, une action) dans une certaine voie. *Orienter le débat.* ◇ Spécialt. *Orienter un élève,* choisir pour lui telle voie professionnelle, telles études (en partic. hors du tronc commun ou du cycle long des études secondaires). **5.** Diriger (qqn) vers un service, une personne. *Orienter un malade vers un service spécialisé.*
◆ **s'orienter** v.pr. **1.** Reconnaître, du lieu où l'on est, la direction des points cardinaux. **2.** Trouver, retrouver son chemin. **3.** Tourner son action, ses activités vers (qqch).

Boussole, carte et compas

Capacité et profil

Un choix se fait selon des capacités, mais aussi (surtout?) selon un profil. Autrement dit, n'envisagez pas une carrière dans la politique si vous placez la modestie au premier rang des qualités... Pour les diplômes qui débouchent sur des pratiques trés variées, le problème se pose moins : des ingénieurs et des médecins peuvent travailler aussi bien derrière un bureau que dans la haute vallée de l'Orénoque (Amazonie). Mais d'autres professions exigent des profils assez précis : mieux vaut, par exemple, éviter l'enseignement si vous aimez seulement l'espagnol et pas les enfants. Et puis si vous n'avez pas les dents longues, ne cherchez pas à devenir un jeune loup du commerce. D'ailleurs de plus en plus de concours d'entrée comportent un entretien pour sélectionner les profils.

La destination d'abord, l'itinéraire ensuite

Ne concentrez pas toute votre attention sur les études à suivre. Votre choix est d'abord un choix de profession et donc de vie quotidienne : dentiste est un métier manuel, le libraire ne passe pas son temps à lire, c'est un gestionnaire, et le vétérinaire de campagne doit avoir du muscle pour intervenir dans la mise bas d'une vache.

Débuts de phrases
1 Si vous êtes modeste, ...
2 Si vous désirez travailler dans un bureau ou à l'étranger, ...
3 Si vous n'aimez pas les enfants, ...
4 Si vous n'êtes pas ambitieux, ...
5 Si vous êtes adroit de vos mains, ...
6 Si vous savez gérer des ressources, ...
7 Si vous êtes sportif et fort, ...

Fin des phrases
- **a** ne songez pas à choisir une profession agressive.
- **b** ne négligez pas le métier de vétérinaire.
- **c** n'oubliez pas la profession de médecin.
- **d** pensez au métier de dentiste.
- **e** ne devenez pas prof !
- **f** ne choisissez pas une carrière en politique.
- **g** considérez le métier de libraire.

L'impératif

Viens ! Allons les inviter !
Regarde ces mecs !

Excusez-nous ! Vous dansez ?
Laissez-nous tranquilles !

Soyez chics ! Venez danser !
OK ! Lève-toi et allons-y !

• Usage	• Formation	• Exemples		
Pour donner des ordres. Pour faire des suggestions.	N'existe que pour trois formes du verbe : tu, nous et vous. Prendre le verbe au présent. Rayez le pronom personnel. Attention ! Pour les verbes en **-er**, rayez aussi le **-s** (pour la forme avec tu).	**Infinitif** venir aller laisser regarder	**Présent** tu viens nous allons vous laissez tu regardes	**Impératif** Viens ! Allons ! Laissez ! Regarde !

• **Exceptions**
(seulement trois verbes !) :

avoir	aie	ayons	ayez
être	sois	soyons	soyez
savoir	sache	sachons	sachez

A remarquer :
- La place des pronoms : après le verbe : Excusez-nous ! Lève-toi !
- **Ne ... pas** prend toujours le verbe en sandwich : Ne parle pas ! Ne fais pas de bruit !

Mais le pronom revient devant le verbe : Ne te lève pas !

Pour plus de renseignements sur l'impératif, voir page 241.

---

4 Préparez un guide des carrières
Toute la classe cherche des métiers qui correspondent à un ou plusieurs critères du «hit-parade des critères».

Individuellement, écrivez au moins huit phrases qui pourraient figurer dans un guide des métiers 💾.

Exemples :
- Si vous préférez un métier où la sécurité, l'argent et la responsabilité sont importants, choisissez le métier de fonctionnaire.
- Si vous aimez la tranquillité et la créativité, ne choisissez pas le métier d'agent de police.

Si vous avez utilisé un programme de traitement de texte, mettez tous vos fichiers bout à bout et imprimez-les pour avoir un vrai guide des carrières.

5 Sketch «Chez le conseiller d'orientation»
A deux, préparez un court sketch théâtral : une personne, chercheur d'emploi, refuse toujours toutes les suggestions faites par l'autre personne, le conseiller d'orientation.

Trouvez une chute, c'est-à-dire une fin originale. Jouez votre sketch devant la classe entière ou enregistrez-le avec un caméscope.

Hit-parade des critères

Classez les critères de choix selon vos préférences :

- ☐ Sécurité
- ☐ Argent
- ☐ Responsabilité
- ☐ Tranquillité
- ☐ Créativité
- ☐ Vie de famille
- ☐ Contacts humains
- ☐ Pouvoir
- ☐ Passion pour un sujet
- ☐ Voyages

Même procédé pour les études à suivre :

- ☐ Durée
- ☐ Coût
- ☐ Difficulté
- ☐ Lieu
- ☐ Liberté
- ☐ Méthodes
- ☐ Quantité de travail

Vérifiez ensuite si votre choix professionnel correspond à votre liste personnelle.

J'envisage un métier où on peut être riche.

Songez à la carrière de banquier !

Mais je déteste l'argent.

Ne pensez pas à la carrière de banquier !

En revanche, j'aime ...

Considérez le métier de ...

Prêts à tout pour réussir ?

Vos études passent avant tout, même avant ... l'amour. Vous êtes durs à la tâche et vous le savez bien : on ne badine pas avec le bac.

De quoi rêvent les lycéens ? Trouver le grand amour, gagner du fric, devenir célèbre ? Pas du tout ! Pour vous, le plus important dans la vie, c'est la réussite professionnelle (64%).

Rien ne compte plus que réussir vos études pour obtenir un bon métier. *"Si on n'a pas le bac, on ne sera jamais rien dans la vie"*, explique Ingrid, 1ère. Réalistes, vous venez donc au lycée pour apprendre... Mais surtout pour en ressortir un diplôme en poche, passeport indispensable pour affronter chômage et débouchés restreints. Face à des perspectives aussi angoissantes, on comprend dès lors que votre réussite scolaire passe devant tout le reste... Y compris l'amour. *"A partir de la 1ère, la vie scolaire prend peu à peu le pas sur la vie extérieure, sport, musique, petit ami... Je pourrais citer plusieurs exemples de lycéennes qui ont volontairement quitté leur petit ami pour cause d'entrée en terminale. L'amour, ce sera pour plus tard, après avoir acquis une situation professionnelle stable"*, raconte Perrine, terminale.

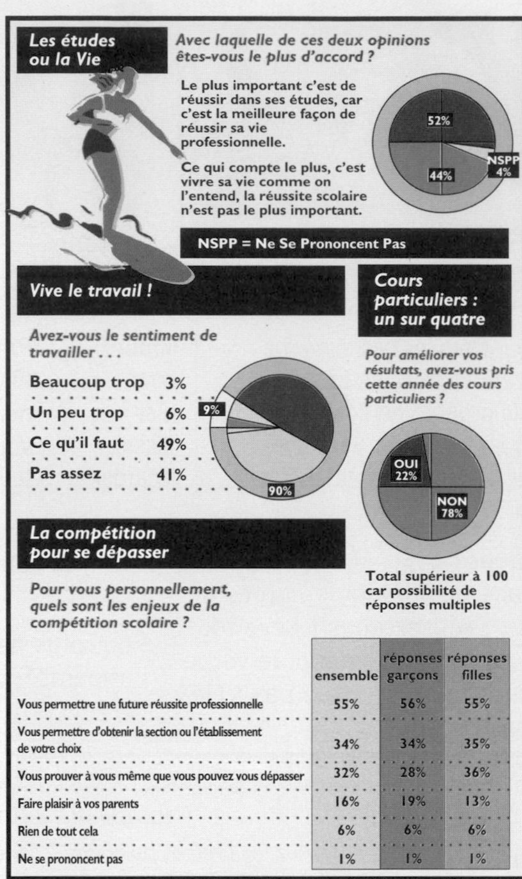

Les études ou la Vie
Avec laquelle de ces deux opinions êtes-vous le plus d'accord ?
Le plus important c'est de réussir dans ses études, car c'est la meilleure façon de réussir sa vie professionnelle.
Ce qui compte le plus, c'est vivre sa vie comme on l'entend, la réussite scolaire n'est pas le plus important.
52%
44%
NSPP 4%
NSPP = Ne Se Prononcent Pas
Vive le travail !
Avez-vous le sentiment de travailler . . .
Beaucoup trop 3%
Un peu trop 6%
Ce qu'il faut 49%
Pas assez 41%
9%
90%
Cours particuliers : un sur quatre
Pour améliorer vos résultats, avez-vous pris cette année des cours particuliers ?
OUI 22%
NON 78%
La compétition pour se dépasser
Pour vous personnellement, quels sont les enjeux de la compétition scolaire ?
Total supérieur à 100 car possibilité de réponses multiples

	ensemble	réponses garçons	réponses filles
Vous permettre une future réussite professionnelle	55%	56%	55%
Vous permettre d'obtenir la section ou l'établissement de votre choix	34%	34%	35%
Vous prouver à vous même que vous pouvez vous dépasser	32%	28%	36%
Faire plaisir à vos parents	16%	19%	13%
Rien de tout cela	6%	6%	6%
Ne se prononcent pas	1%	1%	1%

Pour l'instant rien ne pourra vous distraire de vos chères études ! Durs à la tâche, vous êtes prêts à sacrifier non seulement votre petit(e) ami(e) (43%), mais aussi vos loisirs (45%) et momentanément vos copains (59%). Passer quelques nuits blanches ne vous effraie pas (45%). En revanche, vous ne plaisantez pas avec votre santé : non aux médicaments (78%) et à l'alimentation déséquilibrée (69%). Normale : pour réussir, il faut être en forme !

La deuxième clé de la réussite : décrocher à tout prix la 1ère S qui mène à ce fameux bac S, considéré par la majorité comme le meilleur passeport pour l'avenir (61%). C'est un comble, même les littéraires reconnaissent à 52% que c'est le meilleur bac ! Fabienne, en 1ère A raconte : *"Un garçon de terminale S m'a dit, plein de mépris : "Tu seras l'employée, je serai l'employeur !" Je suis bien consciente que le bac S ouvre plus de portes. Je sais aussi qu'en sortant de L j'aurai deux fois plus de mal à trouver un emploi. Mais j'étais nulle en maths et je n'ai pas eu le choix..."*

Le bac le plus prestigieux :

le bac S, clé de la réussite. Les matières les plus travaillées : les maths et la physique ...

1 Mettez-les en ordre !

Les phrases suivantes sont des idées développées dans le texte, mais dans un ordre différent. Mettez-les dans l'ordre du texte.

- **a** La santé est importante pour la réussite scolaire.
- **b** De bonnes études permettront d'accéder à une bonne profession.
- **c** Tous les sacrifices sont bons pour assurer la réussite scolaire.
- **d** Les filières scientifiques assurent un meilleur avenir que les filières littéraires.
- **e** Quand on n'est pas bon dans une matière, ça restreint le choix de filières.
- **f** Le plus important, c'est d'avoir un bon métier plus tard.
- **g** On aura le temps d'être amoureux plus tard.

2 Suivez la piste !

Dans un essai, il est important de varier les expressions qui veulent dire la même chose. Dans ce texte, il y en a beaucoup qui soulignent l'importance de certaines idées.

Exemple :

- (les études) passent avant tout
- le plus important dans la vie

Trouvez-en au moins six autres et inscrivez-les dans votre banque de données.

dur à la tache	not frightened of work
on ne badine pas	no joking/you don't joke
du fric (argot)	money
rien ne compte plus que (+ inf.)	nothing is more important than
affronter	to face
le chômage	unemployment
restreint	limited
angoissant	worrying
dès lors	from then on/from that moment
prendre le pas sur	to take precedence over
une nuit blanche	a sleepless night
décrocher à tout prix	to get/have at all cost
c'est un comble	that's the last straw
en sortant de A	after studying literature

3 **En direct du studio**
Ecoutez les jeunes interviewés au cours d'une émission de radio. A leur avis, est-ce que leurs études vont les aider à trouver un emploi ? Pour chacun d'entre eux, écrivez «oui» ou «non». Prenez des notes pour justifier vos réponses. Corrigez ensemble. Collectionnez toutes les idées que la classe juge importantes.

4 **La leçon buissonnière**
Chanson de Jean Ferrat.

GRAMMAIRE

Le futur

- **Usage**

Pour parler de l'avenir, des événements qui vont se passer.

- **Formation**

Il existe deux manières d'exprimer le futur et on les utilise indifféremment (= quand et comme on veut) : le futur proche et le futur simple.

- **Le futur proche**

aller + infinitif

Exemple :
- Je veux réussir : je vais donc travailler dur.
- Dans quelques mois, je vais passer le bac.

- **Le futur simple**

Pour les verbes réguliers ajoutez les terminaisons d'**avoir** à la lettre **r** de l'infinitif :

je	-ai	nous	-ons
tu	-as	vous	-ez
il / elle / on	-a	ils / elles	-ont

Exemples :

travailler	je travaillerai
finir	tu finiras
prendre → prendr-	il prendra

Pour les verbes irréguliers :

aller →	ir-	nous irons
avoir →	aur-	elles auront
être →	ser-	ils seront
faire →	fer-	vous ferez
pouvoir →	pourr-	on pourra
vouloir →	voudr-	il voudra

Toujours plus sur le futur et d'autres verbes irréguliers, pages 238 et 244.

Les adjectifs

- **Définition**

Un adjectif est un mot qui qualifie un nom.

Exemples tirés du texte :
- Un diplôme est un passeport indispensable.
- Des situations professionnelles.

- **Position dans la phrase**

Ils se placent généralement après le nom qu'ils décrivent.
Pour les EXCEPTIONS, voir page 232.

- **Terminaisons**

En général, si les adjectifs décrivent un nom féminin ou un nom pluriel, on ajoute une ou deux lettres à la fin de l'adjectif.

	Masculin	Féminin
Singulier	-	-e
Pluriel	-s	-es

- **Adjectifs irréguliers**

Certains adjectifs changent beaucoup entre masculin et féminin :

Masculin	Féminin	Masculin	Féminin
-anc	-anche	franc	franche
-er	-ère	léger	légère
-eur	-euse	tricheur	tricheuse
-f	-ve	neuf	neuve
		sportif	sportive
		bref	brève
-teur	-teuse	menteur	menteuse
-teur	-trice	amateur	amatrice
-x	-se	roux	rousse
		heureux	heureuse
-l	-lle	nul	nulle
-en	-enne	lycéen	lycéenne
-et	-ette	net	nette
-eil	-eille	pareil	pareille
-on	-onne	bon	bonne

Masculin			
singulier	pluriel	singulier	pluriel
-s	-s	confus	confus
-x	-x	joyeux	joyeux
-al	-aux	légal	légaux
-eau	-eaux	nouveau	nouveaux

Exceptions et plus de renseignements, page 231.

▶ Prononcez : Je ne suis ni... ni..., mais tout simplement...

DEFIS GRAMMATICAUX

a Cherchez les verbes au futur dans le texte *Prêts à tout pour réussir ?*

b Pour plus d'exercices sur le futur **15**.

c Copiez le texte ci-dessous sur ordinateur. Quand vous aurez fini, ajoutez des adjectifs où vous pourrez ou où vous voudrez. Laissez libre cours à votre imagination, à votre sens de l'humour ou à votre sens de la poésie. Mais n'oubliez pas... masculin, féminin, singulier, pluriel.

> En l'an 2010, les adultes iront à l'école : il faudra faire des études pour assimiler les technologies.
>
> Mais l'école aura beaucoup changé. Il n'y aura plus de stylos ; les ordinateurs n'auront plus de claviers : on parlera et les ordinateurs écriront ce que nous dirons, ou quand on appuiera sur une touche, ils réaliseront des dessins qui reflèteront de nos pensées. Alors, il faudra faire attention à ne pas avoir de pensées.
>
> Les jeunes de demain auront perdu l'habitude d'écrire avec cette écriture que nous, les parents et les profs, aimons tant.

CV : les conseils des recruteurs ....

CV : le fond avant la forme

Le CV n'est pas une fiche d'état civil. C'est un reflet fidèle de vous-même qui donnera envie au recruteur de vous rencontrer. Consultants et responsables du recrutement vous apportent leurs conseils pour faire de votre CV un passeport pour l'entreprise.

Le CV, c'est une photographie du candidat. Si la photo est floue, on n'a pas envie de le rencontrer. La clarté, en revanche, a un impact fantastique.
Le CV doit répondre aux trois questions qui se posent : qui êtes-vous ? que savez-vous ? qu'avez-vous fait ?
Principe de base avant de rédiger son CV : se mettre à la place du recruteur, qui reçoit plusieurs dizaines de CV par jour.
«Quand je dois passer une demi-heure à rechercher l'information essentielle, je mets de côté le CV en me disant que je le reprendrai plus tard. Mais il n'y a pas de plus tard. Car en attendant, j'ai sélectionné les CV clairs et précis.»
Pourtant, il n'est pas si difficile de figurer dans la bonne pile. Il suffit de respecter quelques règles très simples, qui tiennent en trois mots : clarté, concision, précision.
La clarté, c'est faire la chasse à l'équivoque, aux «trous», bref, à tout ce qui arrêtera l'œil du recruteur et l'obligera à se poser des questions.
Deuxième règle d'or : la concision. «Dites bien dans votre article qu'ils doivent faire court, pas plus d'une page !»
Troisième et dernière règle : la précision. «L'imprécision est le défaut le plus courant des CV. On n'y discerne ni les motivations, ni le choix d'orientation du candidat.» En un mot : la photo est floue.
Dernier conseil des recruteurs : joignez une photo ! Ça n'est, bien sûr, pas obligatoire. Mais tous avouent y être sensibles : lors de l'entretien, le candidat n'est plus tout à fait un inconnu.■

Pascale MARTIN
23 ans
27, rue du Chemin-Vert, 75011 Paris
Tél. 47.00.79.80
Célibataire

JEUNE FISCALISTE D'ENTREPRISE

FORMATION

1991 • DESS de droit des affaires et de la fiscalité à Paris-II-Assas, comprenant les matières de techniques sociétaires, droit fiscal interne, droit fiscal international, techniques comptables, techniques contractuelles, techniques de procédures fiscales.

1990 • Maîtrise de droit des affaires et de la fiscalité à Paris-II-Assas,
– 1er certificat – mention fiscalité droit européen et international des affaires (mention assez bien).
– 2e certificat – mention droit pénal des affaires et assurances (mention bien).

MÉMOIRE

• «La protection des actionnaires minoritaires dans les sociétés et groupes de sociétés».

EXPÉRIENCE

1990 • TEKELEC AIRTRONIC (société de distribution de matériel électronique)
Stage d'un mois et demi dans le service commercial :
– conseil clientèle au téléphone
– suivi des commandes.

1989 • ACT – Audit Consulting Taxes (cabinet d'expertise comptable)
Stage d'audit fiscal de deux mois et demi.

1989 • SOFRAGEST (cabinet d'expertise comptable)
Stage d'un mois dans les services juridique et comptable.

LANGUES

• anglais et allemand : lu, écrit, parlé.

Plan professionnel

Faites une liste des conseils donnés (voir ci-dessus). Ecrivez un CV pour un poste de votre choix. Pour les petits boulots de vacances, au lieu de mémoire – passetemps à la fin du CV.

1 **L'éducation dans les pays francophones**
Un Ivoirien et un Zaïrois vous parlent du système éducatif de leurs pays respectifs.

Travail de recherche

Choisissez un pays francophone et écrivez en français, au service culturel de son ambassade pour demander des renseignements sur son système éducatif. (Pour pays francophones, voir carte pages vi–vii.)

Faites une présentation écrite et illustrée du système scolaire du pays choisi. Votre présentation doit être simple et facile à comprendre : elle s'adresse aux jeunes élèves de votre école.

Négociez un espace assez grand avec votre prof de français, le documentaliste ou même le directeur de votre établissement pour afficher vos présentations.

2 **Soirée parents d'élèves**
Ecoutez la cassette autant de fois que vous voulez.

Ecrivez :
- L'histoire de cette scène en bref.
- Une description rapide du rôle de chaque personnage.

3 **Simulation**
Voir **16**.

4 **Le jeu des écoles**
Pour tout réviser sur le système scolaire français – et ce chapitre d'**Au point** – jouez au jeu des écoles **17**.

Si cela est possible, réalisez un jeu semblable en français sur le système scolaire de votre pays pour envoyer à votre école jumelle dans un pays francophone.

■ Révisez les trois premiers chapitres d'**Au Point** (de la page 1 à la page 30). Assurez-vous que vous vous souvenez des mots et des expressions (et en particulier de ceux appris dans Pour communiquer), de la grammaire et enfin des idées associées aux thèmes de ces chapitres.

■ Puis, pour savoir où en sont vos connaissances, faites ces exercices sans aucune aide.

Vocabulaire

1 Traductions

Version (traduisez en anglais)

a gâché
b gérer
c intenable
d mieux vaut
e ça me plaît
f pointu
g profiter de la vie
h restreint

Thème (traduisez en français)

a compulsory
b a friend/a pal (n.m et n.f)
c to give a kiss (un seul verbe)
d an interview for a job
e hard working
f a husband (3 n.m.)
g lazy
h a selective exam
i success at school
j this means (2 expressions)
k a witness
l will (n. f.)

2 Complétez

a On devient m _ _ _ _ _ à 18 ans.
b Les hommes doivent faire le service m _ _ _ _ _ _ _ _.
c Un couple qui n'est pas marié vivent en c _ _ _ _ _ _ _ _ _ _.
d Les futurs conjoints doivent passer une visite m _ _ _ _ _ _ _ prénuptiale.
e Les élèves qui sont bons en lettres suivent une f _ _ _ _ _ _ littéraire.

3 Synonymes

a d'après s _ l _ _
b se détériorer _ _ d _ _ _ _d _ _
c divorcer _ _ _ _ _ _ _ _ _
d devoir _ _ _ _ _ _ _ _g _ _ _
e pas forcément _ _ _ n _ _ _ _ _ _ _ _ _ _ _ _ _
f une perspective d'avenir _ _ _ _ _ _ _ _é

4 Jeux

Avec un(e) partenaire, utilisez les mots des trois premiers chapitres pour :

a jouer au pendu.
b jouer à un ping pong des mots «Comment dit-on ... en français/anglais ?»
c préparer des anagrammes pour le reste de la classe.

Grammaire

1 Question de genre

Donnez le genre des mots suivants :

a autonomie
b bonheur
c candeur
d chômage
e naissance
f personnalité
g problème
h recruteur

NB Etes-vous observateur ou observatrice?
Avez-vous remarqué dans les trois premiers chapitres le genre des mots qui se terminent par: -at, -ège, -ence, -ent, -ière, -ion, -ise, -ite, -ot et -ure ?

2 Conjugaisons

Conjuguez les verbes suivants au présent, au passé composé, au futur et à l'impératif, à la personne donnée entre parenthèses. Attention aux pièges !

Exemple :
venir (tu) – tu viens ; tu es venu(e) ; tu viendras ; viens !

a aimer (tu)
b aller (ils)
c avoir (tu)
d apprendre (vous)
e croire (il)
f dire (tu)
g faire (nous)
h finir (elles)
i descendre (elle)
j vivre (nous)

3 Forme correcte

Ecrivez les verbes en italique à la forme correcte.

a Ariane a *passer* le bac très jeune et ensuite elle est *entrer* à la fac. Ça veut *dire* qu'elle a *réussir* sans avoir à *travailler* trop dur.
b Aimer, ça signifie *laisser* à son partenaire le temps de vous *donner* un baiser.

4 Qui, que ou qu' ?

L'amour est un sentiment ...... les jeunes ...... veulent réussir à l'école ignorent un peu. Le but ...... ils se donnent est de passer les examens ...... leur ouvriront bien des portes, c'est tout au moins l'idée ...... ils s'en font.

5 Les adjectifs

Ecrivez le plus d'adjectifs irréguliers possible au masculin et au féminin.

Pour communiquer

Faites les exercices suivants oralement.

1 Que diriez-vous?
Trouvez au moins trois expressions pour :
- **a** exprimer que vous avez la même opinion.
- **b** marquer une hésitation.
- **c** faire des reproches.
- **d** exprimer que quelque chose est important pour vous.
- **e** attirer l'attention de quelqu'un sur un fait.

2 Interprétation
Interprétez ces statistiques. Ecrivez au moins cinq phrases.

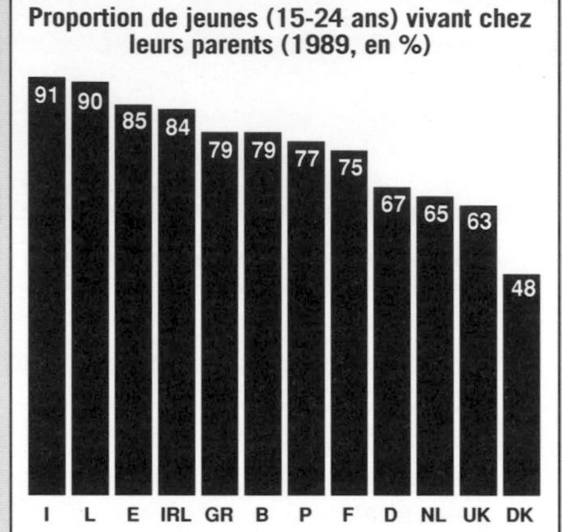
Proportion de jeunes (15-24 ans) vivant chez leurs parents (1989, en %)
91 90 85 84 79 79 77 75 67 65 63 48
I L E IRL GR B P F D NL UK DK

3 Prenez position
Que pensez-vous des affirmations suivantes ? Utilisez au moins deux expressions rencontrées dans Pour communiquer.
- **a** Il faut s'amuser tant qu'on est jeune; on a toujours bien le temps d'être sérieux.
- **b** Il faudrait toujours vivre maritalement avant de se marier.
- **c** Les habitudes de travail que l'on prend à l'école sont très utiles dans la vie adulte.

Idées

1 Des faits
Donnez autant de faits que possible sur les sujets suivants :
- **a** Les droits et les devoirs des jeunes Français.
- **b** Le mariage en France.
- **c** Le système d'enseignement en France.

2 En combien de questions ?
Individuellement et par écrit, relevez cinq idées dans chacun des chapitres. Puis, oralement et à deux, essayez de deviner quelles idées votre partenaire a sélectionnées. Commencez par des questions générales : «Tu as sélectionné quelque chose sur...?» En cas de réponse positive, continuez à poser des questions de plus en plus précises. Quand la réponse est négative, changez de rôle.

3 Pendant une minute
Parler sans vous arrêter sur un de ces sujets :
- **a** Le conflit des générations.
- **b** Les pères divorcés devraient avoir le droit de garder leurs enfants.
- **c** Une éducation trop spécialisée trop tôt est un handicap.

Faisons le point...

- Demandez les réponses à votre prof et corrigez votre travail. Si vous avez travaillé à l'ordinateur, imprimez votre travail quand vous l'aurez corrigé.
- Interprétez vos résultats de manière à pouvoir copier et remplir le tableau suivant ; quelques exemples vous sont donnés. Au besoin, reportez-vous à la première page de chacun des chapitres.

	Aucun problème [1]	Peu de problèmes [2]	Gros problèmes [3]
Vocabulaire			**Exemple :** *Mariage*
Grammaire	**Exemple :** *Hésitation*	**Exemple :** *Passé composé*	
Communiquer			**Exemple :** *Faire des reproches*
Idées		**Exemple :** *Droits et devoirs*	

[1] Pas besoin d'autres révisions.
[2] Revenir à ces questions quand vous aurez un peu de temps.
[3] Concentrez-vous sur ces points : révisez-les à fond, assurez-vous que vous comprenez tout bien. N'oubliez pas de vous servir des pages de grammaire à la fin du livre !

4 En pleine forme

Thèmes	Communiquer	Grammaire
• La santé • L'alimentation • La forme	• Poser des questions • Réponses évasives	• Expressions de quantité • L'adverbe • L'imparfait • L'infinitif + c'est/ c'était

Pour la santé, un petit tour à vélo vaut mieux qu'un tour d'honneur

SOMMAIRE

E 111

Epaules et jambes
Jambes très écartées, pieds parallèles, bras à l'horizontale. En expirant, touchez d'une main le pied opposé, genou fléchi. Inspirez, redressez. 5 fois chaque côté.

CANCER
LA PUB TUE
Fumer, c'est pas ma nature!

Pour lutter contre le tabac, des lycéens de Quimper ont détourné des pubs (en haut). Sur plainte des fabricants, les tribunaux ont interdit ces affiches. Marlboro a aussi demandé l'arrêt des spots TV du Comité français d'éducation pour la santé (à droite).

Mini-Test

Le point sur votre forme

		oui	non
a	Vous arrive-t-il de partir en vacances sans maillot de bain ?	☐	☐
b	Faites-vous régulièrement du sport ?	☐	☐
c	Reprenez-vous souvent du dessert ?	☐	☐
d	Faites-vous du vélo ?	☐	☐
e	Buvez-vous de l'eau tous les jours ?	☐	☐
f	Savez-vous combien vous pesez ?	☐	☐
g	Pouvez-vous toucher le sol avec les paumes de la main, jambes tendues ?	☐	☐
h	Grignotez-vous entre les repas ?	☐	☐
i	Vous couchez-vous d'habitude après minuit ?	☐	☐
j	Voulez-vous changer votre physique ?	☐	☐
k	Pratiquez-vous une activité pour vous maintenir en forme ? (par exemple : judo, karaté, danse, aérobique) ?	☐	☐
l	Préférez-vous une pâtisserie à un yaourt ?	☐	☐
m	Quand vous courez prendre le bus avez-vous le souffle court ?	☐	☐
n	En boîte, passez-vous plus de temps à danser qu'à boire ?	☐	☐
o	Montez-vous les escaliers facilement en courant ?	☐	☐

une paume	palm (of hand)
tendu	stretched, straight
grignoter	to nibble
une pâtisserie	sweet cake
le souffle court	short of breath

POUR COMMUNIQUER

Poser des questions

Il y a quatre manières de poser des questions qui entraînent la réponse «Oui» ou «Non».

- L'intonation : la voix monte vers le point d'interrogation.
  Tu fais du vélo ? (Langue parlée.)
- «Est-ce que» au début de la question.
  Est-ce que tu pars jamais en vacances sans maillot ? (Langue parlée et écrite.)
- «n'est-ce pas» à la fin de la question.
  Vous vous couchez d'habitude après minuit, n'est-ce pas ? (La personne qui parle veut être sûre de ce qu'elle pense.)
- Inversion de l'ordre du sujet et du verbe.
  Grignotez-vous entre les repas ?
  Vous arrive-t-il de partir en vacances... ?
  (Forme plutôt formelle qui se trouve surtout dans la langue écrite.)

1 Etes-vous en forme ?

Faites vite le point sur votre santé physique avec notre mini-test ci-dessus. Répondez, honnêtement, aux questions. Notez vos réponses et additionnez les points pour savoir si vous êtes en pleine forme ou pas.

2 Travail oral à deux

Posez les questions du mini-test à un(e) partenaire. N'oubliez pas de tutoyer votre partenaire. Servez-vous de différentes formes de question, par exemple :

- Est-ce que tu veux changer ton physique ?
- Tu bois de l'eau tous les jours, n'est-ce pas ?

Voir Pour communiquer. Notez les réponses, changez de rôle et comparez vos résultats.

3 Un peu de pratique : ça vaut la peine !

Traduisez, à l'aide d'un dictionnaire bilingue, ces expressions, toutes basées sur le verbe «valoir» (*to be worth*).

a Ça ne valait pas la peine d'attendre.
b Ça ne vaut pas le coup.
c Autant vaut rester ici.
d Ça ne vaut rien pour la santé.
e Elle ne vaut pas mieux que son frère.
f Mieux vaut tard que jamais.
g C'est une façon qui en vaut une autre.

Imaginez une situation dans laquelle vous pourriez utiliser toutes ces expressions.

Exemple :

Deux ami(e)s attendent leur copain devant le cinéma.

Inventez un dialogue et improvisez-le devant la classe.

Résultats du mini-test

a	oui=2	non=5	i	oui=0	non=7
b	oui=7	non=0	j	oui=1	non=3
c	oui=1	non=5	k	oui=6	non=1
d	oui=6	non=1	l	oui=0	non=7
e	oui=6	non=0	m	oui=2	non=6
f	oui=3	non=2	n	oui=4	non=1
g	oui=6	non=1	o	oui=7	non=0
h	oui=1	non=5			

○ **Si vous avez entre 13 et 35 points :** Vous n'êtes pas en forme. Ne soyez pas si gourmand(e) ni si paresseux(se). Vous risquez un avenir pas très rose. Ne restez pas dans l'indifférence. Secouez-vous !

○ **Si vous avez entre 36 et 60 points :** Pas mal du tout. Un peu plus d'efforts et vous vous sentirez encore mieux - et ça en vaut la peine ! Bon courage !

○ **Si vous avez entre 60 et 83 points :** Vous êtes en pleine forme. Félicitations et médaille d'or ! Vous savez que la pleine forme, c'est la vie pleine. Essayez d'en convaincre les autres.

Manger bien ou bien manger ?

1 **Que signifie «bien manger» ?**
Au point a interviewé quatre jeunes. Etudiez le vocabulaire suivant et écoutez les quatre jeunes qui donnent leurs opinions.

XAVIER	ERIC	DELPHINE	JANINE
des épinards *spinach*	tant pis *who cares ?*	équilibré *balanced*	des produits laitiers *dairy produce*
	les coquillages *shellfish*	sainement *healthily*	la chair *flesh*
	le homard *lobster*	grossir *to put on weight*	gaspiller *to waste*
		coupable *guilty*	

2 **Qui pense quoi ?**
Ecrivez le nom des quatre personnes en tête de quatre colonnes. Lisez les phrases suivantes et, tout en écoutant la cassette, rangez-les sous le nom de la personne à laquelle elles s'appliquent.

a est végétarien/végétarienne
b mange trop de sucre
c ne mange pas beaucoup de viande
d n'aime pas le beurre
e mange simplement
f aime manger dans un bon restaurant
g n'aime pas que les végétariens essaient de vous convertir
h aime les fruits de mer
i mange beaucoup le matin
j n'aime pas les légumes verts
k connaît des personnes qui sont végétariennes
l préfère le poisson à la viande
m ne voit pas pourquoi on tue les animaux

Une fois que vous avez vérifié vos réponses, mettez-vous à la place des jeunes interviewés et essayez de retrouver leurs réponses aux questions :
– Qu'est-ce que ça veut dire pour toi, bien manger ?
– Quelle est ton attitude envers le végétarisme ?

Posez les mêmes questions à vos camarades de classe.

3 **Quelle gourmandise !**
Deux publicités gourmandes ; voir 18.

4 **«La grande bouffe»**
C'est le titre d'un film noir des années 70 dans lequel les personnages principaux se tuent en mangeant trop. Vous n'allez pas vous tuer mais vous avez décidé quand même de faire une grande bouffe, un grand repas de fête.

Préparez individuellement votre menu, en précisant les quantités qui vont être consommées. (Voir : Point grammaire.) Décrivez également la qualité de votre repas.

Les publicités *La dinde du Gers* et *Le chapon du Gers* pourraient vous donner un peu de vocabulaire pour décrire la qualité de ce que vous allez manger.

Cachez votre menu. Les autres doivent découvrir le contenu de chaque menu en posant des questions telles que :
– Tu vas sans doute manger des pommes de terre, n'est-ce pas ?
– Comme viande, que prendras-tu ?

5 **Volet fermé**
Chanson de Dick Annegarn.

OUAIP.... JE BOUFFE DES FRITES TOUS LES JOURS..
NON... PAS TOUS LES JOURS : LE MARDI, C'EST DES CHIPS !..
sardu

POINT GRAMMAIRE

Expressions de quantité
Les expressions de quantité sont suivies de «de».
Exemples : combien de... ? / beaucoup de / trop de / une énorme quantité de / un tas de / un kilo de / des tranches de / des bouteilles de / des verres de

Pour se maintenir en forme...

Au point a posé la question «Que fais-tu pour te maintenir en forme ?» à plusieurs jeunes. Nous publions ici les deux premières interviews.

Jean-Luc habite la banlieue de Paris. Il a 17 ans.

Jean-Luc : Pendant l'année je fais du hockey sur gazon. On a trois entraînements par semaine, dont un entraînement physique... puis le week-end le samedi ou le dimanche, un match de championnat.
Au point : Et d'autres sports ?
Jean-Luc : Je fais toujours un peu de planche à voile, pendant les vacances. J'en faisais beaucoup mais maintenant j'en fais moins. Actuellement, je préfère les jeux d'équipe sur la plage. On s'amuse mieux je trouve.
Au point : Tu es vraiment très sportif. Donc, la forme pour toi, c'est surtout physique ?
Jean-Luc : Pas forcément. C'est aussi être bien dans sa tête.
Au point : Et tu es toujours bien dans ta tête ?
Jean-Luc : Alors là, franchement non. A Paris, je me sens un peu coincé. Je ne sors pas beaucoup parce que, bon, quand on est à l'école..., le soir... ben... il y a toujours mon père qui me tracasse... qui demande toujours si j'ai fait ceci ou cela comme si j'étais toujours un gosse de... 10 ans. Quand ça arrive, ça m'énerve... La dernière fois j'ai failli faire une bêtise. Heureusement que je suis sorti pour... trouver la paix... Je suis passé chez un copain et on est allé prendre un verre ensemble. Mais normalement, comme on se lève tôt le matin, je ne sors que le samedi soir. On va dans des cafés, ou on va au cinéma ou en boîte.

Sonia est suisse et elle aussi a 17 ans. Elle habite à Lausanne le chef-lieu du canton de Vaud, un des cantons suisses de langue française.

Sonia : J'aime pas trop le sport. J'en fais parce qu'il faut en faire au lycée, mais je pourrais vivre sans en faire.
Au point : Mais, c'est vrai que tu ne fais aucune autre activité physique ?
Sonia : Non. Je fais de la danse, des claquettes, avec ma sœur. Nous avons normalement un cours d'une heure et demie par semaine. Et puis le week-end, il y a la chasse. J'adore la chasse.

SOPHIE
LAURENT
SONIA
JEAN-LUC
ROBERT

Au point : La chasse au gibier ?
Sonia : Oui, oui, la chasse au gibier.
Au point : Et qu'est-ce qui t'attire dans la chasse ? Il y a peut-être les gens qui trouveraient bizarre...
Sonia : Oui, c'est vrai. Il n'y a pas beaucoup de jeunes qui font ça, hein ? Mais moi j'ai été élevée comme ça. Tout le monde chasse à la maison, donc, j'aime ça. Et puis, pourquoi pas ? Ça fait du bien de sortir, d'être en plein air. On se promène, il y a tant de choses à voir, les montagnes, la nature...
Au point : Mais comment peux-tu aller à la chasse si tu aimes la nature ?
Sonia : Ben, je vois pas de problème. Il faut bien connaître la nature, les habitudes des bêtes avant de les trouver. Et puis, la plupart du temps quand je tire, je rate...!
Au point : A part les claquettes et la chasse, il y a d'autres activités que tu fais pour te détendre ?
Sonia : Beh, je lis, je lis beaucoup, des magazines, des romans et il y a toujours la télé quand je veux me reposer.

1 Points essentiels
Notez les faits essentiels sur les activités et sur les idées de Jean-Luc et Sonia.

2 Testez votre mémoire
Etudiez vos notes pendant quelques minutes et puis sans les regarder, imaginez que vous présentez soit Jean-Luc soit Sonia à un(e) partenaire. N'oubliez aucun détail !

Puis écoutez la présentation de l'autre personne. Quelles sont vos impressions de Jean-Luc et de Sonia ? Commencez par «Je le/la trouve sympathique/peu sympathique/pas sympathique du tout parce que...»

3 Et vous ?
Maintenant avec un(e) autre partenaire, interviewez-vous en vous posant les questions suivantes. Regardez les expressions de Pour communiquer avant de répondre aux questions. Les réponses évasives peuvent vous donner le temps de réfléchir.

- Et toi, que fais-tu pour te maintenir en forme ?
- Combien de fois par semaine/par mois... ?
- Et pour te détendre, que fais-tu ?
- La forme pour toi, c'est seulement physique ?
- Qu'est-ce qui t'énerve ?

POUR COMMUNIQUER

Réponses évasives

pas vraiment	plus ou moins
pas obligé	Alors là...
pas forcément	Bof ! Peut-être bien.
pas grand'chose	Ben, je crois que oui.
pas tellement	

4 Toujours en forme

Nous avons aussi demandé à Laurent, Robert et Sophie s'ils se considéraient en forme. Lisez le résumé des interviews. Pour chaque résumé, notez la lettre des phrases qui sont fausses.

Laurent

- **a** Il fait du jogging.
- **b** Il en fait même s'il fait mauvais temps.
- **c** Il en fait tous les soirs.
- **d** Il aime écouter la musique.
- **e** Il lit beaucoup.
- **f** Son chien est gros.

Robert

- **a** Il est sportif.
- **b** Il s'entraîne seulement le week-end.
- **c** Il aime les sports nautiques.
- **d** Il sort le soir plus souvent en hiver qu'en été.
- **e** Il s'intéresse plus au cinéma qu'au théâtre.

Sophie

- **a** Elle fait du volley-ball.
- **b** Elle fait de la danse depuis sept ans.
- **c** Elle lit beaucoup de livres sur le théâtre.
- **d** Elle se détend en allant au cinéma.
- **e** Elle dort beaucoup le week-end.

5 Calmez-vous !

Lisez l'article *Josée face à la cible*. Trouvez, dans le texte les mots qui veulent dire le contraire de ces expressions :

ça m'énerve, décontractés, rester immobile, théoriques, grossir, j'ai cherché exprès.

Josée s'énerve-t-elle fréquemment ? Racontez la situation de Josée comme si vous étiez journaliste. Rédigez le texte à partir de «...je suis tombée» jusqu'à «aidé à maigrir». Commencez par la phrase : Un jour à la bibliothèque Josée...

Et finalement, qu'est-ce qui vous énerve ? Que faites-vous pour vous décontracter ? Ecrivez 40 mots sous le titre «Ça m'énerve !»

Josée face à la cible

Il nous arrive à tous d'avoir les nerfs «à fleur de peau», c'est-à-dire d'être très énervé. A chacun et à chacune sa façon de se calmer, de trouver la paix intérieure, le calme dans l'âme et dans le corps. Dans cet article Josée, canadienne de 18 ans, paralysée dans deux jambes depuis un accident de voiture il y a sept ans, nous explique les bénéfices apportés par la pratique du tir à l'arc.

«Je fais du tir à l'arc depuis environ quatre ans. Un jour, j'étais à la bibliothèque de Saint-Laurent et j'ai trouvé un livre dans lequel l'auteur offrait des idées pratiques aux jeunes handicapés comme moi. C'était une véritable trouvaille ! A cette époque je faisais très peu de sport et je grossissais. En feuilletant ce bouquin, je suis tombée sur un article qui proposait une grande variété de sports. Selon l'article, le tir à l'arc favorisait la coordination et aidait beaucoup la respiration. Donc, j'ai décidé d'essayer. C'est bien vrai que ça me calme les nerfs. Quand je m'énerve, et j'admets que c'est assez souvent, je fais du tir à l'arc. J'en fais depuis ce jour-là. Ça m'aide beaucoup. J'aime bouger, être dehors. Je trouve du calme dans la concentration et la patience. Ça m'a même aidé à maigrir. C'est sûr qu'il faut développer la force physique nécessaire dans les deux bras et les épaules pour tirer l'arc mais en même temps, au moment où je vise et où je tire, j'ai le torse bien droit, les muscles abdominaux tendus. Il faut de la discipline, une certaine maîtrise de soi.»

GRAMMAIRE

L'adverbe

• Définition

Mot invariable (qui ne change pas) servant à modifier le sens du verbe. Les adverbes décrivent, par exemple, **comment** ou **quand** une chose ou une action est faite.

Exemple :
Il a compris **immédiatement.**

• Formation

Adverbes réguliers – prenez la forme féminine de l'adjectif au singulier et ajoutez : **-ment.**

Quelques adverbes irréguliers :

apparent – apparemment ; énorme – énormément ; violent – violemment.

Pour plus de détails voir page 233.

adjectif	forme féminine	adverbe
seul	seule	seulement
actuel	actuelle	actuellement
normal	normale	normalement
régulier	régulière	régulièrement
heureux	heureuse	heureusement

▶ Pour un peu de pratique voir 19.

L'imparfait

- **Définition**

Un temps du passé.

- **Formation**

Prenez un verbe, par exemple : **faire**. Rappelez-vous la forme de **nous** au présent : (nous) **faisons**.

Enlevez la terminaison **-ons** à la fin du verbe : **fais-**. Mettez la terminaison correcte pour la personne désignée :

je tu il/elle/on	-ais -ais -ait	nous vous ils/elles	-ions -iez -aient

Exemples :

Verbe	«nous» au présent	Radical	Imparfait
regarder	nous regardons	regard-	je regardais
manger	nous mangeons	mange-	tu mangeais (nous mangions)
finir	nous finissons	finiss-	il finissait
prendre	nous prenons	pren-	ils prenaient

Le verbe **être** est la seule exception :
j'étais, tu étais, il/elle/on était, nous étions, vous étiez, ils/elles étaient.

A noter, pour des raisons de prononciation :
l'usage de **ç** dans les verbes qui se terminent en **-cer.**
Exemple :
Je lançais, tu lançais, etc, nous lancions.

Et l'usage de **ge** dans les verbes qui se terminent en **-ger.**
Exemple :
Je mangeais, nous mangions.

- **Usage**

Etat ou situation qui se continue dans le passé.
Exemples :
– J'ai regardé par la fenêtre : il faisait noir.
– Nous étions dans un état de choc après l'accident.

Pour décrire une action qui se continue dans le passé.
Exemple :
Je faisais la vaisselle quand le téléphone a sonné. *(I was doing the washing up...)*

Pour renforcer l'idée de continuité, on peut utiliser l'expression **en train de** avec **être** à l'imparfait plus l'infinitif :
Exemple :
J'étais en train de faire la vaisselle quand le téléphone a sonné.

Pour décrire une action répétée dans le passé.
Exemple :
Tous les matins je me levais de bonne heure. *(I got up/used to get up...)*

Après si.
Pour exprimer un désir :
Si seulement je pouvais le faire !
Pour faire une suggestion :
Si on allait prendre un café ?

- Passé composé ou imparfait ?

Le passé composé sert à faire le compte rendu des événements.
L'imparfait sert à décrire l'état des choses.
Exemple :
L'année dernière, je me suis cassé la jambe. Ça me faisait vraiment mal pendant trois semaines.

Voir aussi page 237.

DEFIS GRAMMATICAUX

a Cherchez des exemples de l'imparfait dans la bande dessinée *Inspirez, expirez !* ci-contre. Ces exemples sont dans quelle catégorie d'usage ?

b Donnez la forme correcte de l'imparfait.
finir (je), voir (on), dormir (ils), manger (tu), falloir (il), plonger (tu), essayer (je), avancer (elles), saisir (on), écrire (elle), pleuvoir (il), boire (nous).

c Démêlez ces phrases :
(1) quelque on de faisait différent si chose
(2) pouvait le dans si français une seulement on journée apprendre
(3) j' j' souvent tante jeune quand plus étais allais ma très chez
(4) ai avais copine d' n' rien à décidé chez comme ma je faire aller j'
(5) sonner tranquillement l' mangeais s' je mise lorsque est alarme à
(6) téle au Tom chasser était panne où Jerry en la moment train tombée en est de

d Pour un autre exercice voir 20.

Inspirez! Expirez!

1 Dans mon jeune temps
Pensez à des activités (jeux, sports, visites, lectures, spectacles, etc.) que vous faisiez quand vous étiez plus jeune et que vous ne faites plus. Pensez, également, à ce que vous mangiez ou ne mangiez pas, ou buviez ou ne buviez pas.

Dressez-en une liste – à l'imparfait, bien sûr. Si vous avez besoin d'aide voir page 38. Voici quelques exemples :

Sports et d'autres activités
- Quand j'étais plus jeune, je jouais à cache-cache.
- Lorsqu'on était à l'école primaire, on sautait à la corde.
- Je regardais le feuilleton "Grange Hill" à la télé.

Nourriture et boissons
- Je ne mangeais pas de beurre.
- Je n'aimais pas le café.

«INSPIREZ, EXPIREZ !» par Wolinski

«MENS SANO IN CORPORE SANO!»
TIENS, IL Y'A MARGERIN DANS LA TRIBUNE DE ROLAND-GARROS!
JE REFUSE DE TE SIGNER ENCORE UN MOT D'EXEMPTION POUR LE SPORT
JE DÉTESTE LE SPORT
MOI À TON AGE...
OUI, JE SAIS: MOI À TON AGE JE FAISAIS DU SKI, DU TENNIS, DU VÉLO, DE L'AVIRON, DU JUDO, DE LA SAVATE. JE GRIMPAIS COMME UN SINGE. JE NAGEAIS COMME UN POISSON. JE COURAIS COMME UNE ANTILOPE. JE SAUTAIS COMME UNE GRENOUILLE.
IL FAUT FAIRE DU SPORT, SI ON VEUT ÊTRE EN FORME.
ÇA Y'EST IL A FAIT LE BREAK. FANTASTIQUE!
J'AI PAS BESOIN DE FAIRE DU SPORT POUR ÊTRE EN FORME!
TOI, TON SEUL SPORT C'EST DE GIGOTER PENDANT DES HEURES DANS DES BOITES SURPEUPLÉES OÙ ON NE PEUT MÊME PAS PARLER TELLEMENT CE QUE VOUS APPELEZ MUSIQUE FAIT DU BRUIT!
COURIR AU GRAND AIR INSPIRER, EXPIRER... C'EST ÇA QUI FAIT DU BIEN!
D'ACCORD ALLONS INSPIRER EXPIRER.
HEIN, QUOI?
C'EST GENTIL DE RALENTIR POUR MÉNAGER MES FAIBLES FORCES. SURTOUT QU'IL Y'A ENCORE 5KM À INSPIRER EXPIRER.
AHA AHA
KOF! KOF!
PUF PUF
WOLINSKI

2 Travail oral
Comparez votre liste avec celles des autres membres de la classe. Quelles sont les différences les plus évidentes entre les activités que vous faisiez, les uns et les autres ?
Y a-t-il des tendances à noter ? Par exemple, selon le lieu de domicile, le sexe de l'enfant ?

Faites un tableau illustré intitulé : *Nous, les gosses d'autrefois.*

3 Ah ! L'imparfait
Faites le jeu de rôle *Ah! L'imparfait* ; voir **21**.

4 Ça
«ça» est une forme contractée du pronom «cela» (*that*) qu'on utilise surtout dans la langue parlée. Trouvez deux locutions dans la bande dessinée.

Ajoutez à la banque de données les expressions avec «ça» 💾.

Mariez-les :

a oh, là, là, je me suis coupé le doigt
b fumer des cigarettes
c respirez l'air pur de la campagne
d Ah ! ce téléphone
e c'est terminé

1 ça, c'est dégoûtant !
2 ça y est !
3 ça me fait tellement mal !
4 c'est ça qui fait du bien !
5 ça m'énerve !

Avec un(e) partenaire écrivez un sketch en utilisant quelques-unes des expressions avec «ça». Servez-vous de votre imagination et votre sens de l'humour !

LA PUB TUE

Des étudiants contre le tabagisme. La campagne lancée à Quimper, en Bretagne, met le feu aux poudres dans l'industrie de la cigarette.

1 **Orientation**

Avant de lire l'article, si vous en avez besoin, cherchez le sens des mots suivants. Etudiez aussi n° 2 *La langue de chez nous.*

les noms	les locutions verbales
le cloître	retentir
le dédain	se diriger vers
le chameau	prendre le contre-pied
les fabricants	se moquer
le poumon	amener
	viser

2 **La langue de chez nous**

Etudiez les mots suivants. Ce sont des mots d'argot (*slang*) utilisés en particulier par les jeunes.

argot	français «correct»
une pub	une publicité
une clope	une cigarette
un clope	un mégot (ce qui reste de la cigarette après l'avoir fumée)
les chiottes (vulgaire)	les toilettes
un prof	un professeur
un clip	film vidéo qui promeut une chanson
branchant	à la mode, au courant

Notes :

LEP – lycée d'enseignement professionnel
Marlboro, Camel – marques de cigarettes

10 heures 30, la sonnerie retentit dans les couloirs du LEP Chaptal, à Quimper. Des rires, des cris remplissent les escaliers qui conduisent à la cour de récréation. Clope à la bouche, les fumeurs se dirigent vers le cloître, du pas assuré du cow-boy Marlboro rejoignant son saloon. Dans le coin détente, les cendriers ont la forme de bac à fleurs et sont remplis de sable.

Didier, seize ans et demi, passe à côté du cloître avec dédain. Il est très fier d'avoir jeté son dernier paquet de Camel en septembre. «Arrêter de fumer, c'est un acte de courage», explique-t-il. «Quand tu es dans un groupe, tu te fais remarquer si tu n'as pas ta clope.» Didier a commencé à fumer à onze ans. «C'était un défi au règlement du collège. On fumait dans les chiottes.»

Depuis, le chameau irradié s'est affiché un peu partout sur les murs du LEP, à l'Escapade, le café tout proche, et dans les couloirs du lycée Brizeux.

Didier, comme beaucoup d'autres, s'est mis à réfléchir et, peu à peu, son paquet de clopes est parti en fumée. Le chameau irradié arrive largement en tête des quatre affiches antitabac créées par les collégiens de Chaptal. Sur une idée de Paul, en troisième au collège, 'Camel' se transforme en 'Cancer'. C'est un prof de dessin, Alain Le Quernec, qui a lancé cette campagne d'affichage, avec l'aide de la municipalité. «A la réaction assez forte des fabricants de cigarettes, on a bien vu que ce que disaient les affiches était vrai», explique Didier. «Ça nous a convaincus.»

Convaincre, c'était bien le but d'Alain quand il a lancé l'idée des affiches antitabac : «La troisième est une classe décisive. C'est à cet âge que l'on se construit une image, et que l'on décide ou non de fumer. Pas question de faire la morale à ces jeunes», affirme-t-il.

Son parti pris : travailler sur le message publicitaire en prenant le contre-pied de la vraie publicité de manière choc et tonique, comme dans un clip.

«J'adore regarder les pubs à la télé, reconnaît Danielle, seize ans. En général, c'est bien rythmé, bien fait, et les musiques sont géniales.»

Plus branchant, en effet, que de parler de cancer du poumon...

«Quand on parle maladie aux jeunes, ils s'en moquent,» confirme Jean-Jacques Larzul, Directeur du lycée Briseux. «La perspective d'un cancer à cinquante ans, ça leur paraît le bout du monde. Ils vous regardent avec les yeux ronds. La campagne des collégiens de Chaptal les a touchés parce qu'elle ne cherchait pas à agir de manière répressive mais à amener les jeunes à réfléchir sur leur relation au tabac. En jouant sur l'image, ils ont visé juste. C'est exactement de cette façon que Marlboro a conquis le public jeune.»

GAULOISES
LA PUB TUE
Poil au Poumon
LA PUB TUE

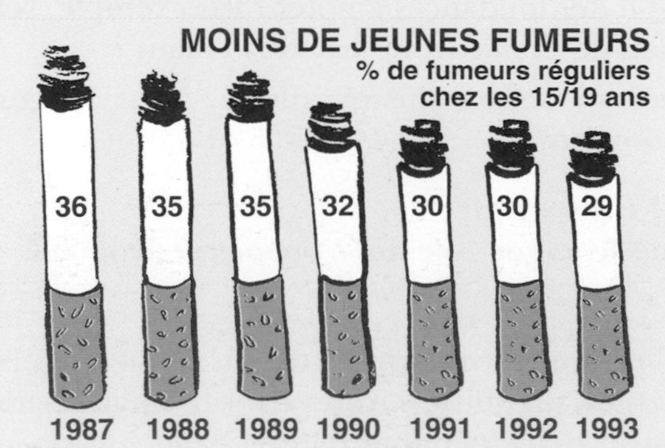
MOINS DE JEUNES FUMEURS
% de fumeurs réguliers chez les 15/19 ans
36
35
35
32
30
30
29
1987
1988
1989
1990
1991
1992
1993

3 **Les personnages**
Lisez ces phrases et écrivez celles qui sont vraies.

Didier
a ne fume plus
b n'a jamais fumé
c fume au café

Jean-Jacques Larzul
a critique l'attitude des collégiens
b pense que les affiches sont efficaces
c est docteur

Alain Le Quernec
a a créé des affiches
b travaille pour la municipalité
c est prof de dessin

Danielle
a fait de la musique
b a le cancer
c regarde beaucoup la télé

4 **Equivalence**
Cherchez, dans le texte, l'équivalent de ces expressions :

walking confidently – people notice you – in defiance of the rules – that was exactly the purpose – that's the age when – wide-eyed.

5 **Suivez les pistes !**
Recueillez dans l'article *La pub tue* tout le vocabulaire associé au monde de l'éducation. Vous en trouverez pas mal ! Par exemple : la sonnerie, les couloirs, les escaliers.

Maintenant, faites la même chose pour «le monde du tabac». Le premier mot, c'est «une clope». Pourquoi pas présenter vos résultats en forme de dessin de cigarette ?

Au besoin, cherchez les définitions dans un dictionnaire. Marquez toujours le genre des noms. Apprenez par cœur les mots que vous ne connaissez pas bien.

6 **Fumer ou ne pas fumer ?**
Quatre jeunes s'expriment au sujet du tabagisme. Répondez aux questions **22**.

Ne confondez pas l'usage de «de» et de «à». Pour un peu de pratique **23**.

POINT GRAMMAIRE

L'infinitif + c'est/c'était
Exemples : Arrêter de fumer, c'est un acte de courage.
Convaincre, c'était bien le but d'Alain.

7 **Réfléchir avant d'agir...**
Composez des phrases en choisissant la lettre qui correspond le mieux au numéro. Il y a peut-être plusieurs possibilités. Et attention de ne pas stresser votre prof !

1 Réfléchir avant d'agir,
2 Fumer dans les chiottes,
3 Amener les jeunes à considérer les risques du cancer,
4 Afficher les posters anti-profs sur les murs du lycée,
5 Fumer ou ne pas fumer,
6 Regarder les pubs à la télé,

a c'est un acte de courage.
b c'est ça la question.
c c'est génial.
d c'est la responsabilité du Directeur du lycée.
e c'est toujours une bonne idée.
f c'est dégoûtant.

Inventez six autres phrases qui commencent par des infinitifs et qui correspondraient bien avec les fins de phrase **a** à **f** ci-dessus.
Exemple :
Penser avant de parler, c'est toujours une bonne idée !

8 **La loi antitabac et les sports mécaniques**
Les informations antitabac.

Travail de recherche

Créez un dépliant antitabac pour afficher dans votre salle de classe, dans le coin détente à votre lycée ou collège ou... dans la salle des profs !

En écoutant encore *Fumer ou ne pas fumer ?* vous trouverez des idées et du vocabulaire utiles.

Etudiez les images de publicité courantes. En traduisant le texte de ces affiches de l'anglais au français, vous trouverez peut-être des idées humoristiques ou ironiques.

AU FAIT

- Les Français fument chaque année, 94 milliards de cigarettes. 50 000 décèdent d'un cancer des voies respiratoires ou d'une maladie cardiovasculaire pour avoir abusé du tabac. Coût pour la Sécurité Sociale : 40 milliards de francs.
- Enfin, les fumeurs sont responsables de 30% des incendies de forêt.

Les jeunes face à la santé

1 Victime de la boulimie

La boulimie, c'est vraiment une maladie que l'on prend trop souvent à la légère. La nourriture, ou plutôt la bouffe, devient une drogue au même titre que l'alcool ou le tabac. Comment est-ce ça arrive ? Lisez la lettre de Marie-Laure.

Au besoin, vérifiez le sens des verbes suivants qui décrivent l'acte de manger et des noms qui décrivent des émotions :

– déguster – bouffer – s'alimenter – ingurgiter.
– une envie – des soucis – la honte – le désespoir.

Témoignage

Ça fait plus d'un an que ça me poursuit et donc un an que je combats ça... sans succès. Au début cela n'était pas grave : j'étais bien dans mons corps, et ne faisais qu'écouter mes plaisirs. Puis cette boulimie a pris une autre forme : j'avais l'impression que cela me calmait.

Tout commence par une envie de se remplir, de combler un vide intérieur... Tout commence par un peu plus de chocolat que d'habitude, un peu plus de biscottes, un peu plus de tout (vraiment de tout) et un peu plus chaque jour. Puis très vite, on ne mange plus par gourmandise, mais pour faire autre chose que regarder ses soucis en face et les combattre; on ne prend plus goût à la nourriture; on ne déguste plus, on bouffe. C'est alors que tout chancelle; viennent la honte et le désespoir, les maux de ventre horribles, et un cri de douleur chaque jour plus fort. La honte devant les parents qui ne comprennent rien : «C'est l'adolescence : elle a besoin pour un temps de s'alimenter un peu plus»; la honte devant les camarades, les gens du bahut, de paraître plus grosse : ce qui est presque arrangé par le fait de vomir (de se faire vomir); la honte la plus grave, celle devant soi-même... On ne s'aime plus soi, on ne sait plus qui on est, au bahut, on joue un rôle, à la maison un autre, mais au fond, quand le soir est sombre, on sait très bien qui on est : celui qui ingurgite des quantités incroyables de ce qu'il trouve.

Le désespoir de ne pas être entendu par les autres car cette maladie est une maladie, un cri pour l'entourage, une façon à nous de vous dire : «On est là...»

Aujourd'hui, je commence à peine à réaliser. Bien décidée, (mais c'est si dur !) à faire un régime, j'attends de passer mon bac. Je voudrais simplement faire prendre conscience de ce problème grave qui touche bien plus de femmes qu'on ne le croit. J'espère donc que vous publierez ma lettre...

2 Histoire d'une maladie

Répondez aux questions suivantes avec autant de détails que possible.

a Marie-Laure est malade depuis combien de temps ?
b Elle a envie de manger quoi ?
c Elle a honte devant qui ?
d Quelle est son attitude envers ses parents ?
e Pourquoi, selon vous, a-t-elle écrit cette lettre ?

3 De plus en plus

Relevez, dans la lettre, toutes les expressions contenant «plus» puis, sans regarder le texte, complétez les phrases suivantes.

a Marie-Laure a passé ...... combattre la boulimie.
b Elle a commencé à manger ...... chocolat chaque jour.
c Elle ne mange ...... gourmandise.
d Elle ne prend ...... la nourriture.
e La honte ...... , c'est celle devant soi-même.
f La boulimie touche ...... qu'on ne le croit.

ALORS, JEUNE HOMME !.. QU'EST-CE QUI N'BOUME PAS ?
VAN HER

4 Dossier médical

Tout le monde tombe malade de temps en temps. Pensez aux maladies, bénignes ou graves, que vous avez eues au cours de votre vie. Pensez aux accidents et aux incidents qui vous ont obligé(e) à aller à l'hôpital ou à rester à la maison. Dressez une liste sur votre «dossier médical» (vrai ou imaginé). Voici des noms de maladies infantiles et de maladies communes pour vous aider.

flu	la grippe
measles	la rougeole
chickenpox	la varicelle
German measles	la rubéole
mumps	les oreillons
tonsillitis	une angine

Dossier médical de	
Age	Maladie/Accident/Hospitalisation/Rester chez vous
3	la pneumonie - 3 jours à l'hôpital.
10	jambe cassée - béquilles obligatoires rééducation etc

5 La prévention du Sida

Infos France-Inter.

5 Evasion

Thèmes	Communiquer	Grammaire
• Les vacances • Les voyages • Les transports	• Exprimer une opinion contraire avec tact • Ecrire une lettre formelle	• Aller à/en/dans • Le plus-que-parfait • Tout • Le participe présent

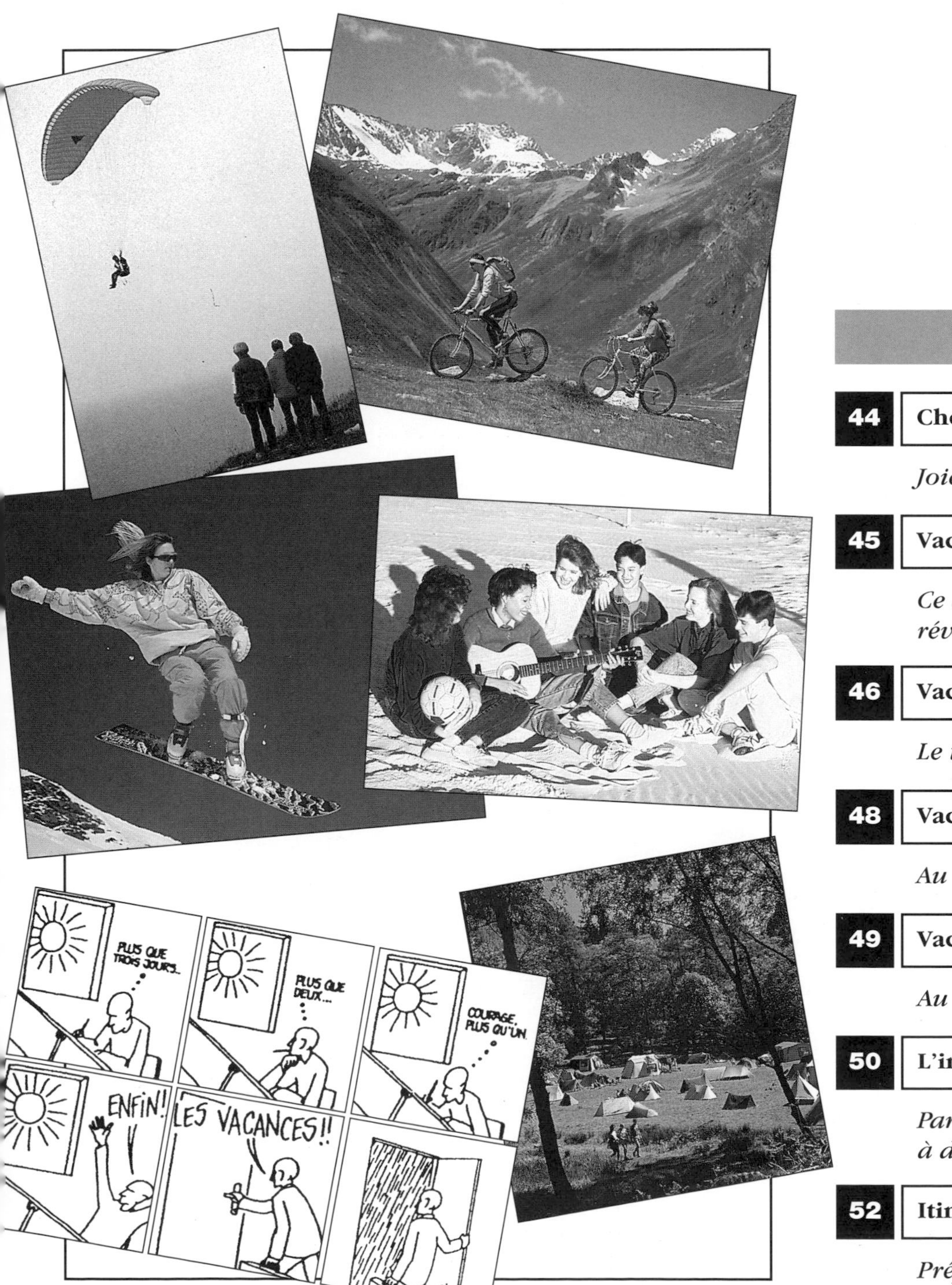
PLUS QUE TROIS JOURS...
PLUS QUE DEUX...
COURAGE, PLUS QU'UN
ENFIN!
LES VACANCES!!

SOMMAIRE

Choix de vacances

Au point a interviewé Michel, Fabienne et Monique sur leurs préférences au point de vue vacances. Voici leurs réponses à ces questions :

- Qu'est-ce que vous aimez faire ?
- Qu'est-ce que vous aimeriez faire ?
- Avec qui ?

Michel
J'aime les vacances au bord de la mer. La plage, c'est la détente. Mais maintenant, j'ai envie de faire quelque chose de différent. J'aimerais voyager à l'étranger, en Europe ou encore plus loin, aux Etats-Unis, au Canada, même en Amérique latine. Je crois qu'on a toujours quelque chose à apprendre et le meilleur moyen de s'informer de ce qui se passe à travers le monde, c'est de voyager.

Monique
Les vacances, ça sert à changer de la vie habituelle, à changer tout, à arrêter tout ce qu'on fait pendant l'année. Moi, j'aime retrouver mes amis mais j'aime aussi faire de nouvelles connaissances, connaître plein de gens. Ça peut se faire n'importe où. Les sports d'hiver, c'est sympa. Il y a toujours beaucoup d'animation après le ski. L'important pour moi, c'est de ne pas être seule. J'ai horreur de ça.

Fabienne
Pour moi, les vacances, c'est surtout le soleil et avoir de belles images en tête. J'aimerais aller dans un pays assez chaud, aux Antilles ; à la Jamaïque, par exemple, ou dans les îles françaises : à la Martinique ou à la Guadeloupe. Là, je me ferais bronzer, je prendrais tous mes repas en plein air à la terrasse d'un restaurant de luxe. Avec qui ? Ah ! ça dépend !

1 **Qui désire quoi ?**
Qui, parmi Michel, Monique et Fabienne, voudrait faire les choses suivantes ?
a s'instruire
b rencontrer des gens
c prendre des bains de soleil
d voyager loin
e passer des soirées animées
f bien manger.

2 **On échange des idées**
Et vous, qu'est-ce que vous aimez faire quand vous êtes en vacances ? Qu'est-ce que vous aimeriez faire, si vous aviez assez d'argent ? Préparez vos réponses en complétant les phrases suivantes :
a Les vacances, ça sert à...
b Pour moi les vacances, c'est surtout...
c J'ai envie de...
d J'aimerais aller...
e L'important, c'est de...

Echangez vos idées avec les autres membres de la classe.

3 **Radio banlieue**
Ecoutez l'émission de Radio Banlieue. On vous propose un grand choix de vacances. Voir 24.

4 **L'autostop**
Chanson de Maxime Le Forestier.

5 **Dans les Hautes-Pyrénées**
Pub de France Inter. Voir 25.

POINT GRAMMAIRE

Aller à/en/dans

- Devant un nom de ville : Je vais à Paris, à Orléans, à La Rochelle, au Havre.
- Devant un nom de département français ou de comté britannique : Je vais dans le Jura, en Ardèche (f.), dans le Suffolk, en Cornouailles (f.).
- Devant un nom de province ou de région : Je suis allé(e) en Bretagne (f.), dans les Alpes, dans le Midi.
- Devant le nom d'un pays ou d'un continent : Je voudrais aller en France (f.), au Sénégal (m.), aux Etats-Unis (m. pl.), aux Antilles (f.pl.).

BONNE IDEE

Sur une grande feuille de carton, dessinez une valise, un sac à dos et une malle avec «J'irai à», «J'irai en», et «J'irai dans» écrits dessus, comme dans les dessins. Pensez à tous les endroits du monde que vous voudriez visiter. Ecrivez-les sur vos bagages en respectant les règles ci-dessus.

J'irai à
J'irai en
J'irai dans

Vacances à la carte

Des millions de vacanciers sur les plages, à la montagne ou à la campagne. En juillet-août, une bonne partie de la France se met au vert. C'est la grande évasion. Selon les dernières statistiques, un peu plus de 55% des Français sont partis en vacances l'an dernier contre à peine 40% en 1965. L'instauration d'une cinquième semaine de congés payés en 1981 a donné un coup de pouce aux vacances d'hiver. De 17% en 1975, le taux de départs à la neige est passé en 1990 à près de 28%. Reste que près d'un Français sur deux ne partira pas cet été...

Disposant de plus de jours de congés, ceux qui s'en vont bouclent plus souvent leurs valises. Mais pour des séjours plus brefs : 17 jours en moyenne l'été. Contrairement à ce qu'on pourrait croire, ceux qui sont en âge scolaire, en gros les 6–24 ans, ne partent pas plus que leurs aînés. La durée moyenne des séjours est même légèrement plus faible que pour les retraités : 17,7 jours contre 19,2 !

La différence est aussi importante selon les professions et les revenus. Les personnes modestes partent moins longtemps et moins souvent : si un salarié agricole sur dix goûte aux vacances, la proportion passe à près de cinq sur dix chez les ouvriers et dépasse huit sur dix chez les professions libérales et les cadres supérieurs.

Les Français ont au moins un point commun : ils partent majoritairement en famille. Trois séjours sur quatre se déroulent chez des parents proches ou éloignés. Les locations d'été sont moins fréquentes – 18% des vacanciers – et 7% vont à l'hôtel. Le camping a toujours ses adeptes : 10% partent en caravane, 7% plantent la tente. Quant aux clubs et villages de vacances, nos compatriotes les boudent carrément : à peine 5% y sont allés l'an passé.

Les châteaux de la Loire, haut-lieu touristique pour les Français et pour les visiteurs étrangers.

Enfin, on choisit ses vacances en fonction de son âge. Les plus de 60 ans préfèrent l'hôtel ou la résidence secondaire. Autour de 40 ans on opte pour la caravane et la location. Les moins de 25 ans, eux, préfèrent la tente.

---

1 Enrichissez votre vocabulaire

En utilisant un dictionnaire monolingue, expliquez la différence entre «vacances» et «congés».

Toujours à l'aide du dictionnaire monolingue, vérifiez le sens des expressions :

- se mettre au vert
- donner un coup de pouce
- boucler sa valise
- bouder carrément

2 Attention aux faux amis !

Les faux-amis sont des mots français qui ressemblent à des mots anglais mais qui ont une signification différente.

Exemple :

actuellement (*at the present time*)

Cherchez dans l'article :

les noms : «l'évasion», «les locations d'été», «les adeptes»
l'adjectif : «modeste»
et le verbe : «disposer» (deux exemples).

Traduisez les phrases dans lesquelles ils se trouvent.

Créez une nouvelle catégorie dans votre banque de données. Mettez-y les faux-amis et dans le champ «Thème» écrivez «Faux-amis». Cherchez d'autres exemples dans les chapitres d'**Au point**.

3 Travail oral à deux

Prenez chacun(e) une moitié de l'article et préparez cinq questions à poser à votre partenaire. Vous pourriez vous poser des questions sur les aspects suivants :

les dernières statistiques ; les tendances les plus importantes ; la durée moyenne ; l'influence de l'âge ; l'influence : travail – profession ; l'influence de l'âge sur les préférences d'hébergement en vacances.

Utilisez une variété de formes interrogatives : Combien de ? Où ? Qui ? Pourquoi ? Quand ? Que ? Qu'est-ce que... ? Est-ce que... ?

Plan professionnel

On vous a demandé de représenter les statistiques de l'article dans une forme plus accessible. En suivant l'exemple, dessinez des graphiques à colonnes au sujet :

- des vacances de neige
- des vacanciers français et le type de logement
- de l'effet de l'âge sur la durée des vacances

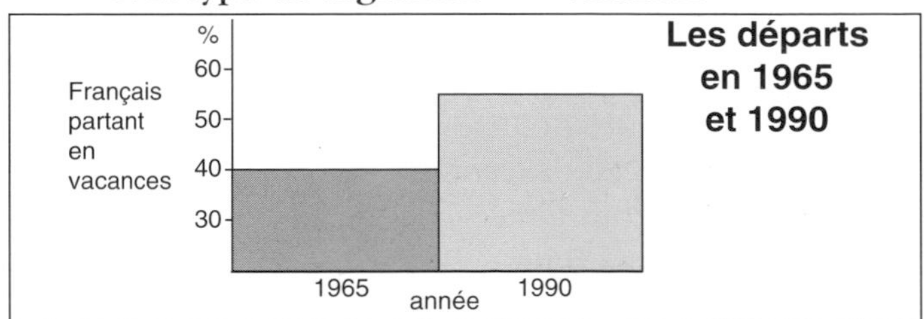
Les départs en 1965 et 1990
%
60
50
40
30
Français partant en vacances
1965
année
1990

Vacances ratées

Gisèle (16 ans) nous raconte ce qui s'est passé pendant ses vacances. Lisez son triste témoignage.

a Karine est ma meilleure amie. Ainsi cette année, quand mes parents m'ont proposé de l'inviter à venir avec nous en vacances, j'étais folle de joie. Elle aussi. Elle n'était jamais allée en camping. Nos vacances, nous les passons tous les ans dans un grand caravaning sur la côte d'Azur, pratiquement les pieds dans l'eau.

b Le premier juillet, nous avons pris la route. Je lui avais tellement parlé de ce caravaning, qu'en arrivant elle m'a dit : «Gisèle, tu es championne dans les descriptions. C'est tout à fait comme ça que je l'imaginais.»

c Sur la plage, moi, j'ai immédiatement remarqué un grand garçon blond très beau. Bien sûr, je l'ai dit à Karine : «Karine, ça y est, j'ai choisi «ma proie» de l'été. Regarde un peu comme il est chouette, hein ? Toi, comment tu le trouves ?»
– Vachement intéressant. Viens, on va s'approcher de lui.
C'est ce que nous avons fait, en ayant l'air indifférent. Puis quand il s'est levé, on l'a suivi.

d Et c'est comme ça qu'on a repéré sa caravane, qu'on a vu ses parents, qu'on a compris qu'il était allemand et qu'il s'appelait Peter. Il a fini par nous remarquer. On ne parlait entre nous que de lui. Karine m'a dit : «Tu vois ? Il n'arrête pas de regarder par ici. Ça y est Gisèle, je crois qu'il craque pour toi.»
– A quoi tu le vois ?
– Il n'arrête pas de nous regarder, enfin je veux dire de te regarder.
– Tu es sûre ?
– Sûre et certaine.
– Mais alors, qu'est-ce qu'il attend pour venir vers nous ?
– Il n'ose peut-être pas. Comme il est allemand, il ne parle peut-être pas français et ça doit le bloquer. Si on allait vers lui, Gisèle ?
– Ah non, pas nous. Je suis peut-être vieux jeu, mais crois-moi, les garçons n'apprécient pas les filles qui font les premiers pas. D'ailleurs, le bal du 14 juillet n'est pas loin. Et là, tu verras que c'est lui qui se manifestera.

e Ces petits mots nous amusaient. Et ma foi, les vacances c'est ça, et c'est ce qui me plaît. Donc, nous voilà au bal, toutes les deux bien bronzées. On repère Peter immédiatement et on va se planter juste en face de lui. Je ne m'étais pas trompée. Au premier slow il s'avance vers nous. Moi, mon cœur faisant boum boum, je regarde ailleurs. Il s'approche. Ça y est, il est là. Mon cœur battait toujours plus fort. Il s'arrête devant nous. Et puis il demande à Karine : «Vous voulez danser ?»

f Toutes les deux, nous étions surprises. Mais moi, j'étais aussi, franchement, déchaînée. Et je suis partie. La fête n'avait plus d'intérêt pour moi. Toutes mes illusions étaient tombées à l'eau. Ça m'a complètement gâché la soirée... et les vacances, tellement j'étais déçue !

1 Cherchez l'équivalent
Les équivalents français de ces expressions se trouvent dans le témoignage de Gisèle. Les lettres correspondent à celles des paragraphes dans lesquels vous les trouverez.

a mad with joy
b We set off.
c looking as if we couldn't care less
d He was all we spoke about together. How can you tell ?
e I hadn't got it wrong.
f I was so disappointed.

2 A plusieurs titres
Voici quelques phrases à mettre en tête des paragraphes. Quel numéro correspond à quel paragraphe ?

1 Quelle déception pour Gisèle !
2 A la poursuite de Peter
3 L'invitation aux vacances
4 La chasse commence
5 En attendant Peter
6 Le départ

3 Mettez-vous à leur place !
En utilisant autant de vocabulaire tiré du témoignage que vous voulez, racontez l'histoire, à partir du paragraphe **c** du point de vue de :
Karine – «Gisèle et moi nous sommes descendues sur la plage, et Gisèle a remarqué... etc.
Peter – «Je me faisais bronzer sur la plage, quand j'ai remarqué... etc.

TIENS ! REGARDE ÇA ! C'EST LE NUMÉRO DES VACANCES !...
OUAH ! SUPER LE MAILLOT !!!
RENTRE LE VENTRE ON PARLE DE TOI !
Jean. C. Arni

un témoignage	une histoire vraie, racontée par une personne qui l'a vue/vécue
la proie	animal ou personne qu'on chasse
repérer	découvrir où se trouve qch. ou qqn.
se manifester	montrer ses émotions
déchaîné	furieux
gâcher	ruiner, gaspiller, perdre

Expressions argotiques :

chouette	sympathique, beau
vachement	vraiment
craquer	être en crise (d'amour), devenir très faible
se planter	se mettre
un slow	une danse sur une musique de rythme lent

4 Vacances avec ou sans parents ?

Ecoutez ce que disent trois jeunes sur leurs vacances en famille.

a Qui va presque toujours au même endroit ?

b Qui continue à passer ses vacances d'été chez les parents ?

c Selon Nathalie, Salah et Gérard, quels sont les avantages et les désavantages des vacances en famille ? Et quels sont leurs projets pour des vacances à l'avenir ?

5 En famille ? Quelle famille !

Etudiez d'abord Pour communiquer, puis, en groupes de six, faites la simulation sur **26** .

POUR COMMUNIQUER

Exprimer une opinion contraire avec tact

D'accord, mais il faut considérer aussi...
Tu as peut-être raison mais moi, je dirais que...
Ça, ce n'est pas une mauvaise idée mais...
J'ajouterais cependant que...
Tout à fait, mais ce qui me gêne, c'est que...
Oui, bien sûr, mais la meilleure solution, ne serait-elle pas de... (+ inf.)

GRAMMAIRE

Le plus-que-parfait

- **Usage**

Pour désigner un événement qui s'est passé (ou ne s'est pas passé) **avant** un autre événement dans le passé.

Exemples tirés du texte :
- Je lui avais tellement parlé de ce caravaning *(I had spoken so much...)* (c'est à dire – avant le voyage)
- Elle n'était jamais allée en camping. *(She had never been camping before.)*

On se sert souvent du **plus-que-parfait** quand on fait un compte rendu (style indirect) ou quand on rapporte les paroles d'autres personnes.

Exemple :
- Elle a dit qu'elle avait déjà mangé.

- **Formation**

L'imparfait des auxiliaires **avoir** ou **être** + **participe passé**.

Exemples :
- j'avais voulu
- nous étions partis
- elles s'étaient amusées

Suivez les mêmes règles que pour le passé composé pour le choix de l'auxiliaire (**être** ou **avoir**) et la concordance du participe passé.

Voir pages 16 et 237.

▶ **27** Exercices.

Tout

▶ Trouvez, dans le témoignage, toutes les expressions avec «tout». Notez-les.

- **Formule adjectif**

	masc.	fem.
sing.	tout	toute
plur.	tous	toutes

- **Formule adverbe**

a Expressions : tout à fait, tout de suite, tout de même, tout à l'heure, etc.

b Devant un adjectif, «tout» signifie «très» ou «assez» et reste invariable, sauf devant un adjectif au féminin qui commence par une consonne.

Exemples :
- L'appartement est tout neuf.
- Gisèle était tout émue.
- La maison était toute propre.
- Elles étaient toutes petites.

▶ Cherchez-en d'autres expressions pareilles.

- **Formule nom**

le tout = la totalité de quelque chose

Exemple :
- Risquez le tout pour le tout.

- **Comment traduire *both* ?**

Karine et Gisèle étaient, toutes les deux, surprises.
Peter et Karine se sont amusés, tous les deux, au bal.
Attention ! tous les deux ans = *every other year.*

Voir aussi page 235.

Vacances de rêve

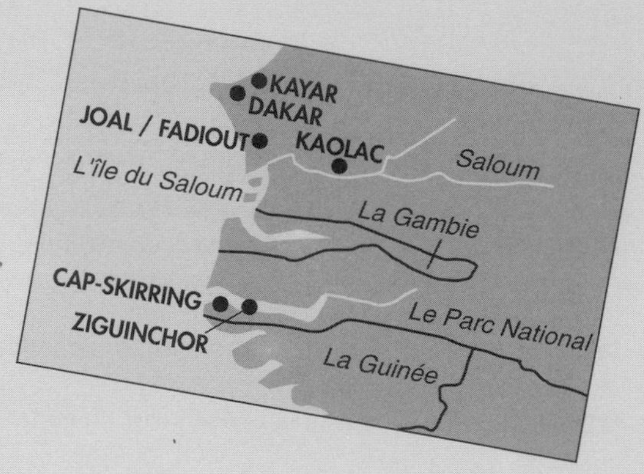
KAYAR
DAKAR
JOAL / FADIOUT
KAOLAC
Saloum
L'île du Saloum
La Gambie
CAP-SKIRRING
ZIGUINCHOR
Le Parc National
La Guinée

SENEGAL

CIRCUIT DE 15 JOURS POUR LES 15/17 ANS

A 6 heures de vol de France, le Sénégal offre un dépaysement garanti et une grande diversité d'intérêts touristiques. Le voyageur aura d'ailleurs l'impression de faire plusieurs voyages en un seul : farniente au bord d'une mer tiède et poissonneuse, excursions diversifiées et découverte des nombreuses ethnies installées le long des fleuves majestueux qui donnent à ce pays un peu de fraîcheur.

Le Sénégal, c'est la Grande Afrique, avec ses traditions toujours vivantes et son accueil si chaleureux : le mot «teranga», bienvenue, se lit sur tous les visages.

Mode de vie
Hébergement à l'hôtel «Le Pélican» de Saloum situé dans l'un des plus beaux sites du Sénégal, dans un parc ombragé et magnifiquement fleuri avec, comme toile de fond, le majestueux fleuve Saloum. Les chambres sont réparties par petites cases, dans les jardins, elles sont toutes climatisées avec salle de bains.

La restauration s'effectue dans la case centrale au sein d'un vaste restaurant dont la renommée du chef est bien connue.

Devant le restaurant, une magnifique terrasse aménagée autour de la piscine.

1 **Mariez-les**
A l'aide du texte, mariez les mots avec leurs définitions.

- **a** dépaysement
- **b** farniente
- **c** ethnie
- **d** hébergement
- **e** case

1. habitation simple
2. ensemble d'individus ayant en commun un certain nombre de caractères de civilisation (langue, culture, race, etc.)
3. logement
4. changement de mode de vie
5. état de détente absolue

2 **Monsieur Gningue**
Monsieur Gningue, représentant du gouvernement du Sénégal à l'ambassade sénégalaise à Londres, parle de ce que son pays offre aux touristes.

Au besoin, cherchez le sens des mots suivants : un atout ; s'adonner ; s'effectuer.

Ecoutez la cassette et donnez les détails nécessaires :

- **a** Deux raisons de visiter le Sénégal en été
- **b** Deux atouts touristiques du Sénégal
- **c** Une raison pour laquelle les Anglais préfèrent le sud du pays
- **d** Quatre activités sportives pour les touristes
- **e** Deux raisons de faire du tourisme rural

3 **Travail oral à deux**
Une personne travaille dans une agence de voyages en France. L'autre vient demander des renseignements sur des vacances au Sénégal.

Préparez soit des questions à poser, soit les informations à donner, par exemple, au sujet des faits suivants :

- La durée du voyage
- L'environnement
- Le logement et les chambres
- Les activités possibles.

Vacances utiles

L'Association Etudes et Chantiers offre aux jeunes l'occasion de participer à des projets d'été. Faire un chantier, c'est agir de manière concrète sur l'environnement à la ville comme à la campagne. Un extrait du prospectus de l'association donne un exemple typique d'un chantier international.

TOGO BANLIEUE

Rachid et Vanessa font l'Afrique ! Trois groupes de jeunes ont mis, en août de l'année dernière, des milliers de kilomètres, et la brousse, entre eux et leurs banlieues. La latérite et les termitières en guise de béton et de HLM ?

Expérience douloureuse et extraordinaire garantie : s'adapter au climat, à l'environnement, vivre en collectivité, manger à l'africaine (ne pas boire de l'eau), travailler sans outils, rencontrer et partager la chaleur (et la susceptibilité) des Africains...

Une autre planète (quoi qu'on dise, les frontières et les distances n'ont pas disparu). Travailler «gratuitement» pour construire une école (quand on n'y va plus) ou pour retracer un chemin, ou encore planter des arbres pour lutter contre le désert.

Travail pour une association africaine avec des jeunes locaux : un réel échange !

Notes

Le Togo : république de l'Afrique occidentale sur le golfe de Guinée. La langue officielle des Togolais est le français.

HLM : sigle de Habitation à Loyer Modéré (immeuble construit par une collectivité pour des familles qui ont de petits revenus).

1 **Pour bien comprendre**

Retrouvez dans le texte les mots qui correspondent aux définitions suivantes.

- **a** avoir une expérience commune avec d'autres personnes
- **b** matériau de construction très résistant
- **c** type de végétation à arbustes des pays tropicaux
- **d** roche rouge
- **e** butte de terre, percée de galeries où habitent les termites

2 **En d'autres mots**

Ecrivez des phrases mais en remplaçant l'infinitif par un nom. N'oubliez pas les accords d'adjectifs !

Exemple :

Travailler sans outils était dur.
Le travail sans outils était dur.

- **a** S'adapter au climat a été long.
- **b** Construire une école sera laborieux.
- **c** Lutter contre le désert est essentiel.
- **d** Planter des arbres sera important.
- **e** Echanger des idées était intéressant.

3 **L'expérience de Rachid**

Ecoutez Rachid qui a participé au chantier de Togo. Il donne quelques détails sur le travail qu'on pourrait vous demander de faire pendant ces vacances utiles et d'autres informations nécessaires. Prenez des notes sous les deux titres : Nature du travail et La vie collective.

aménager	to equip, fit out
un sentier	path
une source	spring
un barrage	dam
les bestiaux	cattle
se débrouiller	to get by, manage
gérer	to manage, organise
crevé	worn out

4 **Des chantiers au Sénégal**

Pour plus de vocabulaire et d'autres expressions utiles, écoutez *Des chantiers au Sénégal*.

Plan professionnel

Vous avez décidé de participer, l'année prochaine, au chantier «Togo Banlieue». Sur la fiche d'inscription, on vous demande de donner les raisons pour lesquelles vous voulez y aller et d'expliquer les qualités que vous apporteriez. Préparez vos réponses à ces deux questions :

- Pourquoi voulez-vous participer à ce projet ? (50 mots)
- Qu'offrez-vous en particulier ? (50 mots)

Vous pourriez considérer, dans vos réponses, les idées suivantes :

- aider le Tiers-Monde
- faire de nouvelles connaissances
- la vie collective
- découvrir l'Afrique
- l'environnement
- développer d'autres talents personnels
- travailler dur
- expérience préalable
- sens de responsabilité
- parler des langues étrangères

L'INVITATION AU VOYAGE...

... par le train

Le TGV (Train à Grande Vitesse) est le train le plus rapide du monde. Depuis 1981, sa silhouette si caractéristique traverse la France en atteignant régulièrement 270 km/h en vitesse commerciale.

Avec le TGV, Paris n'est plus qu'à 2 heures de Lyon et le TGV Atlantique, avec ses 300 km/h, étend le réseau national «à grande vitesse» (plus vite que l'avion si l'on considère la liaison de centre-ville à centre-ville).

Le confort est de très grande qualité. Sur le TGV Atlantique, tout un choix d'espaces est proposé aux voyageurs avec des petits salons, un bar occupant une voiture entière, un salon vidéo, un espace-enfant, une nurserie, des espaces pour les familles, etc. Il est même possible de téléphoner dans le monde entier tout en roulant à 300 km/h !

Sur le TGV Atlantique, toutes les fonctions vitales du train sont surveillées par informatique. A intervalles réguliers, les microprocesseurs testent automatiquement ces équipements.

1 **Vous avez compris l'essentiel ?**
Vous êtes un(e) représentant(e) de la SNCF interviewé(e) par un journaliste. Donnez un exemple pour chacune des trois qualités du TGV : vitesse ; confort ; sécurité.

2 **Travail au dictionnaire**
Avec l'aide d'un dictionnaire monolingue, complétez la liste en remplaçant les trous par un nom ou par un verbe suivant les exemples donnés. Notez le genre (f.) ou (m.) de tous les noms.

verbe	nom	nom	infinitif du verbe
lire	lecture (f.)	voyageur (m.)	voyager
étendre		liaison ( )	
considérer		choix ( )	
reposer		fonction ( )	
proposer		invitation ( )	
surveiller		centre ( )	

... en bateau

Brittany Ferries

Bonne Traversée !

Le temps passe si vite sur nos bateaux, que vous n'aurez peut-être pas le loisir d'épuiser tous les agréments de votre traversée : air iodé et bain de soleil en pleine mer... sur le pont, drink au bar pour quelques pence, cinéma... Dans le confort moelleux de nos salons, plongez-vous dans la lecture du guide Brittany Ferries et peaufinez votre itinéraire. Les enfants ? Une salle de jeux leur est réservée, sous l'œil vigilant d'hôtesses-animatrices. Sur un bateau Brittany Ferries, c'est la détente sur toute la ligne.

Bon Sommeil !

Vous traversez de nuit ? Pour votre repos, vous avez le choix du confort. Large siège inclinable ou cabine (pardon ! mini-chambre d'hôtel).

Conçues pour 2 ou 4 personnes, toutes nos cabines comprennent draps, couettes et linge de toilette. Avouez que cela mériterait quelques étoiles.

le réseau	network
épuiser	to exhaust
les agréments	enjoyable things, trimmings
mœlleux	luxurious, soft, mellow
peaufiner	to polish, put the finishing touch to
la couette	duvet
VTT (vélo tout terrain)	mountain bike

3 **Suivant l'ordre**
Le texte ... *en bateau* fait mention de plusieurs activités. Mettez ces verbes dans l'ordre qui correspond à celui du texte.

a lire
b dormir
c jouer
d boire
e regarder un film
f se faire bronzer
g se détendre

4 **Exercices de prononciation**
Quelques exercices pour améliorer votre prononciation.

... à pied ou à dos d'animaux

Après la lune, on a marché sur la terre...

On peut parcourir la terre de bien des façons. La plus simple ? A pied. Eté : retour en force (vague écolo oblige ?) des raids, randonnées, trekkings de toute espèce et dans toutes les contrées, du Vercors au Katmandou, en passant par l'Ouest américain, les hauts plateaux d'Asie centrale.

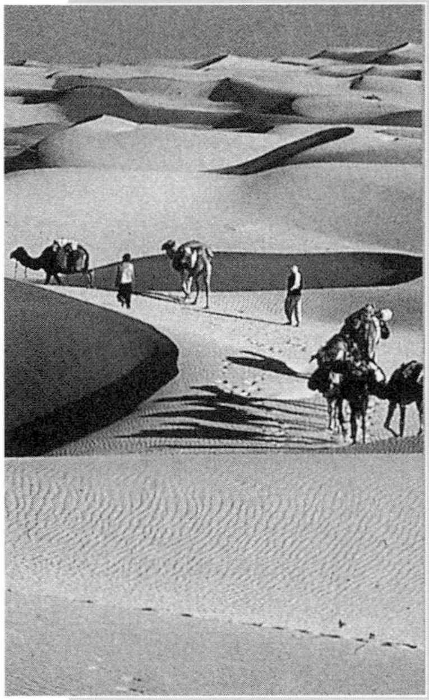

Pour les paresseux, les voyages à dos d'animaux, tels que les chameaux ou chevaux, vous donnent l'occasion de découvrir une région, ses habitants et sa culture, différemment ! Pour les anti-conformistes : mille autres moyens de locomotions. Le VTT, le 4x4 ; le traîneau et pourquoi pas la charrette ?

Certaines agences vous proposent des expériences réellement insolites. Un conseil adressé aux fauchés : pour l'étranger pensez à organiser vos aventures sur place, via les offices de tourisme.

5 Cherchez l'intrus

Lisez le texte ... *à pied ou à dos d'animaux* et cherchez l'intrus.

a VTT – 4 x 4 – traîneau – charrette
b terre – plateau – contrée – région
c randonnées – aventures – raids – trekkings

Ecrivez une raison pour chacun de vos choix.

6 Défi grammatical

Prouvez, à base d'indices grammaticaux dans le texte, le genre des noms «façon» et «espèce».

7 La langue de chez nous

Le langage publicitaire

Relisez les trois textes (train – bateau – pied), à haute voix, si vous voulez. Tous les trois textes font de la publicité mais de façon différente. On y aperçoit trois styles distincts.

1. Quel texte est caractérisé :
   a par son ton persuasif ? **b** par son style formel ? **c** par son style décontracté ?
   Donnez des exemples pour justifier votre décision.
2. Dans quel texte trouvez-vous :
   a de l'argot **b** de l'exagération **c** du langage technique ?
   Donnez des exemples.
3. Quel texte s'adresse principalement :
   a aux adultes ? **b** aux jeunes ? **c** au public en général ?
   Expliquez vos décisions.

GRAMMAIRE

Le participe présent

- **Usage**

Ça correspond à la forme du verbe qui se termine en anglais en *-ing*.

Invariable avec ou sans «en».

Exemples tirés des textes :

– en atteignant *(while reaching)*
– occupant *(occupying)*
– tout en roulant *(while you are travelling along)*
– en passant par *(by going through)*

Peut être utilisé aussi comme un adjectif.

Exemple :

– Le TGV peut circuler sur les voies existantes.

- **Formation**

A partir du verbe **nous** au présent. Retirez la terminaison **-ons** et ajoutez **-ant.**

- **Exceptions**

avoir – ayant
être – étant
savoir – sachant

Voir aussi page 239.

Infinitif	«nous» au présent	Participe présent
arriver	arrivons	arriv + ant = arrivant
placer	plaçons	plaç + ant = plaçant
manger	mangeons	mange + ant = mangeant
remplir	remplissons	rempliss + ant = remplissant
faire	faisons	fais + ant = faisant

Itinéraire

LIGUE FRANÇAISE POUR LES
AUBERGES DE LA JEUNESSE

38 Bd RASPAIL 75007 PARIS
TÉL. (1) 45 48 69 84
FAX 45 44 57 47

Association à but non lucratif fondée en 1930 par Marc Sangnier. Elle a pour mission d'accueillir les jeunes de tous pays dans un total esprit de neutralité, de favoriser les rencontres, l'accès au voyage et la participation aux multiples activités proposées dans les auberges.

L.F.A.J

AUBERGE DE JEUNESSE

Le réseau LFAJ
La LFAJ regroupe plus de 100 AJ, 4 en Corse, 3 à La Réunion, 1 en Guadeloupe. Elles sont classées en 3 catégories suivant leurs spécificités et leurs niveaux de confort.

L'accueil LFAJ
Chaleureux, amical et international, les AJ accueillent individuels et groupes, et, en fonction de leur équipement, les familles, les handicapés physiques.

Chèque plein air
Ils sont alloués aux jeunes sous certaines conditions. Adressez-vous à la LFAJ.

Les activités LFAJ
Pour vous, de multiples activités été comme hiver : sportives, culturelles, de loisirs et de détente. Tout est possible et accessible avec la LFAJ.

Plan professionnel

Il vous faut écrire une lettre formelle à la LFAJ.

- Vous devez obtenir le guide France et d'autres informations sur les AJ en France.
- Demandez les tarifs pour l'année en cours.
- Réservez provisoirement les places. (Choisissez des auberges.)
- Un de vos copains est handicapé. Assurez-vous que toutes les auberges sur votre itinéraire sont équipées pour les handicapés.
- Demandez des renseignements sur les activités spéciales prévues pour l'été prochain.
- Renseignez-vous sur les conditions sous lesquelles les «chèques plein air» sont alloués.

POUR COMMUNIQUER

Ecrire une lettre formelle

1 **Propre adresse, précédée de son nom**

2 **Adresse :** La direction, LFAJ, etc.

3 **Nom de votre ville et la date :**

Paris, le 25 mai 1994

4 **L'en-tête de la lettre :**
Monsieur ou Madame, (*on n'écrit pas* Cher Monsieur...)

5 **Le début de la lettre :**
J'ai l'intention de passer mes prochaines vacances...
Je suis en train de faire mes projets pour les vacances...

6 **Votre demande de renseignements :**
Je vous serais très reconnaissant(e) de vouloir bien me fournir les réponses aux questions suivantes...
Vous m'obligeriez en me donnant des renseignements sur...
Auriez-vous l'obligeance de vouloir bien me faire parvenir/m'envoyer...

7 **La salutation finale :**
Veuillez recevoir, Monsieur/Madame, mes salutations distinguées.
Veuillez agréer, Monsieur/Madame, l'expression de mes sentiments les meilleurs/distingués.
Recevez, Monsieur/Madame, avec mes remerciements anticipés, mes sentiments les meilleurs.

8 **Signature**

Le traitement de texte vous permettra plus facilement, en changeant quelques détails nécessaires, d'écrire directement à chaque auberge que vous voulez visiter. Pourquoi pas écrire, dès aujourd'hui ?

6 Si j'avais des sous...

Thèmes	Communiquer	Grammaire
• Dépenser et gagner de l'argent • Le Tiers-Monde • Le langage de l'argent	• Faire des suggestions • Protester	• Le conditionnel • Le subjonctif • Les articles et le pronom partitifs

Bourse de Paris

VALEURS	Cours précéd.	Dernier cours
COMPTANT		
CNB Bques 5000 F	99,05	99,40
CNI 1/82 5000 F	99,50	99,40
Application Gaz	256	256
B.T.P.	26,30	25,95
Case Poclain	2,50	n.c.
Fichet Bauche	486	495
Hôtels Deauville	759	n.c.
Immobanque	720	727
Publicis	675	670
Rougier	170,10	177
Viniprix	1555	1555
ULN 12/87-88	500	n.c.
SECOND MARCHÉ		
B.I.M.P.	98	98
Chantiers Bénéteau	255	256
C.A. Ille-et-Vilaine	297	297
Gautier France	207	204
Guerbet	379	375
Guyomarc'h	583	570
Razel Frères	300	300
SPIR Communication	450	450
Television TF1	478,50	486
Bernard Tapie Fin.	75	61,10 ◆
Matra Communicat.	295,70	295,70
Mumm	842	n.c.
Waterman	1100	n.c.

CHANGES A PARIS	Précéd.	Jour
Etats-Unis (1 $)	5.6245	5,6570
Ecu	6.5865	6,5905
Allemagne (100 DM)	339.0700	339,4000
Belgique (100 F.B)	16.4710	16,4820
Pays-Bas (100 Fl)	301.6800	302
Italie (1000 L)	3.5125	3,5100
Grande-Bretagne (1£)	8,1245	8,1095
Espagne (100 P)	4,7565	4,7665
Portugal 100 Esc.	3,6750	3,6700
Suisse (100 F.S)	367,1400	368,0100
Suède (100 K)	74,0800	74,3800
Autriche (100 ATS)	48,1960	48,2350
Canada (1 $)	4,5159	4,5336
Japon (100 Y)	4,8114	4,7982

COURS DE L'OR	Précéd.	Jour
Lingot (1 kg)	59550	59400
Piece 20F	345	345
Pièce suisse 20 F	342	344
Pièce latine 20 F	345	340
Souverain	435	437
Pièce 20 dollars	2115	2115
Pièce 10 dollars	1160	1105
Pièce 50 pesos mex.	2180	2185
Pièce 10 florins	350	355

offre réduite **demande réduite**

La Bourse de Paris

SOMMAIRE

Etes-vous cigale ou fourmi ?

La cigale

Insecte des régions chaudes qui chante. Symbole des personnes qui ne prévoient pas les moments difficiles où elles auront besoin d'argent ou de réserves.

La fourmi

Petit insecte qui représente les personnes travailleuses et économes.

L'écureuil

Petit mammifère rongeur qui fait des provisions de noisettes pour l'hiver, la mauvaise saison : adopté comme symbole des caisses d'épargne, espèces de banques où les Français déposent leurs économies.

Le cochon

Traditionnellement, les tirelires sont en forme de cochon avec une fente sur le dessus.

1 Les animaux et l'argent
Lisez ces définitions et assurez-vous que vous les comprenez.
Lequel de ces animaux vous représente le mieux ? Comparez avec le reste de la classe.

2 La cigale et la fourmi
Fable de Jean de la Fontaine (1621–1695).

3 Les personnes et l'argent
Lisez les adjectifs suivants à voix haute. Sans regarder dans le dictionnaire triez-les en deux catégories.

- Ceux qui décrivent les personnes qui *aiment dépenser leur argent* :
- Ceux qui décrivent les personnes qui *détestent dépenser leur argent* :

avare	économe	pingre
avaricieux	généreux	prodigue
chiche	large	radin
dépensier	mesquin	regardant

Fini ? Vérifiez maintenant vos réponses dans un dictionnaire monolingue ou bilingue – au choix. Notez aussi s'il s'agit de la langue familière.

4 Leurs bilans
Trouvez la signification des mots et des expressions suivants dans un dictionnaire :

- placer de l'argent
- un truc
- un abonnement
- tellement
- les étrennes
- prendre un pot
- un petit boulot
- donner une petite pièce

Ecoutez les jeunes qui parlent. Pour chacun d'eux, Aurélien, Béatrice et Chantal, écrivez :
- d'où vient leur argent ;
- comment ils l'utilisent.

Pour vous aider, utilisez les listes ci-dessous.

Sources de revenus

- Argent de poche
- Cadeaux
- Petits services pour la famille ou des connaissances
- Petit travail rémunéré

Utilisation

- Achète des trucs
  – pour les études
  – pour les transports
- Investit
- Pour les loisirs
- Pour les vacances

5 A la recherche des mots
Recherchez dans le test ci-contre les mots et expressions français qui correspondent aux mots et expressions anglais suivants. Les numéros entre parenthèses correspondent à la question du test où se trouve le mot recherché.

a broke (1)
b deep-frozen (1)
c sales (2)
d matching (2)
e will do (3)
f surroundings (4)
g borrow (4)
h second-hand (5)
i gives in (5)
j you give as a present (6)
k shoe lace (6)
l has agreed to lend you (7)
m god-father (8)
n god-mother (8)
o trinkets (voir résultats)

Faites le test pour plus de précision sur votre position par rapport à l'argent.

ENTRE SYLVIE QUI MULTIPLIE LES EMPRUNTS ET VÉRONIQUE QUI ALIMENTE RÉGULIÈREMENT SON LIVRET D'ÉPARGNE, DE QUEL CÔTÉ PENCHE VOTRE BALANCE ? CIGALE OU FOURMI, RÉPONDEZ À CES QUESTIONS SANS CALCUL...

1. Vous êtes invité(e) chez des amis un peu fauchés. Chacun fait un effort et apporte ce qu'il veut :

☐ a) vous cherchez un dessert surgelé dans le congélateur

☐ b) vous videz votre tirelire pour acheter du champagne et des fleurs

☐ c) vous vous renseignez sur ce que les autres apportent et complétez le menu

2. Enfin les soldes. Cette fois, vous vous offrez le pull de vos rêves.

☐ a) vous avez dépensé tout votre argent en achetant en plus un jean inutile

☐ b) c'est encore trop cher. Vous attendez une prochaine et meilleure occasion

☐ c) ravi(e), vous allez faire des économies pour acheter un pantalon assorti

3. C'est votre anniversaire. Votre flirt vous a offert un cadeau somptueux. Dans quinze jours, c'est aussi son anniversaire :

☐ a) votre histoire d'amour n'est pas merveilleuse en ce moment : trop risqué de se retrouver avec un cadeau qui ne sert à rien

☐ b) une soirée au cinéma fera l'affaire

☐ c) vous flashez sur une chemise colorée et ajoutez au paquet le sweat qui va si bien avec

4. Les vacances approchent. Votre souhait : changer de décor et dormir...

☐ a) vous passerez les vacances à faire du baby-sitting

☐ b) pourquoi pas une escapade au camping entre cousins

☐ c) pour pouvoir suivre votre meilleur(e) copain/copine au bord de la mer, vous empruntez à tout le monde

5. C'est la rentrée des classes. Côté vêtements...

☐ a) vous faites le tour des ventes de charité pour acheter des vêtements d'occasion

☐ b) les vêtements de l'an dernier feront encore l'affaire

☐ c) votre mère cède et achète tout neuf

6. Après les cours, vous allez au cinéma avec vos copains, Julie et Pascal :

☐ a) vous leur faites cadeau de leur place : ce sera leur tour la prochaine fois

☐ b) chacun paie son ticket : cela évite les calculs et les histoires

☐ c) vous refaites lentement le lacet de votre chaussure pendant que Pascal sort son portefeuille

7. Votre meilleur(e) ami(e) a bien voulu vous prêter 100F :

☐ a) ce doit être une erreur : vous n'acceptez jamais ce genre d'aide

☐ b) vraiment ? Vous l'aviez complètement oublié

☐ c) dans une semaine, vous aurez remboursé votre dette comme prévu. Et avec des remerciements chaleureux

Pour connaître votre score, additionnez les points correspondant à chacune de vos réponses:

1 :	2 :	3 :	4 :
a 1	a 3	a 1	a 1
b 3	b 1	b 2	b 2
c 2	c 2	c 3	c 3

5 :	6 :	7 :	8 :
a 2	a 3	a 1	a 2
b 1	b 2	b 3	b 3
c 3	c 1	c 2	c 1

8. Votre belle-sœur vient d'avoir un bébé et vous propose d'être le parrain/la marraine :

☐ a) c'est très gentil de sa part d'avoir pensé à vous

☐ b) vous pleurez et vous riez de joie tout à la fois

☐ c) quelle malchance ! les bébés ne vous intéressent pas et en plus, ils coûtent cher en cadeaux. Comment refuser ?

Radine ou généreuse ? Ce jeu-test vous le revèle.

DES RESULTATS REVELATEURS

VOUS AVEZ OBTENU MOINS DE 15 POINTS :

Vous ne vous amusez pas tous les jours. Petite fourmi, vous êtes aussi exigeant et sévère envers vous-même qu'envers les autres. Vous n'êtes pas naïf et personne ne vous abusera. C'est bien de connaître la valeur de l'argent, mais attention à ne pas devenir mesquin. Vos amis vous en voudraient. Devenez plus souple, vous profiterez mieux des petites occasions qui rendent la vie heureuse...

DE 15 A 22 POINTS :

Vous êtes ingénieux et vous savez gérer vos petits revenus, sans dépenses excessives. Prudent, mais pas radin, on vous apprécie pour votre gentillesse et vos attentions. Vous auriez quand même tendance à être large. N'oubliez pas que les bons comptes font les bons amis.

PLUS DE 22 POINTS :

Vous ne comptez pas et adorez faire plaisir à tout le monde. Sans vous oublier. Peut-être pourriez-vous regarder à deux fois avant de casser votre cochon pour des babioles dont vous serez lassé dès le lendemain. Si vous avez la chance d'avoir plus d'argent de poche que vos copains, ne les mettez pas mal à l'aise en flambant un peu trop à leurs yeux.

les petits Boulots d'été

JE VOUDRAIS TRAVAILLER CET ÉTÉ, J'AI DEJA MON MATERIEL...
REMPLISSEZ LE FORMULAIRE ROSE, ON VOUS ECRIRA...
RECRUTEMENT
ADMINISTRATION

Dès que l'été arrive, saisonniers et étudiants se mettent à la recherche de petits boulots. Voici comment dénicher ces contrats ponctuels.

LA RESTAURATION RAPIDE

Les fast-foods sont les plus gros consommateurs de jeunes extra. Ils sont toujours à l'affût de personnel d'appoint, été comme hiver. Et vous pourrez y travailler à la carte : quelques heures le soir, un weekend sur deux. Selon vos disponibilités et celles de l'entreprise.

● Vous êtes payé au Smic horaire. Pour le recrutement, demandez à rencontrer le responsable du McDonald's, Burger-King, Quick, Flunch, Brioche dorée ou Pomme de pain de votre quartier.

LES SUPERMARCHÉS ET LES MAGASINS

Auchan, Euromarché, Le Printemps, Monoprix, Prisunic. Tous les étés, supermarchés et grands magasins recherchent des caissières, des hôtesses d'accueil ou des seconds de rayon qui remplissent les étalages.

● Si votre remplacement s'est bien passé, ils vous proposeront peut-être un contrat à l'année à temps partiel, quelques heures le samedi, jour de surcharge. Adressez-vous au service du personnel des supermarchés de votre région. Salaire : le Smic horaire.

LES PARCS D'ATTRACTIONS

Ces centres de loisirs renouvellent généralement leur personnel d'animation chaque été. Les contrats sont ponctuels et à durée déterminée. La saison commence en avril-mai et se termine en septembre. La majorité des postes proposés concerne la vente, l'accueil, l'animation, les différents services d'entretien ou la restauration.

● Parc Astérix : 44.60.60.00. ; La Mer de sable, dans l'Oise : 44.54.00.96. ; Big Bang Schtroumpf, près de Metz : 87.51.73.90. ; Walibi, Lyon : 74.33.71.80.

---

1 **Mariez-les**

Sans regarder dans un dictionnaire, mariez chaque mot à sa définition, selon le texte.

Mots

1 un boulot
2 saisonnier
3 dénicher
4 ponctuel
5 un extra
6 être à l'affût de
7 été comme hiver
8 la disponibilité
9 le Smic
10 renouvellent
11 animation
12 se termine
13 accueil
14 entretien
15 second de rayon
16 étalage
17 à temps partiel

Définitions

a Sigle pour «salaire minimum interprofessionnel de croissance», le plus bas salaire autorisé par la loi en France depuis 1970.
b Changent, trouvent de nouveaux (...).
c Une personne qui travaille seulement une saison.
d Un petit travail.
e En toute saison.
f Finit.
g Trouver (une petite merveille).
h On ne travaille pas 39 heures par semaine mais, par exemple, 5, 10 ou 15 heures.
i Employé en plus des employés permanents.
j Réception.
k Programme de distractions et d'activités pour les personnes en vacances.
l Les étagères ou les vitrines d'un magasin.
m Attendre une occasion avec impatience.
n Une personne qui met les produits sur les étagères d'un magasin.
o Nettoyage, ménage, lavage des sols, etc.
p Liberté, heures de libre.
q Précis dans le temps, de durée limitée.

2 **Que choisir ?**

Six jeunes cherchent un petit job. Ecoutez leurs préférences et recommandez pour chacun(e) un des boulots de l'article.

Exemple :

Personne 1 aimerait vendre des trucs. Donc je recommande un boulot dans un supermarché ou un magasin.

3 Travail oral à deux

Premièrement, inventez six vœux qui correspondent aux petits boulots sur cette page, par exemple :

– Je voudrais travailler au grand air, en septembre.
– J'aimerais un boulot aux horaires souples.

Deuxièmement, travaillez à deux. La première personne lit un de ses vœux. En réponse, l'autre personne suggère un des petits boulots offerts sur cette page.

POUR COMMUNIQUER

Faire des suggestions

A ta place, Si j'étais toi,	je choisirais je considérerais j'envisagerais j'opterais pour *(le temps = conditionnel)*	l'animation. la restauration. les magasins.

4 Mille et une manières de gagner du fric

Voir 28. Au Canada, comme en France, beaucoup de jeunes travaillent en même temps qu'ils poursuivent leurs études. Une station de radio canadienne a demandé à quelques-uns de ces jeunes de téléphoner et d'enregistrer sur le répondeur téléphonique leurs expériences et leurs opinions.

Attention ! Un dépanneur en France est un garagiste. Au Canada, c'est une alimentation générale qui reste ouverte tard, le soir.

JE PRÉFÈRE BRAQUER MAMAN CAR PAPA N'A JAMAIS DE MONNAIE !

5 Votre opinion ?

Quels sont les avantages et les inconvénients de mener des études et un travail de front ?

En travaillant à deux, divisez une feuille de papier en deux colonnes ; dans une des colonnes, écrivez tous les avantages qu'il y a à avoir un petit boulot. Dans l'autre colonne, tous les inconvénients.

Avec un autre groupe de deux personnes, comparez vos listes.

Individuellement maintenant, faites un plan de rédaction sur le sujet suivant :
«Les avantages et les inconvénients qu'il y a à avoir un petit boulot en même temps qu'on poursuit des études.»

Si vous avez besoin d'aide, voir 29.

6 Tatie

Ecoutez la première partie de ce fait divers. Les économies d'une vieille tante sont l'objet de convoitise de son neveu et sa nièce.

GRAMMAIRE

Le conditionnel

- **Usage**

Pour être plus poli qu'au présent indicatif ; pour demander quelque chose poliment :
Exemple :
– Je voudrais de l'eau, s'il te plaît.

Pour demander un service :
Exemple :
– Pourriez-vous me passer la bouteille ?

Pour indiquer des actions ou des états possibles selon les conditions :
Exemple :
– Si j'étais toi, je choisirais les magasins.

- **Formation**

Prendre le radical du futur. (Déjà vu page 29.)

Au radical du futur, ajouter les terminaisons de l'imparfait. (Déjà vu page 38.)

Exemples :

Infinitif	Radical futur	Conditionnel
manger	manger-	je mangerais
finir	finir-	tu finirais
répondre	répondr-	il répondrait
aller	ir-	nous irions
faire	fer-	vous feriez
être	ser-	elles seraient
avoir	aur-	on aurait

- **Concordance des temps**

Si+Présent, Futur
Si+Imparfait, Conditionnel

Exemple :
– Si tu prends un boulot, tu gagneras de l'argent.
– Si tu prenais un boulot, tu gagnerais de l'argent.

Pour plus de renseignements sur le conditionnel, voir page 238.

▶ Pour plus de pratique, 30.

Sans un radis ou bourré aux as ?

C'est-à-dire, très pauvre ou très riche. Voici deux articles qui font contraste. Dans le premier, nous visitons un restaurant pas comme les autres ; dans le deuxième, nous rencontrons Cyndy Crawford, l'un des mannequins les mieux payés des années 90.

«Toi, tu manges où ?»

«Ce n'est pas juste que des jeunes ou des couples vivent dans la rue,» nous dit Ahmed. Nous sommes à «l'Etage», un restaurant où nous rencontrons des jeunes qui sont au chômage, ou qui vivent dans des conditions difficiles. Certains squattent dans des trains en gare de triage la nuit pour s'abriter.

A ce restaurant, on paie son repas 8 francs. Les responsables de l'Etage essaient d'aider les jeunes pour qu'ils puissent faire face à toutes leurs précarités. Nous sommes venus déjeuner. Nous discutons aussi avec les personnes qui travaillent ici ou qui viennent ici.

Les jeunes que nous rencontrons ici nous disent qu'ailleurs, on leur donne à manger, mais qu'ils préfèrent venir ici pour payer leur repas. Cela leur laisse leur dignité. Quand quelqu'un vient manger mais n'a pas les 8 francs, ça arrive que d'autres contribuent pour qu'il puisse payer son repas.

Ahmed et ses deux amis maghrébins ont connu «l'Etage» par des jeunes sans domicile fixe qui leur ont donné cette adresse.

«Si on n'a pas de logement, on ne peut pas trouver du travail non plus,» dit Abdul. «Nous, on attend des orientations pour trouver des solutions au logement ou au travail. Mais on veut aussi se prendre en compte par nous-mêmes, et ne pas dépendre des autres.»

au chômage	sans emploi
en gare de triage	l'endroit où on sépare et regroupe les wagons pour former des trains
s'abriter	se protéger du mauvais temps
faire face à	réagir positivement
les précarités	les situations incertaines et fragiles
les Maghrébins	personnes venant de la région d'Afrique du Nord constituée du Maroc, de l'Algérie et de la Tunisie
sans domicile fixe	sans adresse permanente
se prendre en compte	avoir de la responsabilité personnelle
mannequin	personne qui présente des vêtements en les portant dans des défilés de mode
cachets	sommes d'argent gagnées par un artiste
remise en forme	régime et programme d'exercices physiques pour retrouver sa santé ou son tonus
alimentaire	qui se rapporte aux aliments, c'est-à-dire à ce qu'on mange
se goinfre	absorbe en grande quantité

1 Protestations
Lisez les deux articles. Préparez-vous à protester qu'il n'y a pas de justice dans la vie. Travaillez oralement à deux ou trois. Dites ce que vous ne trouvez pas juste et proposez des solutions de remplacement. Puis présentez vos conclusions à la classe.

POUR COMMUNIQUER

Protester Il n'est pas juste Je trouve ça injuste	que qu'	*(+ subjonctif présent)* les jeunes vivent dans la rue.
Il faudrait Je voudrais J'aimerais		les jeunes puissent avoir du travail. ils soient heureux.
Ce serait mieux Ce serait plus équitable Ce serait moins injuste	si	*(+ indicatif imparfait)* tous les jeunes mangeaient à leur faim.

2 La chanson des restos du cœur
A la manière de Band-Aid, un groupe de chanteurs français menés par le comique Coluche a enregistré cette chanson dont les revenus sont destinés aux démunis de France.

AI OU FAUX

CYNDY CRAWFORD GAGNE UN MILLION PAR JOUR.

RAI

Il s'agit d'un million de francs ! Madame Richard Gere est le mannequin le mieux payé des États-Unis. Ses cachets peuvent aller jusqu'à 20 millions de francs pour 10 jours de travail consécutif. Mais ce n'est pas tout. Elle présente un show de remise en forme sur MTV. Elle vend également des cassettes vidéo de gymnastique et de conseils alimentaires. D'ailleurs, elle ne mange que du poisson, des céréales, et se goinfre de vitamines. Elle boit jusqu'à 3 litres d'eau minérale par jour, prend des bains très chauds et va régulièrement au sauna pour que sa peau soit plus satinée. Avec tout ça, on ne peut estimer sa fortune tant elle doit être colossale. Mais avec son acteur de mari, elle préfère se consacrer à leur religion, le bouddhisme, plutôt que d'acheter des maisons et des voitures. Chacun son truc !

3 **Journal télévisé du 2 janvier 1993**

En hiver, les sans-logis sont confrontés à des problèmes dont les médias se font l'écho. Avant d'écouter la cassette, recherchez la signification des expressions et des mots suivants :
– parfois – trottoir – banlieue – hivernal
– offrir un toit

Deux faux-amis :
– estimer – une entreprise

Assurez-vous aussi que vous comprenez toutes les propositions des questions à choix multiple ci-dessous. Ecoutez la bande sonore du journal télévisé et choisissez la bonne terminaison des phrases suivantes.

A «Emaüs», «Médecins du Monde» et «Droit au Logement» sont :
- **a** des sections de l'Armée du Salut.
- **b** des associations d'aide humanitaire.
- **c** des associations créées par les sans-logis.

B 300, c'est le nombre probable de personnes qui, en France :
- **a** sont mortes de froid en une semaine.
- **b** recherchent un abri cette semaine.
- **c** ont trouvé un refuge cette semaine.

C L'Armée du Salut a besoin :
- **a** de volontaires.
- **b** de lits pour les sans-domiciles.
- **c** de couvertures.

D 13 000, c'est le nombre probable de personnes qui, en région parisienne :
- **a** sont allées à l'Armée du Salut.
- **b** dorment dans les rues.
- **c** habitent dans les banlieues.

E Quelles catégories sociales sont sollicitées pour contribuer à l'action charitable ?
- **a** les industriels et les hommes politiques.
- **b** les gens ordinaires, les industriels et ceux qui travaillent à l'administration.
- **c** la police, les industriels et les hommes politiques.

GRAMMAIRE

Le subjonctif

Dans ce chapitre, nous considérons un usage limité du subjonctif. Pour en savoir plus, attendez le chapitre 7 d'**Au point**.

Exemples tirés du texte :
- (Ils) essaient d'aider les jeunes pour qu'ils puissent faire face (...).
- (Ils) contribuent pour qu'il puisse payer.

- **Usage**

Le subjonctif est une forme du verbe surtout utilisée dans certaines propositions subordonnées, c'est-à-dire :
- après certaines conjonctions comme : **pour que, afin que**
- après certains verbes comme : **il n'est pas juste que, il faudrait que** et **je voudrais que**...

- Quelques verbes fréquents mais irréguliers :

pouvoir	il puisse	ils puissent
être	il soit	ils soient
avoir	il ait	ils aient
faire	il fasse	ils fassent

Pour plus de verbes, chapitre 7 ou la table des verbes page 244.

▶ Pour un peu de pratique, **31**.

Vrai ou faux... Les aides n'arrivent-elles jamais à destination ? Les pays occidentaux donnent-ils

«Les pays du tiers-monde devraient s'en sortir puisqu'ils sont les plus gros producteurs de matières premières.»

FAUX Contrairement à ce qu'on croit souvent, les plus grandes réserves connues de matières premières minérales et agricoles se trouvent dans les pays riches (Etats-Unis, Canada, Chine...). Un certain nombre de pays en voie de développement sont tout de même producteurs de matières premières dont leur économie dépend pratiquement à 100%. C'est le cas du café, pour la Colombie, de la bauxite pour la Guinée, du cacao pour la Côte-d'Ivoire, etc. Et ces pays ont construit toute leur économie autour de «leur» matière première. Le jour où ils n'arrivent plus à l'écouler, tout s'effondre

puisque	comme, parce que
une matière première	une ressource trouvée à l'état naturel comme le charbon, le fer, etc.
en voie de développement	en train de se développer
arriver à + inf.	réussir
prendre le relais	prendre la suite, succéder
à court de	sans assez de
en matière de	en ce qui concerne
les excédents	le surplus
plutôt que	en préférence à
lorsque	quand
octroyer	donner
s'assortir de	s'accompagner de
FMI	Fond Monétaire International

1 Mettez-les en ordre

Mettez les idées suivantes dans l'ordre du texte.

- **a** Les gouvernements de certains pays du tiers-monde achètent des produits dangereux aux pays occidentaux pour les recycler.
- **b** Il faut prévoir le jour où la richesse naturelle exploitée sera épuisée.
- **c** Les pays riches aident les pays pauvres dans le seul but de pouvoir écouler les produits qu'ils ont en trop.
- **d** Les pays riches ont la plus grande partie des matières premières.
- **e** Pour lutter contre la pollution, il faut être fort et organisé.
- **f** Il faut s'assurer que l'aide destinée aux populations défavorisées arrive à destination.
- **g** L'économie de certains pays en voie de développement repose entièrement sur une seule richesse naturelle.
- **h** En aidant les pays pauvres, les pays riches créent de nouveaux marchés pour leurs produits.

2 Objectif objectivité ?

En groupes de trois ou quatre et oralement, utilisez l'article et vos connaissances personnelles pour trouver des exemples et des idées qui vous permettront de répondre aux questions suivantes ;

- Selon vous, les journalistes qui ont écrit cet article décrivent-ils la situation d'une manière équitable, ou pas?
- Selon vous, est-il injuste que les pays riches s'attendent à recevoir quelque chose en contrepartie de l'aide qu'ils octroient aux pays du tiers-monde?

Après environ dix minutes de discussion, chaque groupe résume la position à laquelle il est arrivé sur chaque question et nomme un porte-parole qui rendra compte des conclusions du groupe au reste de la classe. Le reste de la classe peut poser des questions pour élucider les points qui ne paraissent pas clairs.

beaucoup d'argent au tiers-monde ? Les réponses de Zaki Laïd et Christian Lechervy.

car rien n'a été organisé à côté pour prendre le relais.

«Le tiers-monde est la poubelle des pays riches.»

VRAI Mais ce n'est pas si simple. Il est vrai que certains gouvernements du tiers-monde, à court de ressources, acceptent des déchets toxiques ou radioactifs, de certains pays occidentaux. Mais les pays pauvres se polluent eux-mêmes, aussi. En effet, ils ne sont pas suffisamment forts et constitués pour imposer sur leur propre territoire les législations internationales en matière d'environnement.

«L'argent qu'on donne pour aider le tiers-monde n'arrive pas toujours à ceux qui en ont vraiment besoin.»

VRAI La priorité des priorités ne va pas toujours aux populations les plus défavorisées. Lors d'une famine aux Philippines, on préfère envoyer du riz de l'Union européenne plutôt que d'en acheter en Thaïlande. Ça coûte plus cher et c'est plus long, mais on se débarrasse de ses excédents ! Les pays du Sahel comme le Mali, le Niger, le Burkina Faso, par exemple, reçoivent, eux, beaucoup plus d'aide qu'ils n'en ont besoin. Comment en arrive-t-on à de telles aberrations ? Parce que la répartition de l'aide alimentaire est trop souvent dictée par la recherche de débouchés commerciaux pour les surplus de pays occidentaux. Lorsque le Japon, la France, ou d'autres Etats octroient une aide technique à un pays pauvre, elle s'assortit toujours d'une obligation de faire travailler leurs entreprises ou d'acheter leur matériel. Du coup, l'argent «repart» en Occident ! Ainsi, en 1986, plus de la moitié des sommes prêtées par le FMI et la Banque mondiale a servi à payer des fournitures et des services à l'Occident. Donc, les associations humanitaires qui recueillent les dons vérifient de plus en plus sur le terrain que l'aide arrive bien à ceux qui en ont vraiment besoin.

Travail de recherche

La classe entière va préparer un dossier sur les pays francophones pour les petites classes de votre école. Voir carte pages vi-vii.

Avec votre professeur, décidez si vous allez travailler individuellement ou par deux. Chaque personne ou paire choisit un pays francophone différent.

Dans une bibliothèque, trouvez tous les renseignements possibles sur «votre» pays : situation géographique (carte), climat, population, ethnies, ressources naturelles, besoins (aide matérielle, technique, etc.)

Dans une agence de voyage, demandez des documents sur ce pays. Les photos seront utiles pour illustrer votre travail.

Sur une page de format A4, présentez «votre» pays de manière aussi simple et aussi attrayante que possible.

GRAMMAIRE

Les articles partitifs

- **Usage**

On utilise les articles partitifs devant des noms quand on ne peut pas compter le nombre d'objets :

Exemples tirés du texte :

– C'est le cas **du** café pour la Colombie, **de la** bauxite pour la Guinée.

- **Formation**

Singulier	
Masculin	**Féminin**
du	de la
de l'	

Note : Le partitif n'a pas de pluriel. Le pluriel de **un** ou **une** est **des.**

Le pronom partitif «en»

- **Usage**

en remplace tout nom précédé de **de**, **du**, **de la**, **de l'** ou **des**.

Exemples :

– **Du** riz ? La Thaïlande **en** produit beaucoup.
– Tu as trouvé **des** volontaires ?
– J'**en** ai trouvé sept !

▶ Pour un peu de pratique, **32**.

Toujours du fric, du flouze et du pèze

L'importance de l'argent est telle qu'il y a, en France, beaucoup de mots, ordinaires, familiers, très familiers et même argotiques pour parler d'argent.

Les Inconnus, un groupe de comédiens, se sont servis de beaucoup de ces mots dans une des strophes de leur chanson, *Rap Tout*.

1 **Rap Tout**

Ecoutez la strophe de la chanson *Rap Tout* sur la cassette. Utilisez les mots qui conviennent, écrits comme il convient pour compléter la version à trous de la strophe donnée ci-dessous. Attention ! les tirets (=_ _ _ _) remplacent des verbes au subjonctif !

On est là pour te pomper
T'imposer sans répit et sans repos
Pour te sucer tout ton ......

Les Inconnus

Ton	Tes ......
Ton	Ton ......
Ton	Tes ......
Ton	Ton ......
Ton	Tes ......
Tes	Tes ......
Tes	Tes ......
Tes	Tes ......

Tout ce qui traîne
Ce que tu as sué de ton front
On va t' le sucer jusqu'au fond

Nous sommes Urssaf, Cancras et Carbalas
Qui que tu _ _ _ _ , quoi que tu _ _ _ _
Faut qu' tu craches, faut qu' tu paies
Pas possible que t'en réchappes
Nous sommes les frères qui rappent tout
Salut ! TVA bien !

action	n.f. type de placement d'argent
bas de laine	n.m. (loc.) argent économisé (d'après l'habitude de garder ses économies dans un bas de laine)
bénéf	n.m. (fam.) profit
biffeton	n.m. (très fam.) billet
blé	n.m. (sens propre) céréale qui sert à faire du pain – (très fam.) argent
braise	n.f. (sens propre) restes incandescents d'un feu – (très fam.) argent
économie	n.f. somme d'argent conservée, économisée
fafiot	n.m. (très fam.) billet
flouze	n.m. (arg.) argent
fric	n.m. (fam.) argent
galette	n.f. (sens propre) sorte de gâteau très plat – (très fam.) somme d'argent importante
grisbi	n.m. (fam.) argent – peu commun
lingot	n.m. bloc de métal, souvent de l'or
liquide	n.m. argent en espèces, pas en chèque ou carte de crédit
magot	n.m. somme d'argent amassée, mise en réserve, cachée
oseille	n.f. (sens propre) sorte de plante – (fam.) argent
pépettes	n.f. pl.(très fam.) argent – toujours pluriel – peu employé
pèze	n.m. (très fam.) argent
picaillons	n.m. pl. (fam.) argent – toujours pluriel
pognon	n.m. (très fam.) argent
pourliche	n.m. (très fam.) pourboire
ronds	n.m. pl. (fam.) argent – toujours pluriel
salaire	n.m. rémunération d'un travail
sicavs	n.f. type de placement d'argent
sous	n.m. pl. (fam.) argent – toujours pluriel

2 **Jactez : La langue de chez nous**

Attention ! Selon à qui vous parlez, si vous employez le mauvais registre de langue, vous risquez de vous attirer des ennuis.

Il y a quatre registres de langue :

- La langue écrite : en général, elle respecte les conventions : les mots sont employés au sens propre ; il n'y a pas de fautes de grammaire.
- La langue parlée correcte : en général, elle respecte les conventions : les mots sont employés au sens propre ; il y a peu de mots familiers ou de fautes de grammaire.
- La langue parlée familière : elle utilise des mots et des expressions qui sont familiers et quelquefois argotiques. La grammaire n'est pas toujours correcte.
  – Attention ! Certains mots employés dans la langue familière peuvent être grossiers et risquent de choquer certaines personnes.
- L'argot : langue familière d'un milieu fermé qui utilise des mots spéciaux. Certains de ces mots sont passés dans le langage familier, d'autres pas. Ce registre de langue peut être très difficile à comprendre même pour certains Français.

33 Pour vous essayer à ces registres de langue.

CONTROLE 2

■ Révisez les chapitres 4, 5 et 6 d'**Au Point** (de la page 33 à la page 62). Assurez-vous que vous vous souvenez des mots et des expressions (et en particulier de ceux appris dans Pour communiquer), de la grammaire et enfin des idées associées aux thèmes de ces chapitres.

■ Puis, pour savoir où en sont vos connaissances, faites ces exercices sans aucune aide.

Vocabulaire

1 Traductions

Version

a avare
b coincé
c disposer de
d grignoter
e la honte
f les jeux d'équipe
g le souffle court
h tant pis !

Thème

a accommodation (2 n.m.)
b balanced
c to equip/fit out
d to manage
e to move
f natural resources
g part time
h to take the opposite course to
i a tool
j unemployed
k to waste
l it's worth it

2 Complétez

a Un M _ _ _ _ _ _ _ _ est une personne qui vient d'Afrique du nord.
b Quand on danse les c _ _ _ _ _ _ _ _ _ , on doit porter des chaussures spéciales.
c Avant de partir en vacances, il faut préparer ses bagages et _ _ _ _ _ _ _ sa valise.
d Un _ _ _ _ _ _ est ce qui reste d'une chose, qu'on ne peut ni utiliser, ni consommer.
e Une personne qui est pauvre et désavantagée est _ _ _ _ _ _ _ _ _ _ _.

3 Synonymes

a un enfant (fam.) _ _ g _ _ _ _
b de l'argent (fam.) _ _ _ _ _ _
c finir t _ _ _ _ _ _ _
d une cigarette (fam.) _ _ _ c _ _ _ _
e une maison à louer _ _ _ l _ _ _ _ _ _ _
f un état de détente absolu _ _ _ _ _ _ _ _ n _ _

4 Jeux

Avec un(e) partenaire, utilisez les mots des chapitres 4, 5 et 6 pour :
a jouer au pendu.
b jouer à un ping pong des mots «Comment dit-on ... en français/anglais?»
c préparer des anagrammes pour le reste de la classe.

Grammaire

1 à, de ou dans ?

Complétez :

Pendant mes vacances, je vais aller ... Portugal. En route, je ferai un petit séjour ... le Roussillon, cette région charmante du sud ... la France. Puis, il faudra bien sûr que je m'arrête ... Espagne. Je crois que je resterai quelques jours ... Saint-Jacques de Compostelle ... Galice. Puis je suivrai la côte jusqu'... Porto, ... Portugal.

2 Conjugaisons

Conjuguez les verbes suivants à l'imparfait, au plus-que-parfait et au conditionnel, à la personne donnée entre parenthèses.

Exemple :
venir (tu [f]) – tu venais; tu étais venue; tu viendrais.

a manger (il)
b revenir (je [m/f])
c être (nous)
d mettre (tu [f])
e pouvoir (elles)
f lire (vous)
g faire (nous)
h réussir (elle)
i partir (ils)
j voir (vous)

3 Forme correcte

Ecrivez la forme correcte des adverbes qui correspondent à ces adjectifs :

a grand
b irrégulier
c doux
d modéré
e heureux
f nul
g nouveau
h violent

4 du, de la, de l' ou en ?

... argent? Tout le monde ... voudrait, mais il faudrait que tout le monde ait ... travail. Or, actuellement, tout le monde n' ... trouve pas facilement. Pour ... trouver, il faut parfois ... temps et surtout ... patience.

5 Thème

Traduisez en français :
a While reaching the beach, we saw the sun.
b By going through Paris, you will see Paul.
c Having travelled by train, she felt more rested.
d She ran downstairs.

Pour communiquer

Faites les exercices suivants oralement.

1 Que diriez-vous?
Trouvez au moins trois expressions pour :
- **a** donner une réponse évasive.
- **b** exprimer une opinion contraire avec tact.
- **c** faire des suggestions.
- **d** protester.

2 Interprétation
Préparez des questions sur la photo ci-contre auxquelles votre partenaire répondra par «oui» ou «non».
Exemples :
- Est-ce que ces gens sont en Afrique ?
- Construisent-ils un système d'irrigation ?
- Ils travaillent dur ?

3 Prenez position
Que pensez-vous des affirmations suivantes ? Utilisez au moins deux expressions rencontrées dans Pour communiquer.
- **a** Dire aux gens qui fument qu'ils s'abîment la santé en fumant, ne sert à rien.
- **b** Les vacances utiles sont celles qui laissent le meilleur souvenir.
- **c** L'argent ne fait pas le bonheur.

Idées

1 Des faits
Donner autant de faits que possible sur les sujets suivants :
- **a** Le pour et le contre du mode de vie actuel pour la santé.
- **b** Les différents types de vacances offerts aux jeunes.
- **c** La pauvreté dans la société contemporaine.

2 En combien de questions ?
Individuellement et par écrit, relevez cinq idées dans chacun des chapitres. Puis, oralement et à deux, essayez de deviner quelles idées votre partenaire a sélectionnées. Commencez par des questions générales : «Tu as sélectionné quelque chose sur... ?» En cas de réponse positive, continuez à poser des questions de plus en plus précises. Quand la réponse est négative, changez de rôle.

3 Pendant une minute
Parler sans vous arrêter sur un de ces sujets :
- **a** Faut-il interdire de fumer dans les lieux publics ?
- **b** Les avantages et les désavantages des vacances en famille.
- **c** Faut-il redistribuer les richesses ?

Faisons le point...

- Demandez les réponses à votre prof et corrigez votre travail. Si vous avez travaillé à l'ordinateur, imprimez votre travail quand vous l'aurez corrigé.
- Interprétez vos résultats de manière à pouvoir copier et remplir le tableau suivant ; quelques exemples vous sont donnés. Au besoin, reportez-vous à la première page de chacun des chapitres.

	Aucun problème [1]	Peu de problèmes [2]	Gros problèmes [3]
Vocabulaire		**Exemple :** Bien manger	
Grammaire	**Exemple :** L'imparfait		**Exemple :** Adverbes
Communiquer			**Exemple :** Suggestions
Idées		**Exemple :** Les vacances	

[1] Pas besoin d'autres révisions.
[2] Revenir à ces questions quand vous aurez un peu de temps.
[3] Concentrez-vous sur ces points : révisez-les à fond, assurez-vous que vous comprenez tout bien. N'oubliez pas de vous servir des pages de grammaire à la fin du livre !

Table des matières

Test

1 IL FAUT VIVRE SA VIE !

On a toutes et tous une idée de soi-même plus ou moins avantageuse. Comment vous voyez-vous ?
Etes-vous plutôt satisfait(e) de vous-même ? Aimeriez-vous être un(e) autre? Pour faire le point en vous amusant, nous vous proposons ce test tout spécialement conçu pour vous. Faites-le vite !

COMMENT VOUS VOYEZ-VOUS ?

1. Quand vous rentrez chez vous, après une soirée passée avec une bande de copains et de copines :
a) Vous allez tout raconter à votre mère. ☐
b) Vous passez en revue tout ce que vous avez dit et fait et vous vous promettez de ressortir à la prochaine occasion. ☐
c) Vous appelez deux ou trois copains ou copines pour savoir s'ils ont passé une aussi bonne soirée que vous. ☐

2. Dans une matière où d'habitude vous êtes excellent(e), votre prof vous a donné une mauvaise note :
a) Vous l'avez toujours su : vous êtes nul(le) dans cette matière. ☐
b) Vous trouvez que c'est une injustice. ☐
c) Vous examinez en détail votre devoir pour comprendre pourquoi. ☐

3. Dans l'autobus, un garçon (une fille) vous regarde :
a) Vous rougissez. ☐
b) Vous vous retournez pour voir si c'est bien vous qu'il(elle) regarde. ☐
c) Vous vous rapprochez de lui (d'elle) pour le (la) voir de plus près. ☐

4. Pour choisir votre chef de classe :
a) Vous êtes déçu(e) quand on propose quelqu'un d'autre que vous. ☐
b) Vous êtes surpris(e) d'être choisi(e). ☐
c) Vous votez pour la personne la plus appréciée de la classe. ☐

5. Quand quelqu'un vous insulte, vous ne répondez pas ; c'est que :
a) Vous avez provoqué l'insulte. ☐
b) Vous refusez de descendre si bas. ☐
c) Vous vous vengerez plus tard. ☐

6. Etes-vous beau (belle) ?
a) Il y a certainement mieux que vous, mais vous ne vous trouvez pas si mal. ☐
b) Pas franchement, juste passable. ☐
c) Vous êtes le (la) plus beau (belle). ☐

7. Participez-vous à la conversation de vos parents quand ils reçoivent des amis ?
a) Oui, et vous les surprenez parce que vous pouvez parler de tous les sujets, même de la politique ou de l'argent. ☐
b) Seulement quand les sujets de conversation ne sont pas barbants. ☐
c) Vous écoutez seulement. ☐

8. Avant de sortir de chez vous, le soir :
a) Vous changez trois fois de vêtements. ☐
b) Vous vous admirez dans la glace de l'entrée. ☐
c) Vous demandez à vos parents s'ils vous trouvent bien. ☐

9. Dans vos rêves :
a) Vous êtes quelquefois le héros (l'héroïne) quelquefois la victime. ☐
b) Vous ne rêvez jamais de vous-même. ☐
c) Vous êtes le héros (l'héroïne) de vos rêves, vous triomphez de toutes les aventures les plus difficiles. ☐

10. Votre meilleur(e) ami(e) :
a) Ne vous mérite pas. ☐
b) Ne vous aime pas assez. ☐
c) Vous surestime. ☐

Comptez vos points

1 point pour chacune des réponses : la, 2b, 3c, 4a, 5b, 6c, 7a, 8b, 9c, 10a.

2 points pour chacune des réponses : 1b, 2c, 3a, 4b, 5c, 6a, 7b, 8c, 9a, 10b.

3 points pour chacune des réponses : 1c, 2a, 3b, 4c, 5a, 6b, 7c, 8a, 9b, 10c.

Résultats

Vous obtenez de 10 à 12 points
Vous êtes très satisfait(e) de vous-même. Vous vous sentez même plutôt sous-estimé(e) par vos parents et vos ami(e)s. Les gens qui vous aiment ne savent pas la chance qu'ils ont. Vous souffrez de ne pas être choisi(e) chaque fois qu'il y a une élection en classe. Vous devenez totalement désagréable quand les autres ont de meilleurs résultats que vous. C'est de l'injustice quand vous n'obtenez pas la meilleure note et ça arrive souvent. C'est que les autres ne partagent pas avec vous votre autosatisfaction. Vous souffrez d'un léger complexe de supériorité qui devrait vous aider à faire votre trou dans la société.

Vous obtenez de 13 à 20 points
Vous vous voyez à peu près comme vous êtes avec vos qualités et vos défauts. Chaque fois que vous le pouvez, vous essayez de corriger vos erreurs. Vous cherchez à vous perfectionner parce que vos erreurs vous font souffrir. Vous aimeriez être différent(e) de ce que vous êtes. Vous trouvez que l'on ne vous aime pas assez, que vous méritez plus d'amour. L'amitié compte énormément pour vous.

Vous obtenez de 21 à 30 points
Vous vous trouvez médiocre. Vous êtes plus dur(e) avec vous-même que les autres, et pourtant, les autres, pour démolir quelqu'un généralement, ils savent comment faire! Vous avez du mal à avoir des copains et des copines: vous les trouvez en règle générale trop bien pour vous et c'est un miracle quand on vous invite à sortir plusieurs fois de suite. Manque de confiance en vous, complexe d'infériorité, vous avez tout pour vous faire une vie d'insatisfait(e). Alors, faites quelque chose! Vivez votre vie!

PERSONNE NE M'♥

Solitude, solitude de mes seize ans.
Personne ne n'aime. Je suis toujours seul sans
Ami ni copain pour me donner
Amour et chaleur pour quoi je suis né.

Personne ne m'aime !
Cri que lance mon cœur.
Personne ne m'aime !
Oh ! Pourquoi tant de peur !

Image, image dans le miroir
Brouillée par les larmes que pleurent mes yeux !
Qui est cette image que je ne peux voir ?
Qui est cette image que rien ne rend heureux ?

Personne ne m'aime !
Cri que des voix renvoient :
Et toi, tu t'aimes ?
Cri que des voix renvoient.
Miroir, et moi, je m'aime ?

Mon cœur, ouvre-toi à l'amour, à l'amitié !
Mon cœur, laisse là la pitié
Qui m'ôte tout espoir de croire en moi !
Mon cœur, aide-moi à trouver l'émoi
De l'amour et de la confiance en soi.

Les lycéens ont le droit de publier leurs propres magazines. Ce texte est extrait d'un magazine de lycée qui s'appelle : Sans titre - le journal qui rend beau et intelligent.

LES CHRONIQUES DE YANN DE...

(Chronique - ce qui revient souvent!)

... L'adultisme

L'adultisme, à ne pas confondre avec l'adultère, est une maladie courante chez l'adolescent d'un certain âge, souvent «l'adolescence des lycées». Elle se manifeste par un certain nombre de signes, plus ou moins graves. Les premiers signes sont souvent la volonté de l'adolescent de vouloir sortir le soir, en «boum», «boîtes» et autres «b...». Il est à remarquer que la première réaction des parents (on dit les «vieux» dans le langage adultiste) est souvent négative.

Les pauvres parents ! Ils n'ont pas compris que, tout simplement, leur fils commence à se prendre pour un adulte, du haut de ses 17 ans, et qu'il aimerait bien que l'on cesse de le traiter comme un enfant. C'est une maladie très commune chez l'adolescent, et qui le pousse à accomplir ses premiers actes «adultistes» : il fume, il boit de l'alcool, tombe follement amoureux, conduit une moto, écrit des articles qui se prennent au sérieux, etc ...

Chers parents, ne vous affolez pas. Cette maladie est bénigne (bien que très contagieuse).

Sur une feuille de papier écrivez tous les mots et toutes les expressions qui, pour vous, se rapportent à l'enfance et à l'adolescence.

Thierry Belhassen est un auteur contemporain.
***L'extrait suivant est tiré du commencement du roman* Chronique d'un joueur de flipper.**

Thierry Belhassen
804120
000646
Chronique d'un joueur de flipper
Voies libres

Je profitai des quelques heures qui me séparaient de Marseille pour ramasser les derniers lambeaux de ce qui me restait d'adolescence. La fin de ce long voyage, c'était pour moi un rendez-vous avec le monde des adultes, et les picotements qui me chatouillaient le cœur me suggéraient de lui poser un lapin.

Un douanier me fouilla et inspecta soigneusement mes bagages après avoir appris par cœur les pages de mon passeport.

Il bomba légèrement le torse sous son uniforme impeccable et me jeta, soupçonneux : «Vous ne ressemblez pas à la photo de votre passeport…»

«Si ma photo ne me ressemble pas, c'est parce que, depuis que je l'ai prise, j'ai changé de tête», articulai-je lentement.

Il continua à me regarder sans lâcher mon passeport. Mes bottes crottées et mon pantalon de velours sale l'intéressèrent un instant. Ma chemise n'attira pas son attention… Peut-être n'aimait-il pas les rayures bleues et oranges.

Nous n'étions pas à armes égales tous les deux, il était bien plus méchant que moi. Il n'était pas pressé, et je me demandai ce qui pourrait empêcher notre conversation de durer un petit bout d'éternité.

Pour éliminer le doute qui inlassablement martelait ses fibres nerveuses, je sortis un marqueur de mon sac et dessinai une longue chevelure et une barbe sur la photo du passeport posé sur le guichet qui me séparait de lui.

«Est-ce que je suis en règle, maintenant ?» lui demandai-je gravement.

Il ne me répondit rien et me laissa passer. La France qui m'attendait à la sortie put m'ouvrir les bras sans arrière-pensée.

Christiane Rochefort est un auteur contemporain français. Dans son roman* Les petits enfants du siècle, *une jeune fille, Jo qui habite à Bagnolet, dans la banlieue parisienne, décrit son enfance dans une famille très nombreuse ; Jo a passé la plus grande partie de son enfance à s'occuper de ses jeunes frères et sœurs ; elle a aussi eu des aventures amoureuses : Guido a été son premier amoureux.

Moi aussi quand j'étais môme j'écrivais des trucs sur des bouts de papier. Plus maintenant. Je restais des heures devant la fenêtre en faisant semblant de coudre, à regarder tomber l'eau, et les gens entrer et sortir à la grille. Maintenant on voyait la grille, on avait changé de bloc; on avait obtenu un appartement plus grand, pour cause d'accroissement de famille: dix vivants sans compter Catherine, et un en germination, même deux si le médecin avait raison; on ne le croyait plus trop après l'autre fois mais ils le mirent sur la demande, autant en profiter. On avait quatre pièces. Je me mettais dans la chambre du devant et je faisais semblant de coudre, je regardais la pluie, et les gens. C'était des gens. De la pluie. J'étais vide. Les blocs en face ne me faisaient plus peur, les garçons ne me faisaient plus brûler, les choses se plaçaient à leur place, je ne sais pas, ça ne m'entrait pas dans le cœur comme avant, en me blessant et me faisant mal. Mal, bon mal, reviens! Ma tête était comme un bloc de ciment. Comme on dit : le temps est bouché, ça ne se lèvera pas de la journée. Ça ne se lèvera pas. J'arrivais dans une espèce de cul-de-sac de ma vie. Et du reste en me retournant je voyais que c'était un cul-de-sac de l'autre côté aussi. Où j'allais? «Où vas-tu? – Nulle part. – D'où viens-tu? – De nulle part.» Jo! Jo de Bagnolet! Ma voix dans un passage de grand vent m'appelait dans le désert, je ne répondais pas. «Où est la petite Jo?» Je me voyais moi-même toute petite, passant et repassant la grille, avec mon filet, toute petite fille au milieu des grandes maisons, et où j'allais comme ça si faraude? Nulle part. Quand on meurt on revoit toute sa vie d'un coup, je mourrais, seule au milieu des grandes maisons. Maisons maisons maisons maisons. Comment vivre dans un monde de maisons? «C'est toi Guido qui fais ces maisons, toi qui es né sur les collines?» Les phrases allaient et venaient, il y en avait qui sortaient de derrière moi, je me retournais, personne. Jo! Je me retournais, et personne. «Si on a une âme on devient fou, et c'est ce qui m'arrive.» C'est probablement ce qui m'arrivait je devenais folle, mais non je devenais morte, c'est ça devenir une grande personne cette fois j'y étais je commençais à piger, arriver dans un cul-de-sac et se prendre en gelée; un tablier à repriser sur les genoux éternellement. L'homme est composé d'un corps et d'une âme, le corps est quadrillé dans les maisons, l'âme cavale sur les collines, où? Quelque part il y avait quelque chose que je n'aurais pas parce que je ne savais pas ce que c'était. Il y avait une fois quelque chose qui n'existait pas. La petite Jo passait et repassait la grille, avec son filet, j'arrivais presque à la voir. Je regardais la grille jusqu'à ce que mes yeux se brouillent. Il tombait des seaux. «Ça ne se lèvera pas».

Quel extrait préférez-vous ? Donnez vos raisons.

Sélection de poèmes écrits par des lecteurs à un magazine pour jeunes

1

Un plus un égalent deux ?
Etrange, étrange ! Car toi et moi
ne faisons qu'un que rien ne
pourra diviser. (Christelle, de la rue de la Tendresse, Pays de l'Amour...)

2

Je prends plaisir à pleurer
Car quand tu aperçois mes larmes perler
Tu me prends tendrement dans tes bras pour me consoler
Et surtout m'embrasser
Ils sont si doux tes baisers
Que je prends plaisir à pleurer.
(Pour Yann de la part d'Aurélie)

3

Je t'aime quand tu es heureux
Je t'aime quand tu es triste
Je t'aime quand tu es drôle
Je t'aime quand tu es fou
Je t'aime quand tu me fais rire
Je t'aime quand tu es tendre
Mais la principale raison pour laquelle je t'aime
C'est parce que tu es toi.
(Pour Ninou de la part de ‹‹son bébé››)

4

Bisous
Bisous sur tes joues
Bisous dans le cou
Bisous-bisous
Partout
Bisous pour la vie
Bisous pour une nuit
Choisis.
(De Fabrice pour C., Pas-de-Calais)

5

Comme une enfant abandonnée
Je me sens orpheline
Comme une rose fanée
Je me sens mourir
Comme un oiseau blessé
Je me sens meurtrie.
(De Silvia pour Joyce)

6

Amour éternel
Amour fidèle
Amour sensuel
Amour fraternel
Amour sensationnel
Amour habituel
Amour querelle
Amour mortel
Amour cruel
Amour rebelle
Moi c'est l'amour tout court qui m'interpelle !!!
(Stéphanie, Quimper)

Amour Amitié

Couplets de la rue Saint-Martin

Le poète Robert Desnos (1900–1945) est né à Paris dans le quartier Saint-Martin. Il habite là avec un vieil ami, André Platard. Mais un triste jour de guerre son ami disparaît.

Je n'aime plus la rue Saint-Martin
Depuis qu'André Platard l'a quittée.
Je n'aime plus la rue Saint-Martin,
Je n'aime rien, pas même le vin.

Je n'aime plus la rue Saint-Martin
Depuis qu'André Platard l'a quittée.
C'est mon ami, c'est mon copain.
Nous partagions la chambre et le pain.
Je n'aime plus la rue Saint-Martin.

C'est mon ami, c'est mon copain.
Il a disparu un matin,
Ils l'ont emmené, on ne sait plus rien.
On ne l'a plus revu dans la rue Saint-Martin.

Pas la peine d'implorer les saints,
Saints Merri, Jacques, Gervais et Martin,
Pas même Valérien[1] qui se cache sur la colline.
Le temps passe, on ne sait rien.
André Platard a quitté la rue Saint-Martin.

Robert DESNOS
État de veille
Éd. Gallimard

[1] Saints Merri, Jacques, Gervais et Martin : saints patrons de paroisses du vieux Paris. Valérien : nom d'une colline à l'ouest de Paris.

Ecoutez ces poèmes sur la cassette. Répétez votre poème préféré avec la cassette...

Enregistrez votre poème préféré ou le poème que vous avez écrit page 13.

La vie à deux : rêve et réalité

L'amour à la carte

Trouver le prince charmant en pleine rue, les Japonaises s'y emploient ! En introduisant 100 F dans un des distributeurs installés dans la plupart des grandes villes, elles obtiennent les fiches signalétiques d'hommes recherchant eux aussi l'âme sœur. Des cartes sur lesquelles sont imprimés la photo, la marque de la voiture, l'horoscope ainsi que le numéro de téléphone des candidats. ■

300円

Les Japonais n'en finissent pas de nous étonner. Ils viennent d'inventer des agences matrimoniales sous forme de distributeur.

22.25

SÉRIE DOCUMENTAIRE DE DANIEL KARLIN ET TONY LAINÉ

L'AMOUR EN FRANCE

77

A quoi rêvent les jeunes filles ?

Maria, Cécile, Géraldine et les autres : elles rêvent encore du prince charmant

Élèves d'une classe de préparation à l'apprentissage de la coiffure, au collège Rabelais, à Saint-Maur-des-Fossés, une dizaine d'adolescentes de 14 à 17 ans se sont exprimées devant les caméras de Daniel Karlin sur le sexe et l'amour. Contrairement aux idées couramment répandues, malgré mai 68 et plus d'un demi-siècle de féminisme militant, les jeunes filles d'aujourd'hui ne sont pas toutes libérées. Sur les dix adolescentes filmées, une seule reconnaît avoir fait l'amour. Encore ne l'avait-elle pas avoué à ses parents. Une autre dit aimer séduire les hommes. Toutes les autres attendent le prince charmant, croient au grand amour pour la vie. Romantiques, elles décorent leurs chambres des posters de leurs chanteurs préférés. Modernes dans leur mode de vie et leurs relations avec leurs copains, elles sont mal à l'aise lorsqu'on leur parle de sexe. Même si certains parents sont plutôt compréhensifs avec les adolescents, d'autres menacent de mettre à la porte et de renier leur fille s'ils apprennent qu'elle a eu des relations sexuelles. Le monde dit moderne évolue moins vite qu'on le croyait. La route est encore longue jusqu'à l'égalité des sexes, la compréhension entre les générations aussi...

Comment présenter sa moitié en société?

Comme six millions de Français, selon l'INSEE (Institut National de la Statistique et des Etudes Economiques), vous vivez dans le péché. Entendez par là que, bien qu'installés en couple depuis un certain temps, vous n'avez toujours pas ressenti le besoin pressant de passer devant Monsieur le maire, du moins pas au point de vous arrêter le temps d'un «oui» définitif. Ce qui ne vous empêche pas de dormir. Et pourtant...

Imaginons : vous êtes mariée et vous croisez dans la rue un vieil ami perdu de vue depuis des années. Sans même prendre la peine de prévenir Jacques Pradel, vous vous décidez à faire les présentations : "Raymond, je te présente Gérard, un ami ; Gérard, je te présente Raymond, mon mari."
Les choses sont claires et précises. Imaginons maintenant que vous ne soyez pas mariée. Comment présenter Raymond (votre "ami") à Gérard (votre ami) ? Nous y voilà.
Rayons d'office les infâmes termes liés au concubinage, et, ce, malgré les quelques blagues (ô combien désopilantes) qu'il engendre, du style "Je vous présente mon concubin, il est fidèle !"
ou son féminin "Je vous présente ma concubine, mais je l'aime bien quand même !", pour étudier les quelques autres – mais non moins navrantes – façons de s'en sortir.

- **Jalouse :** "Tiens, je te présente Raymond. MON Raymond."
- **Vague :** "Voilà Raymond. Mais si, Raymond, tu sais bien, enfin ! Raymoooooond..."
- **Etourdie :** "Je te présente... Merde, c'est quoi ton prénom déjà ?"
- **Apaisante :** "Maman, voilà Raymond mais, rassure-toi, c'est uniquement sexuel entre nous."
- **Franche :** "Je vous présente Raymond avec qui je tente désespérément d'oublier Philippe."
- **Sensuelle :** "Voilà l'homme qui... celui dont le... me... le seul qui arrive à... Raymond, quoi !"
- **Lyrique :** "Je vous présente Raymond, mon mec à moi qui vous parle d'aventures et, quand ça brille dans ses yeux, sans rire, vous y passez la nuit."
- **Négligeante :** "Ah, j'oubliais ! Ça, c'est Raymond."
- **Maternelle :** "Voilà Raymond. Dis bonjour, Raymond. Et-il-est-à-qui-le-Raymond ?"
- **Copine :** "Tu connais pas mon pote Raymond ? Sacré vieux Raymond."
- **Agacée :** "Je vous présente Raymond, mais plus pour longtemps."

La situation semble donc désespérée, et le mariage la seule solution possible. Et pourtant non. Car rendons grâce à l'Etat français qui, une fois de plus, va s'attaquer aux vrais problèmes en instituant prochainement un Contrat d'union civile (sorte de Canada Dry du mariage). Grâce à lui, vous pourrez enfin afficher clairement les liens qui vous unissent à Raymond : "Je vous présente mon associé." Et qu'on n'en parle plus !

Diastème

Trouvez un adjectif pour décrire chacun de ces textes.

Mon père

Henri Troyat (1911–) est un écrivain français né à Moscou, en Russie. Dans son roman, *La tête sur les épaules*, les parents du héros, Etienne, sont séparés. Etienne vient de recevoir une lettre et des objets qui ont appartenu à son père et que la dernière compagne de ce dernier lui a envoyés. Etienne, qui veut découvrir la vérité sur son père, interroge sa mère, Marion.

– Ton père est sorti de notre vie, de ta vie, dit-elle. Il faut aussi qu'il sorte de ta mémoire. C'est volontairement que j'ai détruit tout ce qui pouvait te le rappeler : les photographies, les lettres…

Etienne était confondu par l'aberration de sa mère. Tant d'injustice lui donnait subitement l'envie de prendre le parti du mort. Il s'écria :

– Tu as même poussé la prévenance jusqu'à l'empêcher de me revoir ! Il était sur le point de mourir. Il voulait me rencontrer. Cette femme le dit dans sa lettre.

– Je ne le nie pas.

– Pourquoi as-tu fait cela ?

– Pour ton bien.

– C'est une mauvaise excuse, Marion. Tu n'avais pas le droit ! Toi si compréhensive, si équitable, si douce ! Tu m'effraies…

Elle fit un pas vers lui, et il s'étonna de la voir pâlir. Sa face ressemblait à ce buste en plâtre, dont les cheveux et les yeux étaient peints en noir.

– Marion ! Marion ! dit-il avec un sentiment de crainte. Qu'as-tu ? Tu me caches quelque chose. Explique-toi. J'ai besoin de savoir.

– Quoi ? Que veux-tu savoir ? demanda-t-elle. Qui il était ? Comment il vivait ? Pourquoi je me suis opposée à cette rencontre ?

Un paroxysme nerveux agitait ses lèvres, ses sourcils, faisait trembler la peau de ses joues.

– Un sale individu, reprit-elle d'une voix sifflante. Et toi, mon pauvre Etienne, tu t'intéresses à lui. Tu me fais des reproches, parce que je ne te parle pas assez de lui. Tu débordes de gratitude envers cette créature, qui condescend à t'envoyer quelques souvenirs de Louis Martin !

Il balbutia :

– Tu as tort de t'exprimer ainsi, maman. Il est mort…

Elle rejeta la tête en arrière, et un demi-cercle blanc apparut sous ses prunelles larges et fixes :

– Oui, mort, mais pas dans un accident, Etienne. Ton père… ton père a été exécuté…

Elle se tut, comme terrifiée par ses propres paroles. Il la regardait sans comprendre, et, cependant, déjà se glissait en lui la conscience d'une disproportion entre ce qu'il avait vécu et ce qu'il allait vivre, entre ce qu'il croyait être et ce qu'il était réellement. Il répéta :

– Exécuté ?

Marion baissa les yeux :

– Jugé et exécuté.

– Quand ?

– Le 13 juin 1945.

Le corps d'Etienne s'engourdissait par couches successives. Il n'y avait plus de vie que dans son cerveau. Le silence se prolongeait. Marion porta une main à son front et murmura d'une voix amortie :

– Mon chéri, j'aurais voulu pouvoir te cacher la vérité, longtemps, très longtemps. Mais, un jour ou l'autre, tu aurais tout appris par un étranger. Le choc aurait été, pour toi, plus douloureux encore. Cette lettre idiote… ce paquet… ton entêtement… Je me suis inquiétée… Dis-moi que je n'ai pas eu tort de te parler comme je viens de le faire ?

– Pourquoi l'ont-ils jugé ? demanda Etienne.

Elle balança la tête, de droite à gauche, lamentablement :

– A quoi bon remuer cette boue ?

– Il le faut. Tu ne peux plus te taire.

Elle le considérait avec crainte, à présent : ce front tendu, ces mâchoires serrées à craquer sous la chair fine des joues, cet œil vert, lumineux, exorbité.

– Que te dirai-je, mon petit ? chuchota-t-elle. L'homme que les juges ont condamné n'avait plus rien de commun avec celui que nous avons connu. Tant qu'il a vécu avec nous, je n'ai eu à lui reprocher que sa violence, sa paresse, ses infidélités. Mais, après nous avoir quittés, il est devenu quelqu'un…

Elle reprit sa respiration, ferma les paupières et ajouta dans un souffle :

– Quelqu'un d'horrible.

Il y eut encore un long silence. Et, tout à coup, Etienne poussa un cri :

– Quoi ? Qu'a-t-il fait ?

– Il a tué, dit-elle.

HENRI TROYAT

Relevez tous les détails concernant le visage de Marion. Quelle impression donnent-ils d'elle ?

En 1993, en France, le ministre de l'éducation nationale annonce une réforme du bac. Malheureusement, les réformes de l'enseignement ne sont pas toujours bien acceptées.

EDUCATION • Diplômes

Le bac nouveau remet sa copie

Le bac nouvelle version entrera en vigueur en 1995. Il revalorise les matières dominantes, et donne cinq ans aux lycéens pour l'obtenir.

Ticket d'entrée pour l'université, le baccalauréat rajeunit. Jack Lang, le ministre de l'Éducation, l'a réaffirmé en présentant le bac version 1995, revu et corrigé. Ce diplôme, qui entrera en vigueur dans trois ans (il concerne donc ceux qui sont en seconde aujourd'hui), est le prolongement de la réforme des lycées, commencée par Lionel Jospin, l'ancien ministre de l'Éducation.

Des filières simplifiées

On retrouve donc le bac S (scientifique, ex-C et D), le bac ES (économique et social, ex-B), le bac L (littéraire, ex-A) et les quatre voies technologiques (tertiaire, industrielle, laboratoire et médico-sociale) qui réunissent les quinze anciennes séries F et G. Le but étant d'atténuer l'importance de la filière C.

Dans chaque type de bac, les matières principales auront des coefficients importants, de 5 à 9. Le bac 1995 donne aussi plus de poids à l'éducation physique, aux langues et à l'histoire-géo en L, à la technologie en S. Enfin, chaque option suivie en terminale fera l'objet d'une épreuve qui comptera dans la note finale.

Mais la grande nouveauté, c'est la possibilité de passer cet examen en cinq ans, ou plutôt de conserver pendant cette durée le bénéfice des notes au-dessus de la moyenne. Une bonne nouvelle pour ceux qui, pour des raisons de santé ou des difficultés matérielles, ne peuvent suivre le rythme du lycée. Certains enseignants estiment pourtant que ce système favorisera d'abord les redoublants. ■

J'AI EU MON BAC EN 3 FOIS...
...C'EST-À-DIRE AU BOUT DE 15 ANS !!

ETUDES

Le baccalauréat vous donnera accès aux universités européennes, à condition de maîtriser la langue du pays où vous voulez étudier. Pour les étudiants, les équivalences de diplômes ne seront reconnues qu'à partir du niveau Bac + 3. Le programme communautaire ERASMUS offre une bourse aux étudiants qui vont effectuer une partie de leurs études dans un autre État membre. 60 000 étudiants (dont 15 000 Français) devraient en profiter cette année. LINGUA, un autre programme, permet aux lycéens et aux étudiants d'effectuer des séjours linguistiques.

SAMEDI A VINCENNES
15 PARTANTS
Un trotteur de classe qui aime l'autostart
NOS QUATRE PAGES JAUNES

France-Soir

TOUTE DERNIÈRE • TIERCÉ, QUARTÉ+, QUINTÉ+

37, rue du Louvre, 75070 Paris Cedex 02 - Tél.: 44.82.87.00 • ISSN 0182-5860
Petites annonces - Tél.: 45.62.44.00 • Saint Gildas • N° 15.077

Vendredi 29 janvier 1993 CTD 5 F

LE MINISTERE DE L'ÉDUCATION NATIONALE NE SAIT PAS CE QU'IL VEUT

Bac : la reculade

- Lang souhaitait que les candidats au baccalauréat puissent, durant cinq ans, conserver leurs notes supérieures à la moyenne en cas d'échec
- Face à la fronde des associations d'enseignants, il fait marche arrière

• Page 8

Les dispositions qui permettaient à tous les candidats de conserver leurs notes supérieures à la moyenne sont annulées pour les lycéens.

(Extrait de la page 8.)

Lisez tous ces articles. Sont-ils complémentaires ou contradictoires ? Expliquez votre réponse.

La civilisation, ma mère ! ...

Driss Chraïbi est un romancier marocain. Son roman, *La Civilisation, ma mère !...* met en scène la rencontre de la civilisation orientale traditionnelle avec la modernité technique et les bouleversements de l'histoire récente. (Ed. Denoël, 1972)

Je revenais de l'école, jetais mon cartable dans le vestibule et lançais d'une voix de crieur public :

– Bonjour, maman !

En français.

Elle était là, debout, se balançant d'un pied sur l'autre et me regardant à travers deux boules de tendresse noire : ses yeux. Elle était si menue, si fragile qu'elle eût pu tenir aisément dans mon cartable, entre deux manuels scolaires qui parlaient de science et de civilisation. [...]

– Écoute, mon fils, me disait ma mère avec reproche. Combien de fois dois-je te répéter de te laver la bouche en rentrant de l'école ?

– Tous les jours, maman. A cette même heure. Sauf le jeudi, le dimanche et les jours fériés. J'y vais, maman.

– Et fais-moi le plaisir d'enlever ces vêtements de païen !

– Oui, maman. Tout de suite. [...]

J'allais me laver la bouche avec une pâte dentifrice de sa fabrication. Non pour tuer les microbes. Elle ignorait ce que c'était – et moi aussi, à l'époque (microbes, complexes, problèmes...). Mais pour chasser les relents de la langue française que j'avais osé employer dans sa maison, devant elle. Et j'ôtais mes vêtements de civilisé, remettais ceux qu'elle m'avait tissés et cousus elle-même.

Mère la mort

Dans ses romans, Jeanne Hyvrard, romancière et poétesse antillaise, regrette la perte de sa langue maternelle, le créole. (*Mère la mort*, Ed. de Minuit, 1976.)

Ils prétendent que je fais des fautes et qu'il faut distinguer le futur du conditionnel. Ils mettent du sang plein mes copies. Ils éructent que je ne laisse pas de marge. Ils mettent des zéros tous les jours de grammaire. Dictée. Dictée. Dictée. Rédaction. Dissertation. Composition. Analyse logique. Dans quelle langue le même temps pour dire le futur et le passé ? Dans quelle langue un temps sacré, un temps profane ? Dans quelle langue une forme qui dure et une qui ne dure pas ? Ils disent que je suis folle, mais je parle la même langue qu'eux. Qui sont-ils ceux-là qui mettent du rouge sur mes copies ? Qui sont-ils ceux-là qui corrigent ? Qui sont-ils ceux-là qui griffent ma chair en soulignant mes verbes ? Qui sont-ils ceux-là qui nous raturent ? Savent-ils conjuguer l'imaginaire, quand les mains des arbres saisissent mes chevilles ? Qui sont-ils ceux-là qui nous annotent ?

Le nègre et l'amiral

Raphaël Confiant, écrivain antillais, parle de ses souvenirs d'enfant. Il attire l'attention sur le fait suivant : pour le jeune écolier noir et pauvre, aux Antilles, le seul moyen d'ascension sociale est l'école.

Le «messie» dont il est question dans le texte est n'importe quel petit enfant noir que l'on considère capable de réussir à l'école. (*Le nègre et l'amiral*, Ed. de Minuit, 1976.)

Aussitôt, on signalait l'arrivée du messie annuel à Madame la Directrice qui le convoquait dans son bureau et lui tenait le premier discours sérieux de sa jeune vie puisque dans la case, les parents ne faisaient que se chamailler à coup de paroles dénuées de sens.

«Petit nègre, ouvre bien tes oreilles. Tu es sorti de rien mais Dieu a mis une étincelle dans ta caboche. Pourquoi ? Je n'en sais trop la raison. En tout cas, sache en profiter désormais et n'imite plus tes camarades. Ne t'abaisse plus à parler créole, ne perds pas ton temps à jouer aux agates toute la sainte journée, ne mets pas tes mains dans la terre : ça salit le dessous des ongles, ne va pas à la pêche aux écrevisses le jeudi : ouvre plutôt tes cahiers. C'est ta seule et unique chance d'échapper à la déveine, mon petit. Toi au moins tu mérites le titre de Français. Lamartine, Victor Hugo ou Verlaine n'auraient pas eu honte de toi. Je vais te pousser au maximum.»

Et l'on se cotisait pour lui acheter livres, souliers, chemises. On l'envoyait au coiffeur deux fois par mois afin de dompter les grains de poivre de ses cheveux et l'on rendait visite de temps en temps à la mère pour lui rappeler qu'elle possédait un prodige dans sa couvée et qu'il fallait absolument qu'elle aide les autorités à lui donner le bilan qui le propulserait aux plus hautes marches possibles pour un nègre dans cette société, à savoir au grade d'instituteur.

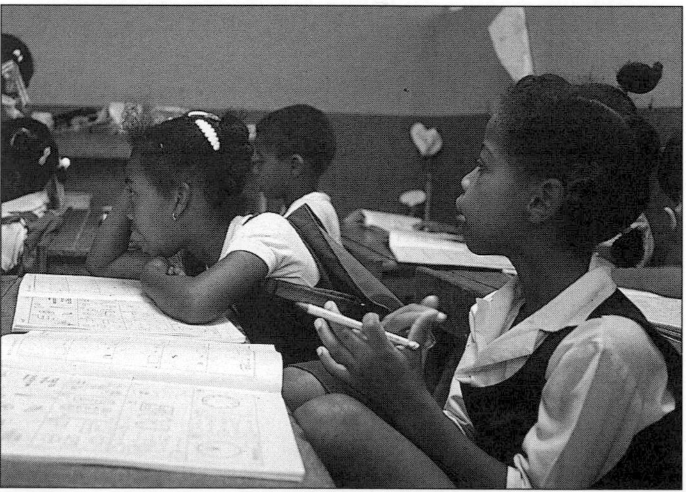

D'après ces trois textes, quel semble être le but de l'éducation dans les territoires d'Outre-Mer ? Les écrivains acceptent-ils cet état de fait ? Justifiez vos réponses.

L'ÉCOLE

Le poète chante l'école du hameau belge, où il a vécu une enfance pauvre, mais libre et heureuse.

L'école était au bord du monde,
L'école était au bord du temps.
Au dedans, c'était plein de rondes ;
Au dehors, plein de pigeons blancs.

On y racontait des histoires
Si merveilleuses qu'aujourd'hui,
Dès que je commence à y croire,
Je ne sais plus bien où j'en suis.

Des fleurs y grimpaient aux fenêtres
Comme on n'en trouve nulle part,
Et, dans la cour gonflée de hêtres,
Il pleuvait de l'or en miroirs.

Sur les tableaux d'un noir profond,
Voguaient de grandes majuscules
Où, de l'aube au soir, nous glissions
Vers de nouvelles péninsules.

L'école était au bord du monde,
L'école était au bord du temps.
Ah ! que ne suis-je encor dedans
Pour voir au dehors, les colombes !

Maurice Carême

Maurice Carême

Ce poète belge sait transfigurer la vie simple, la campagne, les êtres et les choses ; mais surtout il a su rester enfant pour chanter les émerveillements de cet âge privilégié.

De l'eau pour les élèves de Djiélibougou

Dans le cadre de l'aide aux pays du tiers-monde, Fécamp et les villes jumelles de Mouscron et Rheinfelden ont fait don d'un équipement permettant à une école du Mali de disposer de l'eau courante.

Cette école se trouve à Djiélibougou, village de la proche banlieue de Bamako, capitale du Mali. Chaque jour, dans cette école, plus de 500 élèves du premier cycle, c'est-à-dire de 6 à 14 ans, et 700 du second cycle y apprennent mathématiques, français, sciences..., comme la plupart des enfants du monde. Mais pendant la récréation, un problème se pose car cette école ne possède aucun sanitaire et, pour se désaltérer, les élèves doivent aller dans les habitations voisines demander un peu d'eau.

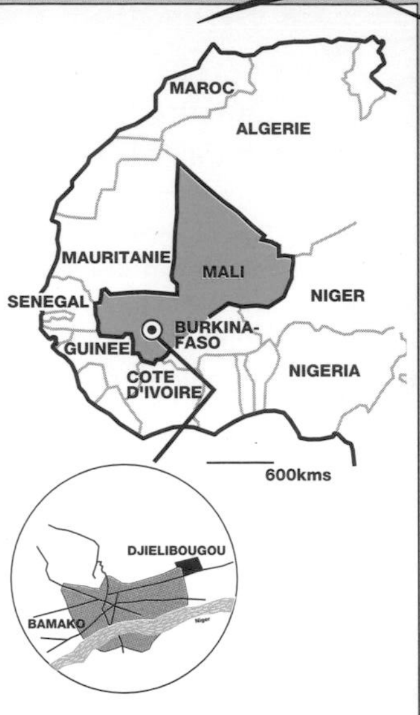
MAROC
ALGERIE
MAURITANIE
MALI
SENEGAL
NIGER
GUINEE
BURKINA-FASO
COTE D'IVOIRE
NIGERIA
600kms
DJIELIBOUGOU
BAMAKO

SCOLARITE A LA MAISON

Votre enfant est très malade et ne peut suivre normalement des cours dans un établissement. Ne le laissez pas se décourager et apportez-lui malgré les difficultés, un soutien scolaire normal grâce à cet établissement scolaire privé à domicile pour enfants malades qui est sous contrat simple avec l'Etat. «Votre école chez vous.»

C'EST AUJOURD'HUI!

C'EST LE JOUR DE LA RENTRÉE DES CLASSES!!

METTEZ LES ŒUFS SUR LE GAZ! CIREZ VOS CHAUSSURES! PRÉPAREZ VOS GOÛTERS! REPASSEZ VOS CONJUGAISONS!

"REPASSEZ VOS CONJUGAISONS"?

Koudougou

Koudougou, troisième ville du Burkina-Faso : 52.000 habitants. Une gare sur la ligne Ouagadougou-Abidjan, un marché juste devant, quelques hôtels pour commerçants.

Koala Koudby a été professeur d'anglais dans quelques lycées du Burkina, à Bobo-Dioulasso et ailleurs, en province. Il connaît bien à la fois le système éducatif de son pays et la réalité de son quartier d'origine.

En 1982, à peine 30% des enfants en âge scolaire dans le secteur 10 vont à l'école. Les autres traînent, s'ennuient, sans formation, peu alphabétisés. La délinquance, encore peu importante, est en augmentation régulière, accentuant des problèmes de déstructuration familiale et sociale.

Cette désaffection de l'école est liée aux tarifs d'inscription trop élevés, au manque de place. Les classes existantes, avec 60 élèves, offrent peu de possibilités à la pratique d'une pédagogie active. *«Le système classique, hérité de la colonisation, est décalé par rapport aux besoins des gens, beaucoup trop théorique»*, constate Koudby.

Faites une liste des problèmes évoqués dans ces article

GUIDE DE LA CUISINE FRANÇAISE

Les Français prennent habituellement **trois repas :** le petit déjeuner, le déjeuner et le dîner.

Les deux principaux repas
Selon les circonstances et les appétits, le déjeuner et le dîner sont plus ou moins rapides. La solution la plus simple est de se limiter à un seul plat (un bifteck avec frites, par exemple !).
Dans un repas plus organisé, on peut commencer avec des entrées (froides ou chaudes) ou, au dîner, avec un **potage** (soupe) suivi d'un ou de deux **plats principaux**, puis les fromages, le dessert, les **vins** et le café !

LES LÉGUMES

On les utilise **en entrée** : salade (laitue, chicorée, tomate, etc.) accompagnée d'une sauce (huile + vinaigre) ; légumes crus : radis, carotte, chou, céleri râpé, etc. ou légumes cuits : artichaut, asperges ; tarte aux poireaux, à l'oignon...
Les légumes accompagnent aussi un des **plats principaux** : ainsi, la pomme de terre, cuite à l'eau ou frite, est presque toujours présente sur une table française. Mais les haricots, les épinards, les choux ne sont pas oubliés.

LES FRUITS

Les fruits sont utilisés **en entrée** : tomate, melon, pamplemousse, avocat ; mais surtout ils sont fréquents au **dessert** : crus (pomme, poire, raisin, cerise selon la saison) ; en salade de fruits ou cuits (compotes, tartes, confitures).

LA CHARCUTERIE

Par tradition, la France est un grand pays de charcuterie (préparée avec de la viande de porc). Le jambon de Bayonne, le saucisson de l'Ardèche, l'andouillette de Troyes, l'andouille de Vire sont, depuis longtemps, célèbres.
On utilise la charcuterie, crue ou cuite, **en entrée** : jambon, saucisson, saucisse, pâté.

LES VIANDES

Les quatre grandes viandes (bœuf, veau, mouton, porc) constituent souvent le **plat principal** avec des accompagnements variés (pommes de terre, légumes verts [haricots, petits pois] ou secs [lentilles, haricots]). Elles sont cuites au four, à la poêle, au barbecue (brochettes).

LES POISSONS

3 100 km de côtes et de nombreuses rivières permettent aux Français de manger et d'apprécier une grande quantité de poissons. La variété est augmentée si l'on ajoute les coquillages (moule, coquille Saint-Jacques) et les crustacés (crevette, crabe, langouste, écrevisse).
On les mange **en entrée** (crevette, crabe, poisson fumé) ou en **plat principal**. Les gourmands préféreront la sole, la truite, le saumon, la langouste, la bouillabaisse (soupe de poissons).

LES VOLAILLES

Le poulet (60% des volailles consommées en France), le dindonneau, la dinde, le canard, la pintade sont parmi les plus connus. On a l'habitude d'ajouter aux volailles le lapin.
Volaille ou lapin permettent de varier **le plat principal.**

LES FROMAGES

Le plus célèbre des aliments français !
«Il y aurait, dit-on, plus de 300 fromages français» ... et, aurait ajouté Churchill... ou de Gaulle, «c'est pourquoi ce pays, la France, est ingouvernable».
Les fromages français sont faits avec du lait de vache (les plus nombreux), de chèvre ou de brebis. Les plus connus : le camembert, le brie, le roquefort, le bleu d'Auvergne ou des Causses, le cantal, le reblochon, le gruyère, le comté...

LES DESSERTS

En plus du fromage (que l'on distingue souvent des autres desserts), en plus des fruits, des glaces et sorbets, on trouve sur une table française une grande variété de gâteaux : tarte, bavaroise, charlotte, crêpes.

LES VINS

Du vin le plus courant (vins de table, vins de pays) au meilleur vin (vins dits d'appellation d'origine contrôlée), on a le choix...
Les trois grands crus sont les vins de Bordeaux, les vins de Bourgogne (rouges et blancs) et le champagne (blanc) pour l'apéritif ou le **dessert.** Mais les vins d'Alsace, des côtes du Rhône, de la Loire et d'autres régions de France sont recherchés et appréciés par les connaisseurs.

Diététique

Le minitel se met à table

Voulez-vous savoir exactement ce que vous mangez ? Un nouveau service s'ouvre à vous : 3615 code CIQUAL. Celui-ci offre une table de composition de 572 aliments pour 34 constituants (glucides, vitamines...).

Jusqu'ici, il fallait avoir recours à des tables périmées ou étrangères, mal adaptées à nos menus. Autre mérite : l'analyse de plats cuisinés comme le cassoulet en boîte, le poisson pané ou la pizza.

On peut aussi y trouver la liste des organismes concernés par la nutrition, les activités des industries agro-alimentaires, une bibliographie et une boîte aux lettres.

BIZARRE ■ BIZARRE

A table !

Si, si, vous avez bien vu : cet étrange monument est constitué d'un amoncellement de fourchettes géantes, 120 au total, qui grimpent ainsi jusqu'à 4,5m de hauteur.

L'œuvre est du sculpteur Arman, qui l'a installée... devant l'un des plus célèbres restaurants français, celui des frères Troisgros, à Roanne.

Ne pas oublier l'escargot et la grenouille, deux curiosités de la cuisine française.

Composez un petit guide de la cuisine de votre pays ou de votre région.

Santé

Avant de partir à l'étranger, n'oubliez pas d'aller chercher le formulaire E111 dans votre centre de Sécurité sociale. Si vous tombez malade ou si vous êtes hospitalisé, vous serez pris en charge sur présentation de ce document.

Voici un reportage publié dans Impact Médecin, magazine professionnel des médecins généralistes. Il y a des résultats assez surprenants dans le sondage qu'ils ont fait.

JEUNES ET MÉDECINS – RENDEZ-VOUS MANQUÉ

On croyait les 15-24 ans obsédés par la réussite à l'école, l'environnement ou le pouvoir de l'argent, ils sont en fait tourmentés par la santé, ou plutôt par la peur de la perdre.

Notre enquête confirme, en effet, que la santé est la principale préoccupation des jeunes. On les croit surinformés sur le sida, le cancer ou la drogue. Au contraire, ils demandent toujours davantage de renseignements là-dessus.

D'abord le sida. Ils en ont peur comme du cancer ou de la drogue, ainsi que le confirme le sondage nº 1. Mais ce qui est curieux, c'est qu'il semble qu'ils n'ont pas modifié leur comportement. Les préservatifs, ce n'est pas encore leur 'truc'.

Ils savent aussi que le tabagisme et l'alcoolisme sont autant de facteurs à risque, mais ils fument de plus en plus tôt, et de plus en plus. Ainsi, il paraît que 40% des garçons et 28% des filles de 16 ans fument au moins dix cigarettes par jour. De plus, 26% des garçons et 16% des filles font l'essai d'une drogue illicite. Sur ceux-ci, un certain nombre d'entre eux, les plus fragiles, céderont aux propositions des dealers qui s'installent régulièrement aux portes des collèges et des lycées.

De même, ils se plaignent volontiers de petits maux de tête, de ventre, de dos, de troubles du sommeil ou alimentaires, de fatigue, mais ils ne vont pas pour autant voir un médecin. Selon l'étude réalisée, à 17 ans, 55% des garçons et 73% des filles ont consulté un médecin généraliste une fois dans l'année. Le capital confiance du médecin est plutôt mince : autour de 20%, selon notre sondage.

Enfin quand ils vont voir un médecin, ils y vont d'abord pour les vaccins ou des dispenses de sport, ensuite pour les accidents, mais presque jamais parce qu'ils se sentent déprimés. Et s'ils y vont parce que quelque chose ne va pas, c'est traînés par leurs parents. Ce qui ne facilite pas la relation avec le médecin (sondage nº 2).

SONDAGE Nº 1

Parmi les risques suivants, quel est celui qui vous fait le plus peur pour vous-même (classez-les par ordre décroissant) ?

Population des 15-24 ans	
Attraper le sida	62%
Avoir un cancer	23%
Vous droguer	11%
Faire une dépression nerveuse	2%
Devenir alcoolique	2%

SONDAGE Nº 2

A qui vous confiez-vous en priorité si vous avez des problèmes de santé :

Population des 15-24 ans	
Vos parents	47%
Votre partenaire	23%
Vos amis	6%
Votre médecin	23%
Personne	1%
NSP	0%

Le reportage donne une image plutôt négative des jeunes en France, n'est-ce pas ? Croyez-vous que ça correspond à la réalité dans votre pays ?

10 erreurs fatales

1 S'embarquer dans un sport sans avis médical.
2 Après avoir arrêté le sport pendant des années, vouloir retrouver très vite ses performances d'autrefois.
3 Faire du sport pour maigrir : 4 h de jogging = 100 g de perdus.
4 Avoir un matériel inadapté.
5 Se lancer dans un sport si l'on a une alimentation déséquilibrée et que l'on saute des repas, entre autres le petit déjeuner.
6 Pratiquer un sport le soir, surtout si l'on est insomniaque.
7 Débuter une activité sportive sans s'être échauffé.
8 Dépasser sa fréquence cardiaque maximale théorique calculée ainsi : 220 moins l'âge, soit 200 battements/min à 20 ans.
9 Attendre d'avoir soif pour boire de l'eau. Il faut s'hydrater avant, pendant et après l'effort pour éliminer les toxines et éviter crampes et tendinites.
10 Prendre une douche glacée après l'effort, qui expose à un stress cardiaque.

La relaxation jusqu'au bout des doigts

Pour finir la journée en beauté, relaxez-vous selon la méthode de la concentration de Lao Tseu.

- *Allongez-vous sur un sol confortable dans une pièce tempérée. Concentrez-vous sur votre crâne et inspirez. En expirant, donnez l'ordre à cette partie du corps de se relâcher et de se détendre. Pratiquez de la sorte sur le visage, le cou, les épaules, les biceps, les avant-bras, les paumes des mains, les doigts et le bout des doigts.*
- *Restez ainsi détendu pendant sept respirations et recommencez sur le sommet de la tête, le visage, le cou, la poitrine, le ventre, le nombril, les cuisses, les mollets, les plantes des pieds, les orteils et l'extrémité des orteils.*
- *Respirez à nouveau sept fois.*
- *Recommencez une fois de plus sur le sommet de la tête, la nuque, les vertèbres du thorax, vertèbres lombaires, les fesses, les cuisses, les mollets et les talons. Puis des talons à la tête.*
- *Terminez par une prise de conscience du ventre, là où se situe le centre vital du Hara (sous le nombril). Les taoïstes nomment ce centre le «champ de cinabre et d'immortalité».*

Les remèdes de bonne femme

Huguette Bouchardeau est député du département du Doubs. Elle a publié en 1990 son premier livre *Rose Noël* dans lequel elle raconte l'histoire de sa famille, en particulier de sa mère qui s'appellait Rose.

Rose professait sur la santé, les maladies, la médecine des idées particulières : connaissances médicales, savoirs populaires et superstitions mêlés.

Rougeole, oreillons, rubéole, varicelle étaient affections inévitables de l'enfance. Les grippes, épidémies incontournables. Quand l'un de nous affichait les premiers symptômes, au lieu de l'isoler, maman nous rassemblait tous dans la même chambre et organisait une infirmerie de campagne. Le médecin, M. Lacoste, délivrait son diagnostic et établissait une seule ordonnance «à renouveler». Rose multipliait les pots de tisane, étalait sur la table de cuisine les cataplasmes à la farine de moutarde, chauffait des bouillottes et des briques ; elle régnait sur la chambre, thermomètre scruté d'un œil sévère, secoué avec énergie. Elle pratiquait avec méthode les badigeons au bleu de méthylène, les ventouses dans les cas aigus. Elle découvrait une tâche à sa hauteur, de quoi déployer à la fois énergie neuve et recettes anciennes.

Le dentiste ? Un luxe inutile, sauf cas graves. Les caries, pour elle, n'avaient qu'une cause : l'abus de sucreries. Les bonbons devaient être proscrits. Les restrictions de la guerre terminées, l'indulgence de l'âge aidant, les plus jeunes reçurent plus de douceurs.

Restaient quelques affections mystérieuses pour lesquelles on ne consultait pas le docteur. Les vers. Ma terreur, le soir où maman décida de suivre les conseils d'une voisine : chasser les vers par les vers. Elle avait recueilli la veille des lombrics au jardin. Il fallait, selon la guérisseuse, les appliquer vivants dans un cataplasme bien fermé sur la poitrine. Je criais de peur. Maman hésitait, me plaignait. Elle me jura que le paquet avait été soigneusement cousu, qu'aucune bête ne s'échapperait. Elle me confia même tout bas que – sûrement – les vers de terre allaient être étouffés et ne bougeraient plus. Une nuit de cauchemar.

Pendant la guerre encore, les écoles connurent des invasions de poux. Vinaigre chaud, Marie-Rose, rien n'y faisait. Je me souviens de maman, penchée sur une chevelure lavée chaque jour, hochant la tête et murmurant : «C'est ton sang qui est spécial», sans trop oser s'engager plus avant sur l'origine interne des parasites.

Si les maladies avaient leurs énigmes, certaines nourritures avaient leur magie. Le vin fortifiait. Le lait adoucissait. L'eau de noix (entendez l'eau-de-vie de noix) calmait les douleurs de ventre, l'alcool de menthe passait tous les dégoûts, l'œuf battu dans le lait, dans le vin, ou avec une goutte de rhum tonifiait. La viande saignante, elle aussi, stimulait, et l'orange sanguine plus que la pâlotte. L'ail regorgeait de vertus : il pouvait même, par frictions, stopper la chute des cheveux. Et puis... certains mets «rendaient amoureux». Maman le rappelait en clignant de l'œil le jour où elle servait du céleri à mon père.

Pourtant, par-dessus tout, Rose croyait que la santé était un don. On l'avait ou on ne l'avait pas. Plus que le respect du docteur, plus que la croyance aux «remèdes de bonne femme», le fatalisme, la résignation marquaient son rapport à la vie et à la mort. «Ça arrivera bien quand ça doit arriver.»

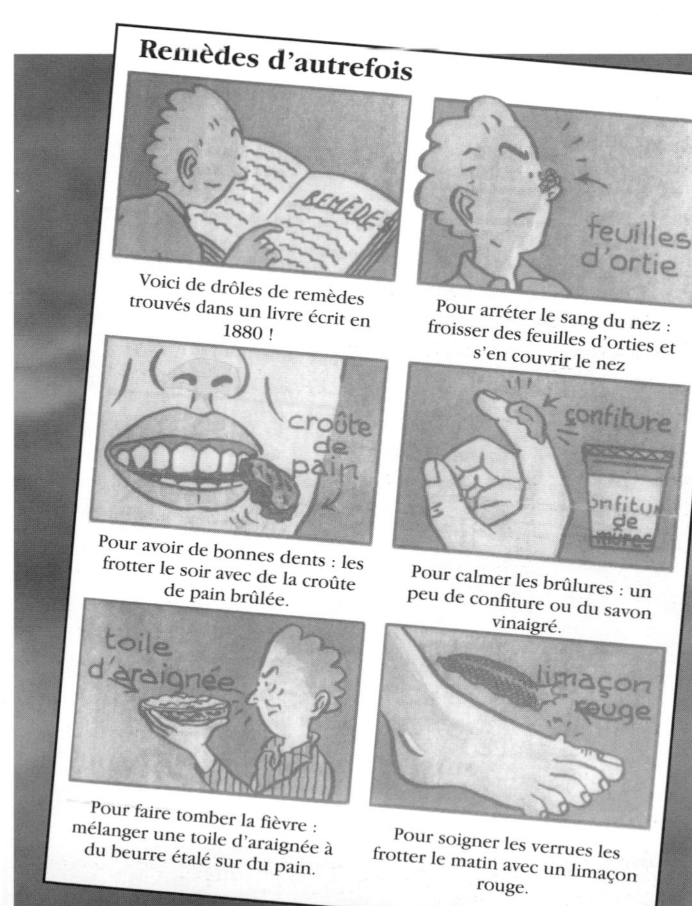
REMÈDES
feuilles d'ortie
croûte de pain
confiture
toile d'araignée
limaçon rouge

Remèdes d'autrefois

Voici de drôles de remèdes trouvés dans un livre écrit en 1880 !

Pour arrêter le sang du nez : froisser des feuilles d'orties et s'en couvrir le nez

Pour avoir de bonnes dents : les frotter le soir avec de la croûte de pain brûlée.

Pour calmer les brûlures : un peu de confiture ou du savon vinaigré.

Pour faire tomber la fièvre : mélanger une toile d'araignée à du beurre étalé sur du pain.

Pour soigner les verrues les frotter le matin avec un limaçon rouge.

Qu'est-ce qui se passait quand vous étiez malade ? Connaissez-vous d'autres «remèdes d'autrefois» qui sont, peut-être, toujours pratiqués par des personnes âgées de votre connaissance ?

VACANCES FLOP !

Les vacances ont parfois des ratés. Mais on ne s'en vante pas. De l'ex de la copine qui s'invite par surprise au trekking-marche forcée, les occasions ne manquent pas. Mieux vaut prévenir que périr. D'ennui !

LAURE MARSAC

Un soir, un peu éméchés, on s'est amusé avec des amis à dégonfler les pneus de la voiture d'un voisin, on a écrasé des pêches sur son pare-brise... Le lendemain soir, nous redescendons au parking : le propriétaire, furieux, nous avait dressé une embuscade ; il nous attendait avec une bombe de gaz lacrymogène. Nous, nous avons cru à une agression : j'ai eu la peur de ma vie. Je n'ai pas pu dormir de la nuit et juste après je suis tombé malade. Je retourne au même endroit cette année, j'espère qu'il m'aura oubliée !

WADECK STANCZAK

C'était en Touraine, avec mes parents, j'avais 14 ans. J'ai passé un mois dans un bled perdu, je n'avais pas de mobylette, juste un vélo : tout était si loin que je n'ai pu rencontrer personne de mon âge, seulement quelques paysans dans les champs. C'est difficile de supporter un tel ennui quand on est si jeune.

VALERIE KAPRISKY

Les pires vacances que je passe, ce sont celles où je n'ai rien d'autre à faire que de me dorer la pilule. Enfant, j'avais l'habitude d'aller en colonie de vacances. Mon pire souvenir, c'est La Baule, j'avais huit ans.

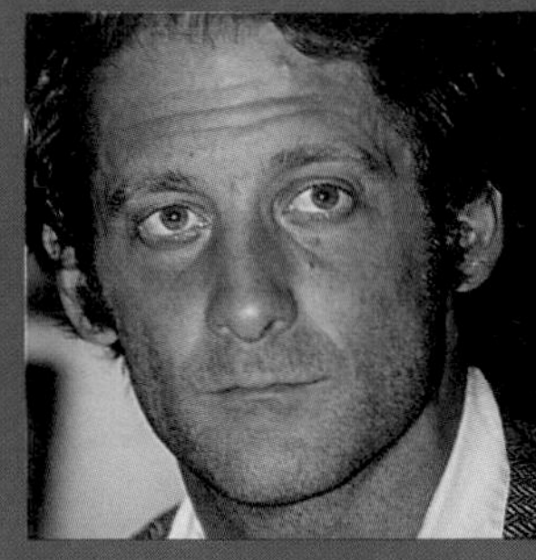

VINCENT LINDON

Il y a quelques années, avec un copain, mes premières (et dernières) vacances à Saint-Tropez. Là-bas, quand tu n'as pas d'amis qui te logent dans une superbe maison en dehors de la ville, c'est épouvantable. La location obligatoire de mobylette, donc le cambouis partout, la bouteille d'huile solaire qui s'ouvre dans ta serviette et le jean que tu es contraint de porter car ton maillot de bain n'a pas de poche... Gluant et moite, voilà mon souvenir de Saint-Tropez! Une fois pourtant, on a réussi à se faire inviter sur le bateau des parents d'une fille qu'on avait draguée : ils avaient huit chats dans ce bateau et des poils sur toutes les banquettes. Ça ne pouvait pas être pire, je déteste les chats !

MYRIEM ROUSSEL

L'année dernière, Venise en hiver. C'est théoriquement une ville où tu vas en voyage de noces, mais je pense, au contraire, que c'est un endroit propice au divorce. Tu croises des touristes partout et quand tu parles italien, on te répond en anglais : c'est anti-romantique au possible. Je devais y rester une semaine, j'ai tenu trois jours ! C'est pire que le Mont-Saint Michel.

"MES VACANCES AUX STAAA...TES," par Wolinski

BOBBY C'ÉTAIT GÉANT DE FAIRE DU RAFTING DANS LE COLORADO RIVER !
BABY, LA PROCHAINE FOIS TU LAISSERAS PAS TOMBER MON PULL DANS LA FLOTTE !
OH, SUZANNA WHY DON'T YOU COME WITH ME. AH! AH! AH!
VOUS VOUS SOUVENEZ LE SALUT AU DRAPEAU QUELLE CRISE !
PAPA, JE TE PRÉSENTE LEON NOTRE MONITEUR
VOTRE FILLE EST HYPER DOUÉE POUR LES RAPPORTS SOCIAUX. ELLE S'EST TOUT DE SUITE ADAPTÉE
ENCHANTÉ AÏE !
CRAC
MÉLANIE, C'EST TERRIBLE ON NE VA PLUS SE VOIR SWEETIE
OUAH, ELSA TU M'ÉCRIS, JE T'ÉCRIS, ON S'ÉCRIT ! I LOVE YOU !
EH, BIEN ÇA A L'AIR DE T'AVOIR BIEN PLU CES VACANCES EN AMÉRIQUE. ÇA VALAIT LE COUP DE PAYER 1000 DOLLARS LA SEMAINE !
BYE-BYE !
J'AI DÉTESTÉ CES VACANCES ! J'AI PLEURÉ TOUS LES SOIRS. JE N'AI JAMAIS ÉTÉ AUSSI MALHEUREUSE. LES AMÉRICAINS SONT HORRIBLES. ILS PASSENT LEUR TEMPS À MANGER ET À PARLER DE FRIC COMME TOI !
PORTE 4
CALIFO OR BUST
WOLINSKI

Ecrivez un petit article ou faites une bande dessinée, suivant les modèles donnés sur cette page, dans lequel vous décrivez «Un mauvais souvenir de vacances».

Les parasites de la route

Le vélo est un moyen d'évasion très populaire mais il a, quand même, ses ennemis.

Jean-François Mailloux
Polyvalente Saint-Joseph, Québec
Commission scolaire Pierre-Neveu

Depuis l'invention de la roue, l'homme n'a jamais cessé de penser et de fabriquer des véhicules dont le déplacement était dû à la roue. Il en est de même pour la bicyclette, moyen de transport par excellence de notre ère, qui cohabite dorénavant avec l'automobile, et qui est fort appréciée. Mais devant cette popularité grandissante, doit-on croire que les cyclistes représentent un danger pour les automobilistes ? Il va de soi que les cyclistes sont inconscients de leur manque de sécurité, qu'ils sont outrageants envers le code routier et qu'ils sont non respectueux des automobilistes.

DANGER
PUBLIC

Les cyclistes sont inconscients

En premier lieu, les cyclistes sont inconscients du manque de sécurité de leur véhicule. En effet, bien des cyclistes possèdent une bicyclette bon marché qui ne peut résister sous l'impact d'une voiture. Ces bicyclettes peuvent également s'endommager sous l'effet des routes cahoteuses et créer des accidents lorsqu'une pièce flanche. Bien que certains vélos soient à la fine pointe de la technologie, plusieurs omettent de leur poser des réflecteurs, ce qui ne facilite pas la tâche de l'automobiliste qui doit surveiller les moindres faits et gestes du conducteur à deux roues. Un autre point à signaler est que la grande majorité des cyclistes n'utilisent pas le casque protecteur. Cet élément est en soi la seule vraie protection que peut se donner le cycliste, mais celui-ci s'oppose toujours à son port.

Les cyclistes sont outrageants

Par ailleurs, les cyclistes sont outrageants envers le code routier. En outre, ceux-ci croient ne pas être soumis au code routier: ils brûlent les feux rouges, ne font pas d'arrêt aux intersections, ne signalent pas leurs intentions et osent même défier les sens uniques. De plus, il n'est pas rare de voir des cyclistes sur le trottoir, troublant cette fois la paix des piétons. Par conséquent, bon nombre d'accidents sont causés par ces mordus du risque qui ne possèdent ni plaque d'immatriculation, ni assurance.

Les cyclistes sont irrespectueux

Dans le même ordre d'idées, les cyclistes ne sont pas respectueux à l'égard des automobilistes et sont même dérangeants. De ce fait, qui ne s'est jamais fait «couper» le chemin par un cycliste ? Ceux-ci ne font vraiment pas attention aux droits des conducteurs d'automobiles, comme lorsqu'un mordu du vélo s'amuse à faire du zigzag et que vous le suivez. N'est-il pas fatigant d'être toujours obligé de vérifier sur l'accotement juste pour voir si les cyclistes roulent comme ils le devraient ou s'ils vont bifurquer d'un moment à l'autre ? Ces cyclistes ou ces fous du volant version nouvelle sont en fait hypocrites et sont imprévisibles dans leurs comportements.

Quoi faire ?

Pour tout dire, les cyclistes sont des dangers publics qui ne font qu'entraver la circulation, car ils manquent de sécurité, ils ne se soumettent pas au code routier et parce qu'ils sont non respectueux des automobilistes. Mais devant cette popularité grandissante, doit-on espérer un changement définitif de la part du cycliste ou doit-on attendre la venue de lois spéciales destinées aux amateurs de vélo pour régler le problème une bonne fois pour toutes ?

L'article de Jean-François Mailloux vous a outragé ? Peut-être que oui ! Répondez-lui en présentant des arguments en faveur de la bicyclette et contre l'insouciance des automobilistes.

Tournier
La goutte d'or

folio Texte intégral

Le temps d'un voyage

Né en 1924 à Paris, Michel Tournier est un écrivain contemporain très célèbre. Il a beaucoup voyagé, avec une prédilection pour l'Allemagne et l'Afrique du Nord. Idriss, le héros du roman *La goutte d'or* (1986), quitte son pays natal, l'Algérie, pour chercher du travail à Paris. Pendant le voyage vers la capitale, il fait la connaissance d'un jeune homme.

Il fonçait maintenant au rythme du train vers le pays des images. On approchait de Valence quand il se secoua et, quittant le compartiment, alla s'accouder à la barre de la fenêtre du couloir. Le paysage provençal déployait ses garrigues, ses oliveraies, ses champs de lavandin. Le jeune homme vint se placer à côté de lui. Il jeta vers lui un regard amical, et se mit à parler comme pour lui-même, mais en s'adressant à Idriss de plus en plus directement.

– C'est encore la Provence. Cyprès rangés en haie pour protéger les cultures des coups de mistral. Tuiles romaines sur les toits. Mais il n'y en a plus pour longtemps. C'est Valence la frontière du Midi. A Valence, on change de climat, on change de paysage, on change de constructions.

– Mais c'est toujours la France ? demanda Idriss.

– Ce n'est plus la même France, c'est le Nord, c'est plutôt mon pays.

Il parla de lui. Il s'appelait Philippe. Sa famille avait une propriété en Picardie, près d'Amiens, où il était né. Il avait été élevé à Paris.

– Pour moi, le Midi, c'est les vacances. C'est aussi une curiosité un peu folklorique, l'accent, les histoires marseillaises. Mais je comprends qu'un Provençal qui passe la frontière de Valence se sente un peu en exil. Il fait gris et froid. Les gens ont l'accent pointu.

– L'accent pointu ?

– Oui, l'accent pas provençal, celui qu'on entend à Lyon ou à Paris par exemple. Tu comprends, pour les gens du Midi, les gens du Midi n'ont pas d'accent. Ils croient parler normalement. Ce sont les autres Français qui ont un accent: «l'assente poinntu». Pour les gens du Nord, ce sont les Méridionaux qui ont un accent, l'accent du Midi, un accent amusant, joli, mais qui ne fait pas sérieux. L'accent de Marius.

– Et ceux d'Afrique du Nord ?

– Les pieds-noirs ? Oh alors, c'est encore pire : le pataouet. Ça c'est la fin de tout. Ceux-là, il faut vraiment qu'ils se mettent au vrai français.

– Non, je parle pas des pieds-noirs. Je veux dire : les Arabes, les Berbères ?

Philippe un peu choqué regarda son voisin de plus près.

– Ceux-là, c'est pas la même chose. Ce sont des étrangers. Ils ont leur langue, l'arabe ou le berbère. Il faut qu'ils apprennent le français. Toi, tu es quoi ?

– Berbère.

– Alors ici t'es vraiment à l'étranger.

– Tout de même, moins qu'en Allemagne ou en Angleterre. En Algérie, on a toujours vu des Français.

– Oui, on se connaît. Chaque Français a son idée sur l'Algérie et le Sahara, même s'il n'y a jamais mis les pieds. Ça fait partie de nos rêves.

– Moi une femme française m'a photographié.

– La photo était réussie?

– Je ne sais pas. Je ne l'ai toujours pas vue. Mais depuis que j'ai quitté mon pays, j'ai de plus en plus peur que ça ne soit pas une bonne photo. Enfin pas exactement la photo que j'attendais.

– Moi, dit Philippe, j'ai toujours un tas de photos avec moi quand je voyage. Ça me tient compagnie. Ça me rassure.

Il entraîna Idriss dans le compartiment, et sortit un petit album de son sac de voyage.

– Tiens, ça c'est moi avec mes frères et ma sœur.

Idriss regarda la photo, puis Philippe comme pour comparer.

– C'est bien toi, mais en plus jeune.

– C'était il y a deux ans. A droite ce sont mes frères et derrière, mon père. La vieille dame, c'est ma grand-mère. Elle est morte au printemps. Ça c'est notre maison de famille près d'Amiens avec Pipo, le chien du jardinier. C'est dans ces allées que j'ai appris à marcher et à monter à bicyclette. Ça c'est toute la famille en pique-nique dans la forêt domaniale. Ma première communion, je suis le troisième à gauche. Ah et puis celle-là, c'est un secret !

Il faisait mine de dissimuler la photo en riant, mais finalement, redevenu grave, il la passa à Idriss.

– C'est Fabienne, la femme que j'aime. Nous sommes fiancés. Enfin pas officiellement. Elle prépare Sciences-Po, comme moi, mais elle a trois ans de plus que moi. Ça se voit ?

Idriss regardait la photo avec avidité.

Lorsque le train s'arrêta en gare de Lyon, Philippe parut l'oublier pour ne plus se soucier que de découvrir les siens dans la foule massée sur le quai. Idriss descendit derrière lui pour le voir aussitôt entouré par un groupe démonstratif. Il comprit que la brève complicité qui les avait rapprochés s'était effacée. Poussé par le flot des voyageurs, il s'avança jusque sur le trottoir de la gare le long duquel défilait une procession de taxis. La nuit était tombée. L'air était limpide mais presque froid. Le boulevard Diderot et plus loin l'enfilade de la rue de Lyon n'étaient qu'un scintillement de phares, d'enseignes, de vitrines, de terrasses de cafés, de feux tricolores. Idriss hésita un moment avant de se laisser glisser dans cette mer d'images.

Imaginez que vous êtes Idriss et que vous racontez plus tard à un(e) ami(e), par téléphone ou par lettre, les événements et les impressions du voyage qui sont décrits dans cet extrait.

RICHESSE ET CHANCE

Superstition ? Quoi qu'il en soit, il est de coutume de faire sauter les crêpes en tenant une pièce dans une main pour s'assurer richesse et chance toute l'année. On peut également faire un vœu. Mais, attention, la crêpe doit se retourner correctement dans la poêle. Sinon, adieu richesse et chance !

GAGNEZ 35 000 F en 35 secondes

Concours

PAUL-LOUP SULITZER

«La véritable aventure c'est de devenir riche»

– La grande aventure humaine est la réussite des gens nés pauvres. Pour moi, les milliardaires à venir seront des Portoricains ou des boat-people installés aux Etats-Unis, ces gens qui arrivent démunis, qui ont beaucoup souffert. Quand ils débarquent quelque part ils n'ont rien, sinon une fantastique rage de vaincre.

Mon père était un juif émigré de Roumanie, arrivé sans un centime en France, qui vivait dans une petite chambre, retournait son manteau en hiver. Il a d'abord été représentant en remorques, puis il a fini par monter sa propre entreprise, racheter ses concurrents, fonder un empire, revendu cet empire industriel au moment où il le fallait...

DES CENTIMETRES QUI VALENT UNE FORTUNE

Recordman du monde depuis 1984, le perchiste Sergeï Bubka (29 ans) impose sa suprématie. Ce sportif exceptionnel sait gérer ses exploits. Il monnaye chacune de ses apparitions... et surtout chaque record.

LE PARCOURS D'UN HABITUÉ

Les laboratoires font tester certains produits par des cobayes humains.

C'était en 1987, Paul avait franchi le pas. Avec lui, il n'était pas question d'argent de poche, mais de salaire. C'était un «pro», un de ceux que les médecins craignent comme la peste. Paul est batteur dans un groupe rock, «une passion qui ne rapporte pas un centime», dit-il, souriant. Alors, «branché par un copain étudiant en médecine», il s'était constitué peu à peu le parfait carnet d'adresses du cobaye. Somnifères, psychotropes, Paul avalait tout : «Je me foutais de savoir ce que je prenais». Il lui est arrivé de tester deux produits à une semaine d'intervalle. «Les expérimentateurs exigeaient un délai d'au moins trois mois entre deux essais, mais ils n'avaient aucun moyen de vérifier. Pour un essai de trois semaines et quelques nuits passées au laboratoire, je touchais de 3 000 à 5 000 F. Souvent, j'étais payé au prélèvement, par exemple 80F la prise de sang.» Il est arrivé à Paul de subir une vingtaine de prises de sang par jour. «Dans ces cas-là, j'avais un cathéter dans la veine, pour éviter d'être piqué trop souvent.» Le danger ? Quel danger ? Sûr de lui, Paul consent juste à avouer qu'il avait ses préférences parmi les laboratoires. Ainsi, la Fondation Aster. «Chaque feuille de résultat était vérifiée et enregistrée» précise-t-il. Je signais en général une décharge, où les effets du produit testé et les éventuelles contre-indications étaient notées.» Quant à pouvoir préciser le contenu exact de cette «décharge», il s'en dit incapable.

Extrait de Cobayes Humains *par Aline Richard/Sophie Veyret. Edition La Découverte.*

Faites une liste des moyens que tous ces gens ont trouvés pour se faire de l'argent.

FRANCE D'OUTRE-MER

ANPE

LETTRE DU PARADIS

Depuis quatre ans, j'habite à Tahiti. En arrivant, je m'attendais à trouver un pays paradisiaque, une population accueillante... Mais le mythe de la Nouvelle Cythère depuis Bougainville a pris du plomb dans l'aile. Actuellement, Tahiti et sa kyrielle d'îles et d'atolls pourraient plus justement être rangés dans la catégorie «Pays en voie de développement». Derrière «le paradis» des récifs s'étalent des kilomètres de bidonvilles et de plages ravagées par la pollution. Certains autochtones nous considèrent encore comme des colonisateurs.

La population connaît un réel problème d'identité : la nouvelle génération vit à l'heure des Etats-Unis pendant que les précédentes essaient de se réinventer une culture disparue. L'agriculture ne va guère mieux : il est quasiment impossible de cultiver et élever du bétail sur une terre de 1 000 km^2 culminant à 2 200 mètres pour nourrir 200 000 personnes. L'industrie subit le même sort : produit exporté voit son prix doublé en raison de l'éloignement de Tahiti et du coût des transports.

Quel sera donc le futur des quelques 90 000 jeunes de moins de 20 ans ? Question encore sans réponse, mais qui laisse prévoir de graves problèmes comme en Nouvelle-Calédonie ou à la Réunion il y a quelque temps.

Antoine, 16 ans, Tahiti.

CLAUDIE ET JEAN-RÉMY FAUVET, 45 ET 49 ANS, 162F PAR JOUR POUR SIX PERSONNES

«Nos parents, ils étaient pas riches. Ouvriers agricoles, ça va pas loin, mais ils s'en tiraient mieux que nous. Ils avaient la volaille, les légumes et les livres d'écoles, ils les payaient pas. Nous, qu'est-ce qu'on a ? 3 800 F d'allocations familiales, 2 794 F d'allocation pour adulte handicapé (vingt-deux ans dans le bâtiment, ça vous abîme !), 1 000 F de bourse pour les enfants. «Otez 1 900 F de loyer et d'électricité et 800 F de carte orange pour les enfants (une angoisse, ces cartes, si les pensions arrivent trop tard, on peut pas les acheter et ils vont pas à l'école pendant quelques jours), il nous reste 162 F par jour pour six. L'aîné, ça va, il est en ménage et il travaille. 162 F, c'est pas normal, pas normal, répète Jean-Rémy. Avec ça, on mange, c'est tout. Le reste. On habille les enfants chacun à leur tour. Les vacances ? Les garçons y sont allés une fois, la fille deux. Nous, c'est une autre histoire».

Extrait de *Marie-Claire*.

Dossier Afrique

Famine

Selon l'ONU, «l'Africain moyen s'appauvrit chaque année depuis 12 ans». En Ethiopie, un enfant sur cinq meurt avant l'âge de 5 ans. Plus de 100 millions d'Africains sont mal nourris, car, depuis 1970, la production agricole n'augmente que de 1,5% par an, soit moins vite que la population. C'est bien là le problème crucial : il y avait 100 millions d'Africains au début du siècle, il y en aura sans doute un milliard en 2010, le continent africain détenant le taux de fécondité le plus élevé du monde avec un record absolu au Rwanda : 8,5 enfants par femme. Même si la densité de population reste inférieure à celle de la France, elle est trop élevée pour le peu de ressources alimentaires.

Il y a vingt-cinq ans, l'Afrique produisait suffisamment de nourriture ; aujourd'hui, elle importe 25% de son alimentation.

Un exemple : en 1968, Madagascar exportait 64 000 tonnes de riz ; en 1982, elle en a importé 350 000 tonnes. Entre-temps, un régime communiste avait détruit toute l'économie du pays ! Mais les vraies famines se produisent aujourd'hui dans les Etats où les associations caritatives ne peuvent intervenir. Ainsi, on peut parler de régimes politiques qui affament volontairement leur population. Comme au Soudan, où le gouvernement islamique laisse mourir de faim les tribus du Sud, souvent chrétiennes.

Aussi, l'Occident, choqué par la gabegie n'intervient plus désormais qu'avec lenteur et suspicion. En 1989, le Soudan a vendu 400 000 tonnes de céréales à l'Europe..., mais en a reçu autant au titre de l'aide alimentaire ! Et puis, souvent, les chiffres mentent. Pour être médiatique, il faut dramatiser. Ainsi, en 1983–1984, la sécheresse du Sahel n'aurait fait «que» 100 000 victimes, alors que les journaux de l'époque ont parlé de 6 millions !

«La situation ne pourrait être pire», a déclaré le directeur de la FAO en juin 1991. Selon l'UNICEF, l'agence de l'ONU qui gère l'aide à l'enfance à travers le monde, vingt millions d'Africains risquent encore de mourir de faim cette année.

Note :
ONU : Organisation des Nations Unies
FAO : Food and Agriculture Organisation
UNICEF : United Nations Children's Fund

Faites une liste des raisons pour lesquelles ces personnes ou ces pays ont des problèmes économiques.

LES CHOSES

Georges Perec (1936-1982) est un écrivain français. Dans cet extrait d'un de ses romans, Les choses, *il présente un jeune couple qui fait des projets d'avenir.*

La vie, là, serait facile, serait simple. Toutes les obligations, tous les problèmes qu'implique la vie matérielle trouveraient une solution naturelle. Une femme de ménage serait là chaque matin. On viendrait livrer, chaque quinzaine, le vin, l'huile, le sucre. Il y aurait une cuisine vaste et claire, avec des carreaux bleus armoriés, trois assiettes de faïence décorées d'arabesques jaunes, à reflets métalliques, des placards partout, une belle table de bois blanc au centre, des tabourets, des bancs. Il serait agréable de venir s'y asseoir, chaque matin, après une douche, à peine habillé. Il y aurait sur la table un gros beurrier de grès, des pots de marmelade, du miel, des toasts, des pamplemousses coupés en deux. Il serait tôt. Ce serait le début d'une longue journée de mai.

Ils décachetteraient leur courrier, ils ouvriraient les journaux. Ils allumeraient une première cigarette. Ils sortiraient. Leur travail ne les retiendrait que quelques heures, le matin. Ils se retrouveraient pour déjeuner, d'un sandwich ou d'une grillade, selon leur humeur ; ils prendraient un café à une terrasse, puis rentreraient chez eux, à pied, lentement.

Leur appartement serait rarement en ordre mais son désordre même serait son plus grand charme. Ils s'en occuperaient à peine : ils y vivraient. Le confort ambiant leur semblerait un fait acquis, une donnée initiale, un état de leur nature. Leur vigilance serait ailleurs : dans le livre qu'ils ouvriraient, dans le texte qu'ils écriraient, dans le disque qu'ils écouteraient, dans leur dialogue chaque jour renoué. Ils travailleraient longtemps. Puis ils dîneraient ou sortiraient dîner ; ils retrouveraient leurs amis ; ils se promèneraient ensemble.

Il leur semblerait parfois qu'une vie entière pourrait harmonieusement s'écouler entre ces murs couverts de livres, entre ces objets si parfaitement domestiqués qu'ils auraient fini par les croire de tout temps créés à leur unique usage, entre ces choses belles et simples, douces, lumineuses. Mais ils ne s'y sentiraient pas enchaînés : certains jours, ils iraient à l'aventure. Nul projet ne leur serait impossible. Ils ne connaîtraient pas la rancœur, ni l'amertume ni l'envie. Car leurs moyens et leurs désirs s'accorderaient en tous points, en tout temps. Ils appelleraient cet équilibre bonheur et sauraient, par leur liberté, par leur sagesse, par leur culture, le préserver, le découvrir à chaque instant de leur vie commune. [...]

Ils auraient aimé être riches. Ils croyaient qu'ils auraient su l'être. Ils auraient su s'habiller, regarder, sourire comme des gens riches. Ils auraient eu le tact, la discrétion nécessaires. Ils auraient oublié leur richesse, auraient su ne pas l'étaler. Ils ne s'en seraient pas glorifiés. Ils l'auraient respirée. Leurs plaisirs auraient été intenses. Ils auraient aimé marcher, flâner, choisir, apprécier. Ils auraient aimé vivre. Leur vie aurait été un art de vivre.

Ces choses-là ne sont pas faciles, au contraire. Pour ce jeune couple, qui n'était pas riche, mais qui désirait l'être, simplement parce qu'il n'était pas pauvre, il n'existait pas de situation plus inconfortable [...] l'horizon de leurs désirs était impitoyablement bouché ; leurs grandes rêveries impossibles n'appartenaient qu'à l'utopie.

Lisez maintenant l'extrait à la page 84.

Le premier billet de mille

Dans la série *La Chronique des Pasquier*, dont *Vue de la Terre Promise* fait partie, Georges Duhamel (1884–1966) présente l'histoire d'une famille contemporaine, la famille Pasquier. Les enfants, Joseph et Laurent, représentent par leur profession, différents types sociaux du monde contemporain : Joseph, l'aîné, deviendra homme d'affaires ; Laurent, le plus jeune, sera un savant biologiste. C'est Laurent qui raconte l'histoire.

Avant de lire cet extrait, il est bon de se souvenir que mille francs-or valent aujourd'hui environ 3 000 francs.

Joseph me prit une cigarette et poursuivit, la voix plus calme :

– Qu'est-ce que tu penses en faire, Laurent, de ces mille balles ?

– Je te promets que tu le sauras.

– Parce que, vois-tu, Laurent... Mais que je t'explique d'abord. Dire que tu as eu tort, ce soir... A parler franchement, non ! L'argent, il faut l'attraper quand il y en a. Et chez nous, c'est plutôt rare. Celui-là de tante Mathilde, nous l'attendons depuis... avant d'être nés. Bon. Mais, ce n'est pas tout de l'avoir. Il reste à le garder. Ça c'est énormément difficile. Tous les gens sérieux te le diront.

La voix de Joseph, dans l'ombre, prit une inflexion presque suave, presque caressante. Il reprit, suçant les mots :

– Si tu ne l'emploies pas tout de suite, le billet, tu peux me le confier, Laurent. On trouve de bons, de très bons placements, quand on a l'expérience. [...] Si tu me le prêtes pour un an, je pourrai te donner six [pour cent]. Tu comprends, soixante francs. Si tu me le prêtes pour six mois, dame, je ne donnerai que quatre et ça ne fera que vingt francs. Maintenant, si tu désires participer à une affaire, une véritable affaire avec des risques à partager, comme de juste...

Nous étions au bord de l'eau. On entendait le bruit soyeux de la rivière fendue par les piles du pont. Devant nous, éclairé par la lueur aérienne d'un réverbère, un ponton de bois, amarré pour les pêcheurs, dansait mollement à deux ou trois mètres de la rive. J'étais excellent sauteur. Je pris soudain mon élan et retombai sur le ponton. Joseph s'arrêta net au milieu d'une phrase. Je l'apercevais maintenant, sur la rive, les mains aux poches, son chapeau melon sur la tête. Il vociférait doucement :

– Voilà ! C'est du Laurent tout pur ! Et pourquoi ! Je te le demande.

– Alors, fis-je en me penchant un peu, tu viens me rejoindre ?

– Non, moi, je ne suis pas timbré. D'ailleurs, si tu restes là-dessus, je vais te fausser compagnie.

– Pas tout de suite, Joseph, écoute. J'ai quelque chose à te dire.

– Tu choisis bien ton endroit !

– Je le choisis mieux que tu ne le crois.

– Tu as des idées de suicide ?

– Non, tout le contraire, des idées de vie, Joseph. Ecoute-moi bien. Tu ne te rappelles peut-être pas qu'un jour... oh ! c'est vieux, tu faisais ton service militaire [...] un jour, nous nous sommes disputés, toujours au sujet de l'argent. Tu disais des choses dégoûtantes, des choses épouvantables. Enfin, tu salissais ce que je respecte au monde. Alors, j'ai juré, devant toi, que mon premier billet de mille francs...

J'entendis la voix de Joseph. Une voix rauque, furieuse. Il était penché sur l'eau. Il criait sourdement :

– Toi, tu vas faire une folie. Toi, Laurent, tu vas faire une mauvaise action. [...] Ça n'a pas de nom.

– ... Alors, Joseph, j'ai juré que mon premier billet de mille francs, je le jetterais dans le feu, pour expier tes paroles, tes pensées, oui, tout ce que tu disais de la pauvreté, du désintéressement, des idées pour lesquelles on peut vivre et même mourir.

Joseph se mit à crier. [...]

– Imbécile ! Imbécile ! Je te donnerai des claques.

Je continuais de parler. J'étais soulevé d'une ivresse magnifique.

– Mon premier billet de mille, Joseph, le voilà. Regarde-le bien. Je ne le jetterai pas dans le feu. J'y ai songé ; mais je ne veux pas que tu te brûles les mains. Alors, regarde, Joseph ! Je le déchire en deux. Et maintenant en quatre. Et maintenant, en huit. Et encore et encore. Qu'est-ce qu'il y a ? Tu ris, Joseph ?

Joseph s'était mis à rire. Il dit entre deux hoquets :

– Ça ne prend pas. Ça ne prend pas. Ce n'est pas le vrai billet.

– Pas le vrai ? Bien ! mon vieux. J'en garde un tout petit bout. Tu pourras contrôler. Et quant au reste, allez, ouste ! à la rivière !

[...]

– Mille francs ! me disait-il. Mille francs ! Sais-tu que c'est presque un crime. Tu n'as donc pas assez d'imagination pour te représenter tout ce qu'on peut avoir avec mille francs ?

– Je me demande, répondis-je en m'éloignant de quelques pas, je me demande ce que j'aurais pu acheter pour être, seulement de moitié aussi content que je le suis.

Maintenant que vous avez lu ces deux extraits (pages 83-84), décidez ce que vous feriez si vous, vous aviez beaucoup d'argent.

7 Ce que je crois

Thèmes	Communiquer	Grammaire
• La religion • Les superstitions • La musique • L'astronomie	• Questions de rêve • Parler de sa religion • Exprimer ses préférences artistiques	• Le comparatif • Le subjonctif

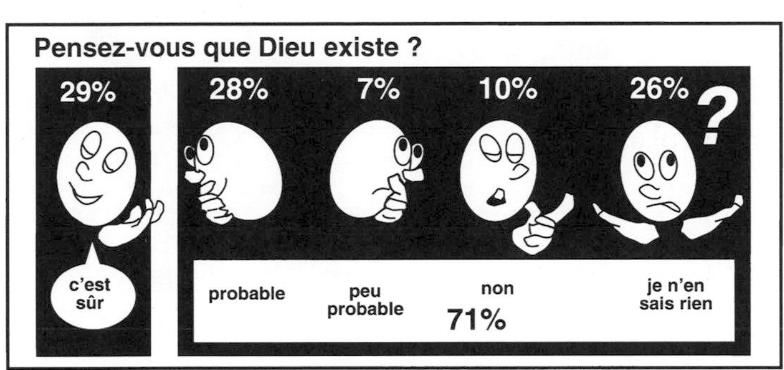
Pensez-vous que Dieu existe ?
29%
28%
7%
10%
26%
?
c'est sûr
probable
peu probable
non
71%
je n'en sais rien

LA SEULE CHOSE DONT ON SOIT SÛR ... TOUTES LES RELIGIONS FONT MAL AUX GENOUX

SOMMAIRE

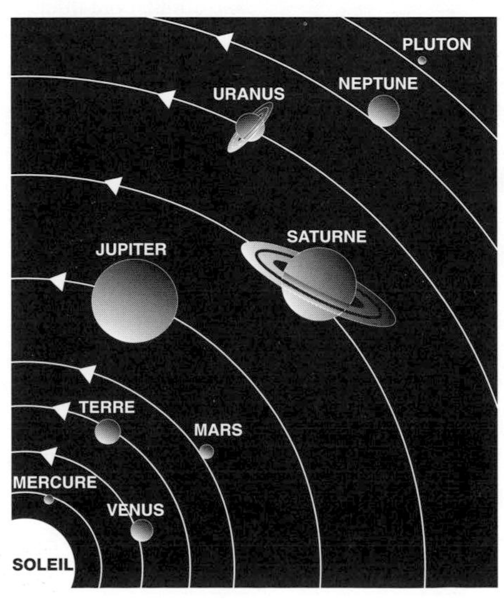
PLUTON
NEPTUNE
URANUS
SATURNE
JUPITER
TERRE
MARS
MERCURE
VENUS
SOLEIL

Rêves et...

CROIRE : sentir comme vrai

1 Rêves et cauchemars

Travail de groupe. Découvrez combien de personnes dans votre classe ont eu des rêves et des cauchemars pareils à ceux qui sont décrits dans la liste de rêves communs ci-contre.

Attention : n'oubliez pas de tutoyer vos camarades de classe !

POUR COMMUNIQUER

Questions de rêve

De quoi as-tu rêvé ?
As-tu jamais rêvé que tu... ?
T'est-il arrivé de rêver que tu... ?
Quels rêves as-tu faits ?
Raconte-moi le rêve que tu as fait cette nuit.
Raconte-moi ce dont tu as rêvé cette nuit.

2 J'écris mes rêves

Chaque personne dans la classe écrit un rêve, réel ou imaginé, d'environ 100 mots. Il peut s'agir d'un rêve heureux ou d'un cauchemar !

(Si vous préférez, utilisez un programme de traitement de texte pour préserver votre anonymat 🖫 .)

Les rêves sont imprimés et affichés autour de la classe. Le premier but du jeu, c'est de deviner l'auteur de chaque rêve. Ensuite, on passe à l'interprétation des rêves...

Sujet du rêve	Interprétations
Voler ou planer	Vous voulez échapper à quelque chose ou à quelqu'un. Peut-être, aussi, éprouvez-vous un fort désir sexuel pour quelqu'un.
Rencontre avec une vedette de télé ou de cinéma	L'ambition vous dévore!
Tomber	Ne signifie rien de particulier. Cette sensation est probablement due à des spasmes musculaires.
Etre poursuivi(e) et ne pas pouvoir s'échapper	Vous êtes dans une période de grand stress.
Trouver de l'argent	Rêve plus fréquent chez les hommes que chez les femmes. Vous avez besoin d'apporter une solution rapide à votre situation actuelle.
Assister à une boum	Vous vous sentez mal à l'aise dans votre peau et désirez résoudre vos problèmes de personnalité.

LES RÊVES ET LES CAUCHEMARS LES PLUS COMMUNS

Rêves

- vous trouvez du trésor
- vous vous trouvez entouré(e) de personnes célèbres
- vous regardez votre corps comme vu de l'extérieur
- vous êtes capable de voler ou de planer
- vous parlez une langue étrangère

Cauchemars

- vous tombez dans l'eau et vous risquez de vous noyer
- on vous chasse et vous courez de moins en moins vite
- vous tombez d'une falaise ou d'un bâtiment haut
- vous êtes témoin d'un accident ou d'un désastre
- vous vous trouvez dans un château hanté

3 Croyances diverses

Lisez les résultats d'un sondage réalisé auprès d'un échantillon de 705 jeunes âgés de 16 ans.

Y crois-tu vraiment ?		
Absolument	**Bof, chais pas**	**Absolument pas**
16% extra-terrestres	23% diable	19% miracles
18% diable	28% extra-terrestres	25% télépathie
24% réincarnation sorcellerie voyance	34% réincarnation sorcellerie voyance	27% prières exaucées
		33% astrologie
27% astrologie	37% prières exaucées télépathie	42% réincarnation voyance
36% prières exaucées		53% sorcellerie
38% télépathie miracles	40% astrologie	56% extra-terrestres
	43% miracles	59% diable

4 Tu y crois, toi ?

Travaillez avec un(e) ami(e). Posez des questions pour découvrir les croyances de votre partenaire.

N'oubliez pas d'utiliser la forme correcte de **à + l'article** (aux miracles, à la transmission de pensée, au diable).

Crois-tu que ça existe, toi, les soucoupes volantes ?
Difficile à dire ! On n'a rien prouvé...

Ça va pas la tête, non ! Pas du tout !
Et toi, tu crois aux miracles ?

Le fana des grigris
Pour augmenter ses chances de gagner le match, il n'oublie jamais son ours en peluche porte-bonheur. Une manie qui lui donne l'impression d'exercer un certain contrôle.

Prier pour gagner
Comme bien des sportifs, la sprinteuse américaine Florence Griffith-Joyner fait une petite prière avant le départ. Une façon de se concentrer tout en favorisant le sort.

Note :
fana = adj. nom. abréviation familière de fanatique
Exemples : Elles sont fanas de moto. Les fanas de la bande dessinée.
grigris = nom africain des petits objets vendus par les sorciers pour conjurer le mauvais sort

5 Définitions
La signification des mots suivants : y a-t-il de différence ? Cherchez-les dans un bon dictionnaire.

le sort – le destin – la chance – la destinée – la fatalité – le hasard – la fortune – la veine

6 Bonne chance !
Répondez honnêtement ! Avez-vous des petites manies comme ces sportifs ? Lesquelles ? Avez-vous votre grigris personnel ? Pourquoi ? Discutez de vos superstitions avec un ou une partenaire.

Pour faciliter vos explications regardez les exemples d'Hubert et de Céline ci-contre.

7 Le hasard du chiffre 7
Le chiffre 7 porte-t-il bonheur ou malheur ? Ecoutez ce fait divers sur France-Inter.

AU FAIT

- **Le riz porte-bonheur**
Le riz est symbole de vie, d'abondance, de richesse et, donc, de fécondité. En jeter sur les jeunes mariés symbolise les vœux qu'on fait à leur égard.
- **Rencontrer un chat noir, ça porte malheur ?**
Le noir est le symbole de l'obscurité et de la mort. Rencontrer un animal de cette couleur est toujours mauvais signe, la nuit particulièrement.
- **Le mariage, c'est pour dans combien de temps ?**
Pour le savoir, il suffit de souffler sur les aigrettes d'un pissenlit. Le nombre d'aigrettes restant sur la plante correspond au nombre d'années avant le jour de mariage.
- **Les grenouilles font la pluie et le beau temps ?**
On a longtemps cru que si ce petit batracien remontait à la surface de l'eau, ça voulait dire qu'il allait pleuvoir. On sait maintenant que ce n'est pas le cas : les grenouilles remontent à la surface d'un plan d'eau quand il fait chaud, c'est-à-dire quand le soleil risque de se montrer.
- **Lune rousse vide bourse**
La croyance populaire veut que la lumière de la lune rousse (la pleine lune qui suit Pâques) brûle les nouvelles pousses des arbres. C'est en fait aux dernières gelées qu'il faut attribuer ces dégâts : le rayonnement de la première lune de printemps sur le sol froid fait s'évaporer la chaleur emmagasinée au cours de la journée.

***Céline** : Avant de passer un examen, je fais une bise à mon petit chat en espérant que ça me porte bonne chance.*

***Hubert** : Tous les jours je porte un christ pour qu'il ne m'arrive pas d'accidents, je suppose.*

Travail de recherche

Faites une enquête sur les superstitions qui semblent toujours être pratiquées parmi vos camarades, dans votre famille, chez les voisins. Présentez vos résultats oralement ou par écrit.

VIVRE SA FOI... OU PAS

CROIRE : avoir la foi religieuse ;
être persuadé de l'existence de quelque chose

POUR COMMUNIQUER

Parler de sa religion
Je (ne) suis (pas) chrétien/chrétienne
protestant(e)/anglicain(e)/catholique
musulman(e)/juif (juive)/hindou(e)
athée/agnostique.
Je n'ai pas de religion.
Je (ne) suis (pas) croyant(e).
Je (ne) suis (pas) pratiquant(e).
Je croyais en Dieu mais je n'y crois plus.
Je n'y ai jamais cru.

1 Croire en Dieu ?
Comment répondez-vous aux affirmations du sondage à droite ? Si vous voulez ajouter quelque chose à votre réponse, servez-vous des phrases de Pour communiquer.

2 Les jeunes et la religion
Vous allez entendre, dans l'ordre : Louise, Frédéric, Aïsha, Philippe, Robert, Françoise, Elodie. Résumez la situation de ces jeunes gens. Sont-ils croyants ou pas ? Sont-ils pratiquants ou pas ? N'écrivez rien pour l'instant sur leurs attitudes.

Exemple :
– Louise est catholique, mais elle est moins pratiquante qu'avant. Elle ne va plus à l'église. Elle fréquente un collège privé catholique où elle est obligée d'aller à la messe toutes les semaines.

Ecoutez encore et résumez l'attitude actuelle envers la religion de ces jeunes.

Exemple :
– Louise ne va plus à l'église le dimanche parce qu'... elle croit que le catéchisme et la messe au collège sont suffisants.

a Frédéric ne regrette pas d'avoir fait sa première communion parce que...
b Aïsha pense que la religion lui a donné...
c Philippe croit qu'il ne vaut pas la peine...
d Robert trouve que...
e Françoise va à l'église seulement pour les occasions spéciales parce qu'autrement...
f Elodie a repris l'habitude d'aller à l'église parce que...

SONDAGE

Croire en Dieu ?
(Sondage effectué auprès de jeunes âgés de 15 à 20 ans.)

	%
Je crois en Dieu, c'est très important pour moi	16
Je crois en Dieu, mais cela n'est pas très important pour moi	18
Je ne crois pas en Dieu, mais cela m'intéresse de réfléchir à cette question	20
Je ne crois pas en Dieu et cela ne m'intéresse pas du tout	15
Je crois qu'il y a quelque chose au-dessus de nous, mais je ne sais pas si c'est Dieu	31
Sans opinion	–

Sondage Louis Harris – La Vie, *31 octobre 1984.*

3 Pratique de prononciation
Un peu de pratique pour améliorer votre prononciation.

BONNE IDEE

La plupart des noms qui se terminent en -isme sont masculins.
Exemples :
le christianisme, l'athéisme, le catéchisme, le judaïsme

DEUX JEUNES PARLENT DE LEUR FOI

JEAN-FRANÇOIS, FERVENT CATHOLIQUE

A 18 ans, Jean-François est en 3° année de CAP imprimerie au Lycée Sainte-Thérèse à Paris. Il participe activement à la vie de l'aumônerie : pèlerinages, voyages, sorties... Pourtant, il reconnaît ne pas être un grand pratiquant. "Mais je me considère quand même comme un fervent catholique. Il ne faut pas s'enfermer dans une vie stricte, bien réglée. On finit par ne penser qu'à ce qu'on fait ou ne fait pas, et on pense moins à Dieu."

Le déclic au catéchisme

Il vit sa foi à sa façon. "Au début, je voulais faire ma première communion pour des cadeaux. La première fois que je suis allé au catéchisme, ça a été le déclic : le premier contact avec la personne qui s'en occupait, le décor de la salle... En plus, j'adore l'histoire." L'exemple de Jésus l'influence : "Ce n'est pas évident de Le suivre. Lui, Il aimait même ceux qui ne L'aimaient pas. Si je ne croyais pas, je serais quelqu'un de différent. Je rejetterais systématiquement tous ceux qui m'insultent."

HICHAM, UN DRÔLE DE PAROISSIEN

Hicham est élève dans le même établissement de Sainte-Thérèse, en terminale F2. Lui aussi s'intéresse aux activités de l'aumônerie. Lui aussi est un catholique un peu particulier puisqu'il connaît de l'intérieur la religion musulmane. Cette connaissance vient de sa double origine : sa mère est française et son père tunisien. A l'âge de trois ans, ses parents se séparent. Sa mère lui donne alors une éducation chrétienne, du baptême à la première communion et la profession de foi. "Quand j'avais 11 ans, j'ai revu mon père. Il voulait que je choisisse entre islam et christianisme. Alors, j'ai réfléchi sur ma vie. J'ai pensé qu'il y avait un Dieu unique et que dans les deux religions, il y avait de bonnes choses pour moi."

Deux cultures

Son père lui a enseigné les règles musulmanes. Il est donc bien placé pour parler des deux croyances. "Chez les chrétiens, j'aime bien la communion qui n'existe pas chez les musulmans. C'est un cheminement vers Dieu. On va vers Lui tous ensemble. La prière musulmane est très forte. Tu es obligé de te purifier avant de prier. Tu te mets à genoux devant Dieu, tu te soumets vraiment à Lui. Le ramadan, c'est dur : on ne mange pas, on ne boit pas. On montre qu'on croit vraiment en Dieu. Si on ne croit pas sincèrement en Allah, on ne peut pas aller jusqu'au bout de cette épreuve."

l'aumônerie	section d'un établissement scolaire qui organise des activités de nature religieuse
le pèlerinage	voyage à un lieu saint
le catéchisme	enseignement de la foi et de la morale chrétiennes
le cheminement	une avance lente
le ramadan	période de jeûne d'un mois pendant laquelle il est interdit aux musulmans de manger pendant le jour
une épreuve	une situation difficile

4 Comment ça se dit ?

Trouvez l'équivalent de ces expressions dans le texte.

- **a** He lives his faith in his own particular way.
- **b** That was the moment it all fell into place.
- **c** It's not quite so simple as all that.
- **d** He is also interested.
- **e** A Christian upbringing.
- **f** To go right to the end.

POINT GRAMMAIRE

Le comparatif

Pour comparer deux personnes/choses/actions entre elles, il y a trois sortes de comparatifs : le comparatif de supériorité = **plus ... que** ; le comparatif d'égalité = **aussi ... que** ou **si ... que** après ne ... pas/plus ; le comparatif d'infériorité = **moins ... que**.

▶ 34 Pour un peu de pratique.

5 Où en êtes-vous ?

Décrivez en 50 mots votre attitude envers la religion.

6 Plus ou moins important ?

Rangez les phrases suivantes dans l'ordre d'importance que vous leur attachez.

recevoir une éducation religieuse – connaître ses racines – mener une vie bien réglée – plaire aux parents – reconnaître la foi des autres – réfléchir à l'existence de Dieu – être sociable – aider ceux qui sont dans le malheur – vivre sans soucis – réussir à l'école.

Puis comparez votre liste avec celle d'une autre personne et faites un rapport oral pour le reste de la classe sur différentes perspectives que vous avez découvertes.

QU'Y A-T-IL APRÈS ?

Parler de la mort n'est certainement pas une affaire de tous les jours ! Cependant, ce qui nous attend (ou ne nous attend pas) est un des mystères qui touchent même à ceux d'un âge tendre...

Fabien

Moi, au contraire, je n'y crois pas du tout. Pour moi, après la mort, il n'y a rien. C'est le vide complet. Ça ne me fait pas peur. C'est tranquille. On n'a plus de soucis parce qu'on ne sent plus rien du tout. C'est dommage pour ceux qui restent, c'est tout.

Estelle

Moi, j'ai toujours pensé que quand on était mort on pouvait voir ce qui se passait sur terre après. Comme si, en quelque sorte, on était suspendu là, autour des êtres vivants. On n'avait pas l'apparence d'être sur terre mais on voyait ce qui se passait encore. Je pense surtout à notre famille... qu'elle reste proche de nous.

1 **Qu'y a-t-il après ?**
Chanson d'Yves Duteil. Voir **35**.

Dans cette chanson, Yves Duteil se pose la question de savoir si son amour durera au-delà de la vie.

CROIRE : tenir pour possible ; imaginer ; supposer

2 **Images de l'au-delà**
Fabien et Estelle sont frère et sœur mais ils ont des idées totalement différentes de ce qui suit la vie. Lisez leurs témoignages ci-dessus.

3 **Point final sur les religions**
Que devenons-nous après la mort ? Les réponses sont multiples. Chaque religion a la sienne. Quelle explication (ci-contre) de ce qui se passe après la mort appartient à quelle religion ?

Christianisme • Hindouisme • Islam • Judaïsme

4 **Travail à deux**
Pensez, d'abord, au vocabulaire dont vous aurez besoin pour décrire vos sentiments au sujet de la mort. L'activité n° 3 *Point final sur les religions* pourrait aussi vous aider.

Travaillez avec un(e) ami(e). Décrivez les images que vous vous faites de l'au-delà.

a Une résurrection physique à la fin du temps est évoquée dans de nombreux passages du Coran. On n'a donc pas peur de la mort. Au contraire, elle doit mener les croyants dans un jardin luxuriant appelé paradis. Ici, pas de purgatoire. Quant à l'enfer, décrit comme un feu brûlant, il n'est que temporaire pour les croyants, le temps d'expier les péchés graves.

b L'au-delà est une notion relativement imprécise. L'immortalité de l'âme est reconnue, mais on ne parle ni d'enfer ni de paradis. Les âmes des morts sont, en quelque sortes en réserve, en attendant le monde futur en cours de construction par l'application des commandements.

c Paradis et enfer comme dans le christianisme existaient à l'origine, puis arrive la notion de réincarnation. L'au-delà n'offre aux morts qu'un séjour de toute façon temporaire, puisqu'il est suivi par la réincarnation. La seule éternité est celle du nirvana, qui représente l'abolition de toute conscience.

d Les notions d'enfer et de paradis sont sans doute celles qui se distinguent le moins des anciennes traditions païennes. La croyance au paradis, retour à l'Eden originel, s'appuie sur l'immortalité de l'âme et la notion de vie éternelle. L'enfer est le séjour des morts et le lieu où souffrent éternellement les âmes des pécheurs non repentis. Le purgatoire est une création théologique, non mentionnée dans les Evangiles. Il n'existe que chez les catholiques.

Le subjonctif

- **Usage**

C'est une forme du verbe qu'on utilise surtout dans des propositions subordonnées, c'est-à-dire, après certaines conjonctions et après certains verbes, en particulier ceux qui expriment des émotions telles que le désir, la peur, la surprise.

- **Formation**

Il y a plusieurs temps du subjonctif, mais dans la langue parlée vous n'aurez besoin normalement que du **présent** du subjonctif.

- **Le présent du subjonctif**

Prenez le radical de la troisième personne du pluriel du présent de l'indicatif (voir page 5) et ajoutez les terminaisons suivantes :

je	-e	nous	-ions
tu	-es	vous	-iez
il/elle/on	-e	ils/elles	-ent

Infinitif	**présent de l'indicatif**	**présent du subjonctif**
parler	ils parl -ent	je parle, nous parlions
finir	ils finiss -ent	je finisse, nous finissions
ouvrir	ils ouvr -ent	j'ouvre, nous ouvrions
attendre	ils attend -ent	j'attende, nous attendions

Attention ! La plupart des verbes irréguliers suivent la même règle, sauf :

- les verbes en **-yer**
  envoyer j'envoie nous envoyions
- les verbes en **-cevoir**
  recevoir je reçoie nous recevions
- et d'autres verbes irréguliers courants (qu'il faut que vous appreniez tout de suite !) :

aller	j'aille, nous allions
avoir	j'aie, nous ayons
croire	je croie, nous croyions
être	je sois, nous soyons
faire	je fasse, nous fassions
pouvoir	je puisse, nous puissions
prendre	je prenne, nous prenions
savoir	je sache, nous sachions
venir	je vienne, nous venions
voir	je voie, nous voyions

BONNE IDEE

je, tu, il, elle, on, ils, elles ont toujours le même radical :
je **prenn**e, tu **prenn**es, on **prenn**e, elles **prenn**ent

nous, vous ont aussi un radical commun :
nous **pren**ions, vous **pren**iez

Voir aussi la table des verbes (page 244) et page 59.

▶ *Verbes irréguliers au subjonctif*, pratique de prononciation.

- **Comment utiliser le subjonctif ?**

Dans ce chapitre, vous trouverez plusieurs exemples de l'usage du subjonctif. Les voici : deuxième colonne.

- Après les expressions négatives exprimant le doute ou l'incertitude et les verbes **penser** et **croire** au négatif ou à l'interrogatif :
  – Je ne peux pas dire que j'y croie tout le temps.
  – On ne peut pas dire que le rock soit une religion.
  – Je ne pense pas qu'ils puissent appréhender l'infini.
- Après les verbes exprimant un désir ou une préférence :
  – Il voulait que je choisisse.
  – Je préfère qu'on me laisse choisir.
- Après les conjonctions **bien que** ou **quoique** (*although*) :
  – Bien que le terme «sacré» fasse problème...
- Après des expressions d'émotion vive :
  – Ça me plaît beaucoup qu'on soit comme ça.
- Après les adjectifs **premier**, **dernier**, **seul** :
  – C'est vraiment la dernière des choses qu'on puisse comprendre.
- Après les expressions **il faut que** et **il est nécessaire que :**
  – Il faut qu'une chanson ait du style.
- Après les conjonctions **pour que**, **afin que** (*in order that*) :
  – Je porte un christ pour qu'il ne m'arrive pas d'accidents.
- Après les conjonctions **avant que** (*before*), **sans que** (*without*), **à moins que** (*unless*), **de façon que** (*in such a way as to*) :
  – Je bois souvent du whisky sans que mes parents le sachent.
- Après des expressions d'émotion :
  – Dommage qu'elle ait raté son bac.

Pour plus de détails, voir page 242.

▶ Pour un peu de pratique du subjonctif, **36**.

Rock et sacré

CROIRE : être persuadé de la valeur de quelque chose

Si on se situe à un point de vue anthropologique, on peut reconnaître dans le rock des structures communes aux expériences religieuses telles qu'elles se manifestent dans de nombreuses civilisations. Dans le rock, on peut en retrouver au moins trois éléments.

D'abord, le développement de rites et de symboles : le décor rituel des concerts (lieu, habillement, etc.) et les gestes : on chante, on danse, on bouge ensemble ; pour les symboles, il y a la flamme des briquets allumés dans l'obscurité, le jeu de lumière des projecteurs, les nuages de fumée où les idoles apparaissent un peu comme les dieux des mythes. Un concert peut être vécu comme une fête rituelle des fans du groupe.

Deuxièmement, on peut citer le désir de participation et de fusion : on fait sauter les frontières

1 Orientation

Avez-vous assisté à un concert de rock ? Avec un(e) partenaire, notez tous les sentiments que vous avez éprouvés. Le tableau ci-dessous peut vous aider à vous rappeler toutes les impressions que vous avez eues. Au cas où vous ne seriez pas allé(e) à un tel concert, servez-vous de votre imagination !

Echangez vos idées avec le reste de la classe.

choses vues	choses entendues	choses senties	émotions
couleurs	musique	fumée	surexcitation
lumières	bruits forts	parfums variés	joie
personnes	hurlements	transpiration (!)	déception

2 Vrai ou faux

Lisez l'article *Rock et sacré*. Lesquelles de ces affirmations sont justifiées ?

- **a** L'auteur croit que les concerts de rock exercent une influence négative sur les jeunes.
- **b** Selon l'auteur le symbolisme religieux se manifeste dans le monde du rock.
- **c** L'auteur est de plus en plus persuadé qu'aujourd'hui les vedettes de rock encouragent l'usage de la drogue.
- **d** L'auteur pense que les concerts de rock ressemblent énormément à des rites religieux.
- **e** L'auteur cite les exemples de rock-stars pour prouver l'ambiguïté des émotions suscitées par le rock.

3 Points descriptifs

Trouvez, dans le texte, toutes les phrases contenant les adjectifs suivants :

- **a** sexuel, rituel, individuel
- **b** révélateur, séducteur, destructeur
- **c** religieux, nombreux

Quelles sont les règles grammaticales qui s'appliquent dans ces trois groupes ?

Copiez et complétez les vides ci-dessous avec la forme correcte des adjectifs. Les exemples donnés sont tirés du texte.

a	un problème	des phantasmes *sexuels*
	la sensibilité	des images ......
b	un meurtre *rituel*	des décors ......
	une activité	des fêtes ......
c	un mélange	les dieux ......
	l'agressivité	les forces *destructrices*
d	l'habillement	les objets ......
	la civilisation	les sectes *orientales*
e	un public	de *nombreux* chanteurs
	une famille	de ...... définitions
f	un phénomène *révélateur*	des points de vue ......
	une dimension	des expériences ......

Déjà vu

Pour les terminaisons des adjectifs : *Page 29.*

du «moi» individuel, avec ses angoisses, ses inquiétudes ; on se glisse dans un tout ; on baigne dans une espèce d'harmonie cosmique. Il y a, ensuite, un certain mysticisme, une recherche explicite d'une dimension autre, d'un univers qui transcende la vie de tous les jours. De là l'intérêt, surtout dans les années soixante, pour les sectes orientales et, dans certains cas, le recours à la drogue. Une telle sensibilité pour une dimension qui nous surpasse se manifeste encore aujourd'hui chez de nombreux chanteurs, même s'ils refusent les religions positives.

Enfin, il faut signaler le phénomène assez révélateur de la sacralisation des rock-stars. Celles-ci sont perçues comme les médiatrices de l'énergie supra-individuelle qui passe dans leur musique. Elles deviennent l'objet de transfert équivoque où se mêlent vénération et agressivité. Elles incarnent l'ambivalence du désir et de la vie, avec ses forces négatives et positives, masculines et féminines, séductrices et destructrices. Songez, par exemple, aux figures légendaires et ambiguës que sont Mick Jagger, David Bowie, et, plus récemment, Madonna et Prince qui offrent dans leurs concerts un mélange de phantasmes sexuels et religieux. Pensez aussi au meurtre rituel de John Lennon, l'un des Beatles, assassiné précisément par un de ses fans. Cela suggère tout un jeu de projection de l'imaginaire.

Que conclure de ses structures «religieuses» ? On ne peut pas dire que le rock soit une religion au sens d'une relation aux dieux ou à un Dieu, bien qu'il se présente comme l'expérience d'une fusion avec l'énergie vitale qui transcende l'individu... et qui rassemble les individus. Cela a quelque chose de sacré. Bien que le terme «sacré» fasse problème sur le plan théorique parce qu'il est difficile à définir.

4 La séquence des idées

Faites l'exercice sur **37** pour découvrir la structure interne de l'article.

BONNE IDEE

Les mots pour marquer la séquence des idées
1 d'abord... **2** deuxièmement... **3** ensuite... **4** enfin... **5** pour conclure

5 Utile

La chanson *Utile* de Julien Clerc.

Julien Clerc
Utile

6 Julien Clerc au micro

Dans l'émission «Synergie» sur France-Inter, lors de l'apparition de son nouvel album *Utile* en 1992, Julien Clerc explique son credo artistique. Ecoutez un extrait de cette interview et voir **38**.

Au besoin, cherchez dans un dictionnaire le sens des mots suivants :
engagement – gueuler – ramener – charnière.

7 En parlant de chansons

Recueillez, à l'aide d'un dictionnaire, une liste de vocabulaire sur la musique en général. Par exemple : la mélodie, le rythme, les paroles (f.)... Vérifiez toujours le genre des mots essentiels.

Discutez en classe la question : «Qu'est-ce que vous cherchez dans une chanson ?». Chaque personne doit contribuer au moins deux idées. Tant mieux si vous pouvez citer des exemples français.

Servez-vous des expressions de Pour communiquer.

POUR COMMUNIQUER

Exprimer ses préférences artistiques
Ce qui est important pour moi dans une chanson, c'est...
Il faut que ce soit...
Il faut que ça ait...
Je préfère que ce soit...
Je crois qu'une chanson devrait avoir...
Une chanson m'accroche quand elle...
J'aime mieux les chansons dans lesquelles...

Les choses de la vie

Paul Guimard, dans son roman *Les choses de la vie* publié en 1967, raconte l'histoire d'un accident de voiture dans lequel le personnage principal meurt. Dans cet extrait, il se rend compte finalement qu'il va bientôt mourir et il pense à l'au-delà…

Depuis quelques instants… il faudrait pouvoir choisir.

s'amortir	devenir moins fort
un lien	ce qui relie, unit
une brume	brouillard léger
s'esquiver	se retirer, s'en aller
honteux	qui choque la dignité humaine
la troupe hétéroclite	la foule bizarre
piteux	pauvre, dérisoire
quelconque	de quelque sorte

Paul Guimard

Les choses de la vie

roman

Denoël

1 Compréhension

Mettez les phrases ci-dessous dans le bon ordre pour établir un résumé des faits.

a Quand il était jeune, il avait peur de l'enfer.
b Il a décidé de ne pas avoir de regrets pour ses actions.
c Il se rappelle ses premières expériences sexuelles.
d Il voudrait quand même croire en une vie éternelle parce qu'il a peur.
e Il imagine l'acte même de mourir.
f Il a perdu sa foi et sa peur de l'enfer.
g Il se rend compte qu'il va bientôt mourir.

2 Interprétation

a Quand il était jeune, quelle image a-t-il formée de l'enfer ?
b Pourquoi, jeune homme, était-il si malheureux ?
c Quelles sont les phrases qui montrent son attitude envers Dieu ?

3 Appréciation

a Lesquels de ces adjectifs décrivent le style de Paul Guimard dans cet extrait ? Justifiez vos choix. Au besoin, cherchez les définitions dans un bon dictionnaire.

ironique – naturel – humoristique – sérieux – objectif – subjectif – simple – compliqué – léger – dramatique – lyrique – pathétique – introspectif – rhétorique – dense

b Lesquels de ces adjectifs décrivent le langage de l'extrait ? Donnez des exemples pour justifier vos choix.

abstrait – concret – imagé – simple – recherché – lyrique – réaliste – technique – descriptif – sentimental – psychologique

c A votre avis, y a-t-il dans le texte une phrase qui le résume. Laquelle ? Si vous n'en trouvez pas, inventez-en une.

LES CHOSES DE LA VIE

Depuis quelques instants le bruit des sirènes s'amortit. Aveugle et bientôt sourd je me résume à une mécanique intellectuelle, mon dernier lien avec ce monde qu'il va falloir quitter. Comment cela se passe-t-il ? Une brume, sans doute, les mots qui s'esquivent et se refusent, un début d'incohérence, et puis ? Evidemment la tentation de songer à la vie éternelle ! J'ai craint l'enfer pendant longtemps dans le collège de mon adolescence où l'on m'enseignait que les premières chaleurs de la chair risquent de conduire aux fournaises du diable, à l'époque où les expédients solitaires n'atteignent pas encore au plaisir mais sont un péché désespérément nécessaire, honteux, aimable, souhaité, haï. Je redoutais d'avoir un jour à payer le prix exorbitant de mes émotions clandestines puis, un peu plus tard, des gymnastiques élémentaires que m'autorisait au coin des

117

LES CHOSES DE LA VIE

haies une fille dont j'ai oublié le nom. J'ai été damné au fil des jours interminables et malheureux au-delà de mes forces.

Puis j'ai cessé de craindrc. Cc qui m'a séparé du Dieu dont on m'apprenait les colères et les rancunes infinies, c'est je crois la répugnance à tenir le remords pour salutaire. J'ai contracté très jeune le ferme propos de ne pas regretter. Je motivais malaisément cette éthique mais je sais aujourd'hui, comme tout le monde, que le remords est une tentative piteuse de « modifier le passé ».

Pourtant comment ne pas espérer en une survie quelconque ? Mais laquelle ?

L'enfer serait de retrouver je ne sais dans quels verts pâturages la troupe hétéroclite de tous ceux qui, de près ou de loin, ont traversé ma vie. Mais la peur du vide invite à imaginer une compagnie. Il faudrait pouvoir choisir.

118

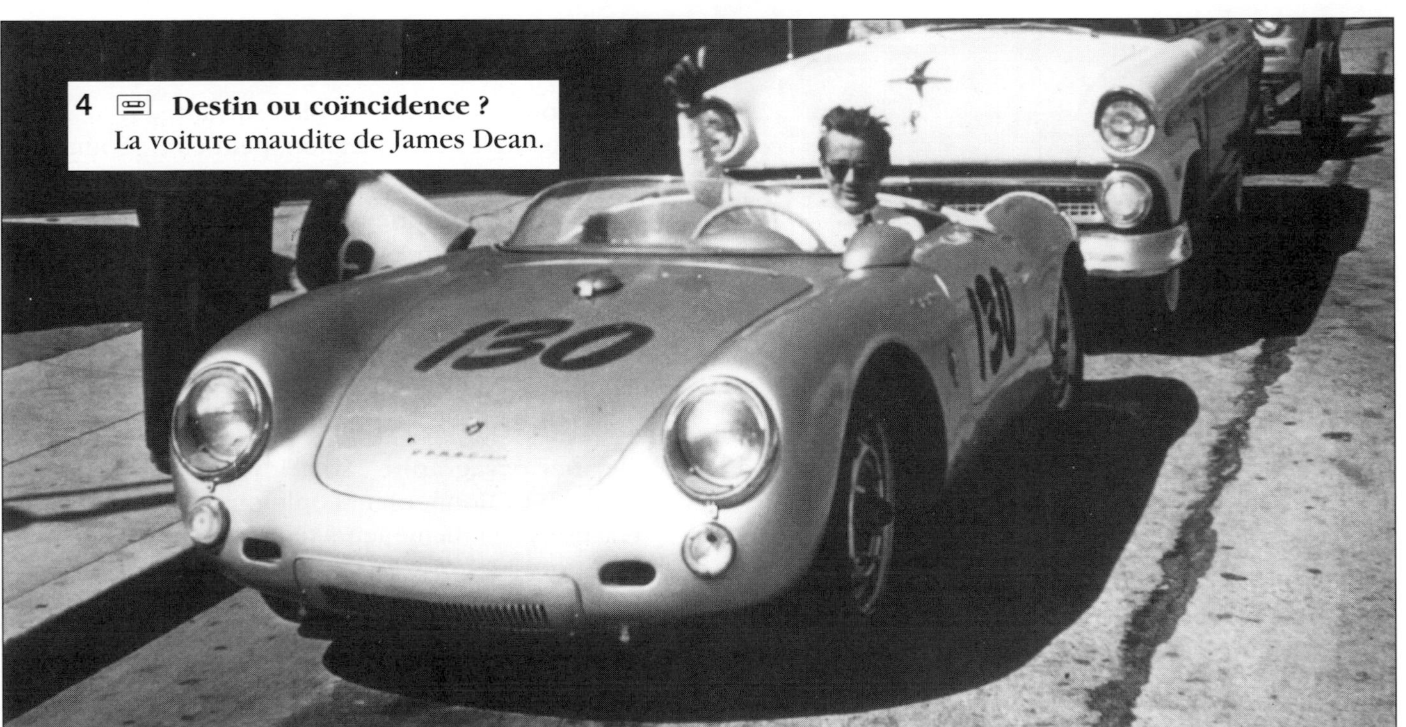
130
130

4 Destin ou coïncidence ?
La voiture maudite de James Dean.

Quelque part dans l'Univers

CROIRE : considérer comme vraisemblable ou probable

Riche année pour les traqueurs d'étoiles. Mais si leurs découvertes bouleversent notre vision de l'Univers, elles engendrent plus de questions que de vraies réponses.

L'Univers est en effervescence ! Révolution au pays des étoiles ! Le ciel a souvent fait la une de l'actualité en 1992. Ce n'est pas un hasard. Les progrès de l'informatique, le perfectionnement des satellites et des télescopes, joints aux avancées théoriques des astrophysiciens, ont donné lieu à une série de découvertes plus surprenantes les unes que les autres. Notre vision de l'Univers s'en est trouvée profondément bouleversée. Cet espace infini qui semblait immuable se révèle en fait cataclysmique. Un monde en perpétuelle mutation, peuplé de monstres avaleurs de matière, d'étoiles saisies d'épilepsie, mais aussi de «pouponnières» où des bébés étoiles attendent de naître dans leurs cocons de molécules.

Un trou noir aspire peu à peu la matière de l'étoile qui l'accompagne. Il émet alors des ondes gamma, seules traces visibles de son existence.

Les physiciens des particules rejoignent les astrophysiciens

Pour percer ces nouveaux mystères, les chercheurs ont brisé les frontières qui séparent leurs disciplines. La quête de l'infiniment petit a rejoint celle de l'infiniment grand. Les physiciens, qui traquent les particules de la matière, observent maintenant les explosions d'étoiles. Tandis que les astrophysiciens reconstituent la fusion nucléaire du Soleil dans des laboratoires souterrains. L'année 1992 a ainsi apporté un début de réponse aux grandes questions que se posent les astronomes : «D'où venons-nous ? Où allons-nous ? Sommes-nous seuls ?» La naissance de l'Univers dans une gigantesque explosion a ainsi été confirmée, tandis que la découverte des premières planètes en dehors de notre système solaire renforce l'hypothèse d'une vie extra-terrestre. Quelque part, dans l'Univers...

faire la une de l'actualité	figurer sur la première page des journaux
le hasard	la chance, la coïncidence
donner lieu à	fournir l'occasion de
bouleverser	mettre en grand désordre, déranger
immuable	qui ne change pas
briser les frontières	casser les barrières
la quête	la recherche

1 **Pour mieux comprendre**
Répondez aux questions suivantes.

a Selon l'auteur, quels sont les facteurs les plus importants qui ont facilité les découvertes de l'année 1992 ?
b De quelle image l'auteur se sert-il pour décrire la naissance de nouvelles étoiles ?
c Expliquez en utilisant vos propres mots la phrase : «La quête de l'infiniment petit a rejoint celle de l'infiniment grand».
d Que font les physiciens ? Et les astrophysiciens ?
e Qu'est-ce qui rend plus possible l'idée qu'il pourrait exister d'autres formes de vie dans l'Univers ?

2 **Article «à la une»**
Rédigez un article pour le magazine de votre collège intitulé : Sommes-nous seuls dans l'Univers ? Utilisez un logiciel tel que Front Page Europe.

Vous pourriez adopter le plan suivant :

- **Les gros titres :** La question, peut-être, «Sommes-nous seuls ?»
- **Premier paragraphe :** L'évidence scientifique – les découvertes récentes (basez-vous sur l'article ci-dessus).
- **Deuxième paragraphe :** Une réaction personnelle à l'idée qu'il pourrait y avoir d'autres formes de vie. L'immensité de l'Univers – la forme – l'intelligence – les possibilités de communication.
- **Dernier paragraphe :** Vous invitez vos lecteurs à écrire pour donner leurs opinions et leurs réactions (ou même leurs témoignages !) aux questions : «Croyez-vous qu'il existe une forme de vie extra-terrestre ?» «Aimeriez-vous voyager dans l'espace ?»

N'oubliez pas d'inventer des sous-titres pour mettre au début de chaque paragraphe.

8 Terre, où est ton avenir ?

Thèmes	Communiquer	Grammaire
• Environnement • Pollution • Ecologie	• Rapporter ce que son groupe a dit • Exprimer ses réactions à un texte	• Le passif • Verbes de perception + infinitif • Le superlatif

POLLUTION !...
POLLUTION !..
ÇA NOUS CASSE LES OREILLES !!
POC !
À NOUS AUSSI !

SOMMAIRE

J'y pense et puis j'oublie

1 **Mini-Sondage : l'environnement**
Travaillez à deux. Un(e) de vous note sur un transparent ou sur une grande feuille les occasions qui vous font penser à l'environnement. Pour vous aider, complétez les phrases ci-dessous oralement et notez seulement les fins de phrases.

Exemple :
Je réfléchis à l'environnement chaque fois que je laisse le robinet ouvert en me brossant les dents.

Je commence à penser à l'environnement Je réfléchis à l'environnement Je me penche sur les problèmes de l'environnement L'environnement mérite réflexion Il faut examiner les problèmes de l'environnement L'environnement attire mon attention	chaque fois que... chaque fois qu'... quand... lorsque... lorsqu'... au moment où...

arroser	to water
la nappe souterraine	the water table
gaspiller	to waste
pétarader	to backfire
les maillons (d'une chaîne)	the links (of a chain)
une buse	a buzzard

SUPERPLUS
98
SANS PLOMB

2 **L'interview de Catherine**
Ecoutez l'interview de Catherine. Quand est-ce qu'elle pense à l'environnement ?

J'économise l'eau...

L'eau douce dont nous avons besoin provient essentiellement des pluies qui arrosent les terres, gonflent les cours d'eau et s'infiltrent dans la nappe souterraine. Même si nos réserves sont, pour le moment, suffisantes pour répondre à nos besoins toujours grandissants, l'eau n'est pas inépuisable.

Alors, ne la gaspillons pas. Pour cela, prenons une douche plutôt qu'un bain, fermons les robinets.

Je lutte contre le bruit...

Le bruit peut avoir des conséquences graves sur l'organisme. Par exemple, un bruit soudain et fort peut rendre sourd. De même, l'utilisation prolongée d'un walkman diminue l'audition. Mais le bruit a surtout des effets sur le système nerveux.

3 **Comparez vos résultats**
Tour à tour, chaque groupe met son transparent sur le rétroprojecteur ou montre sa grande feuille et explique ses notes. Pour vous aider, regardez Pour communiquer ci-dessous. Les autres groupes notent les idées auxquelles ils n'ont pas pensé et comptent le nombre de fois où la même idée apparaît.

POUR COMMUNIQUER

Rapporter ce que son groupe a dit

Dans notre groupe,	on a dit on a admis on a avoué	qu'	on y pensait... on y réfléchissait... on s'y penchait...

BONNE IDEE

Pour éviter de répéter trop souvent **à + un nom**, employez **y**.
Exemple :
On pensait à l'environnement quand... = On **y** pensait quand...

Chacun d'entre nous peut faire un effort pour réduire le bruit. Comment ? En ne faisant pas pétarader sa mobylette, en évitant de faire hurler sa radio, en respectant le silence.

Je respecte la forêt...

La forêt est une chaîne vivante dont les animaux, les arbres, les plantes... forment les maillons. Les herbes, fruits... servent de nourriture aux herbivores (écureuils, lièvres, ...), eux-mêmes mangés par les carnivores (renards, buses, ...). Quand un de ces animaux meurt, son cadavre se décompose et enrichit la terre dans laquelle les arbres puisent les éléments nécessaires à leur croissance.

Protéger la forêt, c'est ne pas déranger les animaux, ne pas couper les plantes protégées, ne pas casser les branches, ne rien jeter dans la forêt et, surtout, ne pas allumer de feu.

ET SI ON N'OUVRE PAS DU TOUT LE ROBINET, MAMAN, ON GAGNE COMBIEN DE LITRES ?!
Abiven

AU FAIT

- Ce sont les industries qui consomment le plus d'eau. Quelques exemples : il faut 40 litres d'eau pour fabriquer un kilo de papier ; 50 litres pour fabriquer un kilo de savon ; et 35 000 litres d'eau pour fabriquer une automobile.

4 Retrouvez dans le texte

Lisez les trois textes ci-contre et complétez les phrases suivantes.

a Quand il ......, les réserves d'eau douce augmentent.
b Il y a assez de ...... mais il faut quand même faire attention : elles ne dureront pas toujours.
c Prendre une ...... économise l'eau, prendre un ...... la gaspille.
d Etre sourd, ça veut dire ne pas .... Le ...... peut provoquer la surdité, c'est-à-dire le fait d'être sourd.
e Une mobylette qui a perdu son pot d'échappement, fait beaucoup de bruit : elle ....
f Il n'est pas nécessaire qu'un poste de radio ....
g Les écureuils et les lièvres ...... l'herbe et les fruits.
h Les arbres prennent leur nourriture dans la ....

5 Protéger l'environnement

Travaillez à deux. Pour vous, qu'est-ce que ça veut dire, protéger l'environnement ?

Exemple :

– Pour toi, qu'est-ce que ça veut dire, protéger la forêt ?
– Pour moi, protéger la forêt, c'est ne pas déranger les animaux !

Déjà vu

C'est (ne pas) + infinitif.
Pages 19 et 41.

6 Des posters

Individuellement, faites un poster. Défendez une cause écologique à laquelle vous avez pensé au cours des exercices précédents. Vous pouvez faire un dessin ou un collage.

ECONOMISONS L'EAU

Messages verts

BRÉSIL : MASSACRES EN DIRECT

J'habite au Brésil depuis neuf ans et j'assiste à un véritable désastre : tout le monde sait que l'Amazonie continue à être broyée et dévastée par les «queimadas» (incendies causés exprès pour déboiser) et les tronçonneuses. Mais voilà que la chaîne de télé la plus importante et aussi l'une des entreprises les plus riches du pays annonce qu'une des rares tribus survivantes (les Yanomamis) est atteinte par la famine, la malaria et la tuberculose, dénonce le manque de médecins et de moyens de transports pour permettre le ravitaillement en nourriture et médicaments.

Détail : le journaliste nous parle en direct de la réserve. La télévision montre les Indiens. Au fait, comment eux sont-ils arrivés là et pourquoi n'ont-ils pas eux-mêmes amené de l'aide puisqu'ils en ont parfaitement les moyens ? Tout simplement parce que ce n'est pas leur job ! Il paraît que les Droits de l'homme existent aussi au Brésil...

Oïara Bonilla, 15 ans

1 La lettre d'Oïara

Lisez la lettre. Les phrases suivantes expriment les idées principales de la lettre mais pas dans l'ordre du texte. Ecrivez-les bout à bout dans le bon ordre et ajoutez la ponctuation correcte pour former un paragraphe qui résume la lettre.

- **a** et trouve la mort parce qu'il n'a pas assez à manger
- **b** des journalistes sont sur place
- **c** je suis le témoin d'une catastrophe
- **d** les reporters d'une grande chaîne
- **e** qu'un groupe de population natif du Brésil
- **f** disent
- **g** par les feux de forêts
- **h** parce que ça ne fait pas partie de leur travail
- **i** de télévision
- **j** l'Amazonie est encore et toujours détruite
- **k** et les machines-outils
- **l** meurt de maladies
- **m** pourquoi ne peuvent-ils pas aider ?

2 Oïara dénonce

Complétez le tableau suivant. Au besoin, utilisez un dictionnaire.

Verbe	Nom
broyer	le broyage
dévaster	
allumer	
déboiser	
annoncer	
manquer	

Faites une liste des faits qu'Oïara dénonce.

Exemple :

Elle dénonce le broyage de la forêt équatoriale par les tronçonneuses.

C'EST DÉCIDÉ : JE NE SKIE PLUS

Je ne veux plus contribuer à la destruction de la nature, cet hiver particulièrement, et tant pis si je ne suis pas «fun». Cet été, je me suis promené dans le parc de la Vanoise. C'est beau, c'est calme, on n'entend que les oiseaux.

Dès qu'on sort du parc, tout change : c'est le domaine des pistes de ski. Il n'y a pas de neige. On ne voit donc que des câbles et du béton. Des alpages ont été stérilisés par les bulldozers. La montagne est zébrée, défigurée par l'homme. Suis-je du même peuple que ceux qui ont fait ça ? Hélas, oui. Je me suis souvent éclaté sur ces pistes. Alors que faire ? Ne plus skier ? Pour moi, la réponse est claire : si là où j'ai skié, l'herbe ne repousse plus, alors la réponse est non ! Je ne skie plus.

Philippe Marsaud, 17 ans

être broyé	être écrasé, pulvérisé
déboiser	couper des arbres
les tronçonneuses	machines-outils servant à découper du bois en tronçons circulaires
des entreprises	des firmes
le ravitaillement	nourriture et boissons
du béton	matériau de construction fait avec du ciment
un alpage	pâture de haute montagne
je me suis souvent éclaté	je me suis souvent très bien amusé

3 La lettre de Philippe

Lisez la lettre de Philippe et répondez aux questions suivantes.

a Quels sont les passe-temps de Philippe d'après sa lettre ?

b Quelles sont les deux images de la campagne présentées par Philippe ?

c Quels sont ses sentiments vis-à-vis de la nature et du sport ?

d Décrivez son dilemme !

e Choisissez les adjectifs qui, selon vous, décrivent le mieux ses sentiments et son attitude : amer, fier, amusé, en colère, j'en-foutiste, honteux, hors de lui, concerné, indifférent, désinvolte.

4 Négativement parlant

Regardez la lettre de Philippe. Trouvez et écrivez les expressions négatives avec «ne … pas», «ne … plus» et «ne … que».

Ecrivez les règles qui gouvernent les négatifs «ne ... pas», «ne ... plus» et «ne ... que» avec l'infinitif. Voir aussi page 235.

5 Oïara et Philippe, ironiques

IRONIE [n.f.] : 1 Action d'interroger en feignant l'ignorance. **2** Manière de se moquer (de quelqu'un ou de quelque chose) en disant le contraire de ce qu'on veut faire entendre.

Copiez et remplissez le tableau ci-dessous et regardez les définitions de l'ironie. Dans la colonne «passages», écrivez les phrases ironiques qui se trouvent dans les lettres d'Oïara et de Philippe ; dans la colonne «déf. n°», écrivez le numéro de la définition à laquelle la phrase correspond.

passages	déf. n°
Comment eux sont-ils arrivés là ?	1

6 Ironiquement vôtre

Ecrivez des slogans ironiques pour défendre les causes écologiques suivantes :

a protéger la forêt équatoriale

b protéger la nature dans les Alpes

c recycler le verre

d économiser l'eau

e protéger les animaux à fourrure rare

Exemple :

Les montagnes sont abîmées ? Mais ouvrez donc plus de pistes de ski !

Puis, défendez une cause de votre choix.

Le passif

• Définition

Un verbe est à la voix passive quand le sujet subit l'action contenue dans le verbe.

• Formation

Le passif en français ressemble au passif en anglais. *(The birds have been hunted.)*
être + participe passé du verbe.

Exemples :
- La forêt est détruite.
- La montagne est zébrée.
- Les oiseaux ont été chassés.

Attention !
- mettre «être» au temps voulu ;
- penser à l'accord du participe passé après «être».

Exemples :

Présent :
- La tribu **est** atteint**e** par la famine.
  The tribe is hit by famine

Passé composé :
- Les alpages **ont été** stérilisé**s.**
  Mountain pastures have been sterilised.

Futur :
- La montagne **sera** sauvé**e** si on arrête les sports d'hiver.
  Mountains will be saved if ...

Conditionnel :
- Les Indiens **seraient** sauvé**s** si les reporters faisaient quelque chose.
  The Indians would be saved if ...

• Usage

Le passif s'utilise moins fréquemment en français qu'en anglais.

Le pronom personnel indéfini **on** s'emploie couramment au lieu du passif. Comparez ces deux phrases :

- On a détruit la forêt amazonienne.
- La fôret amazonienne a été détruite par des hommes.

Dans la première phrase ce qui est important, c'est l'état de la forêt et non les personnes responsables. Le «on» ne désigne personne en particulier.

▶ Trouvez deux exemples de l'usage de **on** au lieu du passif dans la lettre de Philippe, page 101. Ecrivez ces deux phrases en anglais au passif.

On utilise les verbes pronominaux.

Exemples :
- Les polluants chimiques se concentrent dans les graisses du poisson.
  Polluting agents are concentrated in fish fat.
- La chaîne alimentaire se trouve contaminée par la pollution chimique.
  The food chain is found to be contaminated by chemical pollution.

Attention !

On ne peut jamais mettre au passif les verbes suivis de «à» + un nom.

Exemples :

demander à, dire à, donner à, permettre à, téléphoner à
- On m'a demandé (*I was asked*)
- On lui a dit (*He was told*)

Le passif en long et en large : page 243.

▶ Pour plus de pratique, voir **39**, **40** et **41**.

QUE FAIT LE GOUVERNEMENT ?

Pan ! Paf ! Plouf !

Décibels

Moto, sono ou coups de marteaux, veillez aux décibels. Mais, ayez l'œil aussi aux bruits qui agressent les oreilles. Une lime à ongle qui crisse, vos doigts que vous faites craquer avec fierté, peuvent importuner ou même «insupporter» les voisins. Tout comme un robinet mal fermé, le soir, risque, par son goutte-à-goutte lancinant, d'être l'auteur de cauchemars ou d'énurésie (pipi au lit).

Mais oui ! Le bruit gênant ne s'arrête pas à la cacophonie. Tendez l'oreille aux murmures qui cassent les oreilles.

Quant aux «bruits qui courent», ne répétez pas les rumeurs qui nuisent à autrui.

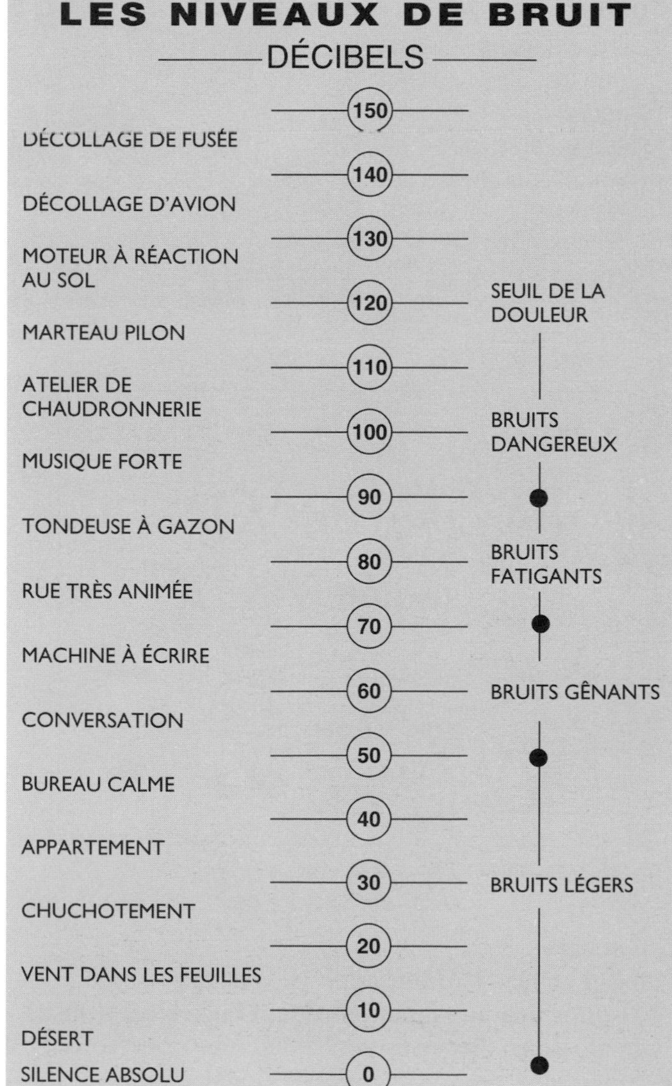

LES NIVEAUX DE BRUIT
DÉCIBELS
150
DÉCOLLAGE DE FUSÉE
140
DÉCOLLAGE D'AVION
130
MOTEUR À RÉACTION AU SOL
120
SEUIL DE LA DOULEUR
MARTEAU PILON
110
ATELIER DE CHAUDRONNERIE
100
BRUITS DANGEREUX
MUSIQUE FORTE
90
TONDEUSE À GAZON
80
BRUITS FATIGANTS
RUE TRÈS ANIMÉE
70
MACHINE À ÉCRIRE
60
BRUITS GÊNANTS
CONVERSATION
50
BUREAU CALME
40
APPARTEMENT
30
BRUITS LÉGERS
CHUCHOTEMENT
20
VENT DANS LES FEUILLES
10
DÉSERT
SILENCE ABSOLU
0

1 **Bruit : gêne ou nuisance**
En groupes de deux ou trois, regardez les statistiques et lisez l'article. Faites une liste des bruits qui vous énervent et les bruits que vous considérez nuisants.

Classez ces bruits par ordre décroissant d'importance.

2 **Je connais trop bien le problème**
Ecoutez cette femme qui souffre du bruit et faites l'exercice **42**.

3 **PSST !**
Les bruits sont souvent représentés par des onomatopées. Quel bruit correspond à chacune de ces onomatopées ?

a	PLOUF !	**f**	MIAM MIAM !
b	VROUM !	**g**	COCORICO
c	PAN !	**h**	GLOUGLOU
d	PAF !	**i**	TIC TAC
e	DRING !	**j**	OUAH OUAH !

« »

Travail de recherche

Choisissez un endroit à deux moments différents de la journée. Notez tous les bruits que vous entendez et écrivez un rapport sur vos observations.

Au coin de ma rue à 17 heures 30, j'ai entendu les moteurs vrombir sans arrêt. J'ai entendu une femme appeler un enfant. A vingt heures...

POINT GRAMMAIRE

Verbes de perception + infinitif
Exemples :
J'ai entendu pleurer un bébé.
Ta soeur ? Je l'ai vue partir il y a cinq minutes.

Risques majeurs

Pollutions visibles

Sur toutes les plages du monde, même les plus reculées de l'océan pacifique, lorsqu'on s'y promène, on voit une ligne de déchets : bouteilles et sacs en plastique, ampoules électriques, boîtes de soda, boules de goudron...

Mais ces pollutions spectaculaires ne sont pas celles qui font courir les plus grands risques à la planète. Les plus dangereuses sont vraisemblablement les plus invisibles, les plus diluées.

L'effet de serre

Une légère opacité dans les couches de la haute atmosphère résultant de pollutions diverses et l'augmentation du taux du gaz carbonique dû à la croissance continue de la consommation d'énergie peut augmenter ce qu'on appelle «l'effet de serre» : les calories reçues du soleil et celles que nous produisons font augmenter la température générale à la surface de la Terre. Ce qui va faire fondre les glaces, aux deux pôles, et faire monter le niveau des mers.

Que la température générale augmente de 2 à 7°, et le niveau des mers monterait de 2 à 4 mètres selon certains chercheurs, de 40 mètres selon d'autres. Toutes les plaines basses et les estuaires, où se trouvent les grandes villes, seraient engloutis.

La couche d'ozone

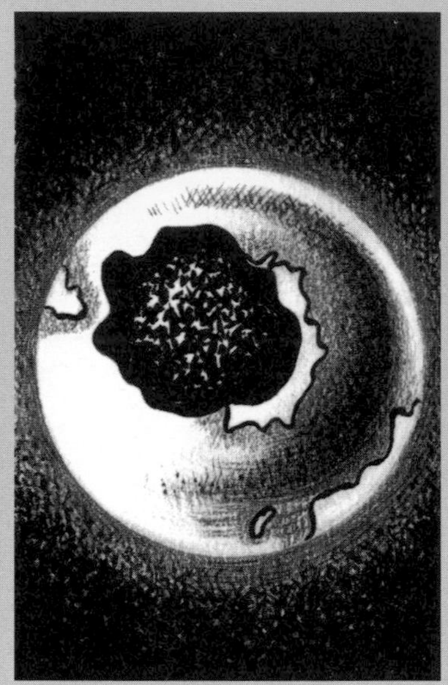

La diminution de la couche d'ozone, phénomène encore mal compris, mais déjà en cours, risque d'entraîner un rayonnement solaire plus intense dans la zone des ultra-violets, provoquant chez les mammifères une modification des structures cellulaires et l'apparition de cancers de la peau.

1 Glossaire écologique

Les mots imprimés ci-dessous se rapportent à l'écologie. Avant de lire le texte, cherchez leurs définitions dans un dictionnaire et ajoutez-les à votre banque de données ; voir page 4 💾.

Si vous n'avez pas d'ordinateur, constituez-vous un glossaire du vocabulaire écologique : copiez les mots en ordre alphabétique ; à côté de chaque mot, indiquez entre parenthèses sa nature (*n.m./n.f.*, *verbe*, *adjectif* ou *adverbe*) et sa signification. Ajoutez tous les autres mots qui vous semblent utiles.

composé chimique	équilibre global
consommation	faire fondre
couche d'ozone	gaz carbonique
déchet	goudron
dispersé	isotope radioactif
écosystème	rayonnement
effet de serre	soufre
englouti	taux de radioactivité

NON, C'EST PAS MES CHAUSSETTES QUE J'AI LAISSÉES...
..J'AI PRIS UN BAIN DE PIEDS...
serdu.

2 Lecture

Lisez ce que l'auteur Alain Hervé écrit sur les risques majeurs auxquels il faut faire face. Utilisez le glossaire que vous venez de créer pour vous aider.

Le nucléaire

Le risque nucléaire est latent depuis les travaux d'Einstein et l'invention de la fission de l'atome au cours de la seconde guerre mondiale. Civil ou militaire, l'atome est identique. Hiroshima ou Chernobyl ne diffèrent pas en qualité. Dans les deux cas, une libération d'isotopes radioactifs incompatibles avec la vie. Les effets de souffle et de chaleur n'étant qu'accessoires même s'ils tuent davantage dans l'immédiat.

Une augmentation de la radioactivité de l'air, de l'eau, de la mer ou de la terre à la suite d'une explosion nucléaire supprime la vie des mammifères dont l'homme pour plusieurs siècles, sur un territoire plus ou moins vaste.

L'arsenal militaire

L'humanité dispose d'un arsenal militaire qui, en cas de guerre mondiale, peut supprimer toute vie évoluée sur la planète et ne peut laisser que quelques insectes survivants, tel le scorpion.

D'après Alain Hervé, Merci la Terre *(1989)*

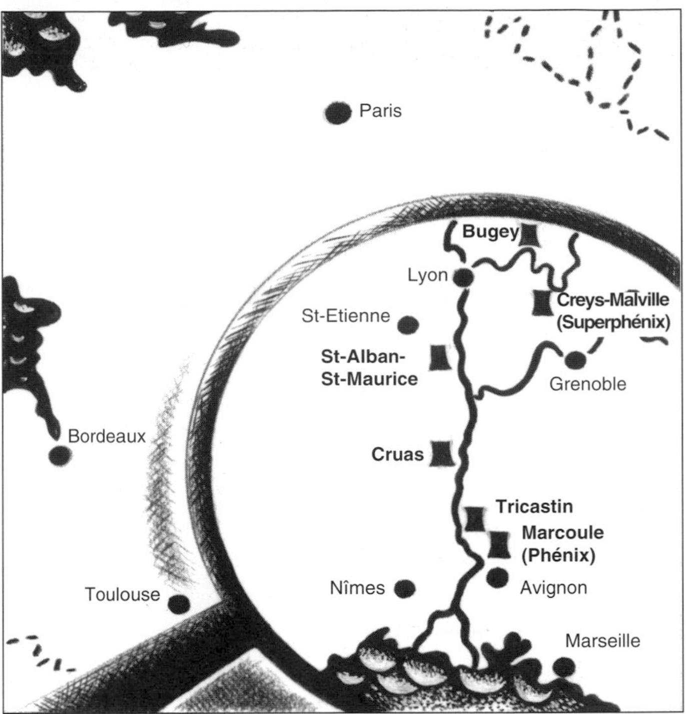

Paris
Bugey
Lyon
Creys-Malville
(Superphénix)
St-Etienne
St-Alban-
St-Maurice
Grenoble
Bordeaux
Cruas
Tricastin
Marcoule
(Phénix)
Toulouse
Nîmes
Avignon
Marseille

Les six sites nucléaires de la vallée du Rhône

3 Corrections
Des erreurs factuelles se trouvent dans ce résumé du texte. Réécrivez-le en les corrigeant 🖫.

Il existe encore, sur Terre, des plages idylliques que la pollution n'a pas touchées. Une couche de déchets, même très épaisse, ne présente qu'un très faible danger pour l'homme. Ce sont les pollutions invisibles, telles que l'effet de serre, la diminution de la couche d'oxygène et le risque d'une explosion nucléaire, qui sont les plus dangereuses. L'effet de serre qui refroidit les températures sur Terre risque de solidifier les glaces polaires. Les scientifiques sont tous d'accord : ils pensent que la mer va monter de 2 à 4 mètres. A cause de la diminution de la couche d'ozone il y a un accroissement du nombre de leucémies. La fission de l'atome parfaitement maîtrisée par les hommes ne présente que peu de risques pour eux ; mais il faut admettre que le risque militaire est plus grand que le risque civil. Et s'il y avait une guerre atomique, seul le scorpion survivrait.

4 🖭 La centrale ? On finit par l'oublier !
Ecoutez neuf jeunes qui habitent à l'ombre des centrales. Relevez les idées qu'ils donnent à propos des centrales nucléaires.

Note :
se faire à quelque chose = s'habituer à quelque chose
En argot, «bricoler» = faire

5 🖭 J'habite à côté d'une centrale
Ecoutez une émission de radio sur l'énergie nucléaire. Notez les opinions des participants en deux colonnes, pour et contre, et aussi, bien sûr, le numéro de téléphone !

6 Contribuez au débat sur le nucléaire
Préparez ce que vous allez dire pendant environ cinq minutes. Prenez juste des notes brèves. Vous pouvez organiser vos notes en deux sections : pour et contre.

Divisez la classe en deux. Décidez, qui va présider le débat : «L'énergie nucléaire est essentielle pour l'avenir de la civilisation».

Déjà vu

Pour contribuer à un débat.
Page 17.
Parler à partir des notes.
Page 23.

GRAMMAIRE

Le superlatif

- **Usage**

Pour exprimer une qualité au degré le plus élevé ou le plus bas.

- **Formation**

Il y a deux sortes de superlatif :
- Superlatif de supériorité : le plus..., la plus..., les plus...
- Superlatif d'infériorité : le moins..., la moins..., les moins...

Attention ! Le superlatif est toujours précédé par l'article défini (**le, la, les**) et souvent suivi de **de**.

Exemples :
- la chaîne de télé **la plus** importante
- l'une des entreprises **les plus** riches **du** pays

▶ Cherchez d'autres exemples du superlatif dans le texte d'Alain Hervé, pages 104–105.

- **Exceptions**

Analysez les tableaux suivants.

adjectifs		
	comparatif	*superlatif*
bon	meilleur	le meilleur
mauvais	pire*	le pire*

adverbes		
	comparatif	*superlatif*
bien	mieux	le mieux
beaucoup	plus/ davantage	le plus
peu	moins	le moins
mal	pire	le pire

*Plus couramment «plus mauvais», «le plus mauvais».

Attention !

Le/la/les plus ... que + subjonctif

Exemple :

C'est la forme d'énergie **la plus** dangereuse **que** je conn**aisse** !

▶ Pour plus d'exercices, voir **43** et **44**.

La Terre, une déchetterie ?

A

Assistons-nous à un tournant de notre société ?

Il y a toujours eu des vagues cycliques de foi dans la récupération. Mais la tendance lourde n'est pas favorable à la récupération et au recyclage. Regardons cent ans en arrière, on réemployait beaucoup. Le réemploi n'est plus intéressant au plan économique. L'éco-bilan parviendra-t-il à l'imposer ? C'est loin d'être certain...

B

Vingt millions d'années ! C'est le temps qu'il faut compter pour que certains déchets nucléaires, les plus radioactifs, deviennent inoffensifs. Pendant toutes ces années, ils dégageront une radioactivité, forte d'abord puis de plus en plus faible. De quoi faire frissonner. Car la radioactivité a des effets dramatiques sur l'organisme humain. L'uranium et le plutonium émettent des particules invisibles qui peuvent détruire ou endommager certaines cellules de l'organisme, provoquant des cancers, des stérilités, des malformations cérébrales chez l'embryon, voire des anomalies génétiques.

Que faire des centaines de milliers de tonnes de résidus radioactifs issus pour l'essentiel des centrales nucléaires ? Comment neutraliser leur radioactivité ? Comment ne pas laisser cette bombe à retardement sous les pieds de nos arrière-petits-enfants ? Un casse-tête d'autant plus préoccupant que ces combustibles ne cessent de s'accumuler. En l'an 2000, la France devra ainsi entreposer 860 000 m^3 de déchets radioactifs. Il devient urgent de leur trouver un cimetière.

1 C'est dans quel texte ?

Lisez tous les textes et écrivez la lettre du texte auquel se rapporte chacune des affirmations suivantes.

- **a** On utilise de plus en plus de produits pour protéger d'autres produits.
- **b** Il faut beaucoup de temps pour que certains produits fabriqués par les hommes se dégradent.
- **c** La quantité de déchets produite devient inquiétante.
- **d** Il semble impossible de trouver une solution acceptable pour se débarrasser de certains déchets.
- **e** La réticence à recycler est un phénomène récent.
- **f** Certains déchets présentent des dangers pour l'avenir.
- **g** Réutiliser les emballages ne présente pas d'avantages économiques.

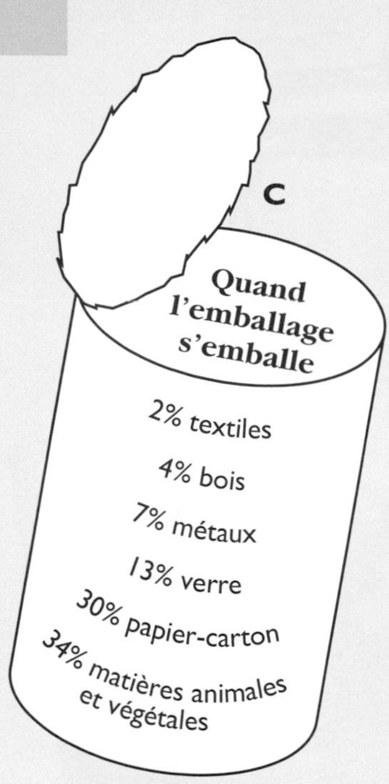
C
Quand l'emballage s'emballe
2% textiles
4% bois
7% métaux
13% verre
30% papier-carton
34% matières animales et végétales

E

Pour éliminer…	La nature met :
Une peau de banane	Quelques semaines
Un papier journal	Six mois
Une chaise en bois	De 3 à 4 ans
Un sac en plastique	Quelques dizaines d'années
Une carcasse de voiture	Plusieurs centaines d'années
Des déchets nucléaires	De 300 ans à des milliers d'années
Une cannette de Coca-Cola	Plusieurs milliers d'années
Du mercure	Impossible

D

Objectif zéro déchet

Chaque année, nous produisons assez de déchets pour remplir un train de 28 millions de wagons dont la longueur égale la distance de la Terre à la Lune. Comment endiguer cette marée ?

2 Réactions personnelles

Relisez les articles. Notez le message essentiel donné par chaque article sur le problème des déchets, et pour chaque message, donnez vos réactions. Utilisez Pour communiquer pour vous aider.

POUR COMMUNIQUER

Exprimer ses réactions à un texte

Ce texte me frappe/me provoque/me prend à témoin/m'interpelle.
Ce texte me choque/intensifie mes sentiments.
Je me sens embarrassé(e)/fier(ère).
Cette phrase me rend plus sensible aux problèmes.
Je n'aurais jamais cru que...

3 Imaginez

Travaillez à deux. Imaginez qu'on est en l'an 2072. Préparez et puis jouez les rôles des deux personnages du dessin ci-dessous. Enregistrez-vous sur une cassette ou une cassette vidéo.

Un jour, mon fils, tout ceci sera à toi.
SERGUEI 90.

L'eau : *source de vie*

«Il y a des pays où le manque d'eau est continuel, comme en Afrique tropicale. Dans d'autres régions du monde, c'est la trop grande abondance de l'eau qui est un problème, comme lors des crues du Gange, en Inde. Dans les pays tempérés de l'hémisphère nord, on connaît bien des sécheresses momentanées et des inondations, mais le problème principal est celui de la pollution.»

(Citation d'un spécialiste des problèmes d'eau.)

DE PARIS

1 **La sécheresse au Sénégal**
Les problèmes associés au manque d'eau.

2 **Objectif pollution zéro**
Lisez le texte ci-dessous et faites l'exercice sur **45**.

«En 1994, on pourra se baigner dans la Seine, pêcher du poisson et manger le fruit de sa pêche.» C'était en 1984 à l'occasion du lancement de l'opération «Seine propre». Jacques Chirac renouvelait la promesse faite quatre ans plus tôt aux Parisiens. L'échéance était simplement repoussée. Mais cette fois, on allait voir ce qu'on allait voir ! Depuis, de l'eau polluée est passée sous les ponts, quand ce n'est pas par-dessus les quais. Au cours de l'été 1991, et à nouveau en mai 1992, des pluies diluviennes ont fait sortir le fleuve de son lit et provoqué la mort de plusieurs centaines de tonnes de poissons. L'extension des stations d'épuration d'Achères et de Valenton – qui ont absorbé l'essentiel du budget de 6 milliards de francs voté en 1984 par le conseil général de l'Ile-de-France – n'a pas suffi à réguler la situation. Et le pourcentage des eaux usées retraitées avant d'être rejetées en Seine n'atteint encore que 85%. Résultat : le Syndicat interdépartemental pour l'assainissement de l'agglomération parisienne a adoptée cette année un nouveau schéma d'assainissement qui nécessitera 9 milliards de francs sur quatre ans. Au mieux l'objectif pollution zéro ne sera donc atteint que fin 1996. A défaut de saumon, le maire de Paris se résoudra-t-il à «manger son chapeau»?

3 **La falaise menacée**
Ecoutez la cassette et faites l'exercice sur **46**.

AU FAIT

L'eau

- La Terre est recouverte aux ¾ par les océans et les mers.
- L'eau est un élément qui permet à la vie de se développer sur Terre : notre corps contient plus de 70% d'eau !
- L'homme peut survivre des semaines sans manger, mais seulement quelques jours sans boire.
- Aujourd'hui, plus de deux milliards d'enfants et d'adultes n'ont pas d'eau potable.

Travail de recherche

Travaillez dans une bibliothèque ou dans un centre de documentation. Recherchez des informations récentes sur l'état de la pollution dans votre pays. Servez-vous des titres des pages de ce chapitre d'**Au point** pour vous guider.

Ecrivez une interview imaginaire ou un article sur «Pollution, le point dans mon pays».

9 Culture des masses ?

Thèmes	Communiquer	Grammaire
• Les influences • Les médias • La publicité	• Faire poliment des contre-propositions	• Les pronoms possessifs • Les pronoms relatifs

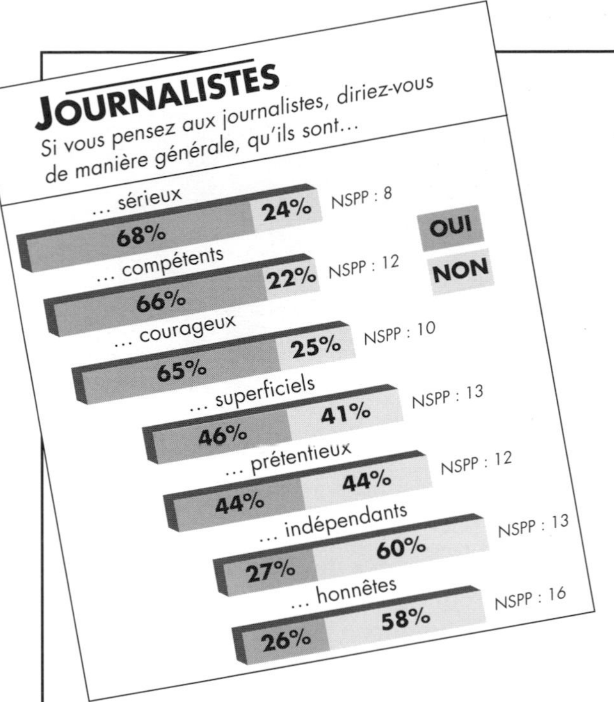
JOURNALISTES
Si vous pensez aux journalistes, diriez-vous de manière générale, qu'ils sont...
OUI
NON
... sérieux 68% 24% NSPP : 8
... compétents 66% 22% NSPP : 12
... courageux 65% 25% NSPP : 10
... superficiels 46% 41% NSPP : 13
... prétentieux 44% 44% NSPP : 12
... indépendants 27% 60% NSPP : 13
... honnêtes 26% 58% NSPP : 16

DEMANDEZ LES DERNIÈRES RUMEURS
TIGNOUS

Lisez cette tartine, c'est pour votre bien.

Petites annonces de casting **- stop -** cinéma, pub ou clip **- stop -** billets d'avions à tarif réduit **- stop -** mode à petits prix **- stop -** les bonnes adresses **- stop -** jobs à l'étranger **- stop -** jobs de vacances **- stop -** agendas des concerts **- stop -** places gratuites (non ! si !) **- stop -** séjours week-end **- stop -** séjours vacances **- stop -** bref, tous les bons plans de l'Etudiant **- stop -** tous les jours sur MCM à 17 h 25 **- stop -** du lundi au vendredi **- stop -** avec Miguel Derennes **- top -** pardon, stop **- stop -**

MCM

SOMMAIRE

Influences

Dès notre enfance, chacun de nous est influencé par un mot très particulier : son prénom.

Dans les années 50, on constata aux Etats-Unis une augmentation des ventes de Coca-Cola dans un cinéma après diffusion d'images subliminales. Mais, en réalité, l'expérience avait eu lieu pendant une période de canicule !

Chacun est influencé par sa propre culture.

Selon les psychanalystes, les noms de famille nous mettent aussi sous l'influence.

1 Sources

Individuellement, regardez les images et les mini-textes sur ces deux pages et pour chacun d'eux :

- décidez de quelle source d'influence il s'agit, par exemple, les parents, etc.
- donnez un ou deux exemples que vous avez personnellement rencontrés.

Mettez en commun en comparant oralement vos expériences avec le reste de la classe.

2 Le téléphone sonne

Les jouets et les jeux de l'enfance ont-ils une influence sur la vie d'adulte ?

3 Sim

Avant d'écouter le comédien, Sim, à la cassette, recherchez la signification des mots suivants :

une ambiance – rajeunir – haïr (je hais) – baigner – un écran – engueuler – soupe au lait – le public.

Recopiez le tableau suivant et remplissez-le en écoutant la cassette.

Influence	Comment elle se manifeste maintenant

4 Un prénom...

L'article *De l'influence des médias* considère ce qui influence les parents quand ils choisissent les prénoms de leurs enfants. Chaque paragraphe se rapporte à un type de personnage. Remettez les types de personnage dans l'ordre où ils apparaissent dans l'article.

a des personnages de la télé américaine
b des vedettes de cinéma françaises ou américaines
c des succès des chanteurs français
d des personnages de livres ou de l'antiquité
e des hommes d'Etat

Sim
SIM

C'est toujours l'autre qui est conditionné et pas nous : les coutumes des étrangers nous semblent barbares (excision), tandis que les nôtres nous paraissent normales (ablation des amygdales).

POINT GRAMMAIRE

Les pronoms possessifs

Le pronom possessif évite la répétition d'un nom déjà mentionné qui serait précédé d'un adjectif possessif (mon, etc.)

Exemple :

Tiens ! Ton père est prof ? **Le mien** aussi !

▶ 47 pour un peu de pratique.

5 **Jeu de mémoire**

Relisez l'article et travaillez à deux. Une personne ferme le livre. L'autre personne donne cinq des prénoms de l'article. La première personne dit d'où vient ce prénom. Changez de rôle.

6 **A la trace**

Retrouvez les mots et expressions tirés de l'article *De l'influence des médias*. Si vous avez besoin d'aide, utilisez un dictionnaire monolingue.

a in_u_ _ _ _ _ = faire pénétrer par le souffle.
b ent_ _ _ _ _ = a pour conséquence.
c au f_ _ _ de = à l'apogée de = au sommet de.
d n_ _ _ _ _ _-n_ = qui vient de naître.
e l_ _ _ _ = fait connaître, met à la mode.
f un f_ _ _ _ s_ _ _ _ _ = une grande réussite.

Note :

Recherchez la signification des faux-amis «comédien/comédienne». Ajoutez-les à votre banque de données.

DE L'INFLUENCE DES MEDIAS

De tous temps, les parents se sont inspirés de personnages célèbres pour prénommer leur enfant. Est-ce pour insuffler un génie de philosophie (Socrate) ou pour entrer dans la légende (Ulysse) que l'on prénomme ainsi son enfant ? Au XIXe, le roman de Flaubert «Madame Bovary» entraîne la mode des Emma ; Zola lance celle des Gervaise avec son roman.

- On s'inspire également des hommes politiques : à l'époque où Raymond Poincaré, Georges Clémenceau ou Albert Ier (roi de Belgique) sont au fait de leur carrière politique, on trouve de nombreux nouveau-nés prénommés Raymond, Georges ou Albert.

- On s'inspire des stars du show-bizz : à l'apogée de leur gloire, Martine Carol, Michèle Morgan et Brigitte Bardot lancent ces prénoms. Le succès de Marilyn Monroe incite à la modernisation du prénom Marie-Line.

- Depuis les années 70, l'importation de feuilletons américains entraîne la mode des prénoms anglo-saxons dans les milieux populaires. «Dallas» annonce les Charlène et le prénom Linda doit son succès à la comédienne du feuilleton «Dynastie».

- Les chansons inspirent également les parents ; en 1964 Gilbert Bécaud rencontre un franc succès avec «Nathalie». Dans les années 80, «Emilie jolie» de Philippe Chatel et «Mélissa» de Julien Clerc assurent la promotion de ces prénoms.

Travail de recherche

Individuellement et en dehors de l'école, demandez à des adultes qui ont des enfants ce qui les a conduits au choix des prénoms de leurs enfants.

En classe, mettez vos découvertes en commun et établissez ensemble une liste aussi complète que possible des raisons que ces adultes ont avancées.

L'information au quotidien

Mon journal idéal traiterait absolument de tout, absolument tout. Des recettes de cuisine à la dernière nouvelle de portée mondiale, des critiques de livres et spectacles à la vie des minorités opprimées de par le monde, du courrier du cœur au dernier exploit sportif.

Marie (1ère S)

Pour moi, lire un journal, c'est se brancher sur le monde. La presse, c'est un moyen de se relier avec ce qui se passe ailleurs. J'aime savoir ce qui se passe autour de moi et lire des reportages de tous les points chauds du monde.

Pierre-Yves (Terminale S)

Dans un journal, le contenu est très important, mais il ne faut pas négliger la forme. Mon journal idéal serait tout en couleur, avec des photos partout, de beaux titres en gros caractères colorés de façon à attirer le lecteur.

Bertrand (Terminale L)

Le journal fait partie de la vie quotidienne ; il est le reflet de la société dans laquelle on vit. J'ai toujours connu deux quotidiens à la maison, un quotidien national, *Le Monde*, et un quotidien régional, *Ouest-France*. Personnellement, je préfère de beaucoup le quotidien régional : je le trouve bien plus complet que le national ; c'est un outil que je trouve parmi les plus utiles ; il offre non seulement des informations locales, nationales et internationales, mais aussi des renseignements pratiques tels que les films et les concerts qui passent près de chez nous, par exemple. Je pense vraiment que c'est un moyen d'information hyper-complet !

Nathalie (1ère L)

Pour moi, ce qui a le plus d'importance, c'est l'impartialité des journalistes. Il est primordial qu'ils soient indépendants, c'est-à-dire qu'ils résistent aux pressions du pouvoir, de l'argent et des partis politiques.

Séverine (Terminale ES)

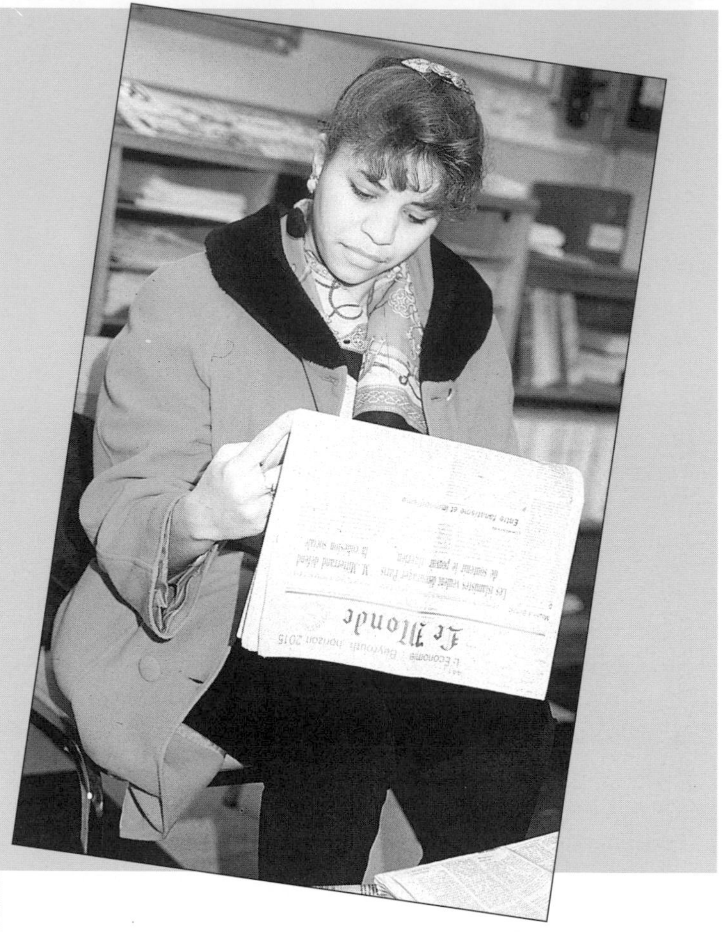
Le Monde

1 Qui pense quoi ?

Lisez ce qu'écrivent les cinq jeunes sur la presse écrite et donnez les noms des personnes qui expriment les idées suivantes.

- **a** Grâce au journal on sait ce qui se passe dans tous les coins du globe.
- **b** Pour qu'on puisse croire aux informations, il ne faut pas que les reporters soient influencés.
- **c** Il est important que les journaux soient très éclectiques.
- **d** Le journal pratique donne aussi bien des informations d'intérêt national ou international que les programmes du cinéma du quartier.
- **e** Un journal doit être bien présenté.

2 Etes-vous au courant ?

Trouvez dans l'actualité au moins un exemple pour chacune des rubriques suivantes :

- **a** une nouvelle de portée mondiale
- **b** une minorité opprimée en ce moment dans le monde
- **c** un exploit sportif
- **d** un point chaud du monde

AU FAIT

Les journaux nationaux

Les journaux nationaux, leur orientation politique et leur tirage :

- *Le Figaro* (droite)
  432 225 exemplaires
- *Le Monde* (indépendant)
  387 449 exemplaires
- *Le Parisien* (droite)
  382 293 exemplaires
- *France Soir* (droite)
  284 752 exemplaires
- *L'Equipe* (quotidien sportif, sans orientation politique)
  230 524 exemplaires
- *Libération* (socialiste)
  195 088 exemplaires
- *L'Humanité* (communiste)
  109 314 exemplaires
- *La Croix* (chrétien, sans orientation politique)
  104 043 exemplaires

(Source : Office de justification de la diffusion)

Les journaux régionaux

La plupart des régions françaises ont leurs propres quotidiens qui ont une forte diffusion. Il y en a environ une douzaine qui ont un tirage supérieur à 120 000 exemplaires par jour dont, par exemple, *Ouest-France, La Voix du Nord* et *Le Provençal*.

3 A la trace des mots

Retrouvez dans les textes les mots qui se rapportent à ceux imprimés ci-dessous.

contenir : ...... (n.m.)	négligence : ......(vb)
couleur : ...... (adj)	oppression : ...... (adj)
important : ...... (n.f.)	personne : ...... (adv)
informer : ...... (n.f.)	région : ...... (adj)
lien : ...... (vb)	renseigner : ...... (n.m.)
nation : ...... (adj)	sport : ...... (adj)

4 Le vocabulaire de la presse écrite

Les noms des journaux ou magazines selon leur fréquence de parution. Complétez les phrases suivantes.

a Un quotidien paraît tous les ......
b Un hebdomadaire paraît toutes les ......
c Un mensuel paraît tous les ......
d Un trimestriel paraît tous les ......
e Un semestriel paraît deux fois par ......

5 Les problèmes de la presse écrite

Ecoutez l'interview avec Serge July, fondateur du quotidien français *Libération*. Faites le travail sur **48**.

Travail de recherche

Dans un dictionnaire, recherchez la signification des mots suivants :

a la une
b la manchette
c le gros titre
d le sous-titre
e la colonne
f le préambule

Nommez les parties de cette première page de journal désignées par les chiffres dans les cercles.

DANS LES NOUVEAUX ZOOS, LES ANIMAUX NE SONT PAS SI BÊTES

LE NOUVEAU QUOTIDIEN

JOURNAL SUISSE ET EUROPÉEN

Genève met un frein au droit de recours dans l'immobilier

RUSSES ET UKRAINIENS SE DISPUTENT LA CRIMÉE

Il sent bon l'Est, mon légionnaire

1
2
3

Composez la «une» d'un journal. Travaillez à deux et choisissez un événement marquant de l'actualité, un style journalistique et un logiciel permettant de composer une page de journal. Puis, composez la première page d'un quotidien en suivant les instructions sur **49**.

Les pronoms relatifs

Exemples :

– (...) la société dans **laquelle** on vit.
– J'aime savoir **ce qui** se passe autour de moi.
– C'est un outil **que** je trouve...

• **Qui** et **que** (Déjà vu : page 13.)

▶ Relevez tous les autres exemples de **qui** et **que** dans les textes qui se trouvent page 112 et dites de quel verbe «qui» est sujet ou «que» est complément.

Note :
– Je veux savoir **à qui** j'ai affaire. (*personne*)
– Je veux savoir **à quoi** ça sert. (*chose*)

• **Où**

Remplace un endroit ou un moment dans le temps :
– Le tabac **où** j'achète mon journal d'habitude est fermé ce matin.
– Dans le pays **d'où** je viens on parle français.
– C'est le jour **où** je suis tombé amoureux.

• **Dont**

Whose en anglais.
– Le journaliste **dont** l'article a été publié ce matin a été blessé au cours de sa mission.
– Le journal **dont** tu lis les gros titres est un journal à gros tirage.

Dont précède un verbe ou une expression qui, dans une phrase ordinaire, serait suivi de **de**.
– La presse écrite souffre d'un manque de confiance **dont** les journalistes se font l'écho.
(Note : Ils se font l'écho **du** manque de...)

• **Ce qui, ce que, ce dont**

Représentent une idée ou une proposition dans une phrase affirmative.
– J'aime savoir **ce qui** se passe.
– Les journalistes rapportent **ce qu**'ils ont vu et entendu.
– **Ce dont** il a besoin, c'est d'un journaliste perspicace.

• **Lequel, laquelle, lesquels, lesquelles**

S'emploient surtout après une préposition :
– La société dans **laquelle** je vis...
– Le magazine **auquel** il est abonné est intéressant.

Voir page 231.

JOURNALISTE : PLUS QU'UN MÉTIER, UNE MANIÈRE DE VIVRE. ON EST JOURNALISTE 24 HEURES SUR 24.
UN PEU DE CONFITURE CHÉRI ?
HEU... OUI COCO. À QUOI EST-ELLE ? D'OÙ PROVIENT-ELLE ? EN ES-TU SATISFAITE ? QUAND EST-CE ...

DEFIS GRAMMATICAUX

a Décidez : qui, que, quoi ou dont ?

(1) De tous les média, celui ...... les jeunes préfèrent est la télé.
(2) Ce ...... est surprenant, c'est que les jeunes lisent plus les quotidiens que leurs aînés.
(3) Ce ...... montre le sondage ...... les résultats sont page 109, c'est qu'il y a 68% des jeunes ...... pensent que les journalistes sont sérieux.
(4) Toujours selon les sondages, ce à ...... les jeunes font le plus confiance, c'est la télévision.
(5) En matière d'information, les jeunes veulent savoir à ...... et à ...... ils peuvent se fier.

b Complétez le tableau suivant :

	M	F	M Pl	F Pl
dans/sur	lequel	?	lesquels	?
à	?	à laquelle	auxquels	?
de	duquel	?	?	?

c Décidez : lequel, auquel, duquel, etc.

Exemple :
– La radio est un moyen de communication à ...... les jeunes ne font pas confiance.
– La radio est un moyen de communication **auquel** les jeunes ne font pas confiance.

(1) Chez le journaliste, l'impartialité est une qualité à ...... les jeunes attachent beaucoup d'importance.
(2) L'honnêteté et l'indépendance semblent être deux qualités sans ...... on ne peut être un journaliste fiable.
(3) La santé et l'éducation sont les deux sujets sur ...... les jeunes aimeraient trouver plus d'informations de qualité.
(4) Les jeunes apprécient de pouvoir découvrir les informations à ...... la presse donne accès.
(5) Voici un article de ...... je suis très fier.
(6) Les difficultés rencontrées au cours des reportages sont un élément avec ...... il faut compter.

d Pour d'autres exercices, voir **50**.

Au fil des ondes

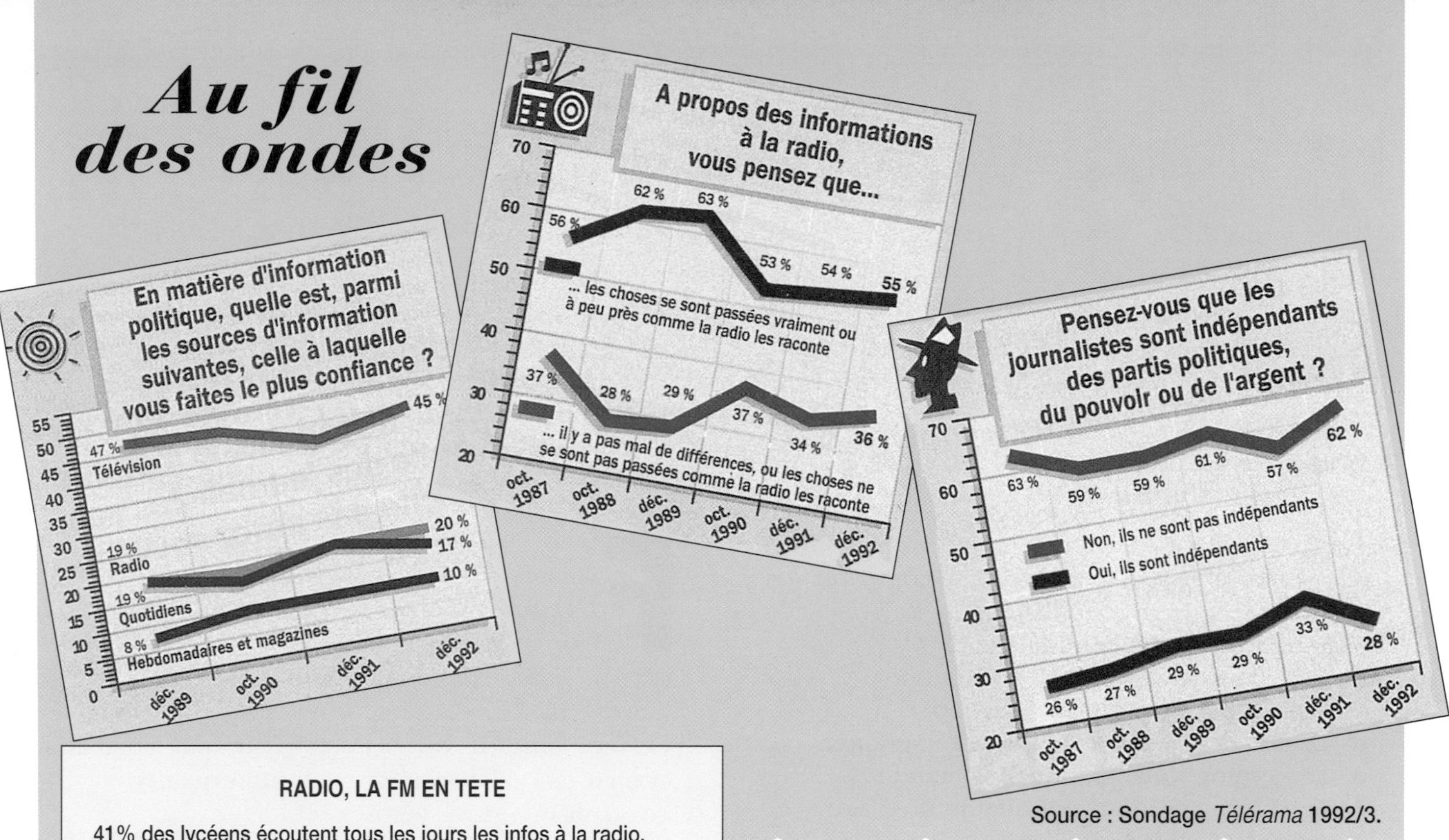
En matière d'information politique, quelle est, parmi les sources d'information suivantes, celle à laquelle vous faites le plus confiance ?
47 %
Télévision
45 %
19 %
Radio
20 %
17 %
19 %
Quotidiens
8 %
Hebdomadaires et magazines
10 %
déc. 1989
oct. 1990
déc. 1991
déc. 1992
A propos des informations à la radio, vous pensez que...
56 %
62 %
63 %
53 %
54 %
55 %
... les choses se sont passées vraiment ou à peu près comme la radio les raconte
37 %
28 %
29 %
37 %
34 %
36 %
... il y a pas mal de différences, ou les choses ne se sont pas passées comme la radio les raconte
oct. 1987
oct. 1988
déc. 1989
oct. 1990
déc. 1991
déc. 1992
Pensez-vous que les journalistes sont indépendants des partis politiques, du pouvoir ou de l'argent ?
63 %
59 %
59 %
61 %
57 %
62 %
Non, ils ne sont pas indépendants
Oui, ils sont indépendants
26 %
27 %
29 %
29 %
33 %
28 %
oct. 1987
oct. 1988
déc. 1989
oct. 1990
déc. 1991
déc. 1992

Source : Sondage *Télérama* 1992/3.

RADIO, LA FM EN TETE

41% des lycéens écoutent tous les jours les infos à la radio. C'est énorme. Mais quand on vous demande sur quelles stations vous vous branchez, on constate que la première des grandes radios nationales, *Europe 1,* n'arrive qu'en 6° position, loin derrière les trois «grandes» de la FM : *NRJ* la souveraine, avec 44%, suivie par *Skyrock* (35%) et *Fun* (29%). Autrement dit, c'est la musique que vous choisissez, et pas les infos, que vous écoutez – sans doute – par hasard.

J.-F. Barbier-Bouvet, sociologue :

«La radio a connu trois générations d'auditeurs : d'abord, les plus âgés pour qui radio = infos. Ceux-là ont découvert l'info par la radio, parce que la télé n'existait pas à cette époque. Ensuite, les adultes actifs, pour qui radio = infos du matin ; et enfin les jeunes, pour qui radio = musique.»

Hormis les radios musicales, soulignons l'excellent score de *France Infos* (12%), la dernière-née des stations de Radio France qui diffuse de l'information non-stop. Ivan Levaï, directeur de l'information à Radio France :

«Les jeunes sont attirés par le tempo rapide de la FM. Pour eux, la radio c'est avant tout du rythme : après un disque, on passe à un autre disque. Sur France Infos, *ils retrouvent ce même rythme.»*

1 Les jeunes Français et la radio

Lisez le texte *Radio, la FM en tête* et répondez aux questions suivantes :

a Que pensez-vous de la proportion de jeunes qui écoutent les informations à la radio ?

b Quelle sorte de station de radio les jeunes Français préfèrent-ils écouter ?

c Comment le sociologue explique-t-il le fait qu'il existe trois sortes d'auditeurs ?

d Pourquoi France Infos a-t-elle tant de succès ?

2 A la recherche du vocabulaire

Regardez les graphiques du sondage réalisé pour *Télérama*. Trouvez les équivalents français des mots et des expressions anglais suivants :

a independent from
b things happened
c approximately
d a fair amount of
e with regard to
f among
g you trust
h you trust most

3 Interprétation des résultats

Regardez encore les graphiques et dites si les affirmations ci-dessous sont vraies ou fausses.

a A l'heure actuelle, les Français pensent que les journalistes dépendent trop du pouvoir politique et de celui de l'argent.

b Leur impression sur l'indépendance des journalistes s'est détériorée jusqu'en 1991.

c Jusqu'en 1989, les Français avaient une opinion assez positive quant à la véracité des informations que la radio leur donnait.

d Depuis 1990, leur confiance en la radio commence à remonter.

e En ce qui concerne les informations sur la politique, les Français font plus confiance à la presse écrite qu'à la presse parlée.

4 Votre bilan

Utilisez le travail que vous avez fait jusqu'à présent pour écrire un paragraphe de 100 mots maximum sur votre attitude envers la presse écrite et la presse parlée.

La télé-vérité est-elle bonne

1 Les mots-clés de la télé
Recherchez dans un dictionnaire la signification des mots à la mode quand on parle de télé.

le direct, le différé, le ralenti, le duplex, zapper, les écrans publicitaires, ludique, l'audimat, la télé interactive, le câble.

Travaillez à deux et, oralement, interrogez-vous sur les points suivants à tour de rôle et comparez vos réponses.

a Le temps passé devant la télé hier.
b Emissions à ne pas rater. Pourquoi ?
c Emissions à supprimer. Pourquoi ?
d Le différé préférable au direct ? Expliquez.
e Le zapping, vous pratiquez ? Quand ?
f Le zapping pratiqué par quelqu'un d'autre, qu'en pensez-vous ?
g Les films coupés par des écrans publicitaires, vous supportez ?
h Quand un étranger parle dans sa langue à la télé, il vaudrait mieux des sous-titres qu'une traduction hors champ. Qu'en pensez-vous ?

2 Mariez-les
Lisez *La télé-vérité est-elle bonne à voir ?* et mariez ces mots et expressions du texte à leurs définitions.

a	engouement	**1**	qui a un grand succès
b	depuis belle lurette	**2**	de beaucoup
c	basculer	**3**	ferveur, grand amour
d	fait un tabac	**4**	changer complètement
e	tant s'en faut	**5**	il y a très longtemps

3 C'est quelle émission ?
Quatre jeunes parlent des émissions dont il est question dans le texte *La télé-vérité est-elle bonne à voir ?* Retrouvez le titre de chacune et la chaîne sur laquelle elle est diffusée.

4 Les messages cachés
Certaines des phrases concrètes du texte cachent des concepts plus abstraits. Mariez les phrases concrètes avec les concepts qu'elles cachent. 51

5 Reproches adressés à la télé
A deux, faites une liste des reproches que vous pourriez adresser à la télévision. Puis, mettez votre liste en commun avec le reste de la classe.
Exemple :
Toutes les atrocités de la guerre se déroulent en direct sous les yeux du public.

«Perdu de vue», «La Nuit des héros», «L'Amour en danger»... Chaque mois, des millions de téléspectateurs participent à la grand-messe des «reality-shows». Un phénomène de société qui divise les Français.

Finies les séries comme *Dallas* ou *Dynastie*, où chacun pouvait fantasmer sur la vie dorée des magnats américains. Le méchant J.R. est bel et bien mort. L'heure est au réalisme. Les héros des émissions à succès ne sont plus d'irréprochables stars ou pétromilliardaires, mais des gens tout simples comme vous et moi.

Leurs histoires ne sont pas des fictions mais des histoires de tous les jours. Des petits exploits comme dans *La Nuit des héros* (sur France 2), ou des disputes banales (*L'Amour en danger*, TF1), parfois de grandes détresses. Il y en a pour tous les goûts. Ou presque, parce qu'à l'engouement des uns (10 millions de téléspectateurs en moyenne pour *Perdu de vue*, TF1), s'oppose le dégoût des critiques pour ce qu'ils qualifient de «télé-poubelle» ou de voyeurisme.

Comme on pouvait s'en douter, la télé-vérité n'est pas venue du ciel, mais des Etats-Unis.

Les Américains, dont l'appétit pour les faits divers semble insatiable, ont éprouvé depuis belle lurette le besoin de ressusciter à l'écran ceux qui leur paraissaient les plus marquants.

CETTE VIE DONT VOUS ETES LE HEROS

Un peu comme dans *La Nuit des héros*, qui s'est installée le samedi soir sur France 2. C'est la reconstitution de bonnes et belles actions d'un citoyen qui, dans 75% des cas, rejoue son propre rôle dans un film. Quelques 7 millions de téléspectateurs assistent avec émotion aux félicitations que Laurent Cabrol, le présentateur, transmet au héros. Un Monsieur-Tout-le-Monde auquel chacun peut s'identifier.

Dans le genre «héroïque», la télé-vérité nous propose aussi *La Vie continue*, sur TF1. Il s'agit ici de confronter quelqu'un, dont la vie a basculé à la suite d'un accident, de la perte d'un emploi, etc., avec d'autres qui dans la même situation s'en sont

à voir ?

PERDU DE VUE

Une émission suivie par 10 millions de téléspectateurs

sortis. On a ainsi vu sur le plateau d'admirables paraplégiques dans des fauteuils roulants, qui ont, semble-t-il, trouvé une force dans le malheur. Mais n'est-ce pas donner trop d'espoir à des êtres moins trempés ? Ou décourager ceux qui s'en sortent moins bien et qui, après l'émission, verront leur image ternie à leurs propres yeux ? De l'espoir à la déception, il n'y a qu'un pas.

UNE VERITE PEUT EN CACHER UNE AUTRE

Perdu de vue qui fait un tabac sur TF1, comporte plusieurs rubriques. Cela va de l'appel à un enfant fugueur, au cri d'alarme d'une mère en détresse dont l'ex-mari ne veut pas revoir ses enfants.

Grâce à l'aide des téléspectateurs, des parents ont retrouvé leurs enfants et Corinne a reçu un appel de son ex-mari, qui consentait enfin à revoir ses enfants.

L'ennui, c'est que les personnes retrouvées ne sont pas toujours heureuses de l'être. Telle cette jeune fille qui, remise en contact téléphonique avec ses parents, leur a carrément déclaré qu'elle n'avait rien à leur dire.

Bien sûr, ça change des variétés et des sempiternelles chansonnettes qui envahissent le petit écran à longueur de semaine. Mais ne vaudrait-il pas mieux un peu de rêve plutôt que la réalité toute crue ? Toutes les télés-vérités ne sont pas bonnes à voir, tant s'en faut. Mais peut-être n'est-ce aussi qu'un phénomène de mode...

AVANT DE TIRER ATTENDEZ QUE JE RECHARGE MA CAMÉRA !
S'IL CONTINUE ON EN TUE UN AUTRE !
TOI, LA VICTIME NE RIGOLE PAS. ÇA NE FAIT PAS CRÉDIBLE !
IL FAUT ME PAYER MON CHARGEUR. 25 DOLLARS. UN DOLLAR LA BALLE.
Wolinski 97

6 **Le groupe Psy**
La télé n'a pas qu'une image négative.

7 **Contre-propositions**
A deux, reprenez un à un les six reproches les plus importants que vous avez trouvés (exercice n° 4) et pour chacun, donnez la qualité opposée.

Exemple :
télé-poubelle expose la vérité toute crue ≠ télé avec un rôle à jouer dans le rêve

Exprimer ces idées qui s'opposent en vous servant du tableau dans Pour communiquer :

Exemple tiré du texte :
Ne vaudrait-il pas mieux (permettre) un peu de rêve plutôt que (d'exhiber) la réalité toute crue ?

POUR COMMUNIQUER

Faire poliment des contre-propositions

Ne vaudrait-il pas mieux...	
Ne serait-il pas préférable de...	au lieu de...
Ne serait-il pas mieux de...	plutôt que de...
N'y aurait-il pas plus de mérite à...	

8 **Lettre au CSA**
Le CSA (Conseil supérieur de l'audiovisuel) a pour mission de s'assurer que les émissions de télévision suivent certaines règles.

Ecrivez au CSA pour exprimer les reproches que vous faites à la télé. Utilisez le travail que vous venez de faire pour vous aider.

9 **Analyse des spécialistes**
Les spécialistes de la télé analysent les réactions des jeunes. Voir 52.

PUBLICITÉ = SOLLICITER ?

1 **La publicité, oui, mais où ?**
Travaillez en groupes de trois ou quatre et établissez une liste de tous les endroits où on fait de la publicité. Tous les groupes comparent leurs listes.

2 **La publicité, qu'en pensent-ils ?**
Voici les résultats d'un sondage réalisé en Belgique sur la publicité :

Selon les deux mille personnes interrogées, la publicité est :					
	Tous	Brux.	Fland.	Wall.	– de 25 ans
Informative	74%	63%	79%	66%	69%
Influence les gens	91%	97%	90%	92%	92%
Amusante	79%	81%	77%	81%	81%
Immorale	31%	30%	31%	32%	28%
Insidieuse	64%	73%	59%	69%	61%
Sexiste	50%	63%	47%	53%	50%
Utile	66%	54%	75%	54%	66%
Mensongère	63%	74%	57%	71%	67%
Nécessaire	62%	52%	69%	51%	62%
Dangereuse	48%	53%	42%	57%	43%
Insuffisamment réglementée	49%	44%	54%	42%	51%

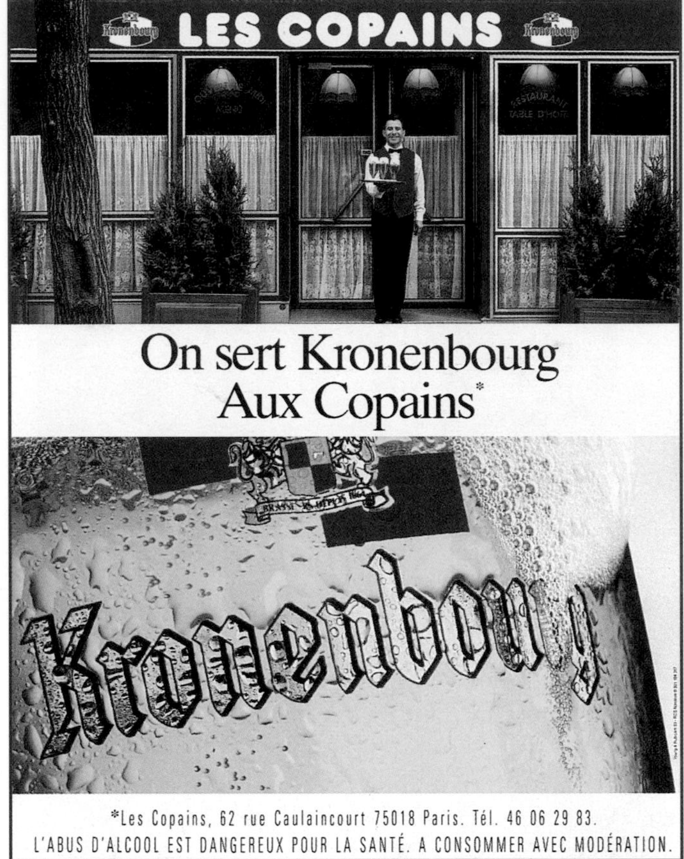
LES COPAINS
Kronenbourg
On sert Kronenbourg
Aux Copains*
Kronenbourg
*Les Copains, 62 rue Caulaincourt 75018 Paris. Tél. 46 06 29 83.
L'ABUS D'ALCOOL EST DANGEREUX POUR LA SANTÉ. A CONSOMMER AVEC MODÉRATION.

Dans un dictionnaire, recherchez les mots que vous ne comprenez pas et utilisez ces résultats pour compléter ces phrases :

- **a** Plus de neuf personnes sur dix pensent que la publicité exerce une grande ...... sur le public.
- **b** Plus de la moitié des Flamands et des moins de vingt-cinq ans affirment qu'il faut ...... la publicité plus strictement.
- **c** Le même pourcentage de Bruxellois, de Wallons et de moins de vingt-cinq ans est d'accord pour dire que la publicité ......
- **d** Seulement trois Bruxellois sur dix expriment l'opinion que la publicité est ......
- **e** Selon 63% des personnes interrogées, les renseignements donnés par la publicité sont souvent des ......
- **f** Les trois-quarts des Flamands ne mettent pas en doute l'...... de la publicité.
- **g** Les Bruxellois affirment en majorité que la publicité influe sur le public ...... qu'il s'en rende compte.

3 **La publicité, comment ?**
Pour vous aider à observer la publicité, faites l'étude sur **53**.

4 **Et vous, la publicité, qu'en pensez-vous ?**
Travaillez avec un ou une partenaire. Sur une feuille de papier à poster donnez votre opinion sur la publicité en général. Vous pouvez utiliser la liste de qualités et de défauts donnée dans les résultats du sondage ; vous pouvez aussi ajouter d'autres idées. Illustrez vos affirmations par des exemples précis.

BONNE IDEE

Pour éviter de répéter «être»
sembler, se montrer, paraître, avoir l'air, s'avérer, se révéler.

5 MCM
Deux étudiants d'arts graphiques regardent un magazine et tombent sur la publicité pour MCM qui se trouve page 109. 54 vous donne quelques caractéristiques de publicités. Vérifiez le sens des mots et expressions que vous ne comprenez pas. Ecoutez la cassette, prenez des notes en français et à la fin de l'exercice, écrivez un paragraphe résumant ce que pense chacune des personnes qui s'expriment sur la cassette.

6 **La langue des publicitaires**
Etudiez la publicité pour Kronenbourg. Lesquelles des phrases suivantes vous semblent correctes ? Corrigez le contenu factuel des autres et dans tous les cas, justifiez vos réponses.

Exemple :
Le texte occupe la plus grande partie de la page.
→ Le texte n'occupe que très peu de place, même pas un quart de la page.

a Le texte est la partie de la composition publicitaire qui attire d'abord l'œil.
b La bière est très bien décrite.
c L'humour a sa place : le nom du café permet de faire un jeu de mots.
d La page est composée de manière à établir un parallèle entre le café et la bière.
e Les couleurs de la devanture du café contrastent avec celles de la bière.
f La force de cette réclame vient du fait qu'on n'est pas sûr du produit dont on fait la publicité.

AU FAIT

- En 1968 passe le premier spot de pub à la télé. En noir et blanc, sur la première et unique chaîne.
- En 1987, les entreprises dépensent 36 milliards de francs en dépenses publicitaires : 46% en presse, 29% en télévision, 14% en affichage, 9% en radio et 2% en cinéma.
- En 1986, ils étaient 53% de Français à penser que la publicité était indispensable. En 1988 ils ne sont plus que 40%.

7 **Pubs à la radio**
Cinq publicités sur *Europe 1*.

8 **La publicité, pour quoi faire ?**
La publicité pour Kronenbourg a pour but de faire vendre le produit, mais d'autres publicités ont des intentions différentes. Avec un ou une partenaire, essayez de trouver le maximum de raisons qui existent pour faire de la publicité.

9 **A vous !**
Dans un magazine français, choisissez une publicité qui vous semble particulièrement bien ou mal réussie (ou utilisez une des affiches ci-dessous). Ecrivez ou enregistrez un court commentaire pour démontrer sa puissance ou sa nullité.

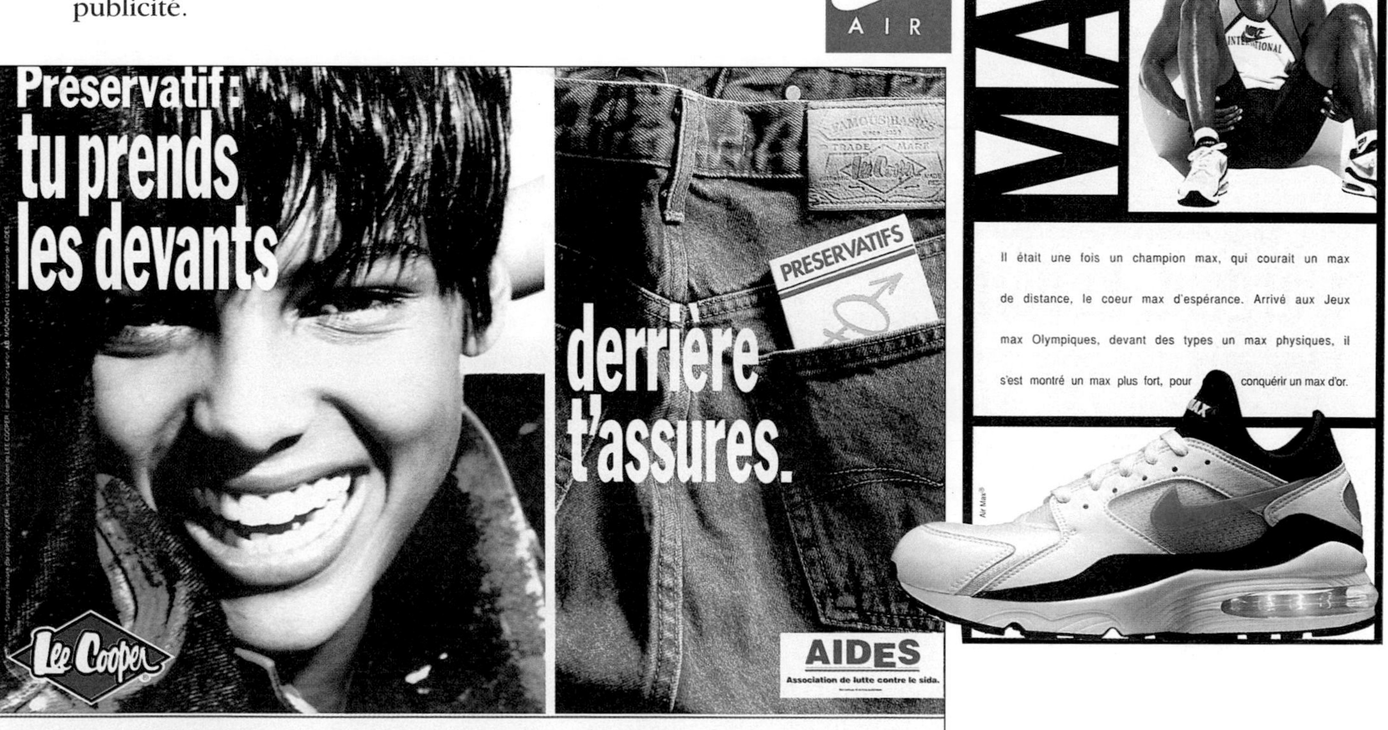
NIKE
AIR
MAX
Il était une fois un champion max, qui courait un max de distance, le coeur max d'espérance. Arrivé aux Jeux max Olympiques, devant des types un max physiques, il s'est montré un max plus fort, pour conquérir un max d'or.
Préservatif :
tu prends
les devants
Lee Cooper
PRESERVATIFS
derrière
t'assures.
AIDES
Association de lutte contre le sida.
LE PRESERVATIF : POUR NOUS PROTEGER DU SIDA.

Un jeu d'enfant

Les enfants aiment bien la publicité. Mais ils sont beaucoup plus sélectifs qu'on ne l'imagine généralement. L'image les fascine davantage que le son, ce qui explique leur intérêt pour les spots télévisés ou les affiches dans la rue. La publicité à la radio les attire moins ; c'est sans doute l'une des raisons du succès grandissant auprès d'eux des radios de la bande FM, où elle est moins présente.

Les enfants aiment, par définition, le merveilleux, les choses qui ne se passent pas comme dans la vie, qui transgressent ou ignorent les règles et les contraintes du monde des adultes. C'est pourquoi ils aiment les spots publicitaires, dont certains leur apparaissent comme de véritables contes de fées où tout est possible : on a un problème, on fait appel au produit X et on est sauvé... Pour tous les enfants la publicité est donc l'instrument du merveilleux. Elle met en scène leurs fantasmes et fait travailler leur imagination. Mais cela ne les empêche pas de savoir prendre leurs distances par rapport au message publicitaire.

Pendant longtemps, les Français n'ont vu dans la publicité qu'un moyen d'abrutir, de mentir, de manipuler. Beaucoup d'entre eux, les jeunes en particulier, la considèrent aujourd'hui comme un outil économique nécessaire, un divertissement et un art, en même temps qu'un miroir de la société. Ils en connaissent mieux les règles.

Les générations actuelles de consommateurs se prouvent beaucoup plus capables de «décoder» les messages publicitaires que leurs aînés et moins susceptibles de se laisser manipuler par eux.

L'Aventure Sous le Signe de la Nuit.
PARC EURO DISNEYLAND
Action, émotions, sensations, feux d'artifice et parade électrique, les nuits d'été font leur cinéma à Euro Disneyland, Zorro® rime avec héros !!
FESTIVAL DISNEY
Juste aux portes du Parc, cet extraordinaire Boulevard des Amériques vous attend: nuit, lumières, danse, fun, miam-miam. Tout, tout de suite, tout le temps, tonight !!
Passeport Soirées d'Été "STARNIGHTS"

1 Questions

A votre avis, quel est le sentiment de l'auteur quant à l'impact de la publicité sur les nouvelles générations ?

Expliquez le rôle que la publicité joue dans les relations entre les enfants et les médias.

Quelle est votre attitude personnelle envers la publicité ? Donnez votre position en 50 mots environ.

2 Droit de réponse

Voici un passage tiré d'une lettre écrite en réponse à l'article. Sans recopier le texte, faites une liste des mots qui manquent. Utilisez les mots ci-dessous, mais attention, vous ne les utiliserez pas tous !

Il est sûr que la publicité a bien ⓐ récemment. Les efforts particuliers que les publicitaires ont ⓑ dans les domaines techniques et artistiques ont ⓒ à sa réhabilitation. Si les publicitaires n' ⓓ pas fait ces gros efforts, il est certain que les jeunes ne ⓔ pas en mesure de décoder les messages publicitaires avec autant de facilité.

aient	contribués	effectués	évoluer	seraient
avait	contribuées	effectué	évoluée	seront
avaient	contribué	effectuer	évolué	sont

3 Rédaction

Ecrivez 300 mots sur un des sujets suivants.

- La télévision : véhicule d'une «culture des masses» uniformisante. Discutez.
- La télévision est subie par le téléspectateur alors que la presse écrite engage le lecteur. Discutez.
- Les consommateurs ne pourraient vivre sans la publicité. Discutez.
- La publicité ne peut être autre que mensongère. Discutez.

10 Sur un pied d'égalité ?

Thèmes	Communiquer	Grammaire
• L'égalité sexuelle • Les immigrés • Le racisme	• Donner ses réactions immédiates à une idée • Donner des raisons	• Les fractions • Les pronoms démonstratifs • La concordance des temps après «si» • La plupart

Extraits de la «Déclaration universelle des droits de l'homme»

ARTICLE PREMIER
Tous les êtres humains naissent libres et égaux en dignité et en droits. Ils sont doués de raison et de conscience et doivent agir les uns envers les autres dans un esprit de fraternité.

ARTICLE 2
Chacun peut se prévaloir de tous les droits et de toutes les libertés proclamés dans la présente Déclaration, sans distinction aucune, notamment de race, de couleur, de sexe, de langue, de religion, d'opinion politique ou de toute autre opinion, d'origine nationale ou sociale, de fortune, de naissance ou de toute autre situation (...)

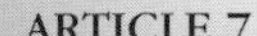

ARTICLE 7
Tous sont égaux devant la loi (...)

NATIONS UNIES : 1948

SOMMAIRE

Le chemin de l'égalité sera long

Les enquêtes et les statistiques prouvent que les filles réussissent mieux que les garçons à l'école. Mais pour quel résultat final ? : exercer seulement 10% des métiers et avoir deux fois plus de risques de se retrouver au chômage. On peut situer l'échec dans l'orientation scolaire mais d'autres causes sont plus profondes. Tentatives d'explication.

Quelques chiffres suffisent pour démontrer la suprématie des filles à l'école, au moins de la maternelle au bac : 46% des filles obtiennent le bac contre 36% des garçons ; le meilleur taux de réussite au bac – 88,6% – est relevé chez les filles de terminale C ; elles sont 70 000 de plus à poursuivre des études supérieures...

Mais les statistiques sont nettement moins glorieuses quand on les regarde sous l'angle qualitatif. Elles sont 70% à quitter le lycée avec un bac A, B ou G et ce diplôme «féminisé» ne vaut pas lourd sur le marché de l'emploi. Elles forment un bon tiers – 36% – de la population des terminales C mais seulement un petit cinquième – 19% – des effectifs des écoles d'ingénieurs.

Un meilleur capital scolaire

Alors, qu'y comprendre ? : elles réussissent mieux à l'école où elles ont largement rattrapé leur retard – 624 étudiantes en 1900, 520 000 en 1991 – et, pourtant, elles s'engouffrent, dans leur grande majorité, dans les métiers «bouchés», peu qualifiés, qui leur sont traditionnellement réservés, dans le tertiaire en particulier.

A y regarder de plus près, tout commence à se jouer à la fin de la classe de 3e, moment-clé de l'orientation. Avec un meilleur capital scolaire que les garçons, elles sont tout naturellement beaucoup plus nombreuses à continuer en seconde dans l'enseignement général. Là, déjà, on leur «ferme» l'accès aux filières technologiques et professionnelles. Plus tard, à la fin de la seconde et de la première, ce seront les sections et les formations scientifiques qui leur seront plus difficilement accessibles. Les vieilles mentalités – filles littéraires, garçons scientifiques – ont la vie longue.

L'école est pourtant plus égalitaire que le reste de la société. Mais, même si, officiellement, elle ouvre aux filles quasiment toutes les formations vers tous les métiers, elle restreint en même temps leur intégration égalitaire. Elle ne fait que poursuivre le schéma de la famille et qu'anticiper celui de l'entreprise.

A formations égales, qualifications différentes

Les parents n'élèvent toujours pas leur fille comme leur fils : on écoute toujours plus ce dernier, on le stimule davantage, on se préoccupe plus de son avenir professionnel. Et, surtout, la majorité des parents a tendance à renforcer les vertus traditionnellement attribuées aux filles, la douceur, la sagesse, le goût pour la lecture. Mais ces vertus peuvent devenir négatives : manque d'audace, d'esprit d'initiative, désintérêt pour les maths ou le sport.

Dans l'entreprise, ce n'est pas mieux. Bien sûr, il y a le principe de l'égalité des rémunérations : à travail égal, salaire égal. Mais il y a tellement de façons de contourner la loi...

C'est si tentant pour une for-

1 Travail individuel
Lisez l'article et tirez du texte tous les points positifs et négatifs sur la situation des filles. Pensez aux thèmes suivants :
Orientation à l'école ; les parents ; l'entreprise.

Exemples :

Points positifs
(succès, influences positives, etc.)

Les filles réussissent mieux que les garçons à l'école.

Points négatifs
(échecs, mauvaises influences, etc.)

Les filles courent deux fois plus le risque de se retrouver au chômage.

2 Travail à deux
Chaque personne lit, à haute voix, sa liste de points positifs et négatifs. L'autre personne écoute attentivement et ajoute à sa liste les points nouveaux ou différents.

POINT GRAMMAIRE

Les fractions

¼ = un quart ½ = un demi ¾ = trois quarts
⅓ = un tiers ⅔ = deux tiers ⅕ = un cinquième
⅙ = un sixième ⅑ = un neuvième

Note : un bon tiers, un petit cinquième, deux heures et demie, la moitié des garçons

Une fille en formation de mécanique, une image encore trop peu répandue.

mation équivalente de donner des qualifications différentes à un homme ou à une femme. Alors, bien sûr, les salaires ne sont pas égaux (en moyenne 30% de différence).

Malgré certaines régressions ponctuelles, on sait que le processus égalitaire dans l'éducation et l'orientation est irréversible. Combien de temps faudra-t-il ? Laissons la réponse à Elizabeth Badinter* : «La révolution amorcée par les femmes il y a vingt-cinq ans aura encore besoin de trois générations pour s'accomplir. On ne peut contracter le temps : un bouleversement des mœurs sans précédent comme le nôtre se juge sur un siècle.» Patience et courage, les filles…

Catherine Cayrol

AU FAIT

En 1993, le système d'appellation du bac a changé. Les bacs dont il est question dans l'article sont :

Bac A	=	Bac littéraire (maintenant bac L)
Bac B	=	Bac de science économique (maintenant ES)
Bac C	=	Bac scientifique (maintenant S)
Bac G	=	Bac de gestion (maintenant STT)

nettement	clairement
s'engouffrer	se précipiter
bouché	sans avenir
le tertiaire	secteur comprenant toutes les activités qui ne sont pas directement productrices de biens de production (administration, commerce, etc.)
quasiment	presque, à peu près
davantage	plus
la rémunération	le salaire
ponctuel	partiel
amorcer	commencer à effectuer
un siècle	100 ans

**écrivain célèbre qui a fait beaucoup pour la cause des femmes*

3 Images traditionnelles

L'article aborde le sujet des vertus traditionnellement attribuées aux filles. En groupes de trois ou quatre, pensez à toutes les images traditionnelles de la femme et, à l'aide d'un dictionnaire, écrivez ces qualités et ces compétences traditionnelles sur une grande feuille de papier. Voici les «vertus» tirées de l'article de Catherine Cayrol.

Les femmes : vertus traditionnelles

la douceur
le goût de la lecture
la sagesse

Maintenant, faites la même chose pour «Les hommes : vertus traditionnelles». Comparez les résultats des groupes. Discutez les différences.

4 Tentatives d'explication

Catherine Cayrol considère que l'influence de l'école et des parents contribuent à la situation inégale des filles. Selon vous, laquelle des influences est la plus importante ? Considérez tout ce qui pourrait exercer une influence sur votre éducation.

Exemples :

A l'école : l'attitude des profs, l'image des femmes et des hommes dans les manuels scolaires, l'ambiance dans la salle de classe, le langage
A la maison : les choix d'activités, la distribution des responsabilités ménagères

Discutez, en classe, les questions suivantes :

- Avez-vous l'impression, garçon ou fille, d'avoir souffert d'une influence négative en ce qui concerne votre orientation scolaire ?
- Quels autres facteurs ont une influence sur le renforcement des images stéréotypées de l'homme et de la femme ?

L'orientation a un sexe ?

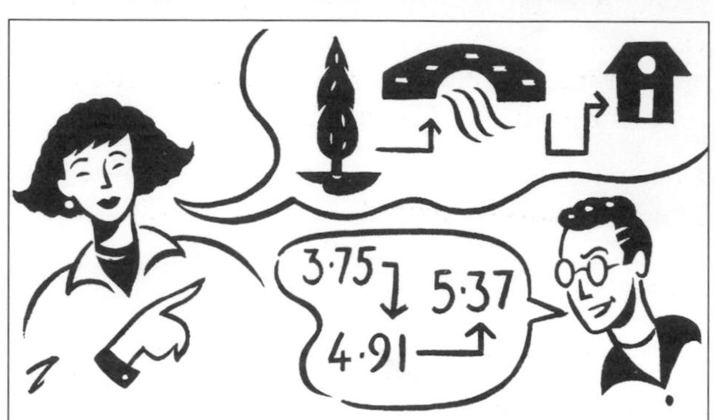

3·75
5·37
4·91

Pour trouver son chemin, la femme se sert surtout de repères concrets, et l'homme, de repères mathématiques. Les indications routières d'une femme ressembleront à ceci : «Tout droit jusqu'à la maison bleue, prenez à gauche et roulez jusqu'au bouquet d'arbres...» ; celles d'un homme seront du genre : «Tout droit pendant 2 km, prenez à gauche et roulez 3 minutes...» Cette différence dans la façon de s'orienter vient de ce que le cerveau des femmes et celui des hommes ne fonctionnent pas de la même manière. Les chercheurs de l'Université de Rochester aux Etats-Unis qui sont arrivés à cette conclusion se sont toutefois empressés d'affirmer que les deux méthodes se valaient ! L'important, après tout, qu'on soit fille ou garçon, étant de ne pas se perdre !

1 **Lecture rapide**
Lisez vite l'article du magazine féminin québécois «Châtelaine». Sans réfléchir longtemps, donnez votre réaction immédiate à l'idée que le cerveau des femmes fonctionne différemment de celui des hommes.

POUR COMMUNIQUER

Donner ses réactions immédiates à une idée

Réactions positives
C'est très intéressant/fort raisonnable.
Il y a de l'idée là-dedans.
Tiens ! Je n'aurais jamais pensé à ça.
Je trouve ça tout à fait possible.
C'est pas bête.

Réactions négatives
C'est une absurdité !
Quelle bêtise !
Quelle (drôle d') idée !
C'est de la foutaise ! (langue familière)
C'est totalement fantaisiste !
Ça va pas (la tête), non ?

2 **Expressions utiles**
Trouvez dans le texte le français pour :
a in the same way
b the two methods were of equal value
c whether one is a girl or a boy
d the important thing

3 **Un métier moins traditionnel**

«Je m'appelle Marie-Christine Primault. J'ai 35 ans. Je suis astronome, plus précisément astrophysicienne. Je travaille actuellement à l'observatoire de Meudon, au sud-ouest de Paris.»

«Je m'appelle Jérôme Joubert. J'ai 20 ans et j'habite à Rennes. Je suis étudiant en seconde année de BTS bureautique et secrétariat trilingue au Lycée Jean-Macé de Rennes.»

Travaillez avec un(e) partenaire. Imaginez que vous êtes journalistes et qu'on vous a demandé d'aller interviewer Marie-Christine et Jérôme. Quelles questions voudriez-vous leur poser ? Discutez ensemble les possibilités et puis dressez une liste des questions par écrit.

Ecoutez les interviews de Marie-Christine et de Jérôme et faites les exercices **55** et **56**.

Travail de recherche

Selon l'article, les chercheurs de l'Université de Rochester pensent que le cerveau à une influence sur la façon de s'orienter des deux sexes. Mettez leur hypothèse à l'épreuve !

Demandez à un nombre égal d'hommes et de femmes de vous fournir des renseignements pour vous aider à trouver votre chemin à un endroit choisi. Si vous pouvez trouver des personnes qui parlent français, tant mieux !

Notez la façon dont ils vous donnent les directions en cochant chaque fois que vous entendez des repères «concrets» ou «mathématiques». Présentez les résultats, oralement en français, à la classe et discutez ensemble les résultats.

Croyez-vous qu'il y a des différences d'ordre générale dans la façon de s'exprimer des deux sexes ? Donnez des exemples pour appuyer vos thèses.

GRAMMAIRE

Les pronoms démonstratifs

• Définition

Le pronom démonstratif remplace un nom précédé de **ce**, **cet**, **cette**, **ces**. Il se traduit normalement par l'expression *that, those, the one(s) that.*

• Formation

	masc.	fem.
sing.	celui	celle
plur.	ceux	celles

• Usage

Ce pronom est normalement suivi soit d'un pronom relatif (**qui** ou **que**), soit de la préposition **de** ou de **-ci** ou **-là**. C'est-à-dire, les pronoms démonstratifs ont des formes simples et des formes composées.

Forme simple : mon vélo est bleu, **celui** de mon frère est jaune.

Forme composée : ce vélo est bleu, **celui-ci** est jaune.

Exemples tirés du texte :

- celles d'un homme (nom désigné = les indications)
- celui des hommes (nom désigné = le cerveau)

Dans certains cas, **celui-ci**, **celle-ci** etc. se traduisent par *the latter* ; **celui-là, celle-là** etc. se traduisent par *the former.*

Exemple :

- Mes deux sœurs Martine et Nathalie ont choisi des filières scientifiques : celle-ci [Nathalie] voudrait faire de la recherche médicale, celle-là [Martine] voudrait devenir professeur de sciences.

• ceci (*this*) et **cela** [**ça**] (*that*)

Ces pronoms représentent une idée qu'on va décrire ou qu'on a déjà signalée.

Exemples :

- Cela va sans dire.
- Les indications routières d'une femme ressembleront à ceci : ...

DEFIS GRAMMATICAUX

a Voici quelques exemples de l'usage de pronoms démonstratifs tirés d'articles dans les chapitres précédentes d'**Au point**. A quoi le pronom démonstratif se rapporte-t-il dans chaque cas ?

Exemple :

celui de l'entreprise (page 122) : le schéma

(1) celui de la pollution (page 108)
(2) celles qui font courir (page 104)
(3) ceux qui s'en vont (page 45)
(4) ceux-là ont découvert (page 115)
(5) celles que nous produisons (page 108)
(6) celle de l'infiniment grand (page 96)

b Remplissez les trous par la forme du pronom démonstratif qui convient. Attention ! Il y en a dont vous ne vous servirez pas dans la liste qui suit l'exercice.

(1) Les statistiques prouvent que les filles réussissent bien à l'école mais ...... ne veut pas dire qu'elles en profitent à la longue.
(2) Le choix d'école n'a aucune importance : en revanche, ... de la filière influence énormément leur avenir.
(3) La suprématie des filles n'est guère en question, surtout chez les filles de Terminale C : ...... sont, en effet, très nombreuses à poursuivre des études supérieures.
(4) Parmi les métiers qui sont traditionnellement réservés aux filles, ... du secteur tertiaire sont le plus en évidence.
(5) Il paraît qu'il y a deux façons de s'orienter : ...... des hommes et ...... des femmes.
(6) Il y a une révolution à faire. C'est ...... : la lutte qui mènera finalement à l'égalité des sexes.

ceci	celle-ci	celles-ci	celles-là	celle	
celui	celui-ci	celle	celui-là	ceux	cela

Prise entre deux feux

Ma mère n'a jamais été à l'école. Elle est restée à la maison jusqu'à seize ans et puis elle a épousé mon père. Elle n'avait même pas vu sa photo avant le mariage. Tout avait été arrangé entre les deux familles. Je trouve cela dégueulasse : c'est vraiment traiter les femmes comme des chiennes.

Mon père, lui, a suivi des cours jusqu'à quatorze ans. Après, il a travaillé. Il débarquait des caisses des bateaux et les rangeait dans les entrepôts du port. A vingt-deux ans, parce qu'il était en bonne santé, qu'il avait de la force, des hommes lui ont proposé d'émigrer. Il a pensé à la richesse, à la réputation, à toutes ces conneries qui rendent malheureux. Il est parti. C'est vrai, il gagnait plus d'argent mais il n'était plus dans son pays et il travaillait comme un forçat.

Tout ça pour dire que j'estime qu'ils devraient me laisser donner mon avis. Ils n'ont pas fait d'études, ils ne savent pas ce que c'est. Mon père n'a donc aucun droit de me frapper quand j'ai des échecs.

Vendredi 27 janvier, 21 H 15

Si mon père retrouvait du boulot ! Peut-être se comporterait-il différemment, peut-être arrêterait-il de boire ! Au fond, je me demande s'il a encore envie de travailler. Il ne cherche pas, il se contente d'aller pointer et d'aller vider des bières au café en tapant la carte avec ses copains. Il me dégoûte. Je ne comprends pas que quelqu'un puisse si peu s'occuper de sa famille et de sa personne. Au début, il n'était pas comme ça.

Mes cahiers, mes livres, j'ai parfois envie de tous les balancer mais je me rends compte qu'ils représentent ma seule chance d'en sortir. Si j'abandonne mes études, mon père m'obligera à prendre un mari et c'en serait fini de ma vie.

D'un côté, je comprends que les gens d'ici nous rejettent. Les mentalités différentes, les oppositions avec l'Islam, des parents qui ne s'intègrent pas, tout cela joue. Mais peut-on vraiment en vouloir à des gens comme mes parents ? Ils ont toujours vécu autrement, dans la misère de la campagne marocaine et, tout à coup, il faudrait qu'ils assimilent les coutumes d'un autre peuple en même temps qu'ils doivent déjà supporter le déracinement et l'existence dans une ville moderne.

Les plus malheureux dans l'affaire, c'est peut-être nous, les enfants. Je pense que si j'avais toujours vécu au Maroc, j'aurais acquiescé aux idées de mes parents mais, en étant ici, ce n'est pas possible. Je vois la liberté des jeunes dans ce pays et je vais dans les mêmes écoles qu'eux, je vois l'avancement de ce pays. Des filles comme moi sont prises entre deux feux : nos parents et notre nouveau pays. Que faire, qu'est-ce que l'avenir nous réserve ? Petit journal, pourrais-tu me donner une ébauche de réponse ?

Samedi 24 mars, 12 H 14

Tout à l'heure, dans la file du supermarché, j'ai écouté une conversation entre deux femmes. Le sujet : les immigrés. Elles disaient qu'elles en avaient marre de tous les étrangers, qu'ils prenaient le travail des autres, qu'ils n'étaient pas propres, enfin toutes les platitudes que l'on entend fréquemment sur nous.

Tous ces gens discutent sans réfléchir : ils citent des cas particuliers mais ne voient pas le vrai problème de l'immigration. A partir d'un exemple de «mauvais» immigré, ils les font tous mauvais. Tous les pères marocains ne sont pas comme le mien : j'en connais qui se dévouent pour leur famille, qui ne méprisent pas leur femme, qui dialoguent avec leurs enfants.

Pourquoi la plupart des gens suivent-ils des meneurs racistes, des politiciens sans humanité ? Pourquoi se laissent-ils embobiner par ces salopards qui profitent des difficultés économiques du moment pour se faire élire sur le dos des immigrés ? Si les immigrés et les autres avaient du travail, il n'y aurait aucun problème. Si la crise n'existait pas, ces politiciens ne pourraient pas ainsi s'acharner sur nous. Ça me rend malade de voir «Arabes dehors», «Merde aux Arabes» sur les murs de la ville. Les insultes et la méchanceté ne mènent jamais à rien. J'ai peur de la violence que cet état d'esprit pourrait engendrer.

un entrepôt	bâtiment servant de lieu de dépôt pour les marchandises
pointer	enregistrer son arrivée au travail ou, ici, le fait d'être au chômage
une ébauche	première forme, encore imparfaite, d'un dessin ou d'une idée
en vouloir à	garder du ressentiment, de la rancune contre
s'acharner sur	poursuivre avec fureur

FRONT FEODAL
QUE COMPTEZ VOUS FAIRE CONTRE L'INSÉCURITÉ DANS NOS VILLES ?
RENVOYER LES IMMIGRÉS CHEZ EUX!

ET AU SUJET DE LA FAIBLESSE DE NOTRE MONNAIE ?
RENVOYER LES IMMIGRÉS CHEZ EUX!

VOYONS! ÇA N'A AUCUN RAPPORT!
JE SAIS... MAIS NOTRE PROGRAMME DOIT RESTER SIMPLE!

1 La langue de chez nous

Lisez les extraits du *Journal de Jamila*, publié à Bruxelles en 1986.

Les extraits contiennent plusieurs expressions vulgaires (vulg.) ou familières (fam.). Trouvez-les à partir de la liste en français «correct».

- **a** dégoûtant = ... (vulg.)
- **b** des bêtises = ... (vulg.)
- **c** travailler dur = ... (fam.)
- **d** le travail = ... (fam.)
- **e** jouer aux cartes = ... (fam.)
- **f** jeter = ... (fam.)
- **g** en avoir assez = ... (fam.)
- **h** séduire pour tromper = ... (fam.)
- **i** sales types = ... (vulg.)
- **j** excrément = ... (vulg.)

2 La vie de Jamila

Vous êtes professeur au lycée que fréquente Jamila. On vous a chargé(e) de faire un dossier sur elle. Repérez tous les faits que vous pouvez trouver sur sa situation de famille : sa mère, son père, son état d'esprit. Notez-les et présentez-les oralement ou par écrit à vos camarades.

3 Interprétation

- **a** Selon Jamila, pour quelles raisons son père a-t-il émigré ?
- **b** Expliquez pourquoi Jamila se sent «prise entre deux feux».
- **c** Lesquels de ces adjectifs décrivent le mieux les attitudes de Jamila envers son père, les Belges, les politiciens, elle-même. Choisissez-en un ou deux pour chaque catégorie. Justifiez votre choix.
  calme – compatissante – compréhensive – décidée – désespérée – désorientée – fâchée – faible – humble – impatiente – inquiète
- **d** Quels autres adjectifs vous viennent à l'esprit ?

4 Discussion

Selon Jamila : Si les immigrés et les autres avaient du travail, il n'y aurait aucun problème. Est-ce si simple que ça ? Discutez.

GRAMMAIRE

La concordance des temps après «si»

Proposition subordonnée de condition	Proposition principale
si + présent	impératif futur
si + imparfait	conditionnel
si + plus-que-parfait	conditionnel passé

Note :
Le verbe après **si** peut être au conditionnel seulement dans une question indirecte !

Exemple :
Il m'a demandé si je viendrais le voir de temps en temps.

DEFIS GRAMMATICAUX

a Ecrivez les phrases complètes. Attention à l'inversion du sujet du verbe après **peut-être**.

Exemple :

Si le père de Jamila (rester) au Maroc, peut-être (continuer) à travailler.
→ Si le père de Jamila était resté au Maroc, peut-être aurait-il continué à travailler.

(1) S'il (être) plus tenace, peut-être (retrouver) du travail.
(2) S'il (retrouver) du travail, peut-être (se comporter) différemment.
(3) S'il (se comporter) différemment, peut-être (arrêter) de boire.
(4) S'il (arrêter) de boire, peut-être (ne pas frapper) sa fille.
(5) S'il (ne pas frapper) sa fille, peut-être (ne pas la dégoûter).
(6) S'il (ne pas la dégoûter), peut-être (pouvoir dialoguer) avec elle.

b Ecoutez le poème *Conjugaisons et interrogations* de Jean Tardieu.

La question «logement» 

C'est à deux pas de la mairie du 19ᵉ arrondissement, en plein Paris. Un immeuble vétuste, une porte anonyme. Derrière, un escalier qu'on devine à peine. Plus de rambarde, aucune lumière, juste des corps qui se frôlent, des portes entrouvertes, des voix entremêlées, des cris. 150 Maliens, Mauritaniens et Sénégalais sont entassés là. Des familles entières qui se débrouillent, au jour le jour, sans eau courante. Clandestins ? Même pas. La plupart des hommes ont des papiers en règle et travaillent. Une exception ? Non plus. Les squats de ce type se comptent par centaines dans la région parisienne, qui accueille à elle seule près de 70% des quelque 400 000 immigrés venus d'Afrique noire. Avec les foyers et les meublés, le squat fait partie de la panoplie du logement africain en France.

Bakary est malien, d'ethnie soninké. Arrivé en 1962, il est, comme la plupart de ses compagnons, originaire de la région du fleuve Sénégal. Après des années au foyer Barrat, à Montreuil, un «frère» lui a proposé de le remplacer au squat. Une aubaine ! Il peut faire venir son fils de 5 ans et sa femme. C'était en 1988. Aujourd'hui, elle est là, dans ce taudis. Bakary n'est pas en colère. Simplement amer. «Vous savez, je travaille depuis vingt-cinq ans comme éboueur à la Ville de Paris, j'ai un salaire, et regardez...» Les cris des enfants, au-dehors, couvrent sa voix.

1 Equivalence

Trouvez à partir du texte les mots qui signifient la même chose que les phrases suivantes.

- **a** vieux et qui n'est plus en bon état
- **b** barre d'appui
- **c** toucher légèrement en passant
- **d** un avantage inespéré
- **e** un logement misérable
- **f** employé municipal chargé d'enlever des ordures ménagères

2 Interprétation

- **a** A part l'espace, qu'est-ce qui manque aux résidents de l'immeuble ?
- **b** D'où viennent-ils ?
- **c** Ce sont des immigrés illégaux ?
- **d** Bakary, comment a-t-il trouvé ce logement ?
- **e** Que veut dire l'auteur de l'article par la «panoplie de logement» ?

3 Un style ironique

Relevez tous les exemples du style ironique dans l'article.

Déjà vu

L'ironie.
Page 101.

POINT GRAMMAIRE

La plupart

Complément au pluriel, verbe au pluriel
Exemple : La plupart des hommes travaillent.
Complément au singulier, verbe au singulier.
Exemple : La plupart du Sénat a voté pour la nouvelle loi de nationalité.
▶ Faites l'exercice 57.

NORD

TOUCHE
PAS
A MON
POTE
s.o.s. racisme

AU FAIT

- «Pour faire avancer l'intégration, l'urgence n'est pas de faire peser la suspicion sur les enfants d'étrangers nés en France, mais de consacrer son énergie à une véritable politique urbaine, scolaire et civique de cohésion sociale.» Harlem Désir, ancien président de SOS Racisme

4 Les travailleurs étrangers

Ecoutez la cassette et décidez lesquelles de ces affirmations sont justifiées selon le contenu de cet extrait des informations radiophoniques.

Note :
PDG = Président-directeur général
A.S.S.E.D.I.C. = Association pour l'emploi dans l'industrie et le commerce

Le Haut Conseil...

- **a** constate qu'il n'y a pas assez de travail pour tout le monde.
- **b** considère qu'on devrait désormais restreindre le nombre d'étrangers qui viennent chercher du travail en France.
- **c** annonce qu'il y a des secteurs industriels qui refusent d'embaucher des travailleurs étrangers.

Jean Merafina...

- **a** explique que la plupart de ses employés sont de nationalité étrangère.
- **b** trouve facilement des Français qui veulent travailler dans son entreprise.
- **c** considère que le nettoyage industriel n'est pas assez valorisé par le gouvernement.
- **d** fait des démarches pour essayer d'embaucher les chômeurs.
- **e** croit que le salaire proposé pour son personnel est assez raisonnable.
- **f** prévoit une amélioration de la situation des étrangers.

5 Banlieue

Chanson de Karim Kacel.

Les racines  du racisme

DÉFINITION : LE RACISME EST UNE IDÉOLOGIE QUI AFFIRME LA HIÉRARCHIE DES RACES ET, PAR CONSÉQUENT, L'EXISTENCE DE RACES PURES, SUPÉRIEURES AUX AUTRES. CETTE IDÉE DE SUPÉRIORITÉ CONDUIT À LA DOMINATION D'UN GROUPE ETHNIQUE SUR UN AUTRE ET JUSTIFIE UN ENSEMBLE DE RÉACTIONS QUI, CONSCIEMMENT OU NON, MÈNE À L'EXPLOITATION, À LA SÉGRÉGATION ET AUX INÉGALITÉS SOCIALES.

Au point a demandé à des jeunes français, belges et suisses de répondre, par écrit, à la question :

«Le racisme, d'où vient-il selon vous ?»

Christelle, de Genève

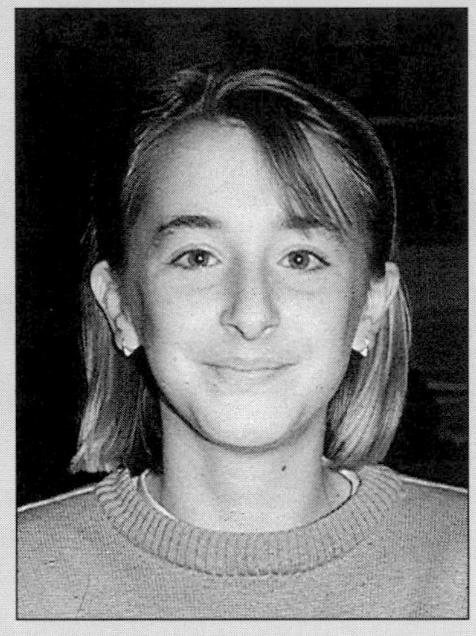

Des préjugés racistes ont, je crois, leur origine dans l'histoire de la civilisation. Ça vient peut-être du fait que les hommes forts ont toujours besoin de s'en prendre à quelqu'un justement pour se sentir forts. Cela pourrait être à cause de la couleur de la peau, de la religion, de la langue... de n'importe quoi. On cherche toujours un prétexte pour exploiter les gens. Cela fait partie de la nature agressive de l'homme.

Fatima, de Toulon

Je crois que les attitudes racistes se manifestent surtout en période de crise économique. Les gens, puisqu'ils sont mécontents, cherchent toujours quelqu'un pour servir de bouc émissaire. Il est si facile d'en vouloir aux immigrés en disant : «Ils prennent notre travail (ce qui n'est pas vrai) ; ils sont plus délinquants (ce qui n'est pas vrai non plus) ; ils coûtent cher à la Sécu.» C'est peut-être une forme d'autodéfense, mais ça fait mal, quand même.

Loukoum, de Marseille

Ceux qui ne sont pas noirs et qui ne connaissent pas de noirs, se méfient de nous. La peur de l'inconnu ? Ils sont plutôt fermés aux autres cultures et ils ne font pas le moindre effort pour apprendre à les connaître. Mais cette méfiance, cette ignorance peut facilement se transformer en haine. Et puis, il y a les injures, ou, pire encore, les actes de violence.

1 **A propos de racisme**
Lisez les points de vue de ces jeunes et puis décidez quel genre de raisons chaque personne donne. Recopiez le tableau et cochez sous le nom des personnes exprimant cette raison. Il y a plus d'une raison par personne.

Raison	Christelle	Loukoum	Fatima	Maryse
culturelle				
économique				
émotive				
historique				
psychologique				
socio-politique				

Maryse, de Bruxelles

Sur le plan personnel, on s'est toujours très bien entendu. Actuellement, il y a des conflits interethniques un peu partout dans le monde. Il y en a toujours eu et il y en aura toujours. Tout cela revient, je crois, à une forme de racisme d'Etat. J'ai des copains maghrébins, africains, chinois. On s'est toujours très bien entendu, au niveau personnel. Mais maintenant, j'ai l'impression d'avoir à lutter contre le système, si vous voulez. C'est comme si leur amitié était en quelque sorte en opposition directe aux médias et aux politiciens.

AU FAIT

- Sur les 50 000 gènes que nous possédons, entre six et huit commandent la couleur de la peau.

2 Et votre point de vue ?

Travaillez à deux, oralement. Posez-vous la même question : Le racisme, d'où vient-il ?

Avec quels jeunes êtes-vous d'accord ? Y a-t-il d'autres explications pour les manifestations racistes... au niveau individuel ? au niveau de l'Etat ?

POUR COMMUNIQUER

Donner des raisons

C'est à cause de...
C'est en raison de...
Cela (Ça) vient du fait que...
La raison pour laquelle...
Les raisons pour lesquelles...
Par conséquent...
Parce que...
Puisque...
Dès lors que...

3 Sondage

Regardez les résultats du sondage sur le racisme. Comment auriez-vous réagi à ces opinions, si on vous les avait proposées ? Selon vous, les jeunes de votre pays, auraient-ils répondu autrement ? Discutez cette deuxième question en classe.

Lisez, maintenant, l'analyse d'Annick Percheron et faites-en la traduction en anglais.

Note :

Xénophobe (adj. et n.) : hostile aux étrangers, à tout ce qui vient de l'étranger.
Xénophobie (n.f.) : attitude du xénophobe

RACISME

Je vais vous citer des opinions que nous avons recueillies. Pour chacune d'elles, je vous demanderai de me dire si vous êtes plutôt d'accord ou plutôt pas d'accord.

Total inferieur à 100 : les non-réponses ne sont pas mentionnées

	Plutôt d'accord	Plutôt pas d'accord
Je suis raciste et je n'ai pas honte de le dire	16%	80%
Je ne suis pas raciste, mais je pense qu'il est préférable que chacun reste chez soi	34%	61%
Je ne suis pas raciste mais je comprends qu'il y ait des actes de rejet à l'égard des immigrés	64%	32%
Je pense qu'il faut absolument lutter contre le racisme	73%	20%
Mon idéal pour la France est une societé multi-raciale	47%	39%

«On pense toujours que le racisme apparaît avec l'âge. En réalité, et on le voit ici, à 15 ans les choses sont déjà nettement fixées. On trouve chez les jeunes à peu près le même pourcentage de racistes convaincus que chez les adultes. Cela ne veut pas dire qu'on naît raciste ! Mais on le devient dès huit ou neuf ans en fonction du contexte, de l'entourage, de la famille etc. Il faut quand même souligner que le racisme chez les 15–18 ans reste une idée tabou. On a une certaine répugnance à employer le mot, mais face à des situations concrètes – comme choisir de renvoyer les étrangers chez eux – on se laisse plus facilement aller à un sentiment xénophobe...»

ANNICK PERCHERON

Directeur de recherche au CNRS. Directeur de l'Observatoire Interrégional de Politique (OIP).

4 Le racisme à Moscou

Ecoutez l'émission radiophonique et faites l'exercice 58.

L'intégration : échec ou succès ?

1 📼 **Table ronde sur l'immigration**
Les auteurs d'**Au point** ont enregistré une discussion entre trois sociologues qui donnent leur opinion sur la politique de l'intégration de la France.

Ecoutez la conversation autant de fois que vous voulez. Les participants sont, dans l'ordre : Michel Gaillou, Abdelkrim Benkri et Claire Duval. Donnez, pour chaque affirmation, le nom de celui qui l'exprime. Attention ! Les propos ne suivent pas nécessairement l'ordre du débat. Il est aussi possible que plusieurs personnalités partagent la même opinion.

a La politique d'intégration a du succès.
b La politique d'intégration est un échec.
c La France devrait limiter le nombre d'immigrés qu'elle accueille.
d Les Français n'aiment pas avoir des immigrés pour voisins.
e Les Français réagissent mal au désir d'intégration des immigrés.
f La culture française se retrouve enrichie par la présence d'étrangers.
g La France devrait prendre des mesures pour aider les pays d'où viennent les immigrés.
h La France a recruté beaucoup de travailleurs étrangers.
i Les immigrés souffrent autant que les Français pauvres.
j On trouve des immigrés à tous les niveaux de la société française et ce, malgré la crise économique.

ET POUR FINIR

SERGUEI

STATISTIQUES
PESSIN

2 Dessins humoristiques
Regardez les trois dessins humoristiques. Quel texte correspond à quel dessin ? Comment ces dessins résument-ils les thèmes de ce chapitre d'**Au point** ?

1 Une place à mes côtés
2 – Nationalité ? Profession ? Situation de famille ?
– Etranger Etranger Etranger
3 – Je veux devenir français
– Plus fort !

3 Sujets de rédaction
Voici des maximes, tirées d'un dictionnaire de citations, sur le thème de «l'égalité».

Choisissez un sujet de rédaction parmi elles. Traitez-le en 300 mots en prenant comme thème central soit les droits de la femme soit ceux des immigrés. Lisez **59** avant, pendant et après votre travail !

«L'homme et la femme peuvent être équivalents devant l'Absolu : ils ne sont point égaux, ils ne peuvent pas l'être, ni dans la famille, ni dans la cité.» Pierre-Joseph Proudhon (1809–1865)

«Celui-là seul est l'égal d'un autre, qui le prouve, et celui-là seul est digne de la liberté, qui sait la conquérir.» Charles Baudelaire (1821–1867)

«L'égalité ne peut régner qu'en nivelant les libertés, inégales de leur nature.» Charles Maurras (1868–1952)

«Il est faux que l'égalité soit une loi de la nature. La nature n'a rien fait d'égal : la loi souveraine est la subordination et la dépendance.» Luc de Clapiers, marquis de Vauvenargues (1715–1747)

«La liberté et la fraternité sont des mots, tandis que l'égalité est une chose.» Henri Barbusse (1873–1935)

11 Citoyen, citoyenne

Thèmes	Communiquer	Grammaire
• La politique • L'Europe	• Montrer qu'on prend conscience • Faire des promesses	• Le style direct et indirect • N'importe... • Se faire + infinitif

L'hémicyclo de l'Assemblée nationale

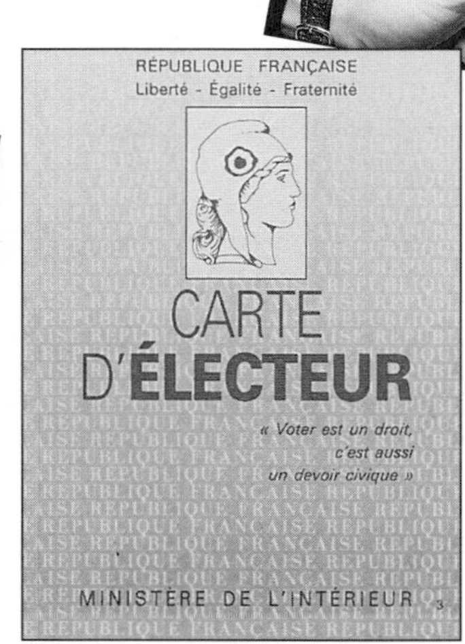
RÉPUBLIQUE FRANÇAISE
Liberté - Égalité - Fraternité
CARTE D'ÉLECTEUR
« Voter est un droit, c'est aussi un devoir civique »
MINISTÈRE DE L'INTÉRIEUR

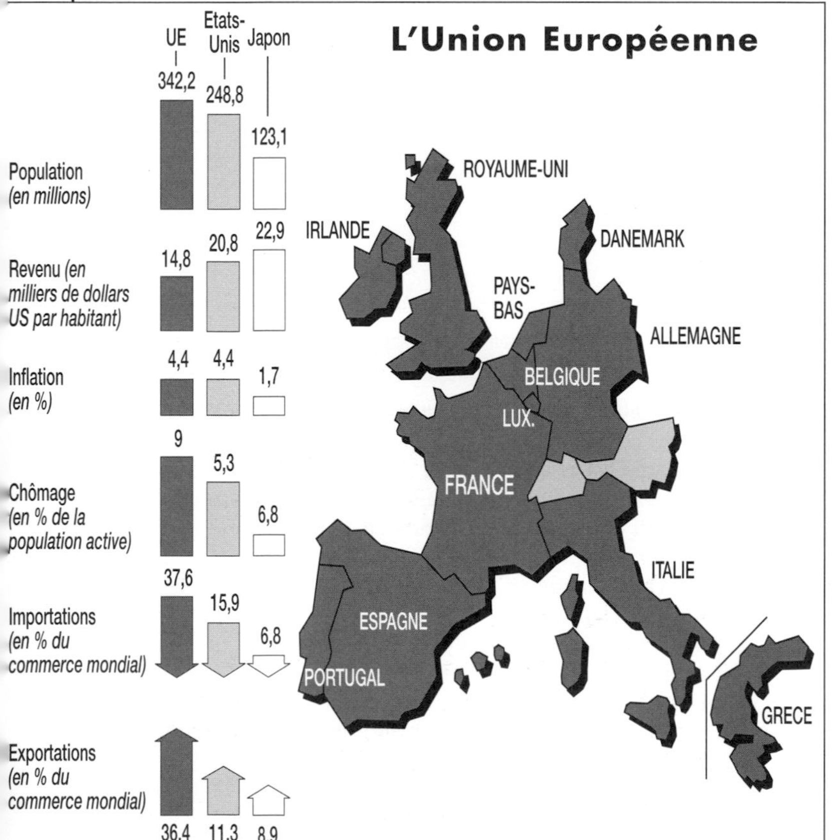
L'Union Européenne
UE
Etats-Unis
Japon
Population (en millions)
342,2
248,8
123,1
Revenu (en milliers de dollars US par habitant)
14,8
20,8
22,9
Inflation (en %)
4,4
4,4
1,7
Chômage (en % de la population active)
9
5,3
6,8
Importations (en % du commerce mondial)
37,6
15,9
6,8
Exportations (en % du commerce mondial)
36,4
11,3
8,9
ROYAUME-UNI
IRLANDE
DANEMARK
PAYS-BAS
ALLEMAGNE
BELGIQUE
LUX.
FRANCE
ITALIE
ESPAGNE
PORTUGAL
GRECE

SOMMAIRE

Ah, la politique !

Un magazine pour les jeunes a réalisé un sondage en interrogeant les moins de 25 ans sur ce qu'ils pensaient de la politique et des élus. 50% des jeunes n'ont pas de parti politique préféré. Les autres placent les écologistes en tête du peloton (22%), suivis de la gauche (16%) et de la droite (12%).

Est-ce que vous vous intéressez à la politique ?

La politique, je ne m'y intéresse pas. J'ai très peu confiance en ce que racontent les hommes politiques. Mais aussitôt que je pourrai voter, je le ferai. On ne peut pas se désintéresser de la politique. Evidemment, quand j'irai voter, j'aurai un problème de choix.

Florence

Pourquoi les jeunes ont-ils une telle méfiance à l'égard du monde politique ?

Je ne m'intéresse pas beaucoup à la politique. Et même mes parents en ont marre. Certains hommes politiques ont de bonnes idées et puis, quand ils sont au pouvoir, ils ne tiennent aucune de leurs promesses.

Karine

Il n'y a pas de cours de politique à l'école et nous ne sommes peut-être pas assez formés. A partir des journaux et des faits réels, on ne nous explique pas beaucoup les opinions des hommes politiques. Quand on approche de ses 18 ans, on prend conscience qu'on va voter. On essaie de choisir de quel côté aller, mais on ne sait pas vraiment où on est.

Nicolas

1 Interview avec des jeunes

Ecoutez et lisez les réponses des jeunes et écrivez les équivalents de ces expressions :

- **a** je me méfie des hommes politiques
- **b** un élu
- **c** déloyal, de mauvaise foi
- **d** même les parents en ont assez
- **e** ils retirent leurs paroles
- **f** les jeunes ne sont pas assez au courant

2 Travail oral en groupes de quatre ou cinq

Posez-vous les mêmes questions que celles posées aux jeunes ci-dessus. Préparez vos réponses. Pour vous aider, complétez les phrases de Pour communiquer.

POUR COMMUNIQUER

Montrer qu'on prend conscience

On prend conscience que...
Je m'y intéresse parce que...
J'ai très peu confiance en ce que...
On ne peut pas se désintéresser de... parce que...
Je me rends compte du fait que...

AU FAIT

Les principaux partis politiques en France en 1994

- **Le Parti Communiste Français** (PCF) : fondé en 1922, présidé de 1972 au congrès de 1994 par Georges Marchais.
- **Le Parti Socialiste** (PS) : fondé en 1969 par François Mitterrand.
- **Les Verts** : fondé en 1984, dirigé par Antoine Waechter (parti écologiste).
- **Génération Ecologie** : fondé en 1991, présidé par Brice Lalonde.
- **L'Union pour la Démocratie Française** (UDF) : fondé en 1978, présidé par Valéry Giscard d'Estaing (centriste)
- **Le Rassemblement pour la République** (RPR) : fondé en 1976, présidé par Jacques Chirac (d'origine Gaulliste, plutôt de droite).
- **Le Front National** (FN) : fondé en 1972, présidé par Jean-Marie Le Pen (nationaliste, extrême-droite)

Les députés sont-ils malhonnêtes ?

Malhonnêtes, les députés ? Facile à dire. Je crois que c'est un métier difficile. Et puis, il faut qu'ils assument la confiance qu'on a mise en eux au moment du vote. Je crois que je voterai comme mes parents. J'ai confiance en eux.

Youmna

3 Intérêt politique
Ecoutez encore *Interview avec des jeunes* et faites l'exercice 60.

LA GAUCHE VOULAIT NATIONALISER LE BONHEUR..
LA DROITE PENSE QUE C'EST PLUS RENTABLE DE PRIVATISER LE MALHEUR.
WOLINSKI

4 Actions politiques
Quelle est la loi que vous souhaiteriez voir voter en priorité ? Lisez les réponses de jeunes Français à cette question.

Augmenter les aides aux sans-abris et aux chômeurs en fin de droits	62%
Renforcer les sanctions contre les entreprises qui polluent	29%
Rendre obligatoire pour toute la population le test de dépistage du sida	28%
Permettre à un plus grand nombre d'étudiants de faire une partie de leurs études à l'étranger	22%

Maintenant, travaillez en groupe. Chaque personne choisit un des thèmes d'**Au point** :

les droits des jeunes	les loisirs
l'enseignement	la santé
l'environnement	les transports
la famille	le travail

Puis, à tour de rôle, chacun pose la question «Dans le domaine de (thème), quelle est la loi que vous souhaiteriez voir voter en priorité ?»

Utilisez un de ces verbes dans vos réponses :

augmenter	mettre	rendre obligatoire
condamner	nationaliser	renforcer
décentraliser	permettre à	renvoyer
écouter	privatiser	supprimer
empêcher	refuser	utiliser

Comparez les résultats de votre mini-sondage avec les réponses des jeunes Français.

5 Quelques grandes lois françaises
Devinez les dates auxquelles les événements suivants se sont passés :

- Abolition de la peine de mort.
- Le travail des enfants et des filles mineures employés dans l'industrie est soumis à un contrôle.
- Instauration des congés annuels payés.
- L'âge de la majorité est fixé à dix-huit ans.
- Egalité professionnelle entre hommes et femmes.
- Les femmes ont le droit de vote.

Les dates :	1874	1936	1944
	1974	1981	1983

Avez-vous été surpris(e) par les réponses ? Si oui, expliquez pourquoi.

La vie politique

Le peuple élit au suffrage universel :

La France est une République.
Administrativement, elle est découpée en départements. A part les 95 départements de la métropole, il y a les départements d'outre-mer (D.O.M.) comme la Guadeloupe et les territoires d'outre-mer (T.O.M.) comme la Polynésie française (voir carte page vi).

Le Parlement

L'Assemblée nationale et le Sénat forment le Parlement de la France. Le Parlement propose, débat, amende et vote les lois pour le pays : il s'occupe du pouvoir législatif.

Le Président de la République

- Elu pour 7 ans.
- Habite et travaille au palais de l'Elysée.
- Désigne le Premier ministre parmi le groupe majoritaire à l'Assemblée.
- Peut dissoudre l'Assemblée.

Le Président et le Gouvernement (les ministres) s'occupent de faire exécuter les lois (pouvoir exécutif).

Les Français votent deux dimanches de suite

Mode de scrutin : scrutin majoritaire à deux tours.

- Au premier tour, de nombreux partis présentent un candidat pour tenter leur chance. Si aucun candidat n'a la majorité (50% + une voix), il y a ballottage et les deux candidats qui viennent en tête sont maintenus pour le second tour. Les candidats qui sont battus se désistent ; certains donnent à leurs électeurs des consignes de vote en faveur d'un parti allié.
- Au deuxième tour, le candidat qui a la majorité est élu.

1 Glossaire politique
Ajoutez le vocabulaire politique de cette page à votre banque de données.

2 Et chez vous ?
Expliquez la constitution du parlement de votre pays. Voir **61**.

3 Les enfants ne respectent rien
Même pas le président de la République.

4 Aux dernières élections
Ecoutez la cassette avant de marier les débuts et les fins de phrases ; puis mettez les phrases dans l'ordre où vous les entendez.

1 Il y a eu des votes extrémistes...
2 Le gros problème...
3 Il y a eu 30%...
4 Les gens étaient...
5 Ils avaient pris conscience...
6 Les jeunes se rendent compte...
7 Certains ont le sentiment...
8 Ils attendent des hommes politiques...

a ... un miracle.
b ... pour marquer ce dégoût.
c ... qu'un député est un privilégié.
d ... que l'on agit peu.
e ... c'est celui du chômage.
f ... un peu blasés.
g ... que c'était un problème européen ou international.
h ... d'abstentions aux dernières élections.

Ecoutez encore la cassette ; trouvez le passage qui commence par «Certains ont le sentiment que...» et qui finit par «et surtout les jeunes» et faites-en une transcription.

5 Version
Traduisez en anglais le paragraphe intitulé «Les Français votent deux dimanches de suite».

L'Assemblée nationale siège au Palais-Bourbon, dans l'hémicycle.

L'Assemblée nationale

577 députés sont élus pour 5 ans.

Le président de l'Assemblée est élu par les députés pour 5 ans et dirige les débats.

Trois questeurs sont chargés de gérer financièrement et administrativement l'Assemblée.

Les députés représentent les Français et les Françaises à l'Assemblée nationale. Il y a un député pour 99 000 habitants.

Il y a une trentaine de femmes députés sur les 577 députés qui siègent à l'Assemblée.

A quoi sert le Sénat ?

Les 321 **sénateurs** ne sont pas élus directement par les électeurs mais par 136 000 «grands électeurs» qui sont des conseillers municipaux, des conseillers généraux, des conseillers régionaux, etc.

Pour être adoptée, une loi doit être votée dans les mêmes termes par l'Assemblée nationale et par le Sénat. En cas de désaccord, c'est l'Assemblée nationale qui a le dernier mot.

Les sénateurs sont en général des hommes âgés, maires ou conseillers municipaux.

97% des sénateurs sont des hommes.

Le Sénat siège au palais du Luxembourg.

TU TE RENDS COMPTE LA DROITE VA AVOIR 450 DÉPUTÉS !
SUR COMBIEN ?

JE SAIS PAS
LOUP

ASSEMBLÉE NATIONALE
RF
ASSEMBLÉE NATIONALE
ASSEMBLÉE NATIONALE
RÈGLEMENT DE L'ASSEMBLÉE NATIONALE

AU FAIT

- **Les insignes du député**
  Les députés ont une écharpe tricolore (bleu, blanc, rouge), une médaille, une carte d'identité de député et une cocarde pour la voiture (un rond bleu blanc rouge collé sur le pare-brise de la voiture).

Le langage des hommes politiques

ELECTIONS LEGISLATIVES DU 21 MARS 1993

Olivier BASSINE journaliste, 32 ans, marié, 2 enfants

Olivier BASSINE et Olivier THIERRY avec

l'Entente des Écologistes
(Les Verts – Génération Écologie)

Le choix de la vie

Olivier THIERRY enseignant, 28 ans, marié

Madame, Mademoiselle, Monsieur,

Nous allons, le 21 mars, élire notre député. Le mode de scrutin fait que nous risquons de changer de têtes, tout en conservant la même politique qui provoque les mêmes désastres : chômage, accroissement des inégalités, injustice, dégradation de l'environnement, troubles sociaux, recul de la démocratie et des Droits de l'Homme.

L'Entente des Ecologistes refuse la fatalité de la crise. L'être humain compte pour nous beaucoup plus que les mécanismes économiques.

Les ressources de notre planète ne sont pas inépuisables. Les excès des plus riches font que la couche d'ozone est menacée, que les déchets s'amoncellent, que l'eau et l'air, les premières richesses partagées par tous, se dégradent. Pendant ce temps, dans les pays du Tiers-Monde et en France, les inégalités s'accroissent et le nombre des chômeurs augmente sans cesse.

1 **Leurs partis ?**
Lisez ces extraits des professions de foi de trois des candidats aux élections législatives (c'est-à-dire l'Assemblée nationale) de mars 1993.

Copiez les noms des candidats et trouvez le nom de leurs partis.

2 **Leur plate-forme**
Décidez quel candidat soutient quelle cause.

a Redonner une vraie valeur aux mots justice, éducation, etc.
b Protéger les ressources naturelles.
c Faire passer les gens avant toute autre considération.
d Faire triompher la tolérance.
e Mieux partager les ressources naturelles.
f Refuser ce que les hommes au pouvoir ont fait jusqu'à présent, quelle que soit leur orientation politique.
g Créer des entreprises et des emplois.

3 **Problèmes et solutions**
Pour les trois partis, notez :

- La façon dont ils s'adressent à nous.
- Les problèmes qu'ils identifient.
- Les reproches qu'ils font aux autres partis.
- Les solutions qu'ils proposent.
- Les promesses qu'ils font.

VOTEZ
FERDINAND
GINOUX
Auteur – Editeur
SUPPLÉANT :
Philippe HOVELACQUE
Retraité

Chers compatriotes,

Chômage, insécurité, immigration, pauvreté, impôts, «affaires»... Force est de constater qu'en France aujourd'hui rien ne va plus ! Ce constat dramatique, mais malheureusement bien réel, vous inquiète. Or, il y a des responsables à cet état de fait : ce sont des politiciens de gauche comme de droite qui depuis plus de vingt ans se sont révélés incapables de gouverner correctement notre pays. A nous de prendre notre destin en mains. Si vous voulez que la France retrouve sa force et sa grandeur, si vous voulez que justice, honnêteté, éducation, bien-être, fraternité, soient des mots qui aient une réelle valeur, je vous invite le 21 mars à voter Front National pour la renaissance de la France.

Ferdinand GINOUX

Pascal LAMY avec Jacques DELORS

Madame, Mademoiselle, Monsieur,

Si je me présente à vos suffrages pour cette élection législative, c'est parce qu'en travaillant depuis plus de dix ans aux côtés de Jacques Delors, j'ai appris auprès de lui la valeur du dialogue.

Voilà pourquoi j'ai souhaité parler avec beaucoup d'entre vous durant cette campagne.

Vos préoccupations sont claires : l'emploi, le logement, la formation, les transports, les conditions et le cadre de vie, l'avenir de notre agriculture. Je les partage et je souhaite travailler avec vous sur les réponses à y apporter. Je tiens à combattre l'injustice, augmenter les chances de chacun, faire reculer les égoïsmes, l'ignorance et la haine de l'autre, donner la préférence à une société solidaire plutôt qu'à un individualisme sauvage.

Tout ceci est difficile, reconnaissons-le. Pour autant, je ne crois pas que la solution de nos problèmes consiste à casser ce que nous avons construit dans le domaine social, à démanteler l'Education nationale, à privatiser nos services publics.

Ce dont nous avons besoin, ce n'est pas d'une droite dure, démagogique et avide de revanche. C'est d'un député efficace, influent, capable d'apporter chez nous les implantations d'entreprises et les emplois qui manquent, de mobiliser des énergies nouvelles pour mettre sur pied un véritable projet de développement économique et social conforme à vos besoins.

Pascal LAMY

ILS SONT NULS!
OUAIS

ILS SONT MÉDIOCRES!
OUAIS

LEUR BILAN EST UN ÉCHEC!
OUAIS

ET TU VAS VOTER POUR CES GENS-LÀ ?!
BEN OUAIS!

4 Manifestes

En groupes, utilisez la liste ci-dessous, les professions de foi et les expressions de Pour communiquer pour préparer le manifeste plein de promesses de chacun des trois partis.

Exemple :

Les Ecologistes
- Nous promettons de protéger la planète.
- Nous nous engageons à réduire les excès de l'industrie.

accorder	alléger	améliorer
cesser de	créer	défendre
donner	expulser	garantir
libérer	lutter	maintenir
mettre en place	organiser	protéger
réduire	réformer	rétablir
restaurer	sauver	simplifier

POUR COMMUNIQUER

Faire des promesses

Nous promettons de (+ inf.)
Nous nous engageons à (+ inf.)
Nous tenons à (+ inf.)
Nous sommes capables de (+ inf.)
Nous donnons notre parole que...

5 Exercice de prononciation

Pour améliorer votre prononciation des mots qui se terminent par «-tion» ; voir 62.

6 Meeting électoral

Trois membres de la classe se portent volontaires pour être les candidats des trois partis représentés sur cette page et pour répondre aux questions des électeurs.

Le reste de la classe est le corps des électeurs qui assiste au meeting et pose des questions sur les grandes tendances des partis. Pour vous aider, voir la liste des thèmes page 135 n° 4.

GRAMMAIRE

Style (ou discours) direct et indirect

- **Usage**

Le style ou discours direct donne les paroles et les pensées telles qu'elles ont été formulées :

Exemple :

Il a dit : «Je souhaite travailler avec vous.»

Les paroles prononcées sont entre guillemets («...») ou après un deux-points (:) ou un tiret (–).

Le style ou discours indirect rapporte les paroles et les pensées dans une proposition subordonnée dépendant d'un verbe comme **il a dit que...**

Exemple :

Il a dit qu'il souhaitait travailler avec eux.

- **Formation**

Les temps employés dans la proposition subordonnée qui commence par **que** sont les mêmes qu'en anglais.

L'imparfait est le temps le plus souvent employé mais il faut aussi réviser les autres temps. Voir pages 236–239.

Discours direct	Discours indirect
présent	imparfait
futur	conditionnel
passé composé	plus-que-parfait

DEFIS GRAMMATICAUX

a Mettez les phrases suivantes au style direct.

Exemple :

Il a dit qu'il connaissait les difficultés que le pays rencontrait.
«Je connais les difficultés que le pays rencontre.»

(1) Il a dit qu'il travaillerait avec une équipe compétente et unie !
(2) Il a dit qu'il avait travaillé avec toute la force de ses convictions.
(3) Il a dit qu'on allait gagner.

b Choisissez une des professions de foi pages 138 et 139 et mettez-la au style indirect. Commencez vos phrases par, par exemple :

– Olivier Bassine a dit/a promis que...

▶ Pour plus d'exercices voir 63.

L'Europe : guide pratique

FRONTIÈRES

PASSEPORT

Nous pouvons circuler librement sans papier au sein de l'Union Européenne. Certaines dispositions ont été prises avant l'ouverture des frontières, concernant par exemple la sécurité, l'immigration clandestine ou le trafic de la drogue.

EMPLOI

Vous pouvez travailler dans n'importe quel pays de l'Union. L'UE a d'ailleurs fait de la formation professionnelle une priorité et propose deux programmes : COMETT, pour des stages en entreprise dans les domaines des nouvelles technologies, et PETRA qui offre un à deux ans de formation professionnelle.

CITOYENNETÉ

Le traité de Maastricht a institué une «citoyenneté de l'Union». Tous les citoyens de l'Union vivant dans un autre Etat que le leur peuvent voter et se présenter aux élections municipales et européennes. A condition de séjourner dans le pays concerné et de ne pas être inscrit sur les listes électorales de leur pays d'origine. Un million de ressortissants européens non-français pourraient ainsi prendre part à nos prochaines élections municipales.

MONNAIES

£
F
DM

Pour payer en Ecus (European Currency Unit), il faudra attendre l'an 2000. L'aspect de ces nouveaux billets et pièces n'est pas encore décidé. On parle d'indiquer leur valeur européenne sur une face et la valeur

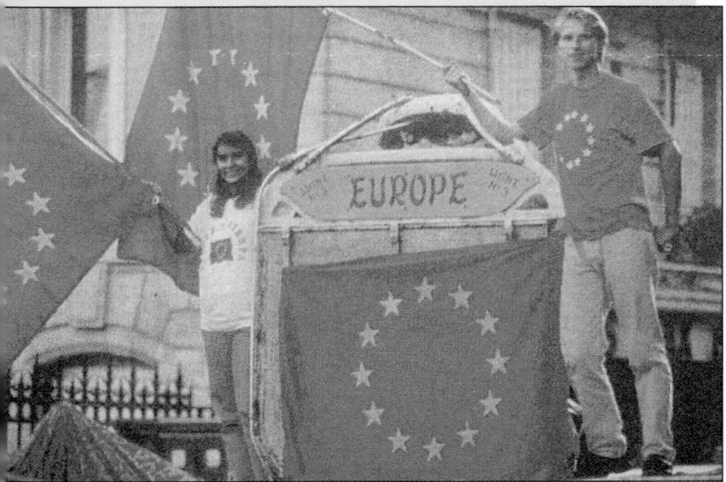
EUROPE

nationale sur l'autre. Cette monnaie unique supprimera le change. Aujourd'hui, un voyageur faisant le tour de l'Europe avec 6 000 francs en poche en perd la moitié du seul fait des opérations de change successives.

ÉTUDES

Le baccalauréat vous donnera accès aux universités européennes, à condition de maîtriser la langue du pays où vous voulez étudier. Pour les étudiants, les équivalences de diplômes ne seront reconnues qu'à partir du niveau Bac + 3. Le programme ERASMUS offre une bourse aux étudiants qui vont effectuer une partie de leurs études dans un autre Etat membre. 60 000 étudiants (dont 15 000 Français) devraient en profiter cette année. D'autres programmes permettent aux lycéens et aux étudiants d'effectuer des séjours linguistiques dans un autre pays de l'Union.

POINT GRAMMAIRE

N'importe

– Tu n'as pas d'argent ? N'importe.
(Ça n'a pas d'importance.)
N'importe qui, n'importe quoi, n'importe quand, n'importe où, n'importe comment.
N'importe quel garçon, n'importe lequel ; n'importe quelle fille, n'importe laquelle ; n'importe lesquels.

1 Ah, l'Europe, c'est...

Ecoutez ce que disent ces trois personnes sur l'Europe. Pour chacune d'entre elles, pensez à une phrase qui correspond à leurs opinions.

a Axel :
b Ghislaine :
c Thierry :

2 L'Europe pratique

Lisez l'article. Remettez les mots de chaque définition dans le bon ordre.

Citoyenneté : en élections on municipales se européennes présenter peut ou principe voter aux et.
Etudes : Bac aux le donnera universités vous accès européennes.
Frontières : sein pouvez librement de vous l' circuler au Union.
Monnaies : unique l' d'une supprimera change monnaie instauration le.
Emploi : de pays travailler n'importe Union pourrez dans quel l' vous.

3 Champs linguistiques

Relevez dans les cinq textes les mots qui appartiennent à la même famille que ceux imprimés ci-dessous. Donnez la nature (n.m., n.f., v., adj., adv., etc.).

Exemple :
présentation : *se présenter* (*v.*)

a citoyen
b communauté
c élire
d études
e Europe
f former
g institution
h langue
i liberté
j maître
k ouvrir
l séjour

Si vous connaissez d'autres mots qui appartiennent aux mêmes champs linguistiques, ajoutez-les.

Mettez ces mots dans votre banque de données.

4 Le débat sur l'Europe

Le point radiophonique : où en est l'Europe, avec François Féron et Armelle Doravalle. Faites un résumé de ce débat.

Travailler à l'étranger ...

Partir travailler à l'étranger, c'est pour certains l'occasion de voir du pays. Pour d'autres, ce peut être une solution à leur problème d'emploi. Mais comment être sûr que l'on pourra supporter le dépaysement ? Et puis partir où ? Dans quelles conditions ? Avec ou sans un contrat ?

AVANT DE PARTIR...

● Renseignez-vous de manière aussi complète que possible sur le pays choisi, sa culture, ses perspectives d'emploi, son niveau de vie, les formalités pour obtenir un permis de séjour et, surtout, son renouvellement une fois sur place.

● De nombreux candidats au dépaysement se font expulser de leur terre d'accueil au bout de quelques mois parce qu'ils ne satisfont plus aux conditions de résidence en vigueur. Ne pas hésiter à se faire répéter une information par plusieurs sources différentes, les réponses ne concordant pas toujours.

● Pour les moins jeunes : devenir salarié d'une entreprise française ou étrangère. La différence n'est pas négligeable. Un contrat d'expatrié garantit un salaire

AU FAIT

L'Europe au travail et en congé

	Congés annuels	Horaires hebdo	Jours fériés
Allemagne	30	42	10
Belgique	25	38	11
Danemark	26	38	8
Espagne	25	40	14
France	25	39	9
Grèce	22	40	9
Irlande	24	40	8
Italie	31	40	9
Luxembourg	27	40	10
Pays-Bas	36,5	40	6
Portugal	22	45	14
Royaume-Uni	27	39	8

Quand les pays de l'Europe chôment

Allemagne	7,9%	Irlande	18,4%
Belgique	10,9%	Italie	16%
Danemark	8,3%	Luxembourg	1,6%
Espagne	19,5%	Pays-bas	11,5%
France	10,6%	Portugal	6,7%
Grèce	8%	Royaume-Uni	8,5%

1 **Pour ou contre**
Individuellement et par écrit, faites la liste des avantages et celle des inconvénients que vous trouvez à aller travailler à l'étranger.

En groupes de trois ou quatre, comparez vos listes oralement.

2 **Partir, ce n'est pas facile**
Ecoutez cette femme qui vit en Grande Bretagne. Copiez et complétez en français les phrases ci-dessous.

a Un Français partirait à condition que...
b Un Français ne part pas pour... et même...
c Et voici un gros problème pour...
d Beaucoup de gens se sentent...
e En Grande Bretagne, ce qui m'étonne toujours...

3 **Votre perception**
Quel est le portrait d'un Français typique selon le passage que vous venez d'entendre ? Individuellement, écrivez un court article pour un magazine de jeunes.

confortable, un logement et une voiture de fonction, et surtout une responsabilité accrue dans l'entreprise. Un contrat local signifie salaire adapté au niveau de vie sur place sans avantages excessifs.

- Pour les non-diplômés, il reste la filière des « petits boulots » : baby-sitting, service de restaurants, chauffeurs, etc., qui, pour être peu lucratifs au début, débouchent parfois sur des réussites exceptionnelles pour ceux qui savent faire preuve d'imagination.

- Enfin, pourquoi ne pas créer son entreprise ? C'est le rêve de tous les aventuriers qui doivent toutefois se montrer prudents et tenter plusieurs manœuvres d'approche. Un bon moyen de faire fortune à condition de bannir le mot vacances de son vocabulaire.

Plan professionnel

Suivez les conseils donnés dans le texte et écrivez en français une lettre formelle (voir page 52) à l'Office des migrations internationales afin de vous renseigner sur la possibilité de travailler dans un pays francophone.

POINT GRAMMAIRE

se faire + infinitif

– De nombreux candidats **se font expulser**.

– Ne pas hésiter à **se faire répéter** une information.

Quand la personne dont il s'agit subit le résultat de l'action contenue dans le verbe.

– Nicole **s'est fait couper** les cheveux = elle a demandé à quelqu'un de lui couper les cheveux.

– Il **s'est fait voler** son porte-monnaie = quelqu'un lui a volé son porte-monnaie.

4 Vrai ou faux ?

Selon l'article *Avant de partir…*, les affirmations suivantes sont-elles vraies ou fausses ?

a Quand on est originaire d'un des pays de l'U.E., on peut vivre dans n'importe quel autre pays de l'Union sans aucune formalité.

b Il arrive que, quand on pose la même question à plusieurs personnes différentes, on obtienne des réponses différentes.

c Une personne qui a un contrat d'expatrié travaille dans de meilleures conditions que si elle avait un contrat local.

d Si on n'a pas de diplôme, il est impossible de trouver du travail dans un autre pays de l'Union que le sien.

e Les «petits boulots» rapportent beaucoup d'argent.

f Créer sa propre entreprise dans un pays de l'U.E. est très facile.

g Créer sa propre entreprise dans un pays de l'U.E. peut rapporter beaucoup d'argent.

h Créer sa propre entreprise dans un pays de l'U.E. veut dire être en vacances pour la vie.

5 J'ai fait l'expérience

Ecoutez ce que dit un étranger vivant en France sur la vie quotidienne. Notez :

a Les différences qu'il trouve.

b Les aspects positifs de l'Europe.

c Les aspects négatifs.

6 Quiz

a Que veut dire le sigle U.E. ?

b Quels pays de l'U.E. sont républicains ?

c Quels pays sont royalistes ?

d Quelle est la devise de la France ?

e Où est le siège de la Commission ?

Travail de recherche

D'où vient le mot EUROPE ?

Faites des recherches sur les étapes de l'Union Européenne ; voir 64.

Faites le thème sur 65.

Les partis français et l'Union Européenne

ET POUR FINIR

1 **Qui dit quoi ?**
Complétez les phrases suivantes en cherchant dans le texte les détails nécessaires pour donner le sens correct.

Exemple : Le Parti Communiste et le Front National ...... la monnaie unique.
Réponse : refusent

a Quatre partis semblent d'accord pour que les Etats de l'Union ...... d'une matière plus ou moins forte ; trois partis sont contre.
b Le Parti Socialiste pense qu'une monnaie unique ...... l'union économique.
c Les Verts estiment que les étrangers devraient participer aux ...... là où ils habitent.
d Génération Ecologie voudrait que le concept de «citoyenneté européenne» ....
e Le Parti Communiste souhaite que tous les étrangers, Européens ou pas, ... voter dans n'importe quel pays de l'Union.

2 **Organisez des législatives**
Individuellement ou en groupes de deux, choisissez le parti politique français que vous allez représenter aux élections législatives de votre classe. Le même parti ne doit pas être représenté deux fois.

Utilisez le travail que vous avez fait dans ce chapitre ainsi que les textes appropriés pour préparer votre manifeste et un discours pour promouvoir vos propositions.

 POINTS CLES / PARTIS	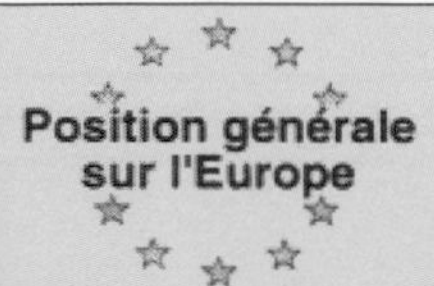 Position générale sur l'Europe	 Monnaie unique européenne	Droit de vote des Européens
 PCF	Contre l'Europe supranationale, "ultralibérale des marchands." Refus global de Maastricht.	Refus du système monétaire européen, d'une banque centrale supranationale, d'une monnaie "dominée par le Mark".	Plutôt pour, mais "pas de discrimination" entre les Européens et les autres étrangers.
 PS	Pour une union européenne forte et pour une "Europe sociale".	Pour, comme moyen de fortifier l'union économique européenne face aux marchés américains et japonais.	Pour le vote et l'éligibilité des ressortissants européens.
 GÉNÉRATION ÉCOLOGIE	Pour les Etats-Unis d'Europe.	Oui à la monnaie unique européenne.	Pour toute avancée vers une "citoyenneté européenne".
 l'écologie les verts	Pour une Europe fédérale plus démocratique, plus sociale, plus "environnementale".	Demande préalable de garanties sur la dimension sociale et "environnementale".	Pour le vote des étrangers là où ils vivent.
 UDF	Pour tout ce qui renforce l'union européenne "qui est une chance pour la France".	Oui massif et militant pour la monnaie unique.	Oui au vote des seuls européens, réserves sur l'égilibilité. (Quelques UDF contre le droit de vote)
 RPR	Crainte de toute intégration européenne trop forte, pour une "Union des Etats à vingt plutôt qu'à douze".	Non à une monnaie unique, oui à une "monnaie commune" parallèle aux monnaies nationales.	Oui pour quelques uns, refus du droit de vote pour la plupart des RPR par "crainte d'une contagion".
 FN	Souveraineté nationale d'abord et pour "l'Europe des patries".	Non à une monnaie supranationale artificielle.	Contre par principe, même pour les élections européennes.

Chaque parti présente ses propositions au reste de la classe qui doit poser des questions pour avoir plus de précisions. Les hommes (et femmes) politiques n'ont pas le droit de ne rien dire... Il faut parler à tout prix, même pour ne rien dire ! (Voir 66.)

Quand tous les partis auront été entendus et interrogés, la classe votera pour élire son député. Attention ! Scrutin à deux tours... (Voir page 136.)

3 **L'opportuniste**
Chanson de Jacques Dutronc.

12 Je m'en souviens bien !

Thèmes	Communiquer	Grammaire
• La guerre • La Seconde Guerre mondiale	• Exprimer ses émotions	• Les nationalités et les majuscules • L'infinitif passé • Le passé simple

RANC-IREURS et ARTISANS RANÇAIS ONT VERSÉ LEUR SANG pour le PEUPLE de PARIS

Numéro Spécial :

La guerre éclate et fait rage... Des interviews exclusives avec les habitants de Vernon

Lucien Le Moal, ancien professeur au collège César Lemaître.

Jacques Durand, directeur de société.

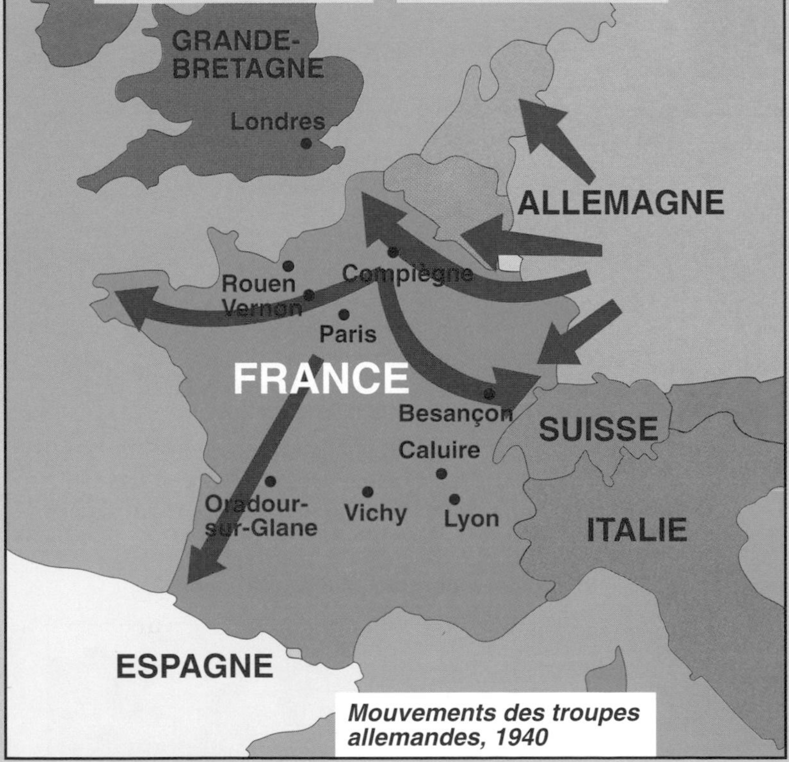

GRANDE-BRETAGNE
Londres
ALLEMAGNE
Rouen
Vernon
Compiègne
Paris
FRANCE
Besançon
SUISSE
Caluire
Oradour-sur-Glane
Vichy
Lyon
ITALIE
ESPAGNE

Mouvements des troupes allemandes, 1940

SOMMAIRE

Poèmes de guerre

Le dormeur du val

Arthur Rimbaud (1854–1891) écrit ce poème à l'âge de 14 ans. Il arrêtera d'écrire à 20 ans et mourra à 37 ans.

C'est un trou de verdure où chante une rivière
Accrochant follement aux herbes des haillons
D'argent : où le soleil, de la montagne fière,
Luit : c'est un petit val qui mousse de rayons.

Un soldat jeune, la bouche ouverte, tête nue,
Et la nuque baignant dans le frais cresson bleu,
Dort : il est étendu dans l'herbe, sous la nue
Pâle dans son lit vert où la lumière pleut.

Les pieds dans les glaïeuls, il dort. Souriant comme
Sourirait un enfant malade, il fait un somme :
Nature, berce-le chaudement : il a froid.

Les parfums ne font pas frissonner sa narine :
Il dort dans le soleil, la main sur la poitrine
Tranquille. Il a deux trous rouges au côté droit.

1 De quel poème s'agit-il ?
Quel poème chacune des affirmations suivantes résume-t-elle ?

a Ce poème parle d'un village détruit par les soldats allemands.
b Ce poème fait parler un homme qui refuse de partir faire la guerre.
c Ce poème décrit un jeune homme qui semble se reposer.

2 Sous quel titre ?
Donnez le titre du poème dans lequel on trouve chacune de ces idées.

a La campagne est calme et paisible.
b Tout signe de vie a disparu.
c Des yeux hantent l'auteur.
d Le soleil baigne le paysage de lumière et de chaleur.
e Le poète a perdu toute sa famille à cause de la guerre.
f La personne décrite semble très paisible.
g Pour vivre, il demandera de l'argent aux passants.
h Ce village existe pour rappeler aux hommes la honte de leurs actions pendant la guerre.
i L'homme n'a pas peur de mourir pour ses idées.
j L'homme va essayer de convaincre les autres que la guerre ne sert à rien.

Oradour

Jean Tardieu (1903–) dénonce ici une grande tragédie de la Seconde Guerre mondiale.

Oradour n'a plus de femmes
Oradour n'a plus un homme
Oradour n'a plus de feuilles
Oradour n'a plus de pierres
Oradour n'a plus d'église
Oradour n'a plus d'enfants

Plus de fumée plus de rires
Plus de toits plus de grenier
Plus de meules plus d'amour
Plus de vin plus de chansons

Oradour j'ai peur d'entendre
Oradour je n'ose pas
Approcher de tes blessures
De ton sang de tes ruines
Je ne peux je ne veux pas
voir ni entendre ton nom

Oradour je crie et hurle
Chaque fois qu'un cœur éclate
Sous les coups des assassins
Une tête épouvantée
Deux yeux larges deux yeux rouges
Deux yeux graves deux yeux grands
Comme la nuit la folie
Deux yeux de petit enfant

Ils ne me quitteront pas
Oradour je n'ose plus
Lire ou prononcer ton nom

Oradour honte des hommes
Oradour honte éternelle
Nos cœurs ne s'apaiseront
Que par la pire vengeance
Haine et honte pour toujours

Oradour n'a plus de forme
Oradour ni femmes ni hommes
Oradour n'a plus d'enfants
Oradour n'a plus de feuilles
Oradour n'a plus d'église
Plus de fumée plus de filles
Plus de soirs ni de matins
Plus de pleurs ni de chansons

Oradour n'est plus qu'un cri
Et c'est bien la pire offense
Au village qui vivait
Et c'est bien la pire honte
Que de n'être plus qu'un cri
Nom de la haine des hommes

Nom de la honte des hommes
Le nom de notre vengeance
Qu'à travers toutes nos terres
On écoute en frissonnant
Une bouche sans personne
Qui hurle pour tous les temps

Le déserteur

Ecrit par Boris Vian (1920–1959), ce poème a été mis en musique et chanté ; Boris Vian lui-même et beaucoup d'autres l'ont chanté.

Monsieur le Président,
Je vous fais une lettre
Que vous lirez peut-être
Si vous avez le temps.
Je viens de recevoir
Mes papiers militaires
Pour partir à la guerre
Avant mercredi soir.

Monsieur le Président,
Je ne veux pas la faire,
Je ne suis pas sur terre
Pour tuer les pauvres gens.
C'est pas pour vous fâcher,
Il faut que je vous dise
Ma décision est prise,
Je m'en vais déserter.

Depuis que je suis né,
J'ai vu mourir mon père,
J'ai vu partir mes frères
Et pleurer mes enfants.
Ma mère a tant souffert
Qu'elle est dedans sa tombe,
Et se moque des bombes
Et se moque des vers.

Quand j'étais prisonnier,
On m'a volé ma femme,
On m'a volé mon âme
Et tout mon cher passé.
Demain, de bon matin,
Je fermerai la porte
Au nez des années mortes,
J'irai sur les chemins.

Je mendierai ma vie
Sur les routes de France
De Bretagne en Provence,
Et je dirai aux gens :
– Refusez d'obéir,
Refusez de la faire.
N'allez pas à la guerre,
Refusez de partir !

S'il faut donner son sang,
Allez donner le vôtre !
Vous êtes bon apôtre,
Monsieur le Président.
Si vous me poursuivez,
Prévenez vos gendarmes
Que je n'aurai pas d'armes,
Et qu'ils pourront tirer.

AU FAIT

Oradour-sur-Glane

Ville située près de Limoges, dans le département de la Haute-Vienne. La population entière (642) fut massacrée par les SS le 10 juin 1944. La partie de la ville endommagée pendant la guerre demeure un monument à la mémoire des atrocités de la guerre.

3 ***Le dormeur du val***

a Les thèmes de ce poème sont :
- le calme / la quiétude
- la lumière
- la couleur
- l'allégresse
- le mal / la mort

Recherchez dans le poème les mots et les expressions qui se rapportent à chacun de ces thèmes.

b Quelle impression vous laisse ce poème ? Une impression de paix, de tristesse, de quiétude, de beauté ? Essayez d'expliquer pourquoi, en analysant la qualité des mots et leur position dans le poème.

4 ***Oradour***

a Trouvez les répétitions qui, telles des images refusant de disparaître, soulignent la hantise et l'horreur.

Trouvez aussi les mots très forts qui expriment l'extrême aversion du poète pour ce crime.

b Parmi toutes les disparitions marquées par *plus de*, laquelle vous semble la plus choquante ? Donnez les raisons de votre choix et expliquez l'effet produit.

c Quelle impression vous laisse ce poème ? Ecrivez les mots ou les expressions que vous appréciez le plus et dites pourquoi vous les appréciez.

5 ***Le déserteur***

Si la «lettre» est en vers, le langage est ordinaire. Trouvez des vers qui montrent que l'homme...

a ... n'a pas d'illusions sur l'importance qui sera attribuée à sa lettre.
b ... a absolument tout perdu.
c ... est déterminé.
d ... est objecteur de conscience.
e ... est effronté ou insolent.
f ... est résigné.

Quels sentiments ressentez-vous envers cet homme ?

6 **Préférences**

Lequel de ces trois poèmes préférez-vous ? Essayez d'expliquer pourquoi. Recopiez les deux ou trois vers qui vous plaisent particulièrement.

7 **Votre poème**

Composez un poème. Vous avez le choix entre :

- Chanter la guerre.
- Dénoncer les horreurs de la guerre.

L'entrée en guerre

Une famille durant l'exode

Chronologie

1939

23 août	Pacte de non-agression germano-soviétique.
1 septembre	L'Allemagne envahit la Pologne.
3 septembre	La France et la Grande-Bretagne déclarent la guerre à l'Allemagne.
18 septembre	L'URSS envahit l'est de la Pologne.
27 septembre	Capitulation de la Pologne.
31 novembre	Attaque soviétique contre la Finlande.

1940

12 mars	La Finlande cède les territoires revendiqués par l'URSS.
9 avril	Attaque par l'Allemagne du Danemark et de la Norvège.
10 mai	L'Allemagne envahit la Belgique, les Pays-Bas et le Luxembourg ; début de l'offensive en France.
28 mai	Capitulation de la Belgique.
10 juin	Entrée en guerre de l'Italie.

1 Le vocabulaire de la guerre

Recherchez dans un dictionnaire la signification des mots suivants dont vous aurez besoin pour certains des exercices sur cette double page. Ajoutez-les à votre banque de données.

- une balle
- le combat / combattre
- la déclaration de guerre / déclarer la guerre
- envahir
- évacuer / l'évacuation
- l'exode
- le front
- mitrailler / la mitrailleuse
- la mobilisation / mobiliser
- la population civile
- un réfugié / se réfugier

Le contact véritable

Témoignage de Lucien Le Moal

«Le contact véritable, ça s'est passé le 8 juin. Ça a été le jour du bombardement de Vernon qui s'est passé un samedi matin en plein marché. Des hauteurs de Bizy, on a vu les avions arriver et lâcher leurs bombes. Les premières ont touché la caserne. Ça a été un objectif militaire. Mais ensuite ils ont continué à bombarder toutes les rues et en particulier, les plus grosses bombes sont tombées sur le marché où les gens étaient très nombreux. Ces bombes n'ont été lâchées que pour faire paniquer les gens. Ensuite on a entendu des officiers allemands nous dire qu'ils avaient pris la foule du marché pour des troupes mais à l'altitude où ils étaient, ce n'était vraiment pas possible. Ce bombardement avait pour unique but de terroriser les gens pour créer ce mouvement de panique qui les arrangeait bien, eux, les Allemands, parce que cette panique a empêché les convois militaires français de monter du sud pour venir en renfort et c'était pour eux une espèce de tactique militaire.

Les bombardements ensuite se sont répétés toute la journée et le lendemain. Le bombardement était si soudain qu'on ne s'y attendait absolument pas. Les sirènes d'alertes n'ont pas retenti parce que l'électricité avait été coupée. Donc les gens n'ont pas été prévenus du bombardement. On n'a pas pu se mettre à l'abri.

En plus au collège César Lemaître, il se passait ce matin-là un examen et les élèves ont

2 De quelle date à quelle date ?

Lisez l'extrait suivant et, en vous référant à la *Chronologie*, donnez les dates de la période qu'on appelle la «Drôle de Guerre».

La «Drôle de Guerre», c'est une expression typiquement française. En 1939 la Guerre a été déclarée et on n'a rien ressenti dans la population civile. On a continué à vivre comme on vivait avant, si ce n'est que les jeunes soldats étaient partis au front. Mais eux-mêmes dans leurs lettres, ils disaient qu'ils ne prenaient part à aucun combat.

Pour plus de renseignements sur la vie de la population civile pendant la Drôle de Guerre, voir page 210.

3 La guerre à travers la panique des autres

Ecoutez Lucien Le Moal décrire les scènes dans les rues de Vernon et donnez, en français, autant de détails que possible sur :

a le 10 mai 1940
b une des conséquences du 10 mai
c ce qui s'est passé le 12 mai
d la scène dans les rues
e comment les Vernonnais ont réagi

été surpris par les premières bombes qui tombaient à 150 ou 200 mètres, même parfois plus près, sans pouvoir gagner les abris parce que les sirènes ne se sont pas déclenchées. Alors ces premiers bombardements ont créé une espèce de choc dans la population. C'est à partir de ce moment-là que les gens ont dit : «Le centre-ville, c'est trop dangereux. On va s'en aller. On ferme les maisons et on s'en va». Alors on s'est réfugié dans les bois, dans les fermes des alentours. Le lendemain même, les Allemands sont arrivés sur les rives de la Seine : ils bombardaient 30 kilomètres avant leurs troupes de manière à créer cette espèce de psychose de peur. Il y a eu donc cet exode. La plupart des gens sont partis à pied, la brouette chargée de bagages. Moi, personnellement j'ai fait 180 kilomètres à pied. Ça a duré presque trois semaines quand même. La plupart des gens qui se sont enfuis ont vécu les mêmes scènes que moi. On a ressenti la peur parce que les avions allemands survolaient pratiquement sans arrêt. Il fallait plonger dans les fossés du bord des routes pour essayer d'échapper aux mitraillages. Et puis il y avait cette hantise du ravitaillement. On était parti sans rien et il fallait trouver à manger. Alors à chaque village on s'arrêtait. Il fallait faire la queue pour avoir un peu de pain, un peu de lait. Enfin, c'est une période qui était quand même assez dramatique pour nous.»

Pour le reportage officiel de cet épisode, voir page 210.

4 Expressions toutes faites

Lisez le texte *Le contact véritable* et mariez les verbes relevés dans ce témoignage avec les noms qui conviennent.

les verbes	**les noms**
1 lâcher	**a** l'électricité
2 toucher	**b** dans les bois
3 venir	**c** dans les fossés
4 déclencher	**d** les bombes
5 couper	**e** sans arrêt
6 se mettre	**f** les sirènes
7 se réfugier	**g** un objectif militaire
8 survoler	**h** à l'abri
9 plonger	**i** en renfort

POINT GRAMMAIRE

Les nationalités et les majuscules

La personne (le nom) : majuscule
– un Français, une Française, les Français
L'adjectif et la langue : minuscule
– le français = la langue française

5 Interview

Travaillez avec un(e) partenaire et imaginez que vous êtes Lucien Le Moal. Quelles réponses donneriez-vous aux questions suivantes ?

- **a** Alors, M. Le Moal, à quelle date s'est passé le premier bombardement de Vernon ?
- **b** Qu'est-ce qui a été touché exactement, ce jour-là ?
- **c** Comment est-ce que la population de Vernon a réagi ?
- **d** Pensez-vous que les Allemands ont fait une erreur quand ils ont bombardé le marché ?
- **e** En quoi consistait, selon vous, la tactique militaire ?
- **f** Combien de temps ont duré les bombardements ?
- **g** Pourquoi est-ce que vos élèves ne sont pas allés se mettre à l'abri ?
- **h** Pouvez-vous expliquer pourquoi et comment l'exode a commencé ?
- **i** Avez-vous été touché par cet exode ?
- **j** Avez-vous rencontré des difficultés particulières ?

Ajoutez d'autres questions, si vous voulez, pour obtenir plus de renseignements. Quand vous serez prêts, enregistrez votre interview sur une cassette.

6 Une lettre

Imaginez ce que Lucien Le Moal a vécu pendant l'exode et écrivez la lettre qu'il aurait pu écrire à un ami à la fin de la guerre pour lui raconter cet épisode de sa vie et les sentiments qu'il éprouvait. Pensez aux raisons qui ont poussé Lucien et sa famille à quitter Vernon, les conditions de l'exode, les souffrances physiques et morales.

AU FAIT

- Le «Stuka», ce chasseur-bombardier, est l'arme de choc de la Blitzkrieg. Plus rapide qu'un bombardier classique, il ne peut emporter qu'une tonne de bombes, mais ses attaques en piqué sont d'une redoutable efficacité. Une vague de «Stukas» peut, en une attaque, rendre impraticable un aérodrome, détruire un pont, arrêter net la marche d'une colonne. La sirène que le pilote actionne durant le piqué accentue l'effet de terreur sur les soldats ou les civils dont il a fait sa cible.

Armistice   Rupture

Philippe Pétain (1856–1951), maréchal de France, est né à Cauchy-à-la-Tour (Pas-de-Calais). Après avoir mené les troupes françaises à la victoire à Verdun en 1916, il succéda à Nivelle comme commandant en chef des armées françaises du Nord-Est (1917–1918). Héros de la première guerre mondiale, il fut nommé ministre de la guerre en 1934 puis ambassadeur à Madrid en 1939. En juin 1940, il devint chef du gouvernement et, à la suite de l'occupation de Paris par les Allemands, il décida de conclure l'armistice de Compiègne qui fut signé le 22 juin 1940. Pendant 4 ans, de 1940 à 1944, il fut chef de l'Etat français et installa le gouvernement à Vichy pendant l'occupation allemande. Accusé de collaboration avec les Allemands, il fut condamné à mort en 1945, mais sa peine fut commuée en détention perpétuelle à l'île d'Yeu (Vendée). Entré à l'Académie française en 1929 il en fut radié en 1945.

Charles de Gaulle est né à Lille en 1890. Après avoir brillamment commandé une division cuirassée à la fin de la campagne de France contre les forces allemandes qui envahissaient le territoire français en mai 1940, il fut nommé sous-secrétaire d'Etat au ministère de la défense nationale et de la guerre le 5 juin. Quand Pétain annonça le 17 juin 1940 qu'il fallait cesser le combat, de Gaulle refusa d'obtempérer. Ce jour-là, il prit un avion pour Londres et se rendit directement chez Winston Churchill qui lui donna la permission de parler à la radio nationale quand Pétain aurait officiellement demandé l'armistice. Le 18 juin, il lança son fameux Appel[1] et prit la tête de la résistance française à l'Allemagne. En 1944, il devint chef du gouvernement provisoire à Alger, puis à Paris. Après avoir abandonné le pouvoir en 1946, il fonda le Rassemblement du peuple français en 1947. Six ans plus tard, il se retira de la vie politique mais les événements d'Algérie le rappelèrent au pouvoir en 1958 : il fut élu président de la République un an plus tard, poste dont il démissionna en 1969. Il mourut en 1970.

1 **C'est qui ?**

Lequel de ces trois hommes... ? (Attention, il y en a quelquefois plus d'un !)

- **a** ... n'a pas fait de carrière militaire ?
- **b** ... n'a pas fait de carrière politique ?
- **c** ... a combattu pendant la guerre de 14–18 ?
- **d** ... a combattu pendant la guerre de 39–45 ?
- **e** ... a accepté de suspendre les hostilités militaires sans mettre fin à la guerre ?
- **f** ... a refusé, bien qu'étant ministre, de suivre le chef du gouvernement ?
- **g** ... a mené la résistance extérieure ?
- **h** ... a coordonné les deux résistances ?
- **i** ... est mort sans qu'on connaisse les circonstances précises de sa mort ?
- **j** ... est mort en exil intérieur ?

Chronologie

1940

10 mai	Les Allemands entrent en France.
5 juin	Prise de Dunkerque.
14 juin	Entrée des Allemands à Paris.
17 juin	Pétain demande l'armistice.
18 juin	Appel du général de Gaulle depuis Londres.
22 juin	Armistice franco-allemand à Compiègne.
10 juillet	Le maréchal Pétain devient chef de l'Etat français.

Résistance

Jean Moulin est né à Béziers en 1899. Préfet à Chartres, lorsque la guerre éclata, il l'était toujours quand les Allemands occupèrent la ville en juin 1940. Après avoir été torturé au cours d'une convocation par les Allemands, Jean Moulin lutta contre eux pour défendre les intérêts de ses administrés. Une telle intransigeance exaspéra les autorités d'occupation qui exigèrent du gouvernement de Vichy que Jean Moulin fût démis de ses fonctions. Jean Moulin décida alors de se réfugier en zone sud[2] et d'entrer en contact avec les mouvements de résistance. Il entreprit très vite de rendre plus étroit le contact entre la résistance intérieure et la résistance extérieure et en octobre 1941, il rencontra, à Londres, le général de Gaulle qui le choisit pour être son délégué auprès de la Résistance en France. Malgré des menaces de plus en plus précises, Jean Moulin continua sa tâche jusqu'au jour où il tomba aux mains des Allemands à Caluire. Dès lors, ce fut le mystère. On ne sut plus rien de lui. Un jour, ses camarades incarcérés au fort de Montluc le virent passer dans le couloir, le visage en sang. Cette vision et une date sur le registre des décès de la mairie de Metz, le 8 juillet 1943, sont les seuls indices sur la fin de Jean Moulin.

1 Voir page 209 «Appel à tous les Français».

2 La France était divisée en deux : la zone occupée au nord et la zone libre au sud. Voir page 152.

POINT GRAMMAIRE

L'infinitif passé

Après avoir / Après être / Après s'être + participe passé, sujet + verbe

L'infinitif passé doit avoir le même sujet que le verbe de la proposition principale.

Exemple :

Après avoir abandonné le pouvoir, il fonda...

2 La défaite de la France

Ecoutez le témoignage oral de Lucien Le Moal, puis corrigez les phrases ci-dessous et mettez-les dans le bon ordre.

- **a** La radio dans la zone occupée n'était pas contrôlée au début.
- **b** Le discours du maréchal Pétain a rendu les Français furieux.
- **c** Les premières manifestations de résistance se sont présentées sous forme de sabotage de lignes de communication.
- **d** Tous les Français écoutaient de Gaulle à la radio.

l'armistice
une campagne
la collaboration / un collabo(rateur)
condamné à mort
la détention perpétuelle
une division cuirassée
les forces allemandes
incarcéré
une intransigeance
lutter / la lutte
obtempérer
une peine commuée
la Résistance / le résistant
le vainqueur

A rechercher dans un dictionnaire et à mettre dans votre banque de données

3 Jeu du ballon

Travaillez en groupes de trois. Chaque personne du groupe devient un des personnages importants de cette double page, de Gaulle, Moulin ou Pétain.

Imaginez que vous êtes tous les trois dans un ballon où il n'y a de la place que pour une personne. Le personnage qui restera dans le ballon sera celui qui réussira à convaincre les deux autres que son rôle dans cette période de l'histoire a été crucial.

Préparez votre personnage individuellement en vous servant de tous les éléments sur cette page, dans la cassette et sur la page 209.

LA VIE SOUS L'OCCUPATION

LA CHARTE DE L'OCCUPATION
Proclamation allemande du 20 juin 1940

L'armée allemande garantit aux habitants pleine sécurité personnelle et sauvegarde de leurs biens. Ceux qui se comportent paisiblement et tranquillement n'ont rien à craindre.

Tout acte de violence ou de sabotage, tout endommagement ou détournement de produits récoltés, de provisions de guerre et d'installations en tout genre, ainsi que l'endommagement d'affiche de l'autorité occupante, seront punis. Les usines à gaz, d'électricité, d'eau, les chemins de fer, les écluses et les objets d'art, se trouvent sous la protection particulière de l'armée occupante.

Seront passibles du tribunal de guerre les individus inculpés d'avoir commis les faits suivants :

1. Toute assistance prêtée à des militaires non allemands se trouvant dans les territoires occupés ;
2. Toute aide à des civils qui essayent de s'enfuir vers les territoires non occupés ;
3. Toute transmission de renseignements au détriment de l'armée allemande et du Reich, à des personnes ou des autorités se trouvant en dehors des territoires occupés ;
4. Tous rapports avec les prisonniers ;
5. Toute offense à l'armée allemande et à ses chefs ;
6. Les attroupements de rue, les distributions de tracts, l'organisation d'assemblées publiques et de manifestations qui n'auront pas été approuvées au préalable par le commandement allemand ;
7. Toute provocation au chômage volontaire, tout refus mal intentionné de travail, toute grève ou lock-out.

Les services publics, la police et les écoles devront poursuivre leurs activités. Les chefs et directeurs seront responsables envers l'autorité occupante du fonctionnement loyal des services.

Toutes les entreprises, les maisons de commerce, les banques poursuivront leur travail. Toute fermeture injustifiée sera punie.

Tout accaparement de marchandises d'usage quotidien est interdit. Il sera considéré comme un acte de sabotage.

Toute augmentation des prix et des salaires au-delà du niveau existant le jour de l'occupation est interdite. Le taux du change est fixé comme suit : 1 franc français pour 0.05 Reichmark. Les monnaies allemandes doivent être acceptées en prime.

1 Les droits et les devoirs d'un bon citoyen
Relevez dans la *Charte de l'Occupation* les détails qui montrent que...

a ... tout ce qui favorise l'effort de guerre des troupes allemandes est protégé.
b ... tout ce qui pourrait menacer les troupes d'occupation est défendu.
c ... tout ce qui pourrait aider les Forces Françaises Libres (F.F.L.) ou la Résistance est interdit.

La France sous l'Occupation

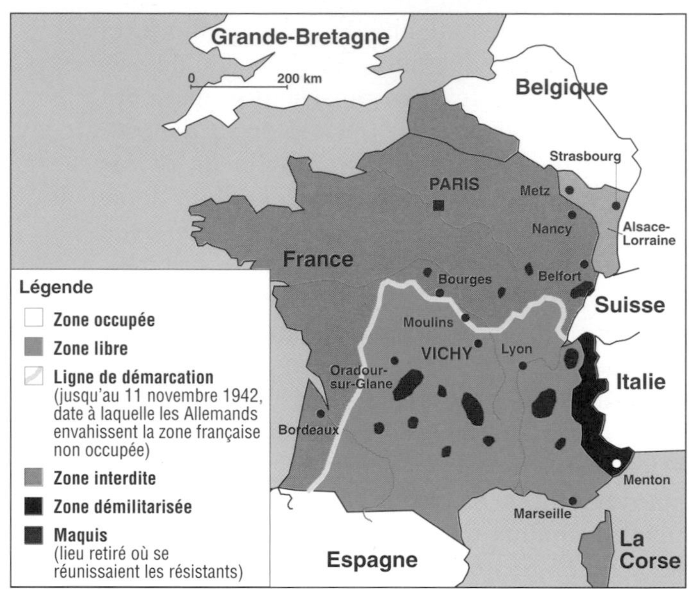

Grande-Bretagne
0
200 km
Belgique
Strasbourg
PARIS
Metz
Nancy
Alsace-Lorraine
France
Bourges
Belfort
Suisse
Moulins
VICHY
Lyon
Oradour-sur-Glane
Italie
Bordeaux
Menton
Marseille
La Corse
Espagne
Légende
Zone occupée
Zone libre
Ligne de démarcation
(jusqu'au 11 novembre 1942, date à laquelle les Allemands envahissent la zone française non occupée)
Zone interdite
Zone démilitarisée
Maquis
(lieu retiré où se réunissaient les résistants)

2 La vie de tous les jours sous l'occupation
Ecoutez ce que dit Lucien Le Moal et remplissez les trous de votre fiche de travail **67**.

3 Injustice
Ecoutez maintenant le témoignage de Jacques Durand.

Note : *ruer dans les brancards* = opposer une vive résistance à un ordre ou une discipline.

En 50 mots, racontez en français pourquoi la vie de tous les jours de Jacques Durand a été très dramatique. Voici les points de départ pour vous aider :

- situation familiale
- vie d'écolier
- vie dramatique
- punitions
- les nouvelles

4 Réactions
Imaginez que vous vivez pendant la Seconde Guerre mondiale. On vient d'afficher la *Charte de l'Occupation* dans votre rue. Vous la lisez.

Qu'est-ce qui va changer dans votre vie ? Quelles sont vos réactions ?

Ecrivez une page dans votre journal intime.

La jeunesse française fut la première à réagir. D'abord sous forme de quolibets, de mauvais tours aux occupants. Puis très vite, elle s'engagea totalement, faisant partie de réseaux de résistance. Le 26 septembre 1943, à la citadelle de Besançon, seize jeunes patriotes français furent fusillés. Il y avait parmi eux un garçon de seize ans, Henri Pertet. Voici la lettre qu'il écrivit à ses parents avant de tomber sous les balles du peloton d'exécution allemand.

Chers parents,

Ma lettre va vous causer une grande peine, mais je vous ai vus si pleins de courage que, je n'en doute pas, vous voudrez encore bien le garder, ne serait-ce que par amour pour moi.

Vous ne pouvez pas savoir ce que moralement j'ai souffert dans ma cellule, ce que j'ai souffert de ne plus vous voir, de ne plus sentir peser sur moi votre tendre sollicitude que de loin. Pendant ces quatre-vingt-dix-sept jours de cellule, votre amour m'a manqué plus que vos colis et souvent je vous ai demandé de me pardonner tout le mal que je vous ai fait. Vous ne pouvez vous douter de ce que je vous aime aujourd'hui, car avant, je vous aimais par routine, plutôt, mais maintenant, je comprends tout ce que vous avez fait pour moi. Je crois être arrivé à l'amour filial véritable, au vrai amour filial ; peut-être après la guerre un camarade vous parlera-t-il de moi, de cet amour que je lui ai communiqué ; j'espère qu'il ne faillira point à cette mission désormais sacrée.

Remerciez toutes les personnes qui se sont intéressées à moi et particulièrement mes plus proches parents et amis ; dites-leur ma confiance en la France éternelle ; embrassez très fort mes grands-parents, mes oncles, mes tantes, mes cousines, Henriette. Je salue en tombant mes camarades du lycée ; à ce propos, X me doit un paquet de cigarettes. Rendez le «Comte de Monte-Cristo» à Y et donnez à Z 40 grammes de tabac que je lui dois. Je lègue ma petite bibliothèque à Pierre, mes livres de classe à mon pctit papa, mes collections à ma chère maman, mais qu'elle se méfie de la hache préhistorique et du fourreau gaulois.

Je meurs pour ma patrie, je veux une France libre et des Français heureux, non pas une France orgueilleuse et première nation du monde, mais une France travailleuse, laborieuse, honnête ; que les Français soient heureux, voilà l'essentiel. Dans la vie, il faut savoir cueillir le bonheur.

Pour moi, ne vous faites pas de souci, je garde mon courage et ma belle humeur jusqu'au bout et je chanterai «Sambre et Meuse» parce que c'est toi, chère maman, qui me l'a apprise.

Avec Pierre, soyez sincères et tendres, vérifiez son travail et forcez-le à travailler : n'admettez pas de négligence, il doit se montrer digne de moi. Sur «trois petits nègres» il en reste un, il doit réussir.

Les soldats viennent me chercher, je hâte le pas ; mon écriture est peut-être tremblée, mais c'est parce que j'ai un petit crayon : je n'ai pas peur de la mort, j'ai la conscience tellement tranquille. Maman, je t'en supplie, prie, songe que si je meurs, c'est pour mon bien. Quelle mort sera plus honorable pour moi ? Je meurs volontairement pour ma patrie. Nous nous retrouverons bientôt tous les trois au ciel. Qu'est-ce que cent ans ? Rappelle-toi : «Et ces vengeurs auront de nouveaux défenseurs qui tous après leur mort auront des successeurs.»

Adieu ! la mort m'appelle ; je ne veux ni bandeau, ni être attaché. Je vous embrasse tous. C'est dur quand même de mourir.

5 Emotions
Quelles émotions ressentez-vous à la lecture de cette lettre ?

Recherchez les mots dont vous avez besoin dans un dictionnaire bilingue et servez-vous des constructions dans Pour communiquer pour vous aider.

Faites une liste privée ; et, si vous le souhaitez, montrez votre liste à un(e) partenaire.

POUR COMMUNIQUER

Exprimer ses émotions

J'ai été ému(e) / bouleversé(e)
(J'ai été + adj. ou part. passé)
J'ai pleuré *(J'ai + part. passé)*
Je voulais pleurer *(Je voulais + inf.)*
J'aurais voulu pleurer *(J'aurais voulu + inf.)*
J'ai ressenti de la tristesse
(J'ai ressenti + émotion / sentiment)
Cela m'a rendu(e) tellement émotif
(Cela m'a rendu + adj.)

6 Chef de réseau à Rouen
Ecoutez ce que dit ce chef de réseau sur les traits importants d'un résistant et complétez la phrase :

Pour être résistant, il fallait être...

7 La Résistance en France
Un résistant vous parle.

8 Le chant des partisans
L'hymne de la Résistance.

AU FAIT

La déportation

- Les opposants au régime nazi ou ceux qui ne correspondaient pas aux critères de la race germanique étaient arrêtés, interrogés, parqués et envoyés dans les «trains de la mort» vers les camps de concentration où beaucoup mouraient.

Le passé simple

Exemples tirés du texte :

- Il succéda à Nivelle.
- Il fut nommé ministre de la guerre en 1934.
- En juin 1940, il devint chef du gouvernement.

- **Définition**

Le passé simple exprime une action achevée, qui s'est produite à un moment bien déterminé du passé.

- **Usage**

C'est le temps que les historiens utilisent pour raconter des faits au lieu du passé composé.

C'est aussi le temps du récit écrit. Le passé simple est réservé à la langue écrite, souvent aux ouvrages littéraires.

- **Formation**

Voici le modèle pour les verbes en **-er** comme **chanter** :

je chant**ai**	nous chant**âmes**
tu chant**as**	vous chant**âtes**
il chant**a**	ils chant**èrent**

Le modèle pour les verbes en **-ir et -re** comme **finir** et **vendre** :

je fin**is**	nous fin**îmes**
tu fin**is**	vous fin**îtes**
il fin**it**	ils fin**irent**

je vend**is**	nous vend**îmes**
tu vend**is**	vous vend**îtes**
il vend**it**	ils vend**irent**

Faire, voir et **mettre** se conjuguent sur le même modèle :

faire	
je fis	nous fîmes
tu fis	vous fîtes
il fit	ils firent

voir	
je vis	nous vîmes
tu vis	vous vîtes
il vit	Ils virent

mettre	
je mis	nous mîmes
tu mis	vous mîtes
il mit	elles mirent

Les verbes **irréguliers** comme **recevoir/vouloir** suivent le modèle suivant :

recevoir	
je reçus	nous reçûmes
tu reçus	vous reçûtes
il reçut	ils reçurent

Etre appartient à ce groupe :

être	
je fus	nous fûmes
tu fus	vous fûtes
il fut	ils furent

Deux **exceptions** importantes :

venir	
je vins	nous vînmes
tu vins	vous vîntes
il vint	ils vinrent

tenir	
je tins	nous tînmes
tu tins	vous tîntes
il tint	ils tinrent

Voir aussi page 239.

DEFIS GRAMMATICAUX

a Etudiez les textes pages 150–151 et faites une liste de tous les verbes au passé simple. Après avoir relevé tous les mots, mettez-les à l'infinitif et au passé composé.

Exemple :

passé simple	**infinitif**	**passé composé**
connut	connaître	a connu

b Réécrivez les phrases suivantes en remplaçant les mots et les expressions soulignés par des mots ou des expressions que vous aurez trouvés dans le récit *Le Martyre de Vernon* (page 210). Il faudra quelquefois changer la forme grammaticale des mots trouvés.

(1) Le bombardement se passa le 8 juin.
(2) Le bruit des avions fit peur aux gens.
(3) La ville souffrit une attaque aérienne.
(4) Des gens aidèrent énormément.
(5) La maison d'un travailleur des chemins de fer fut enterrée sous deux mètres de terre.
(6) Deux vieilles femmes furent victimes d'un quatrième bombardement.

c Nantes : le soir du 11 septembre 1943. Antoine, 17 ans, fait partie de la Résistance. Il va tuer un jeune soldat allemand. Il attend dans les ténèbres... Dans cet extrait, adapté du roman *L'ironie du sort* de Paul Guimard (1961), les verbes sont au présent. Recopiez-le en mettant les verbes soulignés soit à l'imparfait soit au passé simple.

Pour l'utilisation de l'imparfait, voir page 38.

Debout dans les ténèbres, Antoine essaie de ne pas penser à celui qu'il va tuer. Il a peur. Il écoute les voix confuses de la ville. Il lève son arme et la tient braquée à la hauteur du cœur... Ses lèvres articulent silencieusement des nombres comme on en compte pour s'endormir, mais à rebours : vingt-neuf, vingt-huit, vingt-sept... Chaque seconde dure un siècle. Ecrasé contre le mur, il s'efforce de ne plus exister. Il étouffe malaisément une toux de gorge. Il entend un bref échange de phrases. Une portière claque. Une voiture repart.

Bientôt la Libération !

DE
LA REPUBLIQUE
RUE
DU MARECHAL
PETAIN
Changement de nom de rue à la Libération

Fin des mémoires de guerre
de Lucien Le Moal

Je me souviens vaguement d'être revenu en vacances au mois d'août en 44, quand les alliés ont débarqué en Normandie. Ce dont je me souviens, c'est que l'aviation américaine et anglaise mitraillait la Seine et la ligne du chemin de fer pratiquement tous les jours, pour éviter que les Allemands n'amènent des renforts sur le front. Donc il y avait une très grande insécurité et on avait peur de circuler dans les rues. On nous conseillait de sortir le moins possible. Je me souviens aussi du jour où les Allemands sont partis. Quatre ans plus tard, ils nous ressemblaient. En fait, disons qu'ils ont fui comme nous, on avait fui en 40. Ça m'a frappé parce qu'on les a vus passer poussant des vélos, poussant des brouettes, avec des voitures à chevaux. Il y avait aussi des armes dedans. Il y avait des chars, des camions militaires mais il y avait aussi une partie de l'armée allemande qui se traînait sur les routes, complètement épuisée, et personnellement ça m'a fait bien plaisir de les voir comme ça. J'ai souvenir d'un officier allemand qui est passé devant chez moi, tête nue. Il avait perdu sa casquette. Il avait la capote déboutonnée, il était sale et se retournait sans arrêt pour voir s'il n'était pas suivi. On sentait qu'il avait peur et qu'il était en pleine panique.

Libération de Paris par la 2ème DB (division blindée) du Général Leclerc en août 1944

1 **Quel titre ?**
Trouvez un titre différent pour ce passage. Quelles impressions des Allemands donne ce texte ?

2 **Souvenir**
Ecoutez Jacques Durand qui raconte un souvenir de la même période. Résumez ce qu'il dit.

3 **Jeu de mémoire**
Jeu oral pour déterminer ce dont vous vous souvenez sur la Seconde Guerre mondiale ; voir **68**.

Chronologie

1941

15 mars	Offensive italo-allemande en Egypte.
22 juin	L'Allemagne attaque l'Union Soviétique.
14 août	Signature par Roosevelt et Churchill de la «Charte de l'Atlantique» définissant les principes qui devront guider les relations internationales au lendemain de la guerre.
7 décembre	Le Japon attaque la flotte américaine à Pearl Harbour.
8 décembre	La Grande-Bretagne et les Etats-Unis déclarent la guerre au Japon.

1942

20 janvier	Les hauts responsables nazis décident la mise en œuvre technique de la «solution du problème juif».
janvier–mai	Les Japonais se rendent maîtres de toute l'Asie du Sud-Est, de la Birmanie, de l'Indonésie et de nombreuses îles du Pacifique.
3–6 juin	La progression des Japonais est arrêtée à Midway.
7 août	Le débarquement des Américains à Guadalcanal marque le début de la contre-offensive des Américains et des Australiens.
22 octobre	Début de la contre-offensive de Montgomery en Egypte.

1943

2 février	Le corps d'armée de von Paulus capitule à Stalingrad.
10 juillet	Débarquement allié en Sicile.
19 août	Soulèvement du ghetto de Varsovie.
3 septembre	Capitulation de l'Italie.
29 novembre	Conférence de Téhéran (Staline, Roosevelt et Churchill) : décision d'opérer un débarquement à l'Ouest.

1944

6 juin	Débarquement allié en Normandie.
20 juillet	Attentat manqué contre Hitler.
1 août	Insurrection de Varsovie.
octobre	Bataille navale de Leyte et début de la reconquête des Philippines.
décembre	Echec de la contre-offensive allemande dans les Ardennes.

1945

février	Conférence de Yalta entre Staline, Churchill et Roosevelt (avenir de l'Allemagne et de la Pologne, partage des zones d'influence, statu-quo territorial de l'URSS, mise en place de l'ONU).
8 mai	Capitulation de l'Allemagne.
6 et 9 août	Bombes atomiques à Hiroshima et à Nagasaki.
2 septembre	Capitulation du Japon.
20 novembre	Début du procès des criminels nazis à Nuremberg.

Visite du maire de Dakar à Vernon en avril 1945

HOMMAGE AUX SOLDATS D'AFRIQUE

En effet, alors que notre cité détruite s'efforçait de renaître, c'est une ville du Sénégal, Dakar, qui lui vint en aide par ses dons alimentaires et pécuniaires, à partir de 1942.

Dakar, devenue officiellement Marraine de guerre de Vernon, participa efficacement au ravitaillement et à la reconstruction de sa «filleule».

Aujourd'hui, 50 ans plus tard, nous gardons en mémoire l'élan de générosité qui s'est manifesté au sein des populations civiles d'Afrique au lendemain de la défaite, comme nous gardons en mémoire le sacrifice de tous les jeunes Maghrébins, Sénégalais, Gabonnais, Ivoiriens, Congolais, Soudanais... tués au service de la France, dans les tragiques journées de mai et de juin 1940...

1 **Hommage aux soldats d'Afrique**
Lisez cet extrait d'un article paru dans le journal local de Vernon et expliquez les expressions suivantes en d'autres mots :

a s'efforçait de renaître
b dons alimentaires et pécuniaires
c ravitaillement
d l'élan de générosité
e au sein des populations civiles
f au lendemain de la défaite.

2 **La contribution sénégalaise**
Monsieur Gningue, Coordinateur du bureau national sénégalais du tourisme à l'Ambassade du Sénégal à Londres, a répondu aux questions d'**Au point**.

Ecoutez ce qu'il nous a dit et relevez les deux anecdotes qu'il raconte sur les Tirailleurs sénégalais.

ET POUR FINIR

La guerre, une affaire de vieux

La situation dans le Golfe, c'est très compliqué et très inquiétant. On en a beaucoup discuté avec le prof d'histoire, on a analysé toutes les ressemblances avec le début de la Seconde Guerre mondiale. Moi, tout cela me flanque des frissons. J'ai des copains qui ont pratiquement l'âge d'être mobilisés et ils sont morts de trouille. D'ailleurs, ils sont tous prêts à trouver des astuces pour ne pas y aller, quitte à déserter. C'est vrai, à notre âge, on a tous des études à faire, des projets dans la tête. Pour nous, ça n'a aucun sens d'aller se faire tuer dans une guerre déclenchée par les grands pour des intérêts plus qu'obscurs... Pour nous, c'est presque une affaire de «vieux».

Delphine, 16 ans ; Blaye

1 **La lettre**
Elle a paru dans un magazine de jeunes en novembre 1990, juste avant la déclaration de la Guerre du Golfe (janvier – février 1991). Lisez-la.

a Selon vous, quelles questions cette lettre soulève-t-elle ?

b Ecrivez une lettre au magazine donnant votre opinion sur l'attitude de Delphine et de ses copains et donnant votre propre attitude envers la guerre.

2 **Le défi d'Au point**
Les mots cachés ; voir **69**.

Travail de recherche

On parle souvent de la Seconde Guerre mondiale comme de la «dernière guerre». Or, il y a eu d'autres guerres depuis. Voir **70**.

13 La culture : tous azimuts

Thèmes	Communiquer	Grammaire
• La danse • Le cinéma • La littérature • La francophonie	• Définir des idées abstraites	• Les verbes impersonnels

Vous n'en voulez vraiment pas ?
LA FRANCOPHONIE… ÇA SWINGUE, ÇA ??

Café-Théâtre (Paris)

Cinéma (Burkina)

Opéra de la Bastille

SOMMAIRE

Qu'est-ce que la *culture* ?

Ce n'est pas que les jeunes n'ont pas de culture, c'est que leur culture est différente de celle des générations précédentes. **Marc**

C'est très difficile de mesurer la culture des gens. **Laure**

La culture, c'est une question d'âge et une question de société. **Laetitia**

1 **Le point sur la culture**
Au point a interviewé Laure pour lui demander sa définition de la culture. Avant d'écouter la cassette, remplissez les blancs de la définition de la culture sur 71. Puis écoutez la cassette pour vérifier que vous avez trouvé les bons mots.

2 **La culture vis-à-vis des générations**
Ecoutez ce que dit Marc sur les différences de chaque génération. Recopiez le tableau ci-dessous et faites une liste en français des différences selon Marc.

Les jeunes d'aujourd'hui	La génération précédente
	lisait beaucoup

3 **La culture, ça change avec l'âge**
Ecoutez maintenant Laetitia qui dit pourquoi, à son avis, la culture change avec l'âge.

Expliquez en français et en vos propres termes les phrases ci-dessous tirées de l'interview :

des passades dans la vie
un fil conducteur
se mettre au courant
la culture, ça devrait servir à côtoyer les gens

4 **Et vous, personnellement ?**
Pensez-vous que vous goûts culturels ont changé depuis votre petite enfance ? Comment exactement ? Réfléchissez-y et puis discutez avec un(e) partenaire.

5 **Distractions**
Travail oral à deux. Décrivez ce qu'il y a comme distractions, activités ou événements culturels pour les jeunes dans votre ville ou village. S'il en manque, expliquez ce que vous aimeriez qu'il soit fait pour améliorer la situation. Chaque partenaire essaie de parler sans s'arrêter pendant deux minutes.

6 **La culture pour moi, c'est...**
Ecrivez en français votre propre définition de la culture (50 mots). Utilisez les expressions de Pour communiquer pour vous aider.

POUR COMMUNIQUER

Définir des idées abstraites
Pour moi, la culture serait...
Cela se définit par...
Cela sert à (+ inf.)
Cela devrait servir à (+ inf.)
Cela vous aide à (+ inf.)
Cela apporte...
C'est l'ensemble des...

De futures étoiles de l'Opéra ?

Julie et Florence, 15 ans, sont «petits rats» à l'Opéra de Paris. Ces futures étoiles danseront-elles un jour le «Lac des Cygnes» ? Peut-être, mais avec beaucoup de travail et de discipline.

A Nanterre, dans la région parisienne, l'école de danse où sont formés les «petits rats» est un grand bâtiment contemporain. Les danseuses sont en horaires aménagés : 4 heures de classe le matin et deux cours de danse l'après-midi. Julie et Florence, deux copines, sont dans la même classe de danse et toutes les deux en seconde. Elles sont entrées à l'école après un examen médical approfondi. «Je suis entrée à l'école à 8 ans.» dit Julie. «Au début, c'étaient surtout les capacités physiques qui comptaient.»

Quelle est leur vie au quotidien ?

Tous les élèves sont internes. «On est bien ici, mais on est un petit peu isolés, comme dans un cocon. Heureusement que les parents, le week-end, nous ramènent à la réalité !» La directrice, Claude Bessy, est une ancienne danseuse étoile et tous les professeurs de danse ont fait partie du corps de ballet de l'Opéra de Paris. Ils sont particulièrement exigeants sur la technique. Dans la vie de ces futures danseuses, une seule chose compte : travailler sans cesse pour entrer un jour dans la prestigieuse troupe du palais Garnier. «La volonté de réussir l'emporte sur l'amitié.»

Réaliseront-elles toutes leurs rêves ?

Mais il faut parfois penser à un autre métier. «On se dit que tout le monde ne pourra pas être danseur, et on est obligé de tout envisager.» Si Julie rêve de faire du cinéma, Florence, plus réservée, pense plutôt à la médecine. Mais les «petits rats» peuvent aussi devenir profs de danse grâce au diplôme d'Etat qu'elles préparent en cours du soir. Dès la troisième division en effet, la formation classique est complétée par des cours d'anatomie, de solfège et d'histoire de la danse, auxquels s'ajoutent des cours de danse russe ou folklorique, de danse moderne et de jazz. En effet, un danseur doit savoir et pouvoir tout danser. En fin d'année, les élèves passent un concours qui décide de leur sort : passage dans la classe supérieure, redoublement ou renvoi.

L'école se produit tous les ans sur la scène de l'Opéra dans un véritable spectacle qui demande un trimestre de préparation, ce qui leur permettra d'être remarqués par des professionnels, chorégraphes ou directeurs de ballets, mais surtout d'avoir une première expérience de la scène.

8h

Pour Julie et Florence la journée commence par un cours de français.

12h

Pause-déjeuner à la cantine. Dans les rayons du self, saumon et épinards. La sauce est facultative.

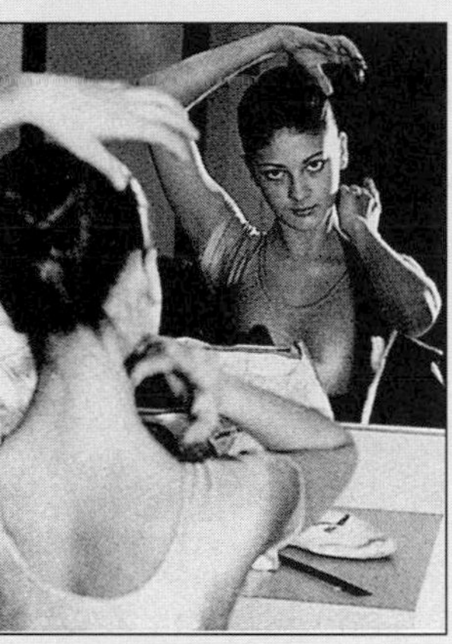

12h45

Julie a mis son collant et son justaucorps. Il ne lui reste plus qu'à se coiffer, ce qui prend du temps.

13h

Premier cours de danse. La 3e division se chauffe à la barre.

15h30

Le deuxième cours de classique commence par une variation, enchaînement de pas à apprendre par cœur.

19h

Après le dîner, un peu de lecture dans les chambres. Mais les filles préfèrent descendre à l'étage en dessous : «Chez les garçons...»

1 **La vie à l'école de danse**

Il y a des petits rats filles et des petits rats garçons. Imaginez que vous êtes un petit rat en troisième division. Ecrivez une lettre à un copain ou une copine.

Dites ce que vous pensez des conditions à l'école : logement, vie quotidienne, travail, etc. Qu'est-ce qui vous paraît vraiment chouette ? Qu'est-ce que vous trouvez insupportable ?

Parlez de vos espoirs en ce qui concerne le spectacle que vous préparez.

L'écrivain journaliste

Une interview imaginaire avec Emile Zola, l'auteur de *Germinal*.

Comment travaillez-vous ?
Journaliste autant qu'écrivain, je commence toujours par une enquête, n'hésitant pas à me déplacer loin de chez moi, à descendre dans une mine. Je consigne mes observations dans de précieux carnets de travail. Ma documentation est très importante. Je m'attache beaucoup au détail "qui fait vrai", soucieux de créer, chez le lecteur, l'impression de vécu.

Quelle est votre théorie du roman ?
Avec moi, la littérature devient presque scien-

POINT GRAMMAIRE

des → de/d'
L'article partitif **des** devient **de** ou **d'** lorsqu'il est séparé du nom par un adjectif qualificatif au pluriel.
Exemples tirés du texte :
Des carnets précieux →
de précieux carnets de travail.
Des étoiles futures →
de futures étoiles de l'Opéra.

1 **Un écrivain scientifique ?**
En littérature, Zola est considéré comme le chef de l'école naturaliste parce qu'il a voulu étudier scientifiquement «les tempéraments et les modifications profondes de l'organisme sous la pression des milieux et des circonstances.»

Si l'on croit cette citation, l'œuvre de Zola serait donc scientifique, sociologique et littéraire.

Lisez l'interview imaginaire et notez le vocabulaire et les expressions qui se rapportent à :

a une œuvre scientifique
b une œuvre sociologique
c une œuvre littéraire

En étudiant les mots que vous avez relevés, diriez-vous que Zola est plutôt un scientifique ou un littéraire ?

Vous ne pouvez décider ? Ecoutez ce qu'Henri Troyat pense de Zola, en faisant le prochain exercice.

2 **Henri Troyat sur Zola**
Ecoutez la cassette et faites l'exercice sur 72.

3 **Le Zèbre**
Au point a demandé à Laure de lire *Le Zèbre*, un roman d'Alexandre Jardin. Ecoutez son commentaire.

Recopiez le tableau et remplissez-le en français en utilisant les détails que vous entendrez.

Sujet	
Intérêt	
Personnages	
Les grands moments de l'intrigue	
Conclusion	

4 **J'explore les livres !**
Découvertes au salon du livre de jeunesse.

tifique. J'essaie d'appliquer les méthodes expérimentales au roman.

La fiction romanesque est pour moi un terrain d'expérimentation qui doit me permettre de vérifier mon hypothèse de départ : chaque individu est le produit de son hérédité et de son milieu. J'ai ainsi entrepris d'écrire l'histoire naturelle et sociale d'une famille sous le Second Empire. Il m'a fallu vingt romans pour cela !

Comment créez-vous vos personnages ?

Mes personnages principaux appartiennent tous au même arbre généalogique et partagent tous la même hérédité. Une hérédité où l'alcool et la folie pèsent lourdement. Mais le milieu dans lequel évolue chaque personnage détermine tout autant son comportement. Charcutière aux Halles ou petite bourgeoise de province : elles ont beau être cousines, elles n'ont pas le même destin.

Pouvez-vous qualifier vos descriptions ?

Précises, efficaces, les descriptions appuient chez moi toujours une démonstration. Mais les plus réussies d'entre elles sont celles où je me laisse aller à ma véritable nature, violente, emportée. Les descriptions se chargent alors de sens, deviennent métaphore, symbole, hallucination. L'alambic n'est plus une machine mais un animal, la mine un monstre avide, "gorgée de chair humaine".

Quel point de vue occupe le narrateur dans vos romans ?

Soucieux de montrer ce qui se passe dans la tête de mes personnages, j'ai parfois recours au style indirect libre, en particulier lorsqu'il s'agit de montrer un personnage en proie à ses pulsions héréditaires. Mais le procédé n'est pas systématique et souvent, les scènes sont racontées du point de vue de l'auteur, en l'occurrence narrateur omniscient.

Nicole Dupré et Michel Leroux

Travail de recherche

Dans les romans, on distingue habituellement trois points de vue qui indiquent la perspective adoptée par le narrateur pour raconter une histoire :

• Le point de vue externe : la réalité présentée est vue par un témoin impartial extérieur à l'histoire. Il exprime une vision incomplète.

• Le point de vue interne : la réalité représentée est vue par un des personnages de l'histoire. Il exprime une vision partiale.

• Le point de vue omniscient: la réalité représentée est vue par un narrateur qui, comme Dieu, connaît tout des événements et des pensées des personnages. Il exprime une vision globale.

Dans les romans ou extraits de romans que vous êtes en train de lire ou que vous avez déjà lus, trouvez un exemple de chacun de ces points de vue narratifs.

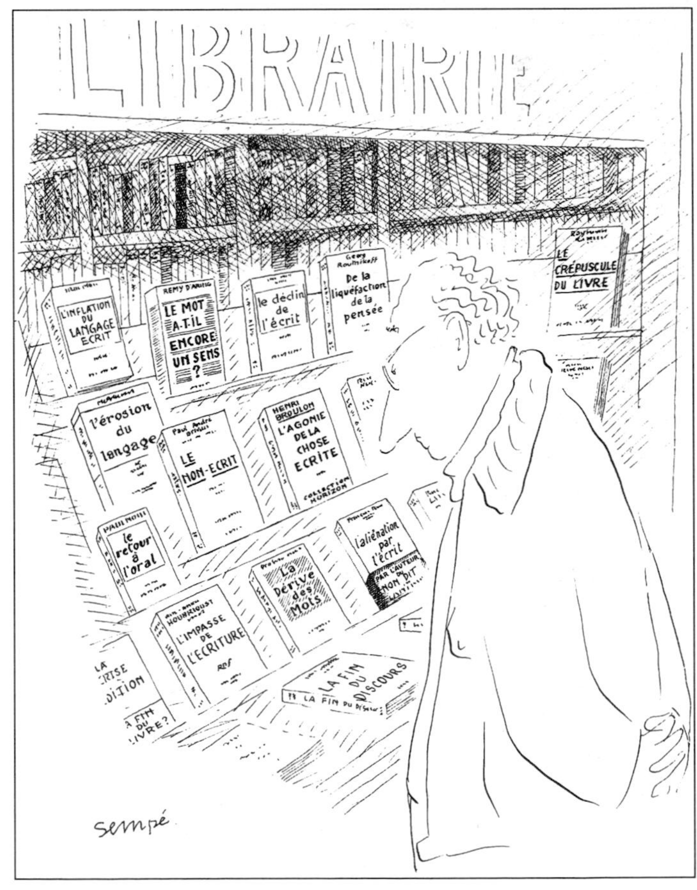

LIBRAIRIE
L'INFLATION DU LANGAGE ECRIT
LE MOT A-T-IL ENCORE UN SENS ?
le déclin de l'écrit
De la liquéfaction de la pensée
LE CRÉPUSCULE DU LIVRE
l'érosion du langage
LE NON-ECRIT
L'AGONIE DE LA CHOSE ECRITE
le retour à l'oral
l'aliénation par l'écrit
La Dérive des Mots
L'IMPASSE DE L'ECRITURE
LA FIN DU DISCOURS
sempé

Le cinéma en danger de mort ?

«La télé tue le cinéma, les films américains nous envahissent, les salles sont désertées...» Des clichés ?

LE CHÂTEAU DE MA MÈRE
UN FILM DE YVES ROBERT
D'APRÈS L'ŒUVRE DE MARCEL PAGNOL
JEAN CARMET · JEAN ROCHEFORT · GEORGES WILSON
VLADIMIR COSMA
ALAIN POIRÉ

Qui va au cinéma ? Les jeunes surtout : les adolescents fréquentent les salles obscures deux fois plus souvent que les adultes.

«Rien ne va plus !» comme disent les croupiers de casinos. En 10 ans, le cinéma a vu fondre le nombre de ses fidèles de plus de 40%. Seul réconfort : depuis quatre ans, la baisse s'est nettement ralentie et le triomphe des *Visiteurs* fait remonter la tête à la courbe de fréquentation des salles en 1993.

LA PROMOTION EST-ELLE ESSENTIELLE POUR UN FILM ?

Les producteurs de films à gros budgets comme Claude Berri répondront «oui». Affichages tous azimuts, reportages sur les tournages, les coulisses, les stars... rien n'est laissé au hasard par le réalisateur de Germinal pour allécher le public, à la manière américaine. Dire pourtant que c'est essentiel serait un non-sens. Pour preuve, par exemple en 1993, les succès inattendus dûs au bouche à oreille, à la critique ou à une attente d'un cinéma moins calibré et plus libre : *Les Nuits fauves* de Cyril Collard, *La Sentinelle* d'Arnaud Desplechin.

EST-CE QUE LA TÉLÉVISION TUE LE CINÉMA ?

Vaste sujet. On peut penser, en effet, que le nombre de films diffusés chaque semaine sur le petit écran retient chez eux des gens qui, sans cela, découvriraient ces films en salles. Mais le cinéma n'existerait plus aujourd'hui en France sans la télévision. Il est quasiment impossible de monter la production d'un film sans l'apport financier de la télé. Canal Plus est ainsi présent dans plus du tiers des productions françaises (un peu plus que TF1). De plus, les chaînes de télévision achètent la diffusion en exclusivité des films avant même leur fabrication. Ces techniques de financement permettent d'équilibrer grosso modo les budgets.

CINEMAS

1 La langue de chez nous

L'article *Le cinéma en danger*... est écrit dans un style journalistique. Au lieu d'écrire simplement, l'auteur a choisi de colorier son style.

Exemple :

Les jeunes vont au cinéma...
Dans l'article = Les adolescents fréquentent les salles obscures...

Ré-écrivez les phrases suivantes en les simplifiant.

- **a** Le cinéma a vu fondre le nombre de ses fidèles.
- **b** Le triomphe des *Visiteurs* fait remonter la tête à la courbe de fréquentation des salles en 1993.
- **c** Affichages tous azimuts.
- **d** Rien n'est laissé au hasard pour allécher le public.
- **e** Les succès inattendus dûs au bouche à l'oreille.
- **f** Les films diffusés sur le petit écran.
- **g** Il est quasiment impossible.
- **h** Equilibrer grosso modo les budgets.

2 **Un amateur du cinéma**
Ecoutez ce que dit cet amateur de cinéma. Trouvez les différences entre ce que vous entendez et ce qui est écrit sur 73.

3 **Sondage**
Etudiez les statistiques ci-contre. Comment auriez-vous répondu à des questions sur «les genres de films préférés» et sur «ce que vous recherchez au cinéma» ?

Puis faites un sondage dans votre classe et dans d'autres classes de français de votre établissement scolaire en posant des questions semblables. Affichez vos résultats et comparez-les à ceux donnés sur cette page.

4 **Parlons cinéma**
Au milieu d'une grande feuille de papier, écrivez le mot CINEMA. Puis, à l'aide d'un dictionnaire, si nécessaire, mettez autour du vocabulaire et des expressions qui traitent du cinéma. Rangez-les selon leur sens. Par exemple, en suivant les catégories :

tournage des films
genre de film
les vedettes de cinéma
aller au cinéma
la publicité
... etc.

En utilisant les feuilles, en petits groupes, parlez du cinéma ! Pour entamer la conversation, posez-vous les questions suivantes :

Quel genre de film préfères-tu ?
Qu'est-ce qui influence ton choix ?
Crois-tu qu'on devrait censurer plus strictement les films ?
Crois-tu que le cinéma exerce une influence quelconque sur les jeunes ?
Crois-tu que d'aller au cinéma contribue à ton développement culturel ?

Ajoutez tout le vocabulaire à votre banque de données.

Les genres de films préférés des Français :

les films comiques	57%
les films d'aventures	49%
les policiers	46%
les films historiques	40%
les histoires d'amour	29%
les westerns	29%
les dessins animés	18%
les films de guerre	18%
les films de science-fiction	18%
les comédies musicales	16%
les films politiques	14%
les films d'épouvante	12%
les films érotiques	7%
les films pornographiques	2%

Ce que recherchent les Français au cinéma :

le rire	49%
l'évasion	29%
le plaisir de voir des comédiens qu'ils aiment	21%
la beauté des images	21%
l'émotion	19%
l'action	15%
le suspens	9%

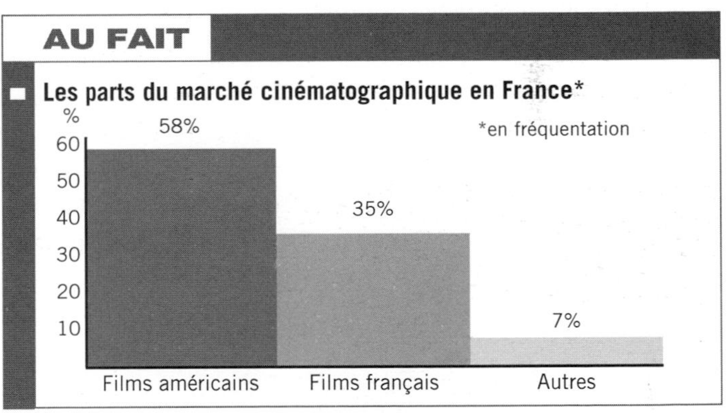
AU FAIT
Les parts du marché cinématographique en France*
*en fréquentation
%
60
50
40
30
20
10
58%
35%
7%
Films américains
Films français
Autres

Le Grand Rex : 2 800 fauteuils sur trois niveaux.

BLUE JEAN COP
Un cinéma parisien

Adaptation à l'écran

303571
STUDIO
CHRISTINE 2
PARIS
ENTRÉE
303571

Claude Berri tourne «Germinal»

Reportage 2 500 costumes, un tournage de 6 mois et de vraies gueules noires comme figurants. Une mine pour Valenciennes.

Ce soir, un bal se tient à Arenberg. Un bal donné par Claude Berri en l'honneur des figurants. Ce soir, ils ont laissé la poussière de la houille au vestiaire. Nous sommes dans la région de Valenciennes. Entre brume et brouillard. Claude Berri tourne l'adaptation de *Germinal*, le célèbre roman de Zola paru en 1885.

Renaud joue Lantier, Depardieu est Maheu

Chaque histoire a sa musique. *Germinal* a la sienne. Ce qui bruit tout au long de ce treizième roman des Rougon-Macquart, comme un feu qui se propage, c'est la colère. Le héros de cette colère a pour nom Etienne Lantier. Il vient d'être renvoyé des ateliers de Lille, où il était ouvrier, à cause de ses opinions socialistes. Nous sommes sous le second Empire. Dans une France en pleine crise industrielle. Lantier se rend alors jusqu'à Montsou pour se faire embaucher dans les mines. Il y découvre un univers de souffrance, d'exploitation, d'injustice. Il y voit des hommes affamés, mal payés, qui vivent dans la misère et la promiscuité, dans l'alcool et le vice. Il ne tarde pas à organiser la résistance et entraîne 10 000 mineurs dans une grève sanglante.

1 Scénario
Traduisez le deuxième paragraphe de l'article *Claude Berri tourne «Germinal»*.

Puis, écrivez un paragraphe d'environ 130 mots résumant l'histoire d'un film que vous avez vu récemment.

Utilisez le présent en suivant le modèle de l'article.

Déjà vu

Le présent.
Page 5, et voir aussi page 236.

AU FAIT

- En France 11 000 ciné-clubs en activité regroupent plus d'un million d'adhérents.

2 Film contre roman
Avez-vous vu des films adaptés de romans ? Pensez-vous qu'il soit mieux de lire le roman avant de voir le film ou vice versa ? Justifiez votre réponse. En général, pensez-vous que les films font justice aux romans dont ils sont tirés ? Expliquez et illustrez votre point de vue.

3 Un remake
Ce que Laure pense d'un remake.

Les verbes impersonnels

- **Définition**

Le verbe impersonnel est un verbe dont le sujet ne représente ni une personne, ni un animal, ni une chose définie. Il existe à tous les temps et à tous les modes, sauf l'impératif.

- **Formation**

Il se forme toujours avec le pronom personnel **il** (troisième personne au singulier).

Exemples tirés du texte (page 160) :
- Il m'a fallu vingt romans pour cela…
- …il s'agit de montrer un personnage en proie à ses pulsions héréditaires.

- **Usage**

Des verbes qui expriment des phénomènes naturels :

il pleut, il neige, il fait froid, il fait chaud, il fait noir, etc.

Des expressions impersonnelles très usuelles :

il y a, il faut, il s'agit de, il était une fois, il vaut/vaudrait mieux, il paraît que, il reste, il suffit, il convient, etc.

Il + temps du verbe **être** + adjectif ou participe passé + **que** ou **de** :
- Il est prévu d'aller voir un bon film.
- Il serait utile de réserver des places.
- Il est possible que je ne vienne pas ce soir.

Des verbes occasionnellement impersonnels :
- des verbes intransitifs à la voix active :
  Il manque une chaise.
- des verbes à la voix pronominale :
  Il se prépare quelque chose d'extraordinaire !

- **Verbes impersonnels suivis d'un infinitif : avec ou sans préposition ?**

Sans préposition :
il faut, il vaut mieux, il semble

Exemples :
- il semble se passer quelque chose de bizarre.
- Il vaudrait mieux partir tout de suite.
- Il faut parfois penser à un autre métier.

Expressions suivies de **de** :
il suffit, il est question, il est temps, il (m') arrive

Exemples :
- La nuit tombe. Il est temps de rentrer.
- Il lui arrive de regretter son choix de carrière.

Expressions suivies de **à** :
il reste, il (n') y a (pas/que/plus)

Exemples :
- Le contract est prêt. Il ne reste qu'à signer !
- Il n'y a plus qu'à dire au revoir.

DEFIS GRAMMATICAUX

a Décrivez une recette de cuisine dans laquelle vous vous servez de chacune des expressions suivantes :

il faut
il convient
il suffit
il est important
il est possible
il vaut mieux
il est nécessaire
il paraît
il reste
il serait utile

b Travail à deux. Imaginez des situations (amusantes, si possible !) dans lesquelles deux interlocuteurs pourraient utiliser les phrases suivantes. Complétez les phrases et jouez les dialogues devant la classe. Les autres membres de la classe doivent deviner le contexte.

Situation A
Personne 1 : Ne serait-il pas possible de… ?
Personne 2 : Non, il vaudrait mieux…

Situation B
Personne A : Il paraît que…
Personne B : Oui, mais, il manque…

c Traduisez en français.
(1) It would be better to read the book first, then see the cinema adaptation.
(2) It appears that the cinema industry depends on the support of TV channels.
(3) An accident happened in the mine.
(4) Serious things happen in Zola's novels.
(5) There are not many small budget films made.
(6) It is a question of money.
(7) Money is lacking.
(8) It is very dark in the cinema and that is what I like best.

La francophonie : une mosaïque de peuples...

Véritable langue internationale, le français est parlé couramment dans plus de quarante pays. Il a souvent servi le développement culturel : une bonne raison de défendre son maintien.

Nous sommes Français, nous parlons français... Mais nous ne sommes pas les seuls à utiliser notre langue. Nos voisins belges ou suisses, nos cousins du Québec, au Canada, aussi. Comme les habitants de pays de l'Afrique noire, Mali, Niger, Tchad, Côte-d'Ivoire, d'Afrique du Nord, d'Asie, de l'Inde et, aux États-Unis, de ce de la Louisiane. Au total, sur les cinq continents, près de 200 millions de personnes, réparties dans plus de 40 pays, utilisent le français. Cet ensemble, c'est la "Francophonie".

Bien sûr, le français n'occupe pas partout la même place. Dans un certain nombre de pays, c'est toujours une langue officielle, utilisée parallèlement à la langue locale. Ces États sont réellement francophones. Dans d'autres, elle est parlée par une partie souvent importante de la population. C'est le cas des "cajuns"* de Louisiane, des habitants de Pondichéry, au sud de l'Inde, de la Syrie, des habitants du Val d'Aoste, dans les Alpes italiennes, de la Roumanie... On publie des journaux en français en Egypte et en Haïti.

Les effets de l'Histoire

Si le français est une langue mondiale, c'est pour des raisons historiques. Sa diffusion commence dès la fin du XVIe siècle, avec l'installation des colons français en Amérique.

Elle se poursuivra avec l'extension de ces colonies et le développement des échanges commerciaux. En Asie (comptoirs de Pondichéry et Chandernagor, Indochine...), en Afrique (Afrique centrale et occidentale, Afrique du Nord...), au Moyen-Orient, dans les îles de l'Océan indien (Madagascar, Réunion...) ou du Pacifique (Polynésie, Nouvelle Calédonie...).

Aujourd'hui, le français occupe donc une place tout à fait privilégiée. De plus, il représente, avec l'anglais, la langue officielle des grandes institutions internationales, comme l'Organisation des Nations unies (ONU).

Pourtant, cette véritable langue universelle est menacée. L'influence des États-Unis se fait sentir et l'anglais tend souvent à s'imposer, dans les réunions internationales comme dans les publications scientifiques. Beaucoup s'en indignent et cherchent des moyens pour redonner toute sa force à notre langue, que ce soit dans les communications les plus élevées ou les plus quotidiennes.

Défendre des cultures vivantes

Pourquoi faut-il défendre le français ? Tout d'abord parce que c'est une belle langue, celle de Molière, de Chateaubriand et de Rimbaud. Ensuite, à travers cette langue, c'est toute la culture française, avec ses richesses, qui est diffusée dans le monde entier. Le français a aussi contribué au développement de cultures spécifiques, toujours vivantes. Et si l'on voulait donner une seule bonne raison, on pourrait dire que l'on aime bien entendre des Indiens d'Amérique, comme les Montenais du Québec, s'exprimer en français avec l'accent du Berry...

Jean-Marie Constans

Le français dans le monde

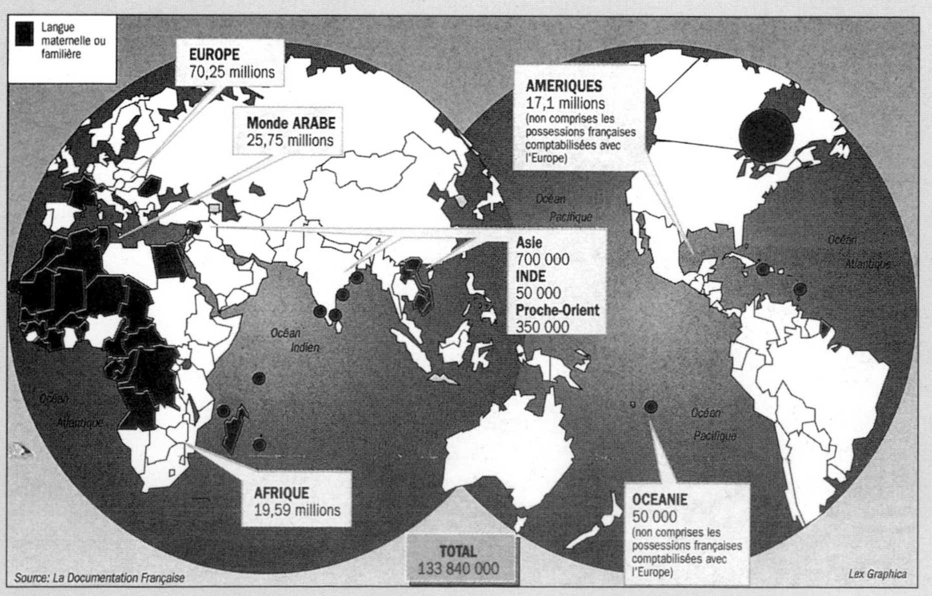
Langue maternelle ou familière
EUROPE
70,25 millions
Monde ARABE
25,75 millions
AMERIQUES
17,1 millions
(non comprises les possessions françaises comptabilisées avec l'Europe)
Océan Pacifique
Océan Atlantique
Asie
700 000
INDE
50 000
Proche-Orient
350 000
Océan Indien
Océan Atlantique
Océan Pacifique
AFRIQUE
19,59 millions
OCEANIE
50 000
(non comprises les possessions françaises comptabilisées avec l'Europe)
TOTAL
133 840 000
Source: La Documentation Française
Lex Graphica

**"Cajuns" est la déformation du mot "acadiens" qui servait à désigner les habitants des anciennes colonies françaises d'Amérique du Nord, au XIIe et XIIIe siècles : l'Acadie.*

1 Les différents aspects de la francophonie

Lisez l'article *La francophonie : une mosaïque de peuples* et pour chacune des catégories suivantes, donnez le nom d'un pays ou d'une région où le français est :

a la seule langue officielle.
b une langue officielle parmi d'autres.
c la langue utilisée dans l'enseignement public.
d la marque d'un attachement à cette langue.

2 Les origines de la francophonie

Relisez l'article et trouvez l'intrus dans chacune de ces phrases.

a La diffusion du français dans le monde est due à la colonisation par la France de nombreux pays de par le monde, au besoin de l'Amérique de renouveler sa population ainsi qu'au besoin de la France de trouver des matières premières et des débouchés pour ses produits manufacturés.
b L'anglais, le chinois et le français sont les langues officielles d'un bon nombre d'organisations internationales.
c Le français doit se défendre pour demeurer une des langues utilisées dans les journaux et revues de recherche, dans les rencontres internationales ainsi qu'au cours d'événements culturels.
d Il est important de défendre le français parce que c'est une langue qui évolue harmonieusement, parce qu'elle est le véhicule de grandes œuvres littéraires et parce qu'elle a permis le développement de la culture de toute sorte de peuples.

3 La langue de chez nous

Ecoutez la chanson en lisant les paroles ci-dessus.

a Quel est le thème de cette chanson ?
b Comment les images contribuent-elles à renforcer ce thème ? Justifiez votre réponse en analysant deux ou trois images différentes.
c Regardez maintenant les rimes de plus près.

Quand on parle de rimes on se penche sur leur disposition :

rimes suivies	*aabbcc*
rimes croisées	*abab*
rimes embrassées	*abba*

On considère aussi la qualité de la rime pour l'oreille :

rime pauvre (elle ne porte que sur une seule voyelle)	*barb**u**, point**u***
rime suffisante (porte sur deux sons)	
consonne + voyelle (c+v)	*poin**tu**, bat**tu***
voyelle + consonne (v+c)	***lune**, br**une***
rime riche (porte sur plus de deux sons)	
v+c+v	*b**attu**, qu'**as-tu***
c+v+c	*é**trange**, **frange***

Quelle est la disposition des rimes dans la chanson ?

Que pensez-vous de ces rimes ?

LA LANGUE DE CHEZ NOUS

Paroles et musique d'Yves Duteil

C'est une langue belle avec des mots superbes
Qui porte son histoire à travers ses accents
Où l'on sent la musique et le parfum des herbes
Le fromage de chèvre et le pain de froment

Et du Mont-Saint-Michel jusqu'à la Contrescarpe
En écoutant parler les gens de ce pays
On dirait que le vent s'est pris dans une harpe
Et qu'il en a gardé toutes les harmonies

Dans cette langue belle aux couleurs de Provence
Où la saveur des choses est déjà dans les mots
C'est d'abord en parlant que la fête commence
Et l'on boit des paroles aussi bien que de l'eau

Les voix ressemblent aux cours des fleuves et des rivières
Elles répondent aux méandres, au vent dans les roseaux
Parfois même aux torrents qui charrient du tonnerre
En polissant les pierres sur le bord des ruisseaux

C'est une langue belle à l'autre bout du monde
Une bulle de France au nord d'un continent
Sertie dans un étau mais pourtant si féconde
Enfermée dans les glaces au sommet d'un volcan

Elle a jeté des ponts par-dessus l'Atlantique
Elle a quitté son nid pour un autre terroir
Et comme une hirondelle au printemps des musiques
Elle revient nous chanter ses peines et ses espoirs

Nous dire que là-bas dans ce pays de neige
Elle a fait face aux vents qui soufflent de partout
Pour imposer ses mots jusque dans les collèges
Et qu'on y parle encore la langue de chez nous

C'est une langue belle à qui sait la défendre
Elle offre les trésors de richesses infinies
Les mots qui nous manquaient pour pouvoir nous comprendre
Et la force qu'il faut pour vivre en harmonie

Et de l'Ile d'Orléans jusqu'à la Contrescarpe
En écoutant chanter les gens de ce pays
On dirait que le vent s'est pris dans une harpe
Et qu'il a composé toute une symphonie.

La culture, une affaire d'Etat à protéger ?

- En matière d'audio-visuel, les Européens subventionnent librement leur production et fixent les normes technologiques de leur choix.
- La directive européenne du 3 octobre 1989 vise à limiter les importations et à garantir à la production locale une diffusion.
- Le cinéma et l'audio-visuel en général arrivent au 2° rang des exportations américaines.
- 60% des exportations américaines sont destinées à l'Union Européenne.

Au cours du sommet de la francophonie qui s'est tenu à l'île Maurice en octobre 1993, le chef de l'Etat français a lancé un appel vibrant à la mobilisation contre l'«hégémonisme culturel» anglo-saxon.

«Il serait désastreux d'aider à la généralisation d'un modèle culturel unique.»

Il s'est opposé à la volonté américaine de soumettre le commerce de l'esprit au même régime d'échange que le commerce tout court.

«Ce serait un recul qui entraînerait le démantèlement des systèmes d'aide à la production cinématographique et audiovisuelle existants et dont nous devons encourager l'extension.»

Célébrez le premier jour de l'été
Prenez vos instruments
Descendez dans la rue
Participez à la **Fête de la Musique**

Voici le texte de la résolution adoptée au sommet de la francophonie sur l'exception culturelle et le GATT :

Les chefs d'Etats, de gouvernement et de délégation des pays ayant en commun l'usage du français, désireux d'encourager la vitalité de l'expression artistique des cultures nationales et régionales présentes dans chacun de leurs Etats ; reconnaissant le rôle de l'Etat, des gouvernements et des collectivités publiques et territoriales dans la promotion, la protection et le rayonnement des industries culturelles nationales et régionales, à l'intérieur de leurs pays respectifs mais aussi au niveau international ; soucieux de permettre aux créations de l'espace francophone de circuler largement entre leurs Etats respectifs, comme porteurs des expressions communes et des identités diversifiées ; se référant à la clause d'exception culturelle telle qu'elle est reconnue au sein de l'Accord de libre-échange nord-américain (ALENA) ; conviennent d'adopter ensemble, au sein du GATT, la même exception culturelle pour toutes les industries culturelles, cette disposition constituant un moyen efficace pour maintenir une forte production culturelle francophone.

On a demandé aux Français ce qu'ils estimaient être la chose la plus importante pour le prestige de la France dans le monde :

Sa langue et sa culture	34%
Son développement économique	25%
Le niveau de vie de ses habitants	22%
Ses réalisations scientifiques	9%
Ses traditions et son histoire	6%
Son armée	2%
Ne se prononcent pas	2%

On a demandé aux Français : «Pour être cultivé, est-il nécessaire d'avoir des connaissances scientifiques ?»

Ont répondu :

Non	73%
Oui	25%
Ne se prononcent pas	2%

FETE DU CINEMA
le 18 juin
Faites une orgie de films
de midi à minuit
dans autant de cinémas
que vous voulez
pour le prix
d'une seule séance
plus 1 F symbolique
par salle visitée

1 A votre avis...

D'après ce que vous avez lu dans le chapitre et d'après les extraits que vous venez de lire :

a Quelle image vous faites-vous de la culture à la française ?

b Quelle importance, pensez-vous, les Français et leur gouvernement attachent-ils à leur culture ? Justifiez votre position.

c Pensez-vous que l'attitude des Français envers leur culture est légitime ? Pourquoi (pas) ?

2 Le rap alphabétique

Un rap plein de jeux de mots.

ET POUR FINIR

Préparez-vous à exposer et à défendre oralement devant de jeunes Français l'attitude du public et du gouvernement de votre pays envers la culture.

14 Qui juge ?

Thèmes	Communiquer	Grammaire
• L'expérimentation animale • Les transplantations • La violence • La punition	• Articuler sa pensée • Exprimer une évidence, douter de la vérité et restituer la vérité	• Pouvoir, devoir, vouloir, savoir • Faire faire

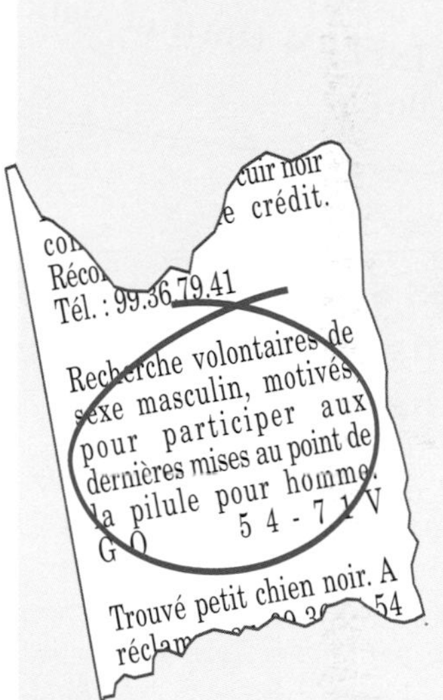
cuir noir
e crédit.
co
Réco
Tél. : 99.36.79.41
Recherche volontaires de sexe masculin, motivés pour participer aux dernières mises au point de la pilule pour homme.
GO 54-71V
Trouvé petit chien noir. A
réclam 54

– Mon portefeuille, relié par sémaphore à toutes les patrouilles motorisées, est, en outre, branché sur un lance-gaz paralysant et une caméra automatique…

LES ÉLEVEURS EN COLÈRE
LES VÉGÉTARIENS PAS CONTENTS
cabu

1
2
3
4
5
6
7
8
9

Schéma d'un tribunal (Cour d'assises)

le président de la cour 1
les jurés 2
l'accusé 3
les journalistes 4
l'avocat général 5
les pièces à conviction 6
la barre des témoins 7
les avocats de la défense 8
le public 9

SOMMAIRE

AU NOM DE QUOI ?

1 **C'est dans quel texte ?**
Dans lequel des trois textes les hommes justifient-ils les mauvais traitements qu'ils font subir aux animaux...
a au nom de l'amélioration de la nourriture ?
b au nom de l'amélioration des espèces ?
c au nom de la médecine ?
d au nom de la beauté ?
Attention ! Il y a une raison de trop.

2 **A la trace des mots**
Retrouvez dans les textes les mots qui correspondent aux définitions suivantes :
a couvert de
b masse nerveuse contenue dans le crâne
c relatif à l'œil ou aux yeux
d dangereux, actif
e un objet qui serre le cou et empêche de bouger
f arracher les poils
g une blessure ouverte
h en connaissance de cause, volontairement
i une boîte en bois
j trop petit
k forcer à (trop) manger

3 **Autrement dit**
Complétez les phrases suivantes en cherchant dans les textes les détails nécessaires pour donner le sens correct.

Exemple :
Les animaux sont soumis à différents tests pour permettre la *découverte* de nouveaux produits.

a La manière dont les animaux ...... à la douleur est enregistrée par des appareils sophistiqués.
b Les animaux sont immobilisés dans des carcans pour ne pas qu'ils se ...... ni qu'ils se ....
c Pour procéder à des tests d'irritation cutanée, les chercheurs procèdent à l'...... du dos des animaux.
d Pour laisser vivre normalement les animaux, il y a des espaces verts en nombre ....
e L'immobilisation des animaux dans des caisses trop petites explique qu'ils sont souvent ...... et qu'ils ...... en grand nombre.
f Les éleveurs refusent de reconnaître que ces méthodes sont ...... et ....
g La nourriture ...... par des animaux élevés dans de telles conditions n'est pas ...... pour les consommateurs.

QUESTIONS D'AUJOURD'HUI

Pour découvrir de nouveaux produits et d'autres façons de soigner, les animaux sont soumis à différents tests. Certains de très mauvais goût.

Un grand bâtiment anonyme dans Paris. Au dernier étage, un laboratoire de recherches sur la douleur. Sur la table d'opération, un petit rat à fourrure blanche et aux yeux rouges. Bardé d'électrodes, des aiguilles dans le cerveau. Des appareils sophistiqués enregistrent les réactions de ses neurones aux stimulations douloureuses. «Il ne sent rien» assure Daniel Lebars, neurophysiologiste à l'INSERM (Institut national de la recherche médicale).

Des êtres sensibles souffrent comme vous, des êtres sans défense torturés par les chercheurs

Pour déterminer l'irritation oculaire, des lapins ayant les yeux sains avant l'expérience sont enfermés dans des boîtes. Des produits, plus ou moins virulents, leur sont versés dans les yeux, heure par heure ou jour par jour. Pour les empêcher de se gratter, de se secouer, de rechercher une atténuation à leurs souffrances, ils sont immobilisés dans un carcan qui leur bloque la tête.

Pour les tests d'irritation cutanée, les animaux sont épilés sur le dos (imaginez qu'on vous arrache la moitié des cheveux de la tête) ou rasés, leur flanc est incisé plusieurs fois. Dans ces plaies, provoquées sciemment, sont appliquées les substances à tester.

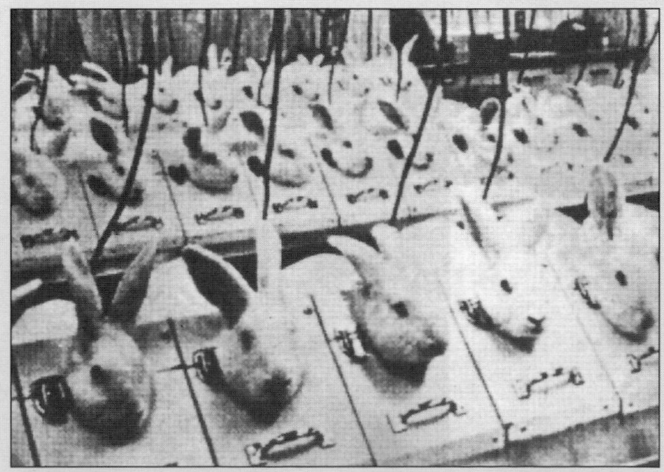

Maintenus dans des boîtes de contention, les lapins vivants, sans possibilité de se soustraire à ce supplice, ont les yeux brûlés avec des produits.

IL FAUT RECONVERTIR LES ELEVAGES CONCENTRATIONNAIRES

N'acceptez pas la cruauté

IL Y A SUFFISAMMENT D'ESPACES VERTS DISPONIBLES, POUR LAISSER VIVRE NORMALEMENT LES ANIMAUX.

Les jeunes ne joueront jamais dans les prés. Séquestrés à vie dans une caisse, les veaux y resteront paralysés environ 100 jours.

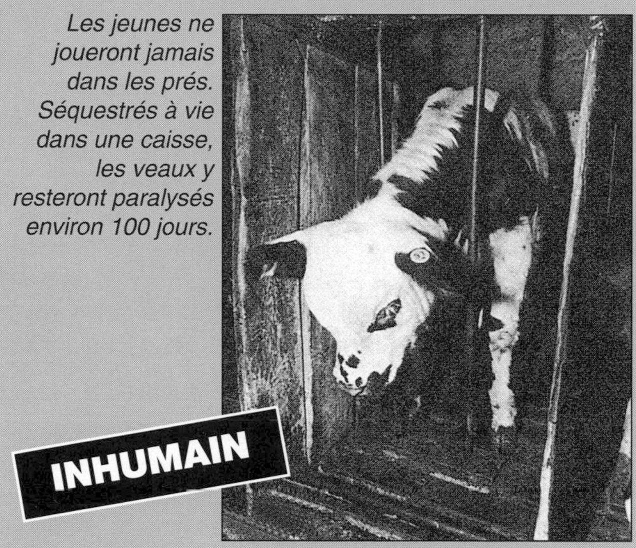
INHUMAIN

Lorsque vous traversez la campagne, les élevages industriels en bâtiments ne se signalent généralement pas à votre attention... à part l'irrespirable puanteur des lisiers déversés dans la nature.

Dans ces élevages, sont incarcérés en grand nombre de très jeunes veaux, agneaux, chevreaux, porcelets, brutalement enlevés à leur mère. Enfermés toute leur vie dans des caisses, dans des parcs étriqués, les animaux ne peuvent s'ébattre. Cette concentration et l'immobilisation, auxquelles ils sont soumis jour après jour, entraînent des maladies, un état d'anxiété permanent et une importante mortalité.

Loin de reconnaître la cruauté, la nocivité de ces méthodes et de les abandonner, on tente de maintenir les animaux en vie en les gavant de médicaments. Comme cela ne suffit pas, d'autres produits pharmaceutiques sont incorporés à la nourriture, alors dénommée «aliment médicamenteux».

Aux douleurs physiques causées aux animaux, s'ajoutent les souffrances morales : la détresse des vaches, recherchant le petit qu'on leur a pris trop tôt, en est une pitoyable démonstration.

Les animaux élevés dans ces conditions atroces ne fournissent qu'une nourriture malsaine, dispensatrice de maladies pour les consommateurs. Tous les médecins s'accordent pour dénoncer l'abus de consommation de viande et le déclare nocif pour la santé.

4 Interview
En vous basant sur les trois textes, préparez par écrit une dizaine de questions à poser aux chercheurs et aux éleveurs.

Exemple :
Pourquoi implanter des aiguilles dans le cerveau des animaux ?

AU FAIT

Le zoo de Vincennes
Ouvert en 1934, le zoo de Paris a été un des premiers zoos à offrir aux animaux des conditions proches de leur habitat naturel. Il y a quelques années, le zoo a été menacé de fermeture pour raisons économiques. Cette menace a soulevé un tollé de protestations à cause des recherches effectuées dans les laboratoires du zoo pour la protection des espèces en voie d'extinction.

5 La dignité des animaux au cirque et au zoo
Ecoutez la cassette et relevez tous les arguments pour ou contre les cirques et les zoos. De quel auditeur ou de quelle auditrice vous sentez-vous le ou la plus proche ? Pourquoi ? Comparez avec un(e) partenaire.

6 Cobaye humain
Un homme raconte comment il s'est prêté à des expériences médicales.

7 Simulation : Gros plan sur...
Prenez les rôles des invités de l'émission de télévision imaginaire *Gros plan sur...* Ce soir : les expérimentations sur les animaux. (Voir **74**.)

8 Au choix
Choisissez une des activités suivantes et pour la présentation, pensez à utiliser .

a Un cirque faisant travailler des animaux arrivera bientôt dans votre ville. Ecrivez une lettre pour exprimer vos réflexions (positives et/ou négatives) à votre quotidien.

b Imaginez que vous êtes chercheur et que vous faites des recherches médicales sur les moyens de guérir le cancer. Ecrivez une lettre à un journal ou enregistrez une cassette pour une émission de radio pour justifier la nécessité des expérimentations animales.

c Vous avez un emploi de publicitaire dans une nouvelle compagnie de produits de beauté qui n'effectue pas de tests sur les animaux. Préparez un poster ou une brochure pour votre campagne de publicité.

Le marché noir des greffes d'organes

Des trafics dans le tiers monde et aussi en Europe

Fraîchement débarqué de la campagne, un Vénézuélien de quarante-trois ans, Froilan Jimenez, s'est saoulé parce qu'il ne parvenait pas à trouver du travail. Quand il s'est réveillé, il était devenu aveugle. On lui avait volé ses yeux !

Aujourd'hui, en France, des centaines de malades sont en attente d'un cœur, d'un rein ou d'un foie qui pourrait les sauver. Toujours plus de patients, pas assez d'organes.

En attendant des prothèses efficaces, les trafics se multiplient. Ils ravagent le tiers monde, mais n'épargnent pas notre pays.

Plusieurs milliers de Français vivent aujourd'hui avec le cœur, le foie ou le rein d'un autre. Partout dans le monde, les greffes se multiplient, sauvent des vies. Des personnes de plus en plus âgées, des enfants de plus en plus jeunes sont opérés.

Sauf si vous l'avez notifié, on a le droit de prélever vos organes après votre mort.

Si le nombre de candidats à ce type d'opération ne cesse d'augmenter, en revanche, la proportion d'organes disponibles stagne, et le fossé entre l'offre et la demande se creuse de manière inquiétante. Plus de 20 % des personnes en attente d'un organe mourront, faute de la greffe qui aurait pu les sauver.

Contrairement à d'autres pays, la France dispose depuis 1976 d'une loi très favorable au prélèvement d'organes. Ce texte l'autorise sur tout patient décédé (sauf un mineur)

Les transplantations les plus pratiquées

REIN

REIN
250 000 F

Indispensable en cas de : insuffisance rénale au stade terminal.
Première greffe : 1954.
Nombre moyen de greffes par an : 2 000.
Taux de réussite : 85 %.
Délai d'attente : Plus de deux ans.

CŒUR

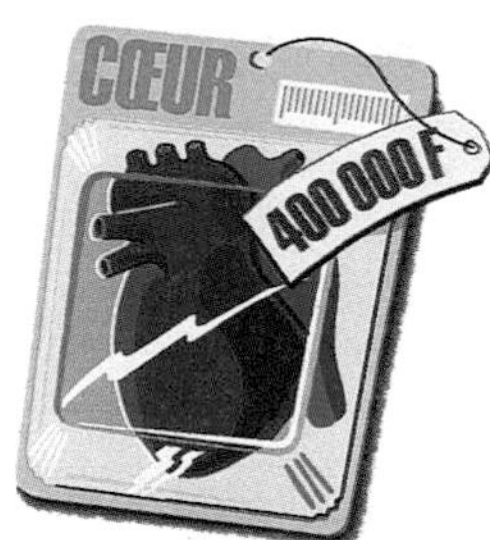
CŒUR
400 000 F

Indispensable en cas de : infarctus du myocarde, cardiomyopathie idiopathique (maladie du muscle cardiaque d'origine inconnue qui frappe souvent les enfants).
Première greffe : 1967.
Nombre moyen de greffes par an : 600.
Taux de réussite : 80 %.
Délai d'attente : plus d'un an.

1 **Explication**
Expliquez en français les expressions suivantes qui se trouvent dans l'article.
a en attendant des prothèses efficaces
b le fossé entre l'offre et la demande se creuse
c faute de la greffe qui aurait pu les sauver
d la gratuité du don
e l'anonymat du don

2 **Témoignages**
Ecoutez la cassette.
a Relevez dans les deux premières colonnes de l'article ci-dessus les idées qui correspondent à ce que vous entendez.
b Quels organes Gabriela et Fredy ont-ils reçus ?
c Que pensez-vous de leur attitude envers leurs donneurs ?
d Quelles autres idées vous semblent intéressantes et pourquoi ?

3 **Le serment d'Hippocrate**
Voici quelques lignes du serment que les médecins prêtent avant d'exercer leur métier. Traduisez-les en anglais.

Je dirigerai le régime des malades à leur avantage, suivant mes forces et mon jugement, je m'abstiendrai de tout mal et de toute injustice… Dans quelque maison que j'entre, j'y entrerai pour l'utilité des malades, me préservant de tout méfait volontaire et corrupteur…

Considérant ce serment, que pensez-vous des docteurs dont il est fait mention dans l'article ?

4 **Réaction**
Travaillez avec un(e) partenaire et comparez vos réactions au texte et aux images ci-dessus. Exprimez-vous en utilisant les expressions de Pour communiquer sur **74**.

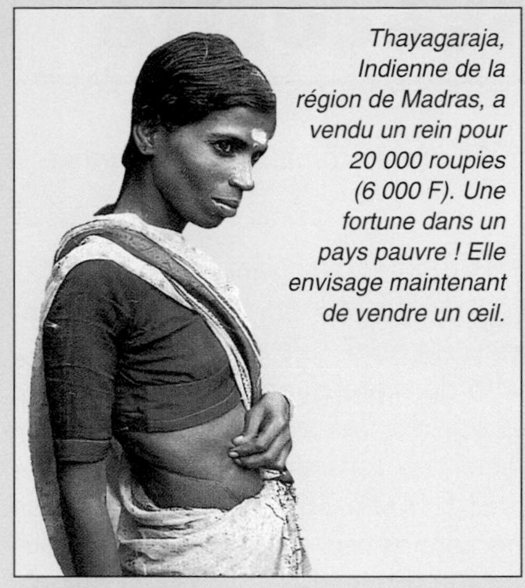

Thayagaraja, Indienne de la région de Madras, a vendu un rein pour 20 000 roupies (6 000 F). Une fortune dans un pays pauvre ! Elle envisage maintenant de vendre un œil.

n'ayant pas de son vivant notifié son opposition au don d'organes.

La gratuité du don est le deuxième grand principe en vigueur dans notre pays.

L'anonymat du don d'organe est la troisième base du dispositif français.

La France, championne du monde des greffes d'organes réussies.

En 1988, on comptait au total, dans notre pays, 52 transplantations par million d'habitants, contre 41 dans les pays scandinaves et 39 en Grande-Bretagne. Notre avance est particulièrement spectaculaire en ce qui concerne les greffes du cœur. Pour l'ensemble des greffes, le taux de succès varie de 65 à 80 % et la plupart des opérés retrouvent une vie normale. Hélas ! cela n'empêche pas que des patients meurent dans l'attente d'un organe.

Amérique du Sud, Asie : un commerce à grande échelle

Sur le plan mondial, la situation est la suivante : d'un côté, dans les pays riches, des milliers de malades sont prêts à tous les sacrifices pour rester en vie ; de l'autre, dans les pays pauvres, des gens épuisés par la misère, acceptent, en échange d'une prime, d'être mutilés, de vendre un rein (on peut vivre avec un seul) un œil, voire les deux. Les bénéficiaires de ce trafic, ce sont bien entendu des intermédiaires, mais surtout des médecins parjures au serment d'Hippocrate.

Des trafics de reins ont récemment été mis en évidence entre la Turquie et la Grande-Bretagne, l'Inde et les Emirats arabes, le Japon et les Philippines. En Chine, les transplantations sont une source de devises étrangères. Les organes des condamnés à mort sont proposés pour 100 000 F à de riches habitants de Hong Kong. Plus près de nous, une agence de Brême, en Allemagne, propose aux insuffisants rénaux, moyennant 400 000 F, un voyage à Moscou afin de bénéficier d'une greffe de rein.

FOIE

FOIE
600 000 F

Indispensable en cas de : cirrhose, hépatite virale ou médicamenteuse, cancer.
Première greffe : 1963.
Nombre moyen de greffes par an : 600.
Taux de réussite : 80 %.
Délai d'attente : environ six mois.

CORNEE

CORNEE
10 000 F

Indispensable en cas de : perte de vision due à une altération de la cornée.
Première greffe : 1946.
Nombre moyen de greffes par an : 2 000.
Taux de réussite : 70 %.
Délai d'attente : de 2 à 4 ans.

Il me faudrait encore deux reins, une vésicule biliaire, un nombril, un œsophage, deux mètres de gros intestin, une rate, un pied gauche, deux narines, un cervelet, un œil bleu...

Je vais voir ce que j'ai encore en magasin, Monsieur Frankenstein...

Alidor

5 Débat

Travaillez en groupes de quatre ou cinq. Choisissez une des affirmations suivantes. Trouvez des arguments pour ou contre. Après avoir présenté vos arguments, soyez prêts à répondre aux questions posées par les autres groupes.

a Pas de greffes pour les alcooliques et ceux qui fument plus de deux paquets de cigarettes par jour.

b Les greffes d'organes répétées sur une même personne correspondent à un acharnement thérapeutique dont ceux qui souffrent pourraient se passer.

c Pour remédier durablement à la pénurie, la première solution consiste à greffer un organe prélevé sur un animal, donc des xénogreffes. Le singe et le porc sont de bons donneurs présumés.

La violence en chiffres

«L'insécurité augmente», «l'immigration génère la délinquance»... Les préjugés ne résistent pas toujours aux statistiques

Il y a de plus en plus de crimes commis chaque année en France.
VRAI
Entre 1950 et 1990, le nombre de crimes et de délits constatés en France a été multiplié par 7. Mais cela ne signifie pas que notre pays est 7 fois plus violent aujourd'hui qu'après la dernière guerre ! Alors que les vols ont été multipliés par dix, les atteintes aux personnes (la «violence», au sens strict), n'ont été multipliées «que» par 2,5. Il y a 30 ans, les crimes et les délits contre les personnes représentaient 10 % de la criminalité. Aujourd'hui, moins de 4 %. Et depuis 1985, on observe une stabilisation de ces chiffres.

Si les crimes sont en augmentation, c'est parce qu'on a supprimé la peine de mort.
FAUX
La suppression de la peine de mort en 1981 n'a pas provoqué un «boom» du crime en France. Au contraire, la hausse du nombre des homicides semble avoir été enrayée à partir de 1984 : on tourne désormais autour de 2 500 par an. La suppression de la peine de mort n'a donc aucunement relancé la vocation d'assassin.

Si la violence augmente, c'est surtout à cause de la présence des immigrés.
FAUX
Il est évident que la situation des immigrés dans certaines banlieues des grandes villes est à l'origine d'explosions de violence périodiques. Mais peut-on conclure que les immigrés sont plus violents que les autres ? Il y a 8 % d'immigrés dans la population française. Or, parmi les individus mis en cause chaque année dans les crimes et les délits, il y a 17 % d'étrangers. A première vue, ils sont donc plus portés sur la criminalité que les autres.

1 Vous personnellement

Avez-vous été victime d'un acte de violence ? Connaissez-vous quelqu'un qui a été victime d'un acte de violence ?

Si oui, répondez individuellement aux trois questions suivantes. Si non, répondez juste à la question **c**.

- **a** Où, quand et comment cet acte de violence s'est-il passé ?
- **b** Quels sentiments avez-vous (la victime a-t-elle) éprouvé au moment de l'acte de violence ? Et maintenant ?
- **c** Quel était/est le motif de l'agresseur ?

Toute la classe travaille ensemble et met en commun les motifs d'agression retenus (question **c**).

2 Existe-t-il des personnalités agressives ?

Utilisez les renseignements donnés sur la cassette pour marier les fins des phrases suivantes à leurs débuts.

1. Des psychologues se sont penchés sur…
2. Ils n'ont découvert aucun rapport entre l'agressivité et…
3. Aucune classe sociale ne semble pas fournir…
4. Le niveau d'agressivité est lié à…
5. Il faut s'intéresser à son enfant et être strict avec lui pour empêcher que se développe…
6. Le respect des sentiments des autres jouent un rôle important dans…

- **a** … un nombre plus grand de personnes agressives.
- **b** … les gênes hérités.
- **c** … la prévention de l'agressivité.
- **d** … son agressivité plus tard.
- **e** … la qualité des relations avec le père et la mère de la naissance à l'âge de deux ans.
- **f** … le développement de jeunes pendant vingt ans.

3 Vrai ou faux

En vous référant à l'article *La violence en chiffres*, décidez si les affirmations suivantes sont vraies ou fausses. Corrigez celles qui sont fausses. Pour vous faciliter la tâche, utilisez un programme de traitement de texte.

- **a** Le taux d'augmentation de la violence en France est proportionnel à celui de l'accroissement du nombre des crimes.
- **b** Entre 1950 et 1990, le nombre des actes violents proprement dits s'est accru de 10%.
- **c** L'abolition de la peine de mort en France n'a pas eu de conséquence notable sur les taux de criminalité.

La peine de mort est-elle dissuasive ?
Evolution du nombre d'homicides volontaires en France
1 173
1 994
2 594
Abolition de la peine de mort
1972
1981
1991

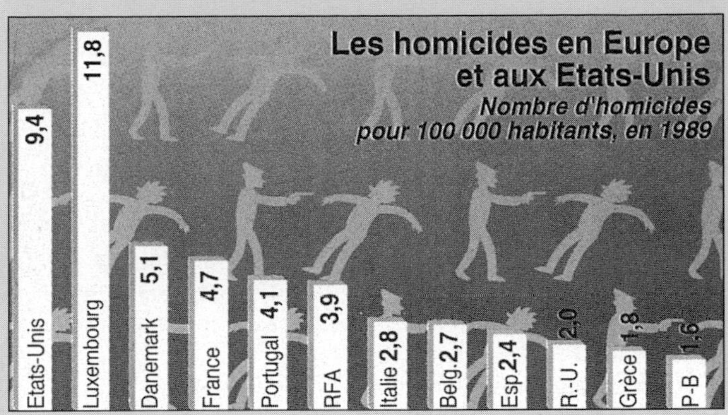
Les homicides en Europe et aux Etats-Unis
Nombre d'homicides pour 100 000 habitants, en 1989
Etats-Unis 9,4
Luxembourg 11,8
Danemark 5,1
France 4,7
Portugal 4,1
RFA 3,9
Italie 2,8
Belg.2,7
Esp.2,4
R.-U. 2,0
Grèce 1,8
P-B 1,6

En fait, ces chiffres sont terriblement trompeurs. Pour trois raisons. D'abord, les infractions à la «police des étrangers» (interdiction de séjour, etc.), qui par définition ne peuvent s'appliquer aux Français, représentent à elles seules 25 % des délits commis par les étrangers. Ensuite, la population étrangère compte moins de femmes et de personnes âgées que la population française et plus d'hommes adultes. Or cette dernière catégorie est plus «exposée» à la délinquance que les autres. Enfin, les étrangers commettent les infractions les plus visibles et les plus faciles à élucider : vols à la tire, fausses cartes d'identité, etc. En 1989, une étude officielle révélait que le taux de criminalité chez les étrangers est en réalité très voisin de celui constaté chez les Français.

On assassine plus aux Etats-Unis qu'en Europe
VRAI
Le taux d'homicides pour 100 000 habitants est en moyenne plus élevé de l'autre côté de l'Atlantique que sur le Vieux Continent. Dans l'agglomération de Los Angeles, on dénombre chaque année 1 200 cadavres, c'est-à-dire presque la moitié qu'on trouve en toute la France ! La diffusion très large des armes aux Etats-Unis n'est sans doute pas étrangère à ce phénomène.

d A première vue, les statistiques semblent prouver que les étrangers commettent plus de crimes que les Français.

e Une observation plus poussée montre que pour la plupart les délits commis sont liés à une tentative de rester en France.

f La police rencontre plus de problèmes quand il s'agit de trouver la solution aux délits commis par les étrangers.

g Il y a pratiquement autant de criminels français qu'étrangers.

h Le nombre élevé de meurtres aux Etats-Unis est vraisemblablement dû à la vente libre des armes à feu.

4 A vrai dire

L'article *La violence en chiffres* restitue la vérité sur des idées fausses.

a Individuellement, préparez un tableau à deux colonnes : dans la colonne de gauche, faites une liste de ces idées erronées et dans celle de droite, pour chaque idée fausse, restituez la vérité.

b Travaillez avec un(e) partenaire. Une personne donne ce qui semble une évidence :
– Si l'on en croit certaines statistiques, les étrangers sont plus violents que les Français.

L'autre personne fait comprendre que l'idée n'est pas correcte et la rectifie :
– On pourrait penser que les étrangers sont plus violents que les Français, mais en fait, en regardant de plus près, on se rend compte que le taux de criminalité est similaire chez les deux populations.

Maintenant composez par écrit les phrases qui proviennent de votre conversation.

POUR COMMUNIQUER

Exprimer une évidence
A première vue...
Etant donné que...
Au premier abord...

Douter de la vérité
Il semblerait que...
On pourrait s'attendre à ce que (+ subj.)
Une idée reçue veut que (+ subj.)

Restituer la vérité
mais les chiffres montrent/indiquent que...
mais en regardant de plus près, on se rend compte que...
mais une observation plus poussée révèle que...

5 L'économie est une déesse

Extrait d'une chanson de Florent Pagny.

Pouvoir, devoir, vouloir, savoir, de véritables casse-têtes !

Selon les temps auxquels ils sont conjugués, ces verbes peuvent avoir des significations légèrement différentes.

- **Pouvoir**

Pour exprimer une probabilité :
– Il se peut que j'y aille.
I might go there.

– Il pourrait pleuvoir.
It might rain.

Pour exprimer une conjecture, une supposition :
– Il peut bien y avoir 10 ans.
It could be about ten years.

Pour exprimer un reproche :
– Elle aurait pu m'avertir !
She might/could have warned me!

- **Devoir**

Pour exprimer une obligation morale :
– J'aurais dû aller à la banque.
I ought to have gone to the bank.

Pour exprimer un reproche :
– Il n'aurait pas dû dire ça!
He should not have said that!

Pour exprimer une supposition :
– Elle devrait déjà être arrivée.
She should have arrived by now.

– Il doit bien y avoir trois mois que je ne l'ai pas vue !
It must be about three months since I saw her last!

Pour exprimer un regret :
– J'aurais dû penser à ça !
I should have thought of that!

- **Vouloir**

Pour exprimer un désir frustré :
– J'aurais voulu y aller.
I would have liked to go there.
I would like to have gone there.

Pour exprimer un refus :
– Il ne voulait pas accepter l'invitation.
He would not accept the invitation.
(Valeur forte du conditionnel se traduirait par un refus en français.)

- **Pouvoir ou savoir ?**

She can't swim.
Est-ce que ça veut dire...

... qu'elle n'a pas appris à nager ?
– Elle ne sait pas nager.

... qu'elle n'en est pas physiquement capable ?
– Elle ne peut pas nager.

▶ Pour un peu de pratique, voir **75**.

Faire + infinitif

est l'équivalent de l'anglais *to have something done, to get something done, to get someone to do something.*

Exemple :
– Je vais faire réparer mon vélo.
I'm going to have my bike repaired.

Attention !
Quand les compléments d'objets sont des noms, ils se placent après les deux verbes.

Exemple :
– Il a fait entrer l'accusé.
He had the accused brought in.

Quand les compléments d'objets sont des pronoms, ils se placent avant les deux verbes.

Exemple :
– Il lui a fait enlever les menottes.
He had his handcuffs removed.

DEFIS GRAMMATICAUX

Traduisez en anglais.

(1) Suzanne a fait entrer Paul.
(2) Mais avant, elle a fait sortir Yves.
(3) Elle l'a fait descendre par la fenêtre.
(4) Elle avait fait venir du champagne de l'autre bout de la France.
(5) Au cours de la soirée, elle a fait voir à Paul sa collection de timbres.
(6) A la fin de la soirée, elle leur a fait monter un café.
(7) Comme il n'était pas chaud, elle a fait la tête.
(8) Elle a fait renvoyer la cuisinière.

Elle ne sait pas nager?
Elle ne peut pas nager?

Je jure de dire la vérité, toute la vérité, rien que la vérité

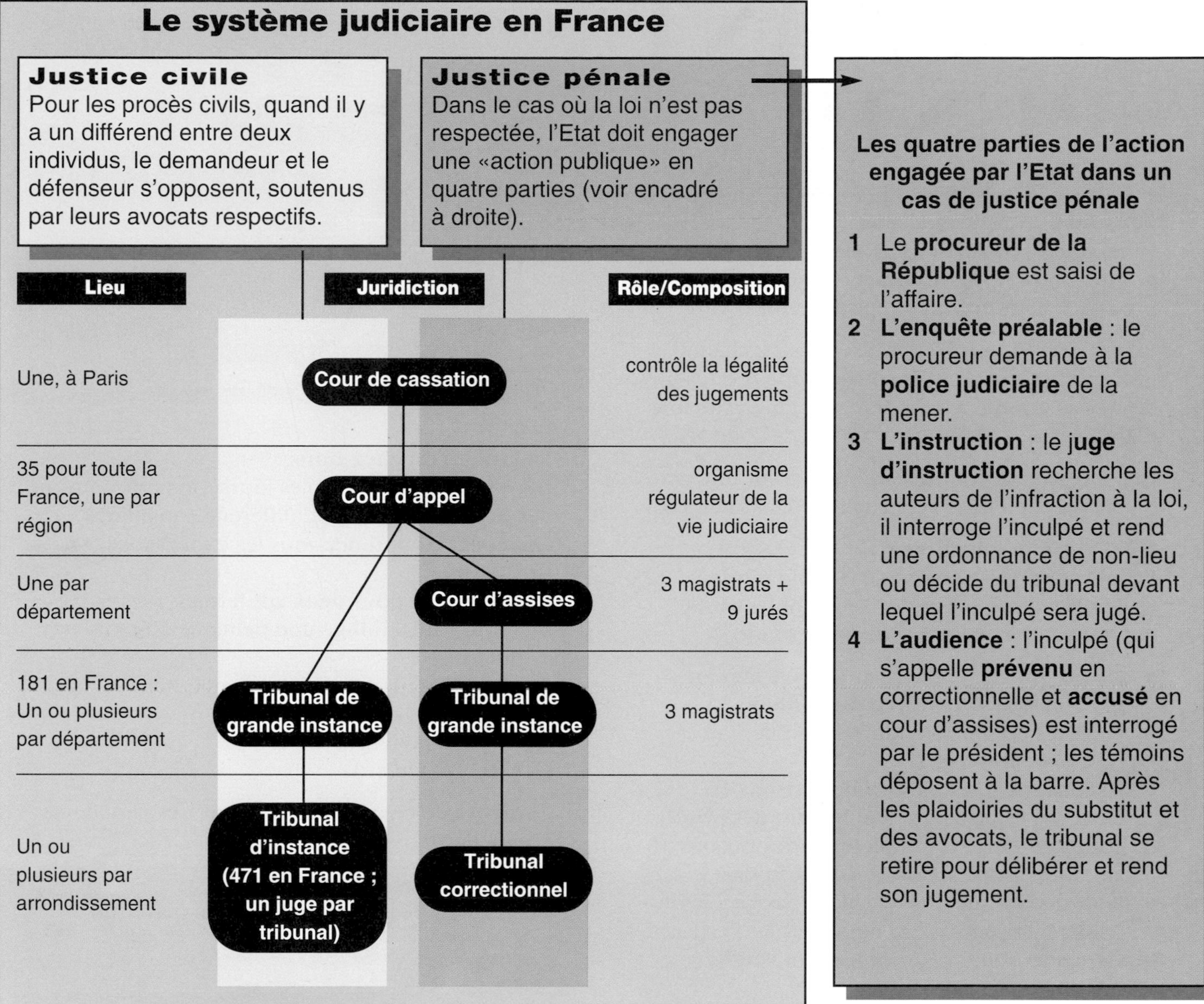

Le système judiciaire en France
Justice civile
Pour les procès civils, quand il y a un différend entre deux individus, le demandeur et le défenseur s'opposent, soutenus par leurs avocats respectifs.
Justice pénale
Dans le cas où la loi n'est pas respectée, l'Etat doit engager une «action publique» en quatre parties (voir encadré à droite).
Lieu
Juridiction
Rôle/Composition
Une, à Paris
Cour de cassation
contrôle la légalité des jugements
35 pour toute la France, une par région
Cour d'appel
organisme régulateur de la vie judiciaire
Une par département
Cour d'assises
3 magistrats + 9 jurés
181 en France : Un ou plusieurs par département
Tribunal de grande instance
Tribunal de grande instance
3 magistrats
Un ou plusieurs par arrondissement
Tribunal d'instance (471 en France ; un juge par tribunal)
Tribunal correctionnel
Les quatre parties de l'action engagée par l'Etat dans un cas de justice pénale
1 Le procureur de la République est saisi de l'affaire.
2 L'enquête préalable : le procureur demande à la police judiciaire de la mener.
3 L'instruction : le juge d'instruction recherche les auteurs de l'infraction à la loi, il interroge l'inculpé et rend une ordonnance de non-lieu ou décide du tribunal devant lequel l'inculpé sera jugé.
4 L'audience : l'inculpé (qui s'appelle prévenu en correctionnelle et accusé en cour d'assises) est interrogé par le président ; les témoins déposent à la barre. Après les plaidoiries du substitut et des avocats, le tribunal se retire pour délibérer et rend son jugement.

1 **De quoi s'agit-il ?**
Servez-vous des renseignements donnés par le tableau ci-dessus pour répondre aux questions suivantes :

a Quelle justice (civile ou pénale) s'occupe des cas suivants :
– Deux voisins sont en litige : Monsieur X a construit un mur sur le terrain de Monsieur Z. Monsieur Z porte plainte.
– Un homme est jugé parce qu'il en a tué un autre.
– Une femme a détourné une grosse somme d'argent à la compagnie où elle travaille.

b Quel est le tribunal qui ne fait pas partie des procédures de la justice civile ?

c Quel est le tribunal qui s'occupe de vérifier que la justice a été rendue selon la loi ?

d Qui décide à quel niveau une affaire criminelle sera jugée ?

e Que signifie l'expression: «Le juge X instruit l'affaire» ?

2 **Le vocabulaire de la justice**
Faites l'exercice sur **76**.

AU FAIT

- La justice française est gratuite, mais les frais de timbres et d'enregistrement la rendent chère.
- Selon un sondage récent, les Français la trouvent :

lente	**95%**
compliquée	**81%**
chère	**76%**
injuste (les pauvres plus sévèrement jugés que les riches)	**75%**

COMMENT PUNIR ?

1 Pour ou contre les prisons

Divisez la classe en deux groupes égaux : un groupe prépare des arguments pour les peines de prisons, l'autre groupe des arguments contre.

Si la classe est très nombreuse, divisez chaque groupe en deux ou trois sous-groupes et découvrez quel sous-groupe a pensé au plus grand nombre d'arguments.

Chaque groupe écrit ses arguments sur une grande feuille de papier qui sera affichée dans la classe.

2 C'est une question d'interprétation

Ecoutez l'enregistrement de la table ronde. Lesquelles de ces opinions reflètent les idées exprimées au cours de cette table ronde ?

- **a** Depuis que la peine de mort a été abolie, la prison est le seul moyen de punition.
- **b** Seuls les criminels endurcis devraient se retrouver en prison.
- **c** La construction de nouvelles prisons est le seul moyen d'éviter le surpeuplement des prisons.
- **d** Pour arrêter le surpeuplement des prisons, il faut mener une action sur deux fronts.
- **e** Pour que les prisons ne soient pas l'école du crime, il est nécessaire de ne pas les surpeupler.
- **f** La prison doit être avant tout un lieu de réinsertion sociale.
- **g** Si la prison ne se consacrait qu'à permettre la réhabilitation des criminels, la notion de punition disparaîtrait.
- **h** Les notions de bien et de normal ne peuvent être associées au concept de prison.
- **i** Une certaine conception de la prison peut en faire un endroit où toutes les personnes qui ne correspondraient pas à notre propre vision de normalité seraient enfermées.
- **j** De nos jours, les prisonniers qui sortent de prison recommettent souvent les délits pour lesquels ils avaient été enfermés.
- **k** Il est normal de vouloir se faire justice soi-même.
- **l** Le fait qu'il y ait une justice d'Etat assure que des délits similaires seront punis par la même peine.

3 La langue de chez nous

Dans la langue de tous les jours, on parle souvent des peines de prison de différentes manières. Comment comprenez-vous les expressions suivantes :

- **a** Il en a pris pour deux ans fermes.
- **b** Le juge lui a infligé une peine de 10 mois avec sursis.
- **c** Le procureur a requis la perpétuité.
- **d** Il a fait de la prison.
- **e** Il est en taule.
- **f** C'est un taulard.

Certaines de ces expressions sont très familières. Lesquelles ?

4 Le pas des ballerines

Chanson de Francis Cabrel qui fait parler un prisonnier.

AU FAIT

350 000 détenus dans les prisons de l'UE

- En France, sur un total d'environ 600 000 délits ou crimes jugés, près de 9 condamnés sur 10 sont des hommes, 8 sont français, et leur moyenne d'âge est de 29 ans. Les femmes sont condamnées pour des infractions moins graves et vont très peu en prison (à peine 2 500 femmes pour 51 000 hommes). Le record de sagesse féminine appartient à l'Irlande : seulement 2% de la population pénale.
- Les prisons d'Europe comptent en moyenne 350 000 détenus, soit 79,5 détenus pour 100 000 habitants, taux bien inférieur à ce qu'on rencontre en Amérique du Nord : 110 au Canada et plus de 300 aux Etats-Unis !
- Au chapitre de la durée moyenne de détention, trois pays se révèlent particulièrement sévères en Europe : le Portugal (durée moyenne : 9 mois), l'Allemagne (7 mois), la France (6,5 mois). Bien loin de la moyenne norvégienne (24 jours) ou du Danemark (1 mois).

UNE POPULATION À HAUT RISQUE

Près de 60% des personnes incarcérées pour délits en France le sont pour vol ou recel. Parmi les détenus, 12,3% sont illettrés, 33,1% savent juste lire et écrire, 40% n'ont qu'un niveau d'études primaires, 33,8% sont classés dans la catégorie socioprofessionnelle des ouvriers et 45% comme pensionnés, sans profession ou chômeurs. Les étrangers constituent, à eux seuls, 28% des entrants en prison. Les détentions provisoires touchent d'abord massivement les personnes sans domicile stable et sans profession ; et près de 80% des 100 000 incarcérés par an entrent en prison en tant que détenus provisoires.

5 **Ils tournent au crime...**
Les statistiques de l'article ci-dessus révèlent quelques-unes des raisons pour lesquelles certaines personnes commettent des délits plus ou moins graves.

Individuellement, faites une liste de ces raisons ; ajoutez aussi celles qui vous viennent à l'esprit. Ces raisons devront être des noms.

Exemples :
pauvreté, ennui, …

Mettez vos idées en commun et dressez une liste qui inclut les idées de toute la classe.

Individuellement, choisissez les cinq raisons qui vous paraissent les plus importantes, recherchez dans un dictionnaire monolingue tous les mots (verbes, adjectifs, adverbes) qui se rapportent à chacun des cinq noms que vous avez sélectionnés. Finalement, exprimez, dans des phrases et sous une forme différente, vos cinq raisons pour lesquelles les gens tournent au crime.

Exemple :
Certaines personnes tournent à la délinquance parce qu'elles sont pauvres et ne peuvent se nourrir.

6 **Jeune conductrice**
Fait-divers entendu, à France-Inter, un matin. Et en plus, c'est vrai…!

7 **Les travaux d'intérêt général (T.I.G.)**
Ecoutez la cassette et répondez aux questions suivantes aussi précisément que possible.

- **a** A qui sont destinés les T.I.G. ?
- **b** En quoi consistent-ils ? Donnez des exemples pour illustrer votre réponse.
- **c** En quoi les T.I.G. constituent-ils une punition plus utile que la prison, selon la personne qui parle ?
- **d** Comment peut-on expliquer que cette punition soit si peu utilisée ?
- **e** Selon la personne qui parle, que représente la prison ?
- **f** En quoi cette personne rejoint-elle les idées des participants à la table ronde et les thèses défendues dans *Existe-t-il des personnalités agressives ?* (page 174).
- **g** Que pensez-vous de la dernière thèse de cette personne ?

8 **Dépêchons...**
Quelles réflexions vous inspire ce dessin ?

3 MOIS
DÉPÊCHONS ;

9 **Regard en arrière**
Au début de ce travail sur la peine de prison, vous avez fait des affiches. Voulez-vous revoir ce que vous aviez décidé ? Remettez-vous en groupes comme pour l'activité 1 page 178.

Individuellement, écrivez environ 300 mots sur le sujet : existe-t-il une punition qui soit vraiment efficace ?

Travail de recherche

La peine capitale ou la peine de mort

Où en est l'Europe en ce domaine ?

- **a** Reste-t-il des pays de l'Union Européenne où la peine de mort existe toujours ? Pour quels délits ?
- **b** Pour les Etats-membres qui l'ont abolie, quand s'est passée l'abolition ?

Trouvez les réponses à ces questions dans un centre de documentation ou une bibliothèque.

LA PRESSE, MONTREAL, SAMEDI 11 JANVIER 1992

La poursuite réclame la peine maximale contre l'adolescent qui a mis le feu à son ex-petite amie

Presse Canadienne
QUÉBEC

■ S'appuyant sur l'opinion de la plupart des experts, la poursuite a réclamé hier la peine maximale de trois ans de mise sous garde en milieu fermé contre l'adolescent de 15 ans qui, en septembre, a mis le feu à son ex-petite amie, dans le quartier de Limoilou, à Québec.

Pour le procureur de la Couronne, Me Fabienne Bouchard, le juge François Godbout devra se montrer très prudent dans sa prise de décision, compte tenu du fait que les trois témoins experts ont décrit le jeune homme comme dangereux.

Auparavant, l'avocate du jeune, Me Hélène Roy, avait plutôt plaidé en faveur d'une garde en milieu fermé suivie d'une peine en milieu ouvert, les durées devant correspondre aux besoins de son client.

Au début de la journée, la mère de l'adolescent a pu déposer en présence d'un auditoire restreint comprenant la mère de la victime.

Divorcée et dépressive depuis dix ans, la dame a dit être au courant que son fils touchait à la drogue qu'il achetait d'un vendeur de cocaïne exerçant son commerce dans la cour de l'école. Se disant d'accord pour que le garçon soit puni pour le crime qu'il a commis, la mère, qui a un autre fils de 14 ans, a conclu en larmes : « Je voudrais aussi qu'on tienne compte des bonnes choses qu'il a faites pour moi. Il me donnait tout ce qu'il pouvait... » Elle a enfin répondu au juge Godbout qu'elle accueillera son fils les bras ouverts lorsqu'il pourra réintégrer son foyer.

Dans sa déposition, la psychologue Suzanne Baril, appelée à témoigner par la défense, a déclaré que l'adolescent éprouve des difficultés d'adaptation et qu'il a besoin d'aide. Il s'agit d'un individu extrêmement insécure, introverti, sensible, et qui éprouve des difficultés de contact avec ses émotions profondes. Ses carences affectives sont surtout liées aux lacunes de la présence paternelle.

Facilement influençable, le jeune homme possède une faible capacité d'organisation et de structure. A cause de son manque de confiance en soi, sa colère se tourne davantage vers lui-même. La psychologue évalue la possibilité de commettre le même acte comme faible puisque celui-ci est lié à la perte affective et qu'il faudrait aussi en reproduire toutes les circonstances particulières. En conclusion, l'experte s'est prononcée en faveur d'une garde en milieu fermé d'environ un an suivie d'une autre en milieu ouvert de deux ans.

Soulignant que la tenue d'un procès a été évitée par le plaidoyer de culpabilité, Me Roy s'est ensuite opposée à ce que son client soit envoyé à l'institut Pinel, de Montréal. Elle a fait valoir que le jeune n'est pas un délinquant et ne possède aucun antécédent judiciaire. Il s'agit plutôt de l'enfant d'une mère surprotectrice et d'un père absent, alcoolique, brutal et criminalisé.

Répliquant en plaidoirie, le procureur de la Couronne a noté que pour un tel crime un adulte serait passible de l'emprisonnement à perpétuité.

Le juge Godbout fera connaître sa décision le 14 février.

1 Explication

Expliquez en français les expressions suivantes qui se trouvent dans le texte.

Exemple :
– compte tenu du fait

Réponse possible :
– si on prend le fait en considération

a un auditoire restreint
b elle a dit être au courant
c exerçant son commerce
d en larmes
e réintégrer son foyer
f aux lacunes de la présence paternelle
g un antécédent judiciaire

2 La langue de chez nous

Le système judiciaire dont il est question dans ce texte est celui du Canada. Vérifiez vos connaissances du système judiciaire français (voir page 177) en donnant l'équivalent français des termes suivants.

a la poursuite
b la mise sous garde en milieu fermé
c le procureur de la Couronne
d une peine en milieu ouvert

3 Thème

Traduisez **77** en français.

4 Tous en scène

Formez des groupes comprenant les personnages de l'article.

Chaque personne étudie son rôle dans l'article, préparant individuellement les questions et les réponses ainsi que les attitudes qui s'imposent.

La classe entière organise le décor de la salle d'audience. Puis, chaque groupe interprète sa scène.

Selon ce qu'ils ont vu et entendu, les autres membres de la classe décident de la peine à donner à ce jeune de quinze ans.

15 Demain déjà ?

Thèmes	Communiquer	Grammaire
• Devenir adulte • La recherche médicale et scientifique • L'avenir	• Exprimer ses obligations futures • Commenter des images poétiques	• Points négatifs • Jusqu'à

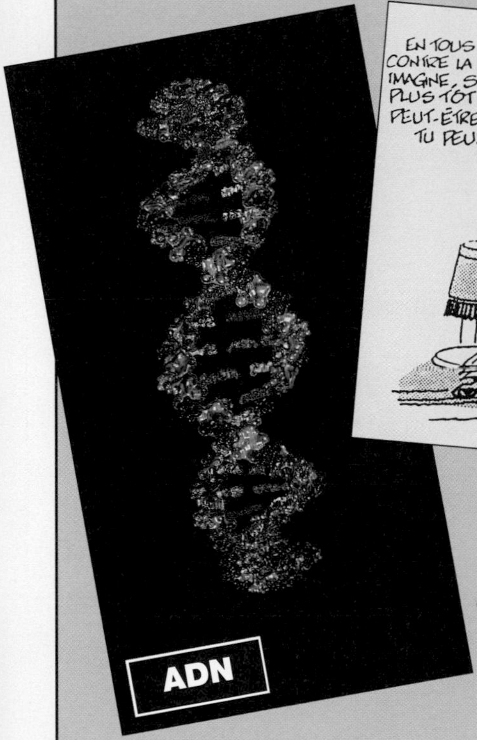

ADN

EN TOUS CAS, MOI, JE SUIS CONTRE LA MANIPULATION GÉNÉTIQUE ! IMAGINE, SI CELA AVAIT ÉTÉ MIS AU POINT PLUS TÔT, JE N'EXISTERAIS PEUT-ÊTRE MÊME PAS AUJOURD'HUI ! TU PEUX IMAGINER ÇA ?!?

OUI, POURQUOI ?

«Science sans conscience n'est que ruine de l'âme.»

Rabelais

JUJU, MON CHÉRI, IL EST L'HEURE DE FAIRE POPO, DE PRENDRE TON BIBI ET D'ALLER AU DODO.

SOMMAIRE

Demain personnellement ...

***Au point** a demandé à cinq jeunes Français d'écrire leurs pensées au sujet de l'avenir. Pour eux, devenir adulte, ça signifie quoi exactement ?*

«C'est un peu la fin des rêves. Etre adulte, c'est enfin pouvoir participer à toutes les activités des «grandes personnes». C'est se donner des allures de quelqu'un de responsable et, enfin, assumer son rôle de citoyen ou de citoyenne.»

François, 18 ans

«C'est s'envoler hors du cocon familial, rassurant. C'est surmonter ses peurs et se dire que désormais ses parents ne seront plus là pour donner un coup de main chaque fois qu'on en a besoin.»

Isabelle, 17 ans

1 Qui c'est ?

Lisez ce que les jeunes ont écrit. Puis décidez quelle personne correspond à quelle description.

- **a** Cette personne aborde le sujet en envisageant son avenir sur le plan financier.
- **b** Cette personne ne regrette pas d'avoir laissé son enfance derrière elle.
- **c** Cette personne semble avoir eu une enfance très protégée.
- **d** Cette personne considère les devoirs civiques mais est également attirée par la liberté que confère l'âge adulte.
- **e** Cette personne saisira certainement l'occasion à l'avenir d'être active sur le plan politique.

2 Et vous ?

Ecrivez cinq phrases en réponse à la question : Pour vous, devenir adulte, ça signifie quoi, exactement ?

3 Quels devoirs !

Travaillez à deux, d'abord oralement et puis par écrit. Dressez une liste de toutes les responsabilités que vous risquez d'avoir en tant qu'adulte. Pensez, par exemple, aux impôts, aux frais de logement, aux responsabilités envers votre famille et la personne avec qui vous vivrez. Pour vous aider, servez-vous des expressions de Pour communiquer.

POUR COMMUNIQUER

Exprimer ses obligations futures

Il va falloir (+ infinitif)
Il va falloir que je (+ subjonctif)
Il (me) faudra (+ infinitif)
Il faudra que je (+ subjonctif)
J'aurai à (+ infinitif)
Je serai obligé(e) de (+ infinitif)
On m'obligera à (+ infinitif)

«C'est affirmer peut-être encore plus vigoureusement ses opinions, essayer de faire bouger le monde. C'est s'ouvrir sur le monde, aller de l'avant pour construire quelque chose de bien. C'est prendre conscience des problèmes actuels et éventuels.»

Patrice, 18 ans

«C'est surtout perdre tous les vilains défauts de l'adolescence, comme l'intolérance, l'esprit critique, la médisance... C'est également fonder un foyer, ou tout simplement vivre avec son copain.»

Sandrine, 18 ans

«C'est finalement vivre avec un budget moins serré que celui d'un étudiant ! C'est pouvoir satisfaire à toutes ces petites envies qui sont restées insatisfaites pendant l'adolescence, se payer enfin quelques petits objets de luxe : une chaîne, une moto, des voyages...»

Brahim, 19 ans

4 **Sondage**
Lisez, ci-dessous, les résultats d'un sondage effectué parmi une centaine de jeunes Français et puis, par écrit, répondez aux questions qui suivent le sondage.

En pensant à l'avenir, diriez-vous que vous êtes plutôt optimiste ou plutôt pessimiste ?

	Ensemble %	Filles %	Garçons %
Plutôt optimiste	**52**	**49**	**56**
Plutôt pessimiste	**33**	**36**	**30**
Sans opinion	**12**	**13**	**12**
Ne se prononcent pas	**3**	**2**	**2**

a Comment auriez-vous répondu à la question posée dans le sondage ?

b Pourriez-vous suggérer les raisons pour lesquelles les filles interrogées paraissent moins optimistes que les garçons ?

c Si vous êtes «plutôt pessimiste», quelles sont vos préoccupations personnelles pour l'avenir ?

(ne pas réussir aux examens ? le sida ? le chômage ? la guerre ? l'état politique et économique du monde ? la détérioration de la couche d'ozone ?)

d Si vous vous considérez «plutôt optimiste», dévoilez les sources de votre optimisme !

5 **Les raisons d'être optimiste ou pessimiste**
Nous avons interviewé Jean-Pierre, 20 ans, et Anne-Marie, 21 ans. A votre avis, sont-ils optimistes ou pessimistes ? Voir 78.

Demain, je grandis

Plutôt que d'envoyer à un magazine de jeunes une lettre, Céline a préféré exprimer ses idées sur le thème «Devenir adulte» sous forme de poème.

Demain, je grandis.
Je grandis
Parce qu'on m'en a donné l'ordre ;
Il va falloir que je jette
Cette adolescence
Qui m'allait si bien
Que je m'en débarrasse
Comme on enlève un manteau
Trop lourd et tout mouillé,
Que je jette la Clef de mes Rêves
Et que j'abandonne mes
Nuits sans Lune.
Demain, je meurs un peu.
J'enlève ce reste d'enfance
Qui n'était qu'un peu de sable
Sur cette peau brune qui
Est la mienne.
Il va falloir
Apprendre à regarder
L'horizon en face.
Demain plus de bouderies
Ni de regards candides,
Demain j'endosse l'armure
De l'adolescence fusillée,
Age traître que celui-là ;
Montrer que je suis forte,
Bientôt les adultes,
Je suis mal dans mon corps
Et ma tête est lourde ;

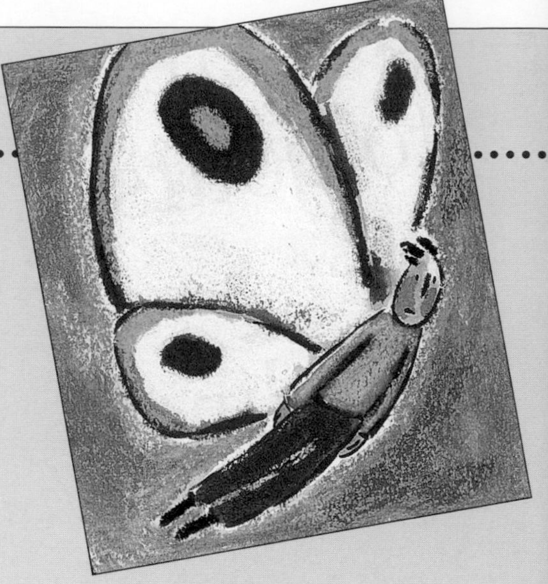

1 Lecture
Au besoin, cherchez le sens des mots suivants dans un dictionnaire :

un reste, des bouderies, l'armure, éplucher, la mue, effarer.

Puis lisez le poème de Céline. Avec un(e) partenaire, lisez le poème encore une fois, à haute voix, prenant tour à tour un vers ou une phrase. Enregistrez-vous pendant que vous lisez.

2 Les sentiments
Quels sentiments Céline laisse-t-elle entrevoir dans ce poème ? En faisant face à la vie d'adulte, éprouvez-vous les mêmes sentiments que Céline ?

3 Les images
Note explicative : l'image est l'expression de l'abstrait par le concret dans le discours ou dans l'écrit.

La comparaison :
Il s'agit d'un rapport établi explicitement entre un objet ou une action et un autre objet ou une autre action dans le langage que l'on utilise. Une comparaison est généralement introduite par «comme», «tel (telle/tels/telles) que», «ainsi que»...

Exemple tiré du poème :
comme une vieille peau de serpent

La métaphore :
Si la comparaison n'est pas explicite, il s'agit d'une métaphore. Une métaphore consiste en une modification de sens par substitution analogique, en utilisant par exemple un terme concret dans un contexte abstrait.

Exemple tiré du poème :
j'endosse l'armure de l'adolescence fusillée

Trouvez toutes les autres métaphores et toutes les comparaisons qu'utilise Céline. En vous référant à Pour communiquer, écrivez ou dites ce que vous pensez de ces images. Choisissez, personnellement, l'image que vous considérez la plus efficace. Justifiez votre choix.

POUR COMMUNIQUER

Commenter des images poétiques
Je trouve que c'est une image...
Adjectifs positifs : efficace, évocatrice, originale, saisissante, surprenante...
Adjectifs négatifs : banale, exagérée, faible, forcée, mal conçue, peu efficace...
Ce qui me frappe tout particulièrement, c'est la manière dont elle...
J'apprécie surtout...

Devoir faire face
Et je ne veux pas.
Si je pouvais vivre
Dans une cage
Quelque part dans un autre monde,
Bien loin de chez vous,
Me damner pour garder
Ce qui n'a jamais cessé d'être moi,
Et que je conserverai
Comme un fragile trésor ;
Ce qui pour vous
N'est qu'une heure éphémère,
Moi je sais qu'elle colle à mon ombre ;
Bout d'enfance et
Combats de l'adolescence
Qui s'épluchent sur mes épaules,
Mue qui m'effare et me perd
Comme une vieille peau de serpent.
Suspendre le Temps
Et revenir en arrière...
Plus grandir.

4 ***Maturité***
Ecoutez le poème de Denise Jallais écrit en 1966 et plein de souvenirs d'enfance.

5 **Poésie sur mesure**
Voici une série de débuts de vers d'un poème sur le passage de l'adolescence à la vie d'adulte. Tout le monde doit compléter le poème. Ajoutez, au besoin, d'autres vers. Affichez les poèmes et comparez les résultats.

Demain...
Parce que...
Il va falloir...
Et...
Avant, il y avait...
Avant, c'était...
Demain plus de...
Ni de...
Fini(e) le (la)...
Bientôt...
Ce qui...
N'est qu'un(e)...
Quelque part...
Comme un(e)...
Je...
Plus jamais...

GRAMMAIRE

Points négatifs

• Formation
Pour mettre un verbe à la forme négative, on ajoute une locution adverbiale de négation.

• Usage
Assurez-vous que vous savez utiliser les locutions suivantes.

▶ Cherchez des exemples dans les pages d'**Au point**.

ne ... pas ; ne ... point (forme plus emphatique) ; ne ... guère (*scarcely*) ; ne ... jamais ; ne ... nullement (*not at all, by no means*) ; ne ... personne ; ne ... plus ; ne ... que ; ne ... rien.

Pour redoubler la négation, on se sert de la conjonction **ni**.

Exemple :
Il ne savait ni lire ni écrire.

Le deuxième terme de la locution négative peut parfois se trouver *avant* **ne**.
Attention ! Dans ces cas-là, ne mettez pas **pas** !

Exemple :
Personne ne veut vraiment essayer.

Deux négations équivalent d'ordinaire à une affirmation, parfois atténuée.

Exemple :
Je ne dis pas non.
(= peut-être)

▶ Notez l'ordre des locutions négatives dans ces exemples. Apprenez-les par cœur.

– Il n'y a jamais personne.
– Je n'irai plus jamais là-bas.
– Je n'en ai jamais rien dit à personne.

DEFIS GRAMMATICAUX
Traduisez ces exemples de locutions négatives, tirés du poème *Demain, je grandis* :

a ce reste d'enfance qui n'était qu'un peu de sable
b ce qui pour vous n'est qu'une heure éphémère
c demain plus de bouderies ni de regards candides
d plus grandir

La bombe démographique

Le monde riche se meurt faute d'enfants et le monde pauvre n'arrive plus à nourrir les siens.

D'ici le milieu du siècle prochain, la Terre passera de 5,4 à 10 milliards d'habitants. Les pays les plus pauvres absorberont 95% de cette croissance, faute de moyens de contraceptifs.

Les espoirs de voir la population de notre planète se stabiliser le siècle prochain sont d'ores et déjà voués à l'échec. Nous sommes 5,4 milliards aujourd'hui à nous partager la planète Terre ; au tournant du siècle, nous serons déjà un milliard de plus, avant de passer à 8,5 milliards en 2025. Le cap des 10 milliards sera franchi vers l'an 2050. Et la croissance démographique est encore programmée pendant une bonne centaine d'années, jusqu'à ce que la population ne commence à décroître pour se stabiliser, dans un siècle et demi, à quelque 11,6 milliards d'individus.

Ces chiffres, impressionnants, ont été dévoilés récemment par le Fonds des Nations Unies pour la Population (FNUAP) qui dresse dans son rapport annuel l'état de la population mondiale. Cet organisme souligne que les estimations de la croissance démographique doivent à nouveau être révisées à la hausse, malgré des signes encourageants.

L'espoir, le FNUAP le voit dans le désir des femmes de ce temps d'avoir moins d'enfants que toute autre génération avant elles ; reste, cependant, que la fécondité réelle est beaucoup plus élevée que celle «souhaitée», dans de très nombreux pays...

Les experts estiment que les pays en voie de développement absorberont, à eux seuls, 95% de la croissance démographique. Le continent africain s'apprête à passer de 650 à 900 millions d'habitants d'ici la fin du siècle ; cela «grâce» au plus fort taux de croissance démographique (3%) jamais enregistré.

L'augmentation numérique la plus importante se produira en Asie du Sud où la population passera de 1,2 milliards à 1,5 milliards dans les neuf prochaines années. La population d'Amérique latine et des Caraïbes devrait augmenter, quant à elle, de 100 millions de personnes, pour se chiffrer à 540 millions d'ici le siècle prochain. La croissance démographique

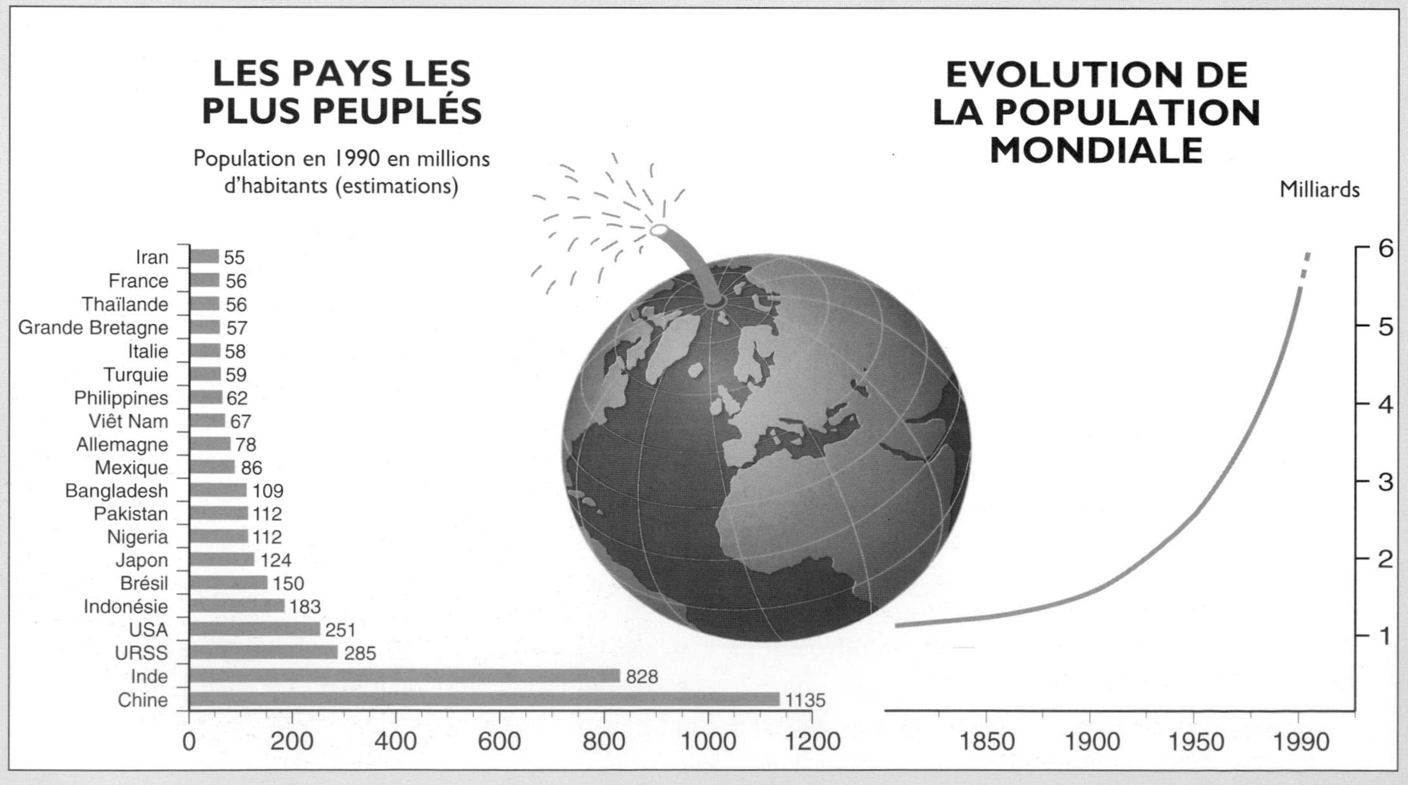

LES PAYS LES PLUS PEUPLÉS
Population en 1990 en millions d'habitants (estimations)
Iran 55
France 56
Thaïlande 56
Grande Bretagne 57
Italie 58
Turquie 59
Philippines 62
Viêt Nam 67
Allemagne 78
Mexique 86
Bangladesh 109
Pakistan 112
Nigeria 112
Japon 124
Brésil 150
Indonésie 183
USA 251
URSS 285
Inde 828
Chine 1135
0 200 400 600 800 1000 1200
EVOLUTION DE LA POPULATION MONDIALE
Milliards
6 5 4 3 2 1
1850 1900 1950 1990

sera, par contre, beaucoup plus faible en Asie de l'Est qui abrite plus d'un cinquième de la population mondiale. Le Japon a déjà un taux de fécondité inférieur au niveau de renouvellement des générations (2,1 enfants par femme), taux que la Chine, la République de Corée et la Thaïlande atteindront prochainement.

L'Europe (Albanie et Turquie exceptées), l'Amérique du Nord, l'Australie et la Nouvelle-Zélande connaissent déjà des taux de croissance inférieurs à 1%, souvent même plus petits que 0,5% (la Suisse en est à 0,2%).

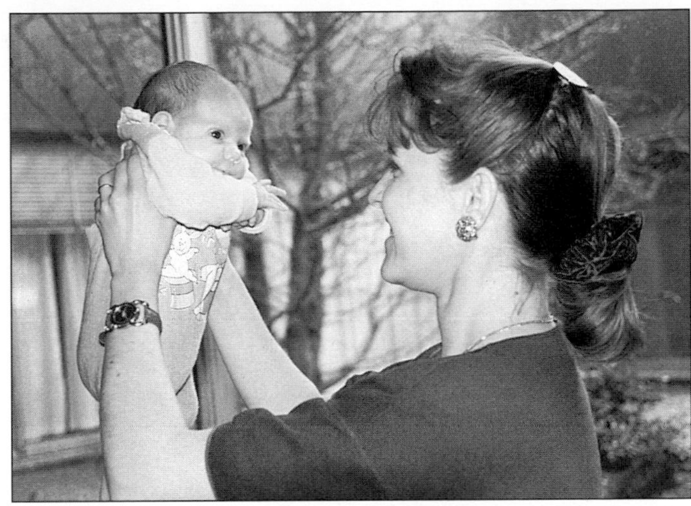

L'image d'une maman heureuse. Florence espère l'être un jour. Grâce à la «procréation médicalement assistée», des milliers d'enfants sont nés dont 25 000 par insémination artificielle et 20 000 par fécondation in vitro.

1 **Equivalence**

Trouvez dans le texte l'équivalent de ces expressions anglaises. Elles sont dans l'ordre dans lequel elles apparaissent dans l'article.

- **a** for lack of
- **b** from this moment onwards
- **c** doomed to failure
- **d** at the turn of the century
- **e** revised upwards
- **f** from now to the end of the century
- **g** on the other hand
- **h** in the near future

2 **Phrases complètes**

Complétez les phrases suivantes en cherchant les informations nécessaires dans le texte.

- **a** La croissance démographique la plus importante aura lieu dans…
- **b** Vers l'an 2050, la population mondiale aura atteint le chiffre de…
- **c** Il faudra attendre un siècle et demi avant que…
- **d** Le FNUAP nous rappelle que les estimations seront soumises…
- **e** Le FNUAP espère toujours que les femmes…
- **f** Plus d'un cinquième de la population mondiale…
- **g** Au Japon le taux de mortalité est plus élevé que…
- **h** 2,1 enfants, c'est le taux de fécondité moyen pour…

3 **Elargissez votre vocabulaire**

Voici une liste de verbes qui se trouvent dans le texte. Pour élargir votre vocabulaire, trouvez, à l'aide d'un dictionnaire, autant de noms et d'adjectifs qui y sont associés par leur signification. Ecrivez une phrase pour chaque mot.

abriter, alourdir, atteindre, décroître, enregistrer, estimer, nourrir, renouveler

4 **Depuis quatre ans j'espère avoir un enfant**

Ecoutez l'extrait d'une émission de radio dans lequel Florence Guéret parle de ses espoirs de devenir maman, et puis faites les exercices 80.

5 **Jeu de rôle**

L'article *La bombe démographique* a clairement exposé le problème de la surpopulation de notre planète. Croyez-vous que les couples tels que les Guéret devraient avoir le droit de recourir à des méthodes de procréation médicalement assistées ? Mettez-vous :

- soit à la place de Florence ou de son mari pour justifier les démarches que vous faites.
- soit à la place d'un membre du FNUAP qui voudrait dissuader les gens de prendre des mesures scientifiques pour avoir un enfant.

POINT GRAMMAIRE

jusqu'à (until/as far as)

- jusqu'à + un nom ou l'infinitif :
  – jusqu'à l'an dernier ; le rapport est allé jusqu'à critiquer le gouvernement
- jusqu'au moment/jour où + verbe à l'indicatif :
  – jusqu'au moment où il n'y aura plus d'espace
- jusqu'à ce que + verbe au subjonctif :
  – jusqu'à ce que la population ne commence à décroître

Le **ne** avant le verbe au subjonctif est facultatif.

▶ Voir 79 pour un peu de pratique.

Le monde de demain

Quel avenir pour Pierre-Yves ?

Le petit Pierre-Yves va encore hurler cette nuit. Ses parents, terrorisés, vont encore se lever, impuissants. Serrer les dents. Hésiter : filer à l'hôpital ou attendre que ça passe ? A l'aube, Pierre-Yves s'apaisera mais le mal aura empiré.

Pierre-Yves a 5 ans. Ce petit blondinet rigolo, vif-argent, qui adore dessiner des fusées, souffre d'une maladie génétique neuro-musculaire (myosite ossifiante) qui le transforme en pierre. Ses muscles se calcifient par poussées progressives. Ce petit bonhomme au thorax durci, aux mouvements raides que démentent des yeux rieurs, a du mal à porter sa main à sa bouche. Il ne peut plus tourner la tête. Il ne peut plus se baisser. Son état nécessite tous les matins et tous les soirs une rééducation respiratoire. Trois fois par semaine, un kiné tente de freiner la désastreuse évolution, mais le médecin qui, le premier, a diagnostiqué la vraie nature de son mal, après des mois de tâtonnements dans les grands hôpitaux parisiens, n'a pas laissé grand espoir aux parents : « *Le traitement de cette affection*, écrit-il, *n'est pas, dans l'état actuel de la médecine, connu.* »

Il pleut sur Saint-Brieuc. Cette nuit encore, d'autres enfants, harnachés d'attelles, vont appeler à l'aide. Ils souffrent et ne peuvent même pas se retourner dans leur lit. Dix fois, quinze fois, d'une voix faible, ils réveilleront leurs parents pour qu'on les change de position. Et la nuit s'écoulera, lourde, lente, dans la terreur de la douleur.

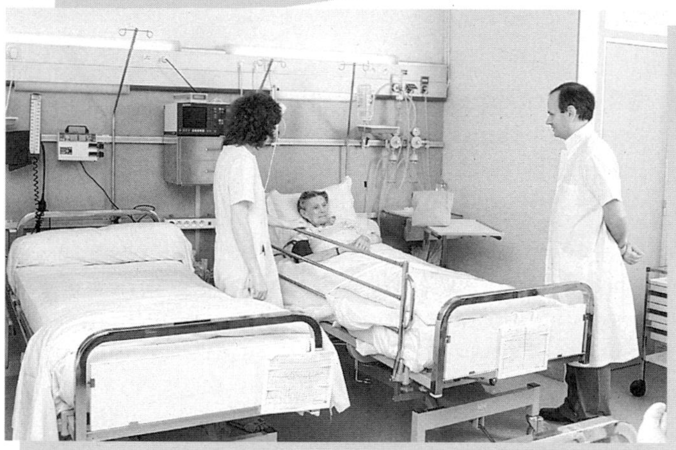

LES MALADIES GÉNÉTIQUES

Un certain nombre de maladies (on en connaît aujourd'hui quelques milliers) sont dues à la déficience d'un gène. Ce sont, par exemple, la mucoviscidose et les myopathies.

A chaque fois, il s'agit d'une erreur quelque part sur l'ADN, qui constitue le chromosome, et cette erreur fait que la protéine n'est pas correcte. Dans de nombreux cas, cela n'a aucune importance, on a tous des protéines différentes et on s'en moque ; mais, quelquefois, cela intervient juste au mauvais endroit et cela empêche un mécanisme d'avoir lieu, un processus d'aboutir ; l'enfant qui va naître peut alors avoir les muscles qui dégénèrent, ou le cerveau qui ne se construit pas.

Il y a énormément de maladies génétiques, mais pour certaines, bien qu'elles se soient constituées bien avant la naissance, on peut parvenir à les guérir.

1 Glossaire génétique

Mariez les mots suivants à leur définition.

Mots

1 ADN
2 chromosomes
3 gamète
4 gène
5 hérédité
6 ovule
7 protéine
8 spermatozoïde

Définitions

a Transmission de caractères génétiques d'un individu à ses enfants.
b Cellule d'un organisme dont la fonction est la reproduction.
c Gamète mâle.
d Gamète femelle.
e Eléments constituant le noyau de chacune de nos cellules.
f Morceau de chromosome qui porte l'ensemble des informations nécessaires pour la formation de l'organisme.
g Acide qui forme les chromosomes.
h Grosse molécule (on dit macromolécule) qui entre dans la constitution des êtres humains.

2 C'est dans quel texte ?

A quel texte les affirmations suivantes se rapportent-elles ?

a Les manipulations génétiques permettront de réparer les erreurs de la nature.
b Cette maladie génétique empêche peu à peu le malade de bouger ses membres.
c On peut réparer certaines erreurs génétiques pendant la gestation ou même avant la conception.
d Certaines maladies proviennent de la malformation ou du mauvais fonctionnement d'un morceau de chromosome.
e Dans les mains de personnes peu scrupuleuses, les manipulations génétiques pourraient servir à créer des monstres.
f La recherche médicale n'a pas encore trouvé de moyen de guérir cette maladie génétique.

Demain, des mutants ?

Supposez que je fasse un spermatozoïde sur lequel il y a un gène très déplaisant si un enfant devait en naître. Un jour, on sera capable d'aller chercher ce «mauvais» gène, de l'enlever et de le remplacer par un bon. Ce sera merveilleux ; au fond, c'est de la médecine.

Mais on pourra aussi, si on est vraiment méchant, profiter de ce pouvoir pour abîmer des gens. Comme toute invention, comme toute découverte, cela peut être utilisé pour le bien ou le mal.

3 Le Généthon
Le Généthon, centre de recherches génétiques, est né en 1990. Son but : l'étude du génome humain, c'est-à-dire un ensemble de 100 000 gènes, afin de combattre les maladies génétiques. Ecoutez l'extrait de l'interview et faites l'exercice 81.

4 Le courrier des auditeurs
Des extraits de lettres d'auditeurs sur le thème des manipulations génétiques sont lus au début d'une émission de radio.

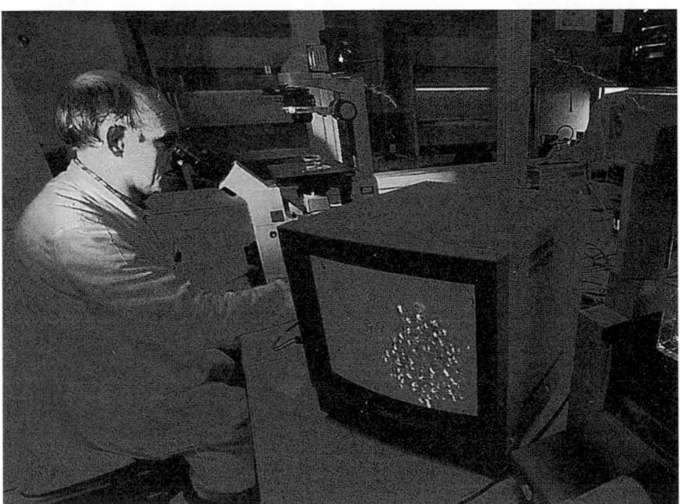

Le Généthon. L'étude approfondie des 100 000 gènes qui constituent le génome humain permet de combattre les maladies génétiques.

AU FAIT

Gènes en stock
Chaque cellule possède dans son noyau le patrimoine génétique complet de l'individu. Chez l'homme, les gènes sont répartis le long de 46 molécules d'ADN. Si on les mettait bout à bout, elles atteindraient une longueur de 2 m. Les gènes sont les notices de montage des protéines. Ils sont directement responsables des caractères héréditaires : couleur des yeux, groupes sanguins, etc.

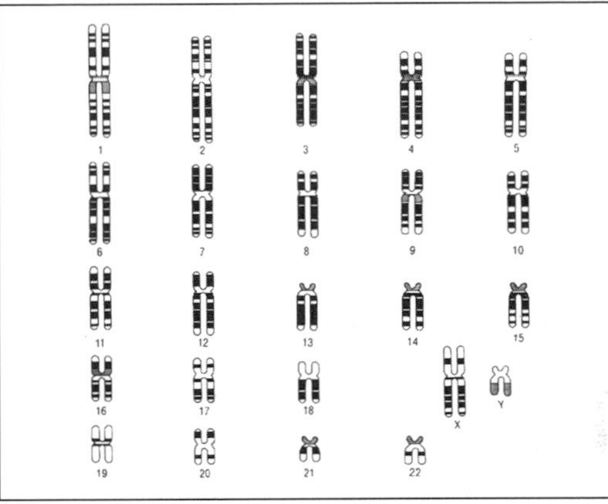

Les bandes de gènes sur les chromosomes humains.

5 Grand débat
Servez-vous des idées que vous avez trouvées dans les textes, en écoutant les cassettes ou à travers votre recherche personnelle, pour établir deux listes : une **pour** la recherche en matière de génétique et l'autre **contre**.

Utilisez ces listes pour alimenter un débat sur le thème : La recherche en matière de génétique ne peut que contribuer à l'amélioration de la condition humaine.

Déjà vu

Les règles du débat.
Page 17.

Travail de recherche

Qu'est-ce qu'un mauvais gène ?

L'auteur de l'article *Demain les mutants* fait allusion au fait que les manipulations génétiques permettront de se débarrasser des «mauvais» gènes. Mais qu'est-ce qu'un mauvais gène ? En parlant à vos profs de science ou en consultant des livres scientifiques (même en anglais !), essayez de trouver les effets réels ou possibles de ces «mauvais» gènes. Présentez les résultats de votre recherche à la classe, sous forme visuelle (poster ou transparent).

Demain l'espace

Le solaire renaît dans l'espace

Niché aux commandes de sa cellule de travail robotisée, à 35 000 kilomètres au-dessus de l'équateur, l'ingénieur regarde défiler les 50 000 tonnes de la titanesque plate-forme orbitale avec une indifférence que trahit l'habitude.

a Nous sommes en 2030, et cet ingénieur n'est peut-être pas encore né, mais ce scénario est moins une fiction qu'une projection.

b Une urgence : sans l'intervention rapide de son équipe, le Sud-Est Asiatique pourrait bientôt manquer d'électricité.

c L'évaluation du coût des installations reste très vague.

d C'est son quatrième voyage ce mois-ci.

e L'idée d'exploiter les ressources énergétiques du Soleil au-delà du filtre atmosphérique terrestre n'est pas vraiment nouvelle.

f Conçue il y a vingt ans, l'idée de construire des centrales solaires dans l'espace a fait son chemin : une centaine d'équipes de recherche provenant d'une quinzaine de pays travaillent aujourd'hui sur ce projet.

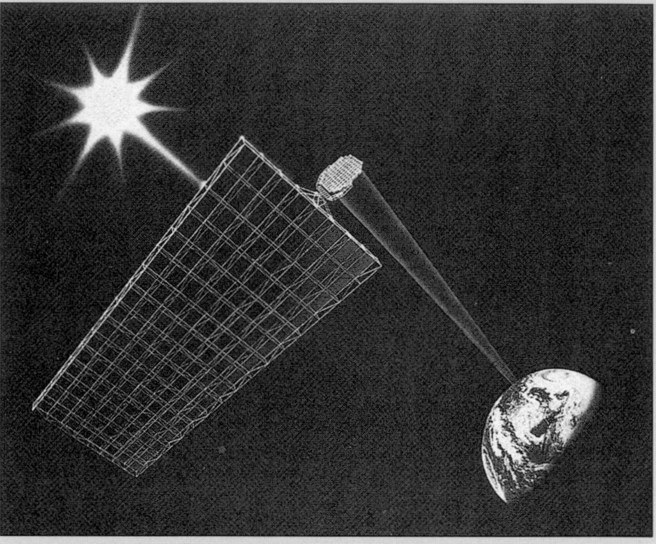

Une centrale solaire à 35 000 km de la Terre. Nous sommes en 2030 et le monde a résolu ses problèmes énergétiques. Utopie ou projet réalisable ?

g Il commande le chantier de remplacement des cellules photovoltaïques endommagées par l'impact d'un météorite sur la 41e centrale solaire spatiale.

h La consommation mondiale d'énergie, pendant une année, équivaut à l'énergie solaire captée par la Terre en 40 minutes !

Au total, la note pourrait atteindre 464 milliards de francs investis sur quinze ans.

1 Le solaire renaît dans l'espace
Les phrases au milieu de cet article ont été imprimées dans le mauvais ordre. A vous de les réorganiser pour reconstituer l'article dans le bon ordre.

2 Satellites espions
Dans le texte sur 82 un mot a été enlevé tous les cinq mots. Complétez l'article.

3 A quoi bon ?
Travaillez avec un partenaire. Dressez une liste des biens et des maux que pourrait apporter la recherche spatiale. Ajoutez autant d'autres idées que possible. Puis écrivez 100 mots environ sur un des sujets suivants :

a L'espace : le grand espoir pour l'avenir.
b Les guerres intersidérales remplaceront celles de la Terre.

4 Traduisez
Traduisez en français le texte qui suit, en employant l'article ci-dessus et le texte sur 82 pour vous aider.

It was some years ago that scientists first began to discuss the idea of constructing a solar power station in space. In recent years the idea has at last gained momentum. Several research teams from different countries are working on the design and construction of an orbital platform capable of receiving the sun's energy resources from outside the Earth's atmosphere. It is hoped that by the year 2030, over half the world's electricity will be produced in this way. At the same time, military exploitation of space is evolving rapidly. France will soon have its own complete system of reconnaissance satellites in orbit. Day and night, they will be able to identify missiles as they are being launched and to gather other useful information. One thing is certain, the cost of these projects is bound to be astronomical!

5 Vocabulaire

Avant de lire l'article ci-dessous, cherchez au besoin les mots suivants dans un dictionnaire monolingue. Attention ! Il y a quelques faux-amis dans la liste.

la séquestration
un acolyte
astucieux
la promiscuité
la rupture
contraint

Manque d'espace !

Afin de préparer la vie des futurs cosmonautes, une petite équipe de quatre personnes a accepté de se faire enfermer durant un mois dans un caisson.

Matthieu Roulet, un jeune ingénieur de Matra Marconi Space a participé à l'expérience d'isolement, baptisée Exemsi, menée par l'Agence spatiale européenne, du 7 septembre au 6 novembre dernier en Allemagne. Ravi, il raconte ses deux mois de «séquestration» avec ses trois acolytes, Clemens, l'Autrichien, Hildo, le Hollandais, et la Suédoise Anita.

◆◆◆ INTERVIEW ◆◆◆

Comment, à 27 ans, vous êtes-vous intéressé à cette aventure peu banale ?

Matthieu Roulet : Je travaille sur des projets de stations orbitales. Or, rien ne vaut l'expérience pour concevoir les espaces de vie et de travail des astronautes de demain. Parmi 150 candidats, j'ai été sélectionné… une véritable chance !

Enfermé dans deux caissons totalisant à peine 20 m^2, vous avez trouvé la vie agréable ?

M.R. : L'équipe s'est très bien entendue, grâce à une sélection astucieuse et méthodique tenant compte du tempérament de chacun. Venant de pays différents, nous avions plein de choses à nous raconter. Nous étions plus tolérants et plus attentifs les uns aux autres que dans la vie courante… Ce fut un enrichissement énorme.

Comment se déroulaient vos journées ?

M.R. : Un de nos objectifs était de mesurer l'impact de l'isolement sur le corps et le psychisme. C'est pourquoi nous devions mesurer notre poids, effectuer des prises de sang, poser des électrodes pour suivre l'activité cérébrale, faire des électrocardiogrammes… Nous avons répondu à des quantités de questionnaires et de tests de performances. Fait surprenant, plus j'étais fatigué, meilleur j'étais pour certains jeux sur écran ! Mais c'est aux spécialistes – une trentaine d'équipes scientifiques – d'analyser ces données, pour se faire une idée de notre évolution.

Pourquoi l'Agence spatiale européenne fait-elle ces expériences ?

M.R. : Pour préparer les missions habitées dans l'espace. Les Russes disent que la promiscuité et la rupture avec le monde sont les plus dures à supporter. Il importe donc de savoir former des équipages harmonieux. On a vu un commandant soviétique, rejeté par son groupe, contraint de rentrer sur Terre ! Pour nous, la présence d'une femme, Anita, a été très bénéfique. Nous allons d'ailleurs tous nous retrouver, y compris les personnes qui nous assistaient à l'extérieur, pour skier en Autriche… au grand air cette fois !

6 Faits et suppositions

Répondez, oralement, à ces questions.

- **a** Pourquoi Matthieu a-t-il accepté de participer à l'expérience ?
- **b** Selon Matthieu, quels facteurs semblent avoir contribué au succès de l'expérience ?
- **c** Qu'est-ce que les tests ont révélé ?
- **d** La présence d'une femme dans l'équipage, selon Matthieu, a eu une influence très positive. Selon vous, que veut-il dire par là ? Discutez cette proposition en classe.

7 Un équipage harmonieux ?

Vous avez été selectionné(e) pour participer à une expérience semblable à celle de Matthieu. En plus, vous avez le droit de choisir les trois personnes avec qui vous allez être enfermé(e) pendant deux mois. Individuellement, écrivez le nom des trois personnes choisies sur une feuille. Tour à tour, justifiez votre choix, en parlant pendant au moins trois minutes chacun(e).

Hier et demain

1 **Travail oral et écrit en groupe**

a Prenez deux grandes feuilles de papier. Sur une des feuilles, notez tous les exemples de progrès technologique ou scientifique que vous avez connus depuis votre petite enfance. Sur l'autre, marquez tous les développements sociaux ou légaux que vous considérez importants. Le dessin sur cette page vous donnera, peut-être, des idées.

b Puis lisez l'article *On croyait au progrès* qui a été écrit en 1993.

c Ecoutez, aussi, la chanson *La machine est mon amie*, du Québécois Luc de Larochellière.

d Voulez-vous maintenant ajouter d'autres idées aux listes sur vos feuilles ?

2 **A l'approche des examens**

On approche des examens à grands pas. Il est temps de faire le point sur certaines choses...

a **La ponctuation**

Savez-vous précisément quand utiliser...
le point [.], les deux points [:], la virgule [,], le point-virgule [;], les guillemets [« »], le tiret [-] et les parenthèses [( )] ?
Recherchez des exemples de ces signes de ponctuation dans les chapitres d'**Au point**, discutez de leur utilisation avec un(e) partenaire et, ensemble, tirez les conclusions qui s'imposent.

Pour un peu de pratique voir **83**.

b **Préparez-vous bien aux techniques d'examen**

Les auteurs d'**Au point** vous souhaitent de réussir et vous offrent un guide des petits trucs qui contribuent au succès. (Voir **84**.) Bonne chance !

ON CROYAIT AU PROGRES

Il faut s'arrêter et se retourner pour comprendre ce qui a bien pu se passer. Presque malgré nous. Tiens, juste quelques faits. Parce qu'ils frappent l'imagination : en cette année-là, il y avait 350 000 chômeurs en France, on était majeur à 21 ans, le divorce existait à peine. Papa racontait sa journée en rentrant du bureau, le soir, maman préparait les repas et faisait la vaisselle à la main. Les écoles n'étaient pas mixtes et les garçons reluquaient les filles par-dessus le mur de la cour de récré. En attendant le bac qu'un sur dix empochait (contre 80% aujourd'hui). En cette année, la pilule n'existait pas, ni l'IVG. On recensait 250 000 avortements illégaux. L'ordinateur était une armoire qui occupait toute une pièce, de préférence dans les grandes entreprises. Le four à micro-ondes, le congélateur, le fax, le magnétoscope, le Walkman, le téléphone portable, la carte de crédit, l'Audimat n'étaient pas encore nés. En cette année passe le premier spot de pub à la télé. En noir et blanc, sur la première et unique chaîne.

C'était le Moyen Age ? Non, c'était en 1968.

1968
AUJOURD'HUI
2018

ET POUR FINIR

Vous avez un choix d'activités.

a Vous êtes journaliste à *Paris Match* en l'an 2030. Ecrivez un article de 300 mots environ qui décrit la situation actuelle de la même manière et du même style que l'article ci-dessus.

b Si vous préférez le rôle de futurologue, écrivez un article dans lequel vous faites vos prédictions pour l'avenir ; les innovations technologiques, les découvertes médicales, les changements de mœurs, les améliorations possibles et, bien sûr, les problèmes encore à résoudre.

GRÂCE À LA COPIE DES STRUCTURES DE NOTRE CERVEAU...
... CECI EST UN PROTOTYPE DE L'ORDINATEUR QUI PENSE !..
J'AIME PAS QUAND IL ME TOUCHE AVEC SES MAINS MOITES !..

Table des matières

Elle veut voir les miracles avant d'y croire

Les miracles existent-ils ? Parce que, comme saint Thomas, elle a besoin de voir pour croire, Dominique Rouch a enquêté sur ces phénomènes. Pendant plus d'un an, cette jeune journaliste de 25 ans a recensé tous les cas de miracles et a rencontré les personnes touchées par la grâce de Dieu. Résultat ? Un livre passionnant et un titre qui résume sa pensée : *Dieu seul le sait !* (éditions Hachette-Carrère).

«J'ai pu recueillir des témoignages bouleversants, étonnants. J'ai vu les mains de Bassam Assaf suinter quand il implore la Vierge. Mais pour y croire, j'attends d'avoir une audience privée avec Dieu, dit-elle. Dominique Rouch n'est pas près d'oublier cette enquête. Tout d'abord parce qu'elle a une sainte horreur des lieux saints et qu'elle n'a toujours pas réussi à l'exorciser. Mais aussi, parce que plusieurs fois, prise par le sujet, elle s'est sentie comme habitée. «Un soir d'orage, j'ai même dû appeler la police ! Je voyais la Vierge.»

A LA RECHERCHE D'E.T.

Dans le monde, plusieurs millions de gens jurent avoir été contactés par des extra-terrestres. Certains font les intéressants. D'autres ont fait un mauvais rêve. D'autres... sont sincères. Et l'on ne trouve aucune explication «rationnelle» à leur histoire. Première interprétation : ces privilégiés ont eu des hallucinations. Un rapport avec l'hypnose ? Beaucoup des as de la transe affirment avoir vécu des expériences paranormales. Parmi ceux enlevés par les «petits gris», certains arborent des cicatrices bien nettes. Mais en transe, on a vu des gens se faire des ampoules à la force de leur imagination ! Deuxième interprétation : Ils sont là... mais chut !

Dans son laboratoire de l'université Concordia, à Montréal, Jean-Roch Laurence expérimente et engrange les données pour mieux décortiquer le phénomène.

Quels sont les attraits de l'hypnotisme ? Et ses dangers ?

• L'Hypnose •

UN PHÉNOMÈNE QUI MET LES SCIENTIFIQUES EN TRANSE.

«Nous ne savons pas encore très bien ce qu'est l'hypnose, analyse Jean-Roch Laurence. Mais une chose est sûre : l'étudier nous apprend beaucoup sur le fonctionnement de la pensée et de l'émotion, sur des mécanismes comme la mémoire. Par exemple, on voit bien que notre cerveau s'emmêle souvent les neurones et reconstruit toujours les souvenirs.» Petit exercice de démonstration : fermez les yeux et rappelez-vous ce que vous avez mangé hier au petit déjeuner. Ça y est ? Vous avez bien la scène en tête ? Vous vous voyez en pyjama à moitié affalé sur la table de la cuisine en train de tremper votre tartine dans le bol de chocolat... Ou hyper pressé, debout, la sacoche sur le dos, avalant une banane d'une bouchée avant de partir au bahut... Et c'est là le hic ! Evidemment, hier matin, vous ne vous êtes pas «vu» en train de déjeuner. En vous remémorant la scène, vous inventez un cadrage que vos yeux n'ont jamais perçu.

Paul est un excellent sujet. Ramené à l'âge de six ans, il va raconter, d'une voix de petit garçon, ce qu'il a fait aujourd'hui à l'école ! Renversant. Quand, soudain, il change de ton pour se «souvenir» qu'il a été, dans une vie antérieure, une servante de Nefertiti avant de renaître comme chevalier au Moyen Age, c'est moi qui crois halluciner ! Mais là où je suis restée baba c'est à la fin de l'expérience : «Tu vas te réveiller lorsque je te le dirai, murmure alors l'hypnotiste. Et puis tu prendras le magazine, là, sous la pile, tu iras le jeter dans la poubelle du bureau d'à côté. Et tu ne sauras pas pourquoi.» Eh bien il l'a fait !

LA RELIGION: définitions, chiffres et graffiti

Agnosticisme
Doctrine philosophique qui déclare l'absolu inaccessible à l'esprit humain et professe une complète ignorance touchant la nature intime, l'origine et la destinée des choses.

Athéisme
Attitude ou doctrine d'une personne qui nie l'existence de Dieu et de la divinité.

Christianisme
Considéré à ses débuts comme une secte du judaïsme, ceci rassemble toutes les religions fondées sur la personne, la vie et l'enseignement de Jésus-Christ.

Fanatisme
Esprit ou comportement d'une personne qui croit aveuglément dans une religion, une doctrine ou une personne, et qui est capable de faire n'importe quoi pour la défendre.

Fondamentalisme
Attitude de certains croyants qui réclament activement le retour aux sources, aux fondements de la religion. Ils veulent appliquer à la lettre les textes religieux.

Hérésie
Idée, théorie ou pratique qui heurte les opinions considérées comme justes et raisonnables. En particulier, dans la doctrine catholique, c'est une conception erronée en matière de loi.

Hindouisme
Plus qu'une religion celui-ci est plutôt un ensemble d'approches différentes de la réalité sur lesquelles se fonde la vie. Le principe de base est le dharma qui désigne, à la fois, l'ordre cosmique, l'ordre social et l'ensemble des devoirs que chaque individu doit remplir pour tenir sa place dans l'harmonie de l'univers. Les adhérents croient en la réincarnation.

Islam
Le nom de cette religion signifie soumission, obéissance. Il s'agit d'une religion monothéiste – il existe un seul Dieu (Allah) et il a transmis son message à ses prophètes dans le livre sacré des musulmans, le Coran.

Judaïsme
C'est la première religion de l'humanité qui affirme l'existence d'un seul Dieu. Son histoire commence avec celle du patriarche Abraham qui est à l'origine du peuple juif.

Laïcité
Se dit de tout ce qui concerne la vie civile par opposition à la vie religieuse. C'est le principe d'organisation d'une société qui exclut les églises de l'exercice du pouvoir politique.

Religion
Reconnaissance par l'homme d'un pouvoir ou d'un principe de qui dépend sa destinée et à qui obéissance et respect sont dus : attitude intellectuelle et morale qui résulte de cette croyance, en conformité avec un modèle social et qui peut constituer une règle de vie.

Secte
Groupement religieux, clos sur lui-même et créé en opposition à des idées et à des pratiques religieuses dominantes.

La Pratique de la religion en France

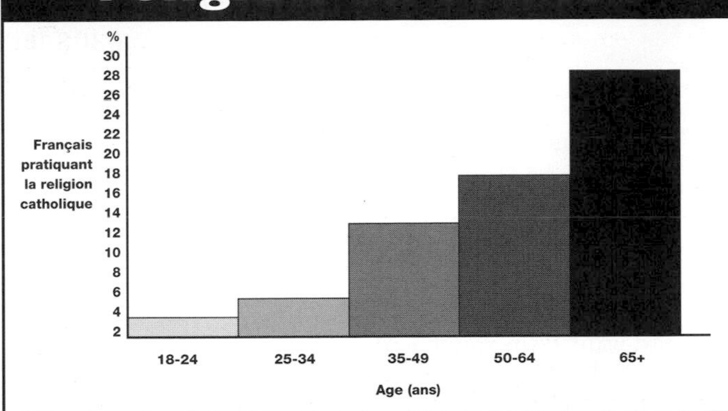
%
30
28
26
24
22
20
18
16
14
12
10
8
6
4
2
Français pratiquant la religion catholique
18-24
25-34
35-49
50-64
65+
Age (ans)

La proportion de catholiques dans la population française est très élevée (à peu près 80% des Français se déclarent catholiques) mais elle est en diminution régulière. Le nombre des musulmans s'est au contraire accru de sorte que l'Islam est aujourd'hui la seconde religion en France, devant le protestantisme et le judaïsme. La pratique régulière de la religion catholique augmente avec l'âge : voir le diagramme ci-contre. Il faut noter cependant que si la fréquentation des églises diminue, les Français continuent largement à s'y rendre lors des moments importants de la vie : naissance, mariage, décès.

Même Einstein avait des idées préconçues

Après avoir énoncé que «Dieu ne joue pas aux dés», Einstein n'a plus rien découvert de fondamental. Sa culture l'empêchait de reconnaître le rôle du hasard, essentiel dans la physique contemporaine.

Graffiti à faire réfléchir...

Dieu est-il mort ? Non, disent-ils. Pour avoir le droit de mourir, il faut avoir vécu. **(Eugène Pelletan 1813-1884)**

Si on aime Dieu en pensant qu'il n'existe pas, il manifestera son existence. **(Simone Weil 1909-43)**

Une religion, c'est une secte qui a réussi. **(Ernest Renan 1823-1892)**

Moins on croit en Dieu, plus on comprend que d'autres y croient. **(Jean Rostand 1894-1977)**

Si Dieu n'existait pas il faudrait L'inventer. **(Voltaire 1694-1778)**

Dieu est le seul être qui, pour régner, n'ait pas besoin d'exister. **(Charles Baudelaire 1821-1867)**

L'impossibilité où je suis de prouver que Dieu n'est pas me découvre son existence. **(Jean de la Bruyère 1645-1696)**

Dieu n'est qu'un mot rêvé pour expliquer le monde. **(Alphonse de Lamartine 1790-1869)**

Comme vous avez de la chance de croire en Dieu ! Vous pouvez n'y pas penser. Moi qui n'y crois pas, je suis obligé d'y penser toujours. **(Jean Rostand 1894-1977)**

Pratiquer une religion, cela présente-t-il des risques ?

Thérèse Raquin

Extrait du roman *Thérèse Raquin* d'Emile Zola (1840–1902). Thérèse et son amant, Laurent, ont tué Camille, le mari de celle-là. Mais la «présence» du mort semble toujours intervenir dans leurs rapports.

– Embrasse-moi, lui dit-il en tendant le cou.

Thérèse s'était levée, toute pâle dans sa toilette de nuit ; elle se renversait à demi, le coude posé sur le marbre de la cheminée. Elle regarda le cou de Laurent. Sur la blancheur de la peau, elle venait d'apercevoir une tache rose. Le flot de sang qui montait agrandit cette tache, qui devint d'un rouge ardent.

– Embrasse-moi, embrasse-moi, répétait Laurent, le visage et le cou en feu.

La jeune femme renversa la tête davantage, pour éviter un baiser, et, appuyant le bout de son doigt sur la morsure de Camille, elle demanda à son mari :

– Qu'as-tu là ? je ne te connaissais pas cette blessure.

Il sembla à Laurent que le doigt de Thérèse lui trouait la gorge. Au contact de ce doigt, il eut un brusque mouvement de recul, en poussant un léger cri de douleur.

– Ça, dit-il en balbutiant, ça...

Il hésita, mais il ne put mentir, il dit la vérité malgré lui.

– C'est Camille qui m'a mordu, tu sais, dans la barque. Ce n'est rien, c'est guéri... Embrasse-moi, embrasse-moi.

Et le misérable tendait son cou qui le brûlait. Il désirait que Thérèse le baisât sur la cicatrice, il comptait que le baiser de cette femme apaiserait les mille piqûres qui lui déchiraient la chair. Le menton levé, le cou en avant, il s'offrait. Thérèse, presque couchée sur le marbre de la cheminée, fit un geste de suprême dégoût et s'écria d'une voix suppliante :

– Oh ! non, pas là... Il y a du sang.

Elle retomba sur la chaise basse, frémissante, le front entre les mains. Laurent resta stupide. Il abaissa le menton, il regarda vaguement Thérèse. Puis, tout d'un coup, avec une étreinte de bête fauve, il lui prit la tête dans ses larges mains, et, de force, lui appliqua les lèvres sur son cou, sur la morsure de Camille. Il garda, il écrasa un instant cette tête de femme contre sa peau. Thérèse s'était abandonnée, elle poussait des plaintes sourdes, elle étouffait sur le cou de Laurent. Quand elle se fut dégagée de ses doigts, elle s'essuya violemment la bouche, elle cracha dans le foyer. Elle n'avait pas prononcé une parole.

Laurent, honteux de sa brutalité, se mit à marcher lentement, allant du lit à la fenêtre. La souffrance seule, l'horrible cuisson lui avait fait exiger un baiser de Thérèse, et, quand les lèvres de Thérèse s'étaient trouvées froides sur la cicatrice brûlante, il avait souffert davantage. Ce baiser obtenu par la violence venait de le briser. Pour rien au monde, il n'aurait voulu en recevoir un second, tant le choc avait été douloureux. Et il regardait la femme avec laquelle il devait vivre et qui frissonnait, pliée devant le feu, lui tournant le dos ; il se répétait qu'il n'aimait plus cette femme et que cette femme ne l'aimait plus. Pendant près d'une heure, Thérèse resta affaissée, Laurent se promena de long en large, silencieusement. Tous deux s'avouaient avec terreur que leur passion était morte, qu'ils avaient tué leurs désirs en tuant Camille. Le feu se mourait doucement ; un grand brasier rose luisait sur les cendres. Peu à peu la chaleur était devenue étouffante dans la chambre ; les fleurs se fanaient, alanguissant l'air épais de leurs senteurs lourdes.

Tout à coup Laurent crut avoir une hallucination. Comme il se tournait, revenant de la fenêtre au lit, il vit Camille dans un coin plein d'ombre entre la cheminée et l'armoire à glace. La face de sa victime était verdâtre et convulsionnée, telle qu'il l'avait aperçue sur une dalle de la Morgue. Il demeura cloué sur le tapis, défaillant, s'appuyant contre un meuble. Au râle sourd qu'il poussa, Thérèse leva la tête.

– Là, là, disait Laurent d'une voix terrifiée.

Le bras tendu, il montrait le coin d'ombre dans lequel il apercevait le visage de Camille. Thérèse, gagnée par l'épouvante, vint se serrer contre lui.

– C'est son portrait, murmura-t-elle à voix basse, comme si la figure peinte de son ancien mari eût pu l'entendre.

– Son portrait, répéta Laurent dont les cheveux se dressaient.

– Oui, tu sais la peinture que tu as faite. Ma tante devait le prendre chez elle, à partir d'aujourd'hui. Elle aura oublié de le décrocher.

– Bien sûr, c'est son portrait ...

Comment Zola, exprime-t-il l'horreur de la situation ?

A VOUS DE JOUER !

1 On parle d'"eutrophisation"...

- a) Lorsque la mer est polluée par du mercure.
- b) Lorsque, dans l'eau, les plantes se développent, parce qu'elles sont trop bien nourries.
- c) Lorsque du pétrole a été déversé, accidentellement, sur la mer.

2 Les pluies acides sont...

- a) Des pluies qui accompagnent les cyclones.
- b) Des pluies tropicales en Amazonie.
- c) Des pluies chargées de particules toxiques.

3 Quelle est la région de la planète qui n'a jamais été exploitée par les hommes ?

- a) Le golfe du Saint-Laurent, au Canada.
- b) L'Arctique.
- c) Le continent Antarctique.

4 Les gaz toxiques...

- a) Voyagent dans les nuages et atteignent n'importe quelle région de la Terre.
- b) Couvrent uniquement les régions qui en produisent.
- c) Se désagrègent et disparaissent au contact de l'air.

5 L'"effet de serre"...

- a) Diminue d'année en année, depuis 1960.
- b) Produit un refroidissement de la Terre.
- c) Se renforce avec la présence de gaz carbonique dans l'air.

6 La couche d'ozone est détruite...

- a) Par le temps qui passe.
- b) Par le chlore des gaz CFC.
- c) Par les rayons ultraviolets du Soleil.

7 Actuellement, de nombreuses espèces d'animaux disparaissent, de plus en plus vite, à cause...

- a) De la chasse.
- b) De la destruction de leur environnement.
- c) Des changements climatiques.

8 Dans une eau contaminée par du mercure...

- a) Les poissons sont eux aussi contaminés par le mercure.
- b) Les poissons grossissent de façon anormale.
- c) Les poissons éliminent tout le mercure qu'ils avalent.

RESULTATS DU TEST

1 = b **2** = c **3** = c **4** = a **5** = c **6** = b **7** = b **8** = a

0 - 4 Oh là là ! Vous ne vous intéressez pas à l'écologie.

5 - 6 Pas mal, mais on ne peut pas dire fana de l'écologie.

7 - 8 Bravo ! Vous êtes conscient(e) de votre environnement et des dangers qui le guettent.

Etes-vous conscient(e) des problèmes qui guettent votre environnement ? Pour le savoir, faites le test.

L'automobile tue 250 000 personnes par an dans le monde.

La peste noire a tué 75 millions d'hommes entre 1347 et 1351.

NOUS STOCKONS LES DÉCHETS DE FAÇON ÉCOLOGIQUE..

Environnement : renvoyez les emballages !

Actuellement, on parle beaucoup de l'environnement, mais je me demande : que font les Français ? Personnellement, je traite le problème de façon radicale : sur tout emballage de lotions démaquillantes, shampoing, pack de lait, etc., se trouve l'adresse de la société mère. Je leur envoie leur emballage vide – en verre ou en plastique – en leur demandant de mettre en place un système de recyclage/ramassage des emballages non abîmés. Par exemple, les emballages en verre des produits de beauté «Lutsine» peuvent tout à fait être consignés et redéposés en pharmacie où le prochain fournisseur pourra les reprendre. Si d'autres étudiants faisaient comme moi pour faire pression sur les entreprises, ce serait génial ! Car, finalement, l'environnement, c'est l'affaire de tous !

Marina (Lyon)

LA MORT DE LA PLANETE TERRE

Le Petit Prince ***de Antoine de Saint-Exupéry a inspiré ce chapitre pastiche écrit par un étudiant de langue anglaise en terminale dans un lycée britannique.***

Le petit prince s'ennuyait sur sa planète même si son mouton et sa rose lui tenaient compagnie. La rose était vieille et mourante et le mouton ne pensait qu'à son ventre. Finalement la rose fana et mourut, et le petit prince décida de retourner sur Terre pour chercher ses amis, l'aviateur et le renard. Il nettoya ses trois volcans, il dit «au revoir» à son mouton, et il quitta sa petite planète pour la deuxième fois.

Lorsqu'il arriva sur Terre, il se frotta bien les yeux. Autrefois il y avait des forêts magnifiques et maintenant il n'y avait plus que des souches carbonisées. Les belles villes étaient maintenant sous un brouillard dense, imprégné de fumée et, dans les lacs et les rivières, flottaient des poissons et des oiseaux morts. Le petit prince fut secoué et troublé, et il commença à pleurer. Il chercha le petit renard brun dans tous les champs et les forêts carbonisées et puis, il entendit une voix faible :

– Bonjour, dit le renard.

– Ah, bonjour ! C'est toi ! s'écria le petit prince. Je t'ai cherché partout. Qu'est-ce qui se passe ici ?

– Ce sont les hommes, répondit le renard.

– Qu'est-ce qu'ils ont fait ? interrogea le petit prince.

– C'est un désastre, une catastrophe. Tu dois vite partir, dit le renard d'une voix étranglée par les sanglots.

– Qu'est-ce qu'ils ont fait ? répéta le petit prince.

– Les hommes sont avides et égoïstes et la Terre a souffert. Ils ont abattu les forêts pour avoir du bois. Ils ont pollué les océans et les rivières avec des déchets industriels et chimiques. La Terre se meurt, pleura le renard.

Le petit prince regarda tout autour et il pensa à l'aviateur.

– Où sont les hommes maintenant ? poursuivit le petit prince.

– La plupart sont morts, annonça le renard. Il y en a un ou deux milles de reste. Parce qu'ils ont abattu les forêts, il n'y a plus d'oxygène et ils ont suffoqué. Comme moi maintenant.

– Viens avec moi ! dit le petit prince.

– Comment ? demanda le renard.

– Viens avec moi ! répéta-t-il. Viens vivre avec moi et mon mouton. Ma planète est petite mais tu y seras en sécurité.

– Mais je suis faible. Je n'ai pas la force de voyager.

– Je te porterai, proposa le petit prince.

Et puis, il prit le renard dans ses bras, et il quitta la Terre avec son ami.

Lorsqu'ils arrivèrent sur la planète du petit prince, le petit prince déposa le renard sur le sol et il lui donna une caresse. Puis le petit prince lui présenta son mouton.

– Bonjour, dit le renard.

D'abord, le mouton ne répondit pas. Il était jaloux du renard, parce que maintenant le petit prince avait un nouvel ami.

– Bonjour, répondit finalement le mouton.

– J'habite ici maintenant, dit le renard. La planète Terre est morte, soupira-t-il.

Le mouton eut pitié du renard et sa jalousie disparut. Ils bavardèrent longuement tous les trois et au bout d'une semaine, ils étaient les meilleurs amis du monde.

Selon vous, l'auteur de ce chapitre pastiche a-t-il réussi à imiter le style de Saint-Exupéry ?

Scènes de rue

•••• **Sébastien Mercier** (1740-1814) dans son *Tableau de Paris* décrit une ville déjà très bruyante.

Non, il n'y a point de ville au monde où les crieurs et les crieuses des rues aient une voix plus aigre et plus perçante. Il faut les entendre élancer leur voix par-dessus les toits ; leur gosier surmonte le bruit et le tapage des carrefours. [...] Le porteur d'eau, la crieuse de vieux chapeaux, le marchand de ferraille, de peaux de lapin, la vendeuse de marée, c'est à qui chantera la marchandise sur un mode haut et déchirant.

•••• **Georges Duhamel** (1884-1966) parle au nom d'un de ses héros qui se souvient de cette rue du Havre.

J'aimais la rue Vercingétorix, la rue du Château, et, si je ressuscite un jour, fantôme aveugle, c'est au nez que je reconnaîtrai la patrie de mon enfance : senteur d'une fruiterie, fumet de la blanchisserie, bouquet chimique du pharmacien qu'illuminent, dès la chute du jour, une flamme rouge, une flamme verte, noyées toutes deux dans des bocaux ronds, haleine de boulangerie, noble, tiède, maternelle.

• *Le Notaire du Havre* (Mercure de France)

CINZANO

•••• **Louis Ferdinand Céline** (1894-1961) est un auteur français réputé pour son style qu'il a lui-même défini comme un «lyrisme de l'ignoble». Son roman, *Voyage au bout de la nuit*, est un «voyage imaginaire [qui va] de la vie à la mort».

Avec ma mère, nous fîmes un grand tour dans les rues proches de l'hôpital, un après-midi, à marcher en traînant dans les ébauches des rues qu'il y a par là, des rues aux lampadaires pas encore peints, entre les longues façades suintantes, aux fenêtres bariolées de cents petits chiffons pendants, les chemises des pauvres, à entendre le petit bruit du graillon qui crépite à midi, orage des mauvaises graisses. Dans le grand abandon mou qui entoure la ville, là où le mensonge de son luxe vient suinter et finir en pourriture, la ville montre à qui veut le voir son grand derrière en boîtes à ordures. Il y a des usines qu'on évite en promenant, qui sentent toutes les odeurs, les unes à peine croyables et où l'air d'alentour se refuse à puer davantage.

• (Gallimard, 1952)

•••• **Alain Robbe-Grillet** (né 1922) est un des auteurs phares du «nouveau roman». Dans son roman, *Djinn*, le héros se trouve impliqué dans une étrange histoire d'espionnage. Il se rend à la gare St Lazare ; dans un café une jeune fille lui indique un raccourci qu'il prend.

Dépourvue de toute circulation automobile comme de voiture en stationnement, éclairée seulement de loin par des réverbères désuets à lueur jaunâtre et vacillante, abandonnée – semble-t-il – par les habitants eux-mêmes, cette modeste rue secondaire forme un contraste total avec la grande avenue que je viens de quitter. Les maisons sont basses (un étage au plus) et pauvres, sans lumières aux fenêtres. Il y a surtout ici, d'ailleurs, des hangars et des ateliers. Le sol est inégal, revêtu de pavés à l'ancienne mode, en très mauvais état, gardant des flaques d'eau sale dans les parties creuses.

• (*Djinn*, Editions de Minuit)

De ces quatre scènes de rue, y en a-t-il une qui décrive un environnement que vous trouvez particulièrement plaisant ou déplaisant ? Justifiez vos réponses.

– LA TÉLÉ –

L'HUMOUR DE PHILIPPE BOUVARD

Petit lexique télévision – français

Il est normal que, constituant un monde à part, la télévision emploie un langage spécifique. Ainsi lorsqu'un présentateur ou un animateur s'adresse durant une émission à une personnalité extérieure ou aux téléspectateurs, convient-il de traduire en français franc la majeure partie de ses propos dont le sens véritable se trouve caché derrière des sourires.

Lorsque l'animateur dit	***Comprenez***
Quelle est votre actualité en ce moment ?	***Qu'est-ce que vous avez à vendre ?***
Je vous remercie d'avoir accepté mon invitation.	***C'est gentil à vous d'être venu gracieusement afin que je puisse garder pour moi tout l'argent que me donne la chaîne pour produire cette émission.***
Notre débat concerne tous les Français adultes.	***Couchez les enfants, on va dire des horreurs.***
Vous êtes un grand champion.	***Vous ne valez pas tripette.***
C'est gentil à vous de nous avoir amené votre partenaire.	***Vous auriez pu laisser ce minable à la maison.***
Je choisis cette enveloppe au hasard.	***Mon assistante m'a bien recommandé de prendre celle-là.***
Vous passez pour être le plus consciencieux des acteurs.	***On murmure que vous obligez vos partenaires à répéter les scènes d'amour dans votre chambre.***
Je souhaite à votre livre tout le succès qu'il mérite.	***J'espère que vous n'en vendrez pas un seul exemplaire.***
Merci de nous avoir parlé de votre dernier livre.	***Si ça pouvait être le dernier !***
Vous avez toujours placé très haut l'intérêt collectif.	***Votre fortune personnelle est considérable.***
Nous avons beaucoup d'amis communs.	***J'en sais long sur votre compte.***
Vos sondages sont en baisse.	***Les Français vous haïssent.***
Les périodes d'ensoleillement alterneront avec les précipitations.	***Les prévisions de la météo nationale ne nous sont pas parvenues.***
Nous allons devoir rendre l'antenne.	***Assez débloqué pour aujourd'hui.***

VIVRE SANS TÉLÉVISION

Je fais partie d'une des rares familles qui ne possèdent pas de poste TV. Nos parents jugent qu'ils nous évitent ainsi de nombreuses et néfastes tentations. Néfastes, en raison de la prétendue imbécillité des programmes ! Sur ce point, je suis un peu d'accord avec eux : la majorité des émissions sont stupides. Mais je suis du coup privée de quelques films intelligents ou reportages intéressants tout de même diffusés par la télévision !

De plus, tous mes profs s'accordent pour dire que mon goût aigu pour la lecture, favorisé par l'absence de télé, influence mes résultats scolaires, ils n'en recommandent pas moins à la classe émissions culturelles et films historiques qu'il m'est impossible de voir. Sans parler de mon ignorance totale de l'actualité.

Ce qui m'amuse, ce sont les réactions que je déclenche lorsque j'apprends à quelqu'un que je n'ai pas la télé : à croire que les gens ne peuvent vivre sans elle ! C'est un grand étonnement, puis : *«Mais alors, qu'est-ce que tu fais ? Tu dois t'ennuyer, non ?»* Et non, je ne m'ennuie pas ! Je lis beaucoup, j'écoute de la musique, je fais un peu de sport, j'étudie aussi et ma vie n'est pas centrée autour de la télévision, réglée par ses horaires, elle ne fait pas du tout partie de mon univers.

Zoé (17 ans) Tarbes

télémaniaque
JE N'ARRIVE PAS A FAIRE UN CHOIX POUR MA SOIRÉE TÉLÉ.
JE VAIS LIRE UN LIVRE.
JE CROYAIS QUE TU VOULAIS LIRE.
JE N'AI PAS REUSSI A ME CHOISIR UN LIVRE.

Ajoutez d'autres phrases au petit lexique télévision.
ou
Donnez vos réactions à la lettre de Zoé.

CRÉER

Les élèves des établissements scolaires français ont le droit de publier leurs propres journaux. Dans cet extrait, un lycéen journaliste de 17 ans, Joël Ronez, nous dit ce que faire un journal représente pour lui.

DÉBANDADE
N°
LE JOURNAL EN VOIE DE DEVELLOPEMENT
SOMMAIRE :
sensationnel
COMBAT SAUVAGE INTER-REDACTIONNEL page 3
tolérant
LACRYMOCHRIST
NE VOUS ANGOISSEZ PAS POUR LE BAC !
BE COOL

«Faire un journal, c'est la joie d'écrire, tout d'abord. Des phrases, des mots violents ou doux. Et puis quand on a pas envie d'écrire, on dessine, on bédéise, on pirate ses propres pages. On s'amuse, quoi.

«Faire un journal, c'est ensuite la mise en page. Les titres gros, gras, droits, de travers, en italiques, font les belles heures du potentiel de réflexion rédactionnel, et aussi de belles engueulades.

«Faire un journal, c'est ensuite la galère des photocopies, des agrafes qui font défaut à une heure avancée de la nuit. J'ai jamais vu quelque chose d'aussi gonflant que la comptabilité de *Débandade*, quand par hasard elle était faite, surtout s'il faut rajouter 10 sacs de sa poche par-ci par-là...

«Et puis enfin, le bonheur. Suprême. Ça y est, il est là, agrafé et rutilant derrière son format A4. Maintenant, on a plus qu'à récolter les fruits de sa propre création. On se voit propulsé dans les hautes sphères de la notoriété locale. On rencontre des dizaines de gens qui ont lu tel ou tel article et veulent vous voir, vous approuver, vous inviter à bouffer, à boire, à parler. Ou tout simplement vous dire que votre fanzine est crade et vulgaire...»

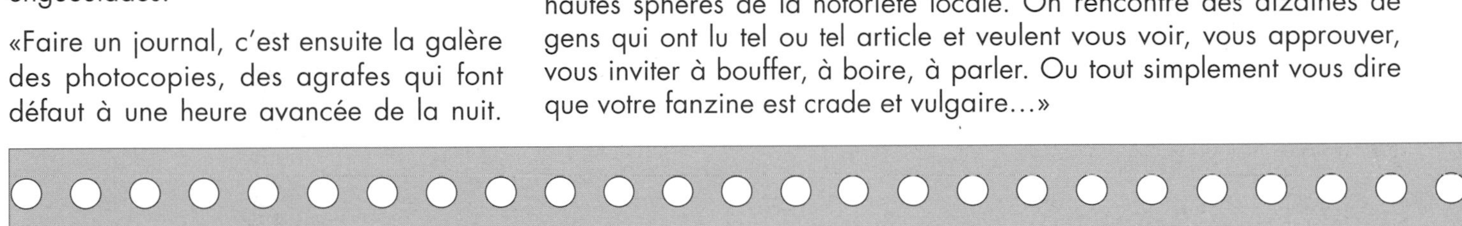

Dans *Le désert de Bièvres*, Georges Duhamel, écrivain français, raconte l'histoire de jeunes intellectuels qui, pour gagner leur vie, décident de devenir écrivains. Dans cette partie du roman, ils viennent de recevoir une machine à imprimer, une «Minerve» à pédale et maintenant, ils se préparent à apprendre à composer une page et à imprimer.

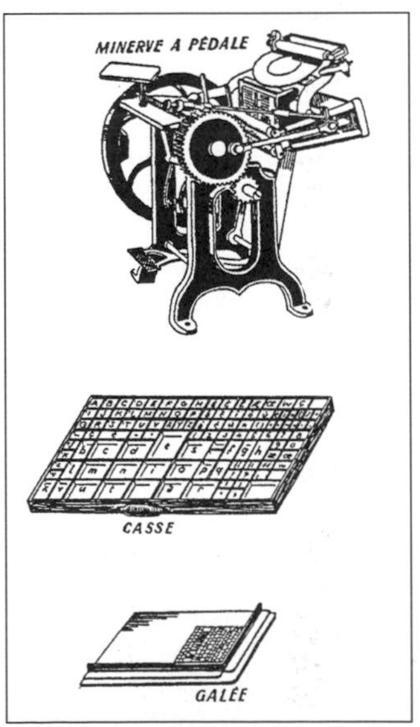
MINERVE A PÉDALE
CASSE
GALÉE

C'était une «Minerve» à pédale, suffisante pour imprimer une feuille entière, mais «en blanc», c'est-à-dire d'un seul côté. Justin l'avait achetée d'occasion, sur les conseils compétents de Gabriel Monmerqué et de l'ouvrier Picquenart.

La journée du lendemain fut tout entière employée à classer le caractère. Nous classions les petits morceaux de plomb que Picquenart tirait de leur enveloppe et nous passait en les nommant. Si la machine était, comme je l'ai dit, d'occasion, le caractère était neuf. Il avait cet éclat métallique un peu voilé du plomb vierge. Picquenart nous donnait les paquets et nous chargeait de les ranger, selon l'ordre traditionnel, dans les petites loges des casses, que l'on appelle cassetins. Tout le monde se mit à la besogne et je pense que, dans notre ardeur, il y avait ce goût du jouet neuf, ce goût qui ne quitte jamais l'homme, pas même au seuil de la tombe. Nous avions vraiment grande envie de savoir promptement manier ces instruments.

Dès que le matériel fut en exacte ordonnance, Picquenart nous donna notre première leçon. Nous étions tous autour de lui, devant une fenêtre émerveillée par la froide clarté de mars.

Jusserand, de temps en temps, poussait des «oh ! oh ! oh !» d'admiration et de plaisir. Les yeux de Justin brillaient. Raoul Brénugat n'avait pas la comprenette fort prompte ; il demandait des explications en plissant son front qui était bas et volontaire. Puis, toutes explications données, nous gagnâmes chacun nos places et nous nous mîmes en devoir de composer quelques lignes. Jusserand eut, le premier, fini de composer quatre lignes. Picquenart, d'un geste adroit, les porta sur la galée et les noua d'une ficelle. Puis, il retourna le tout, glissa le rouleau chargé d'encre, saisit une feuille de papier, une brosse, et fit une épreuve.

Nous la passions de main en main. Elle était pleine de fautes, mais lisible, malgré tout. Le miracle était accompli.

Quels sentiments les «créateurs» ont-ils en commun ?

Comment les auteurs transmettent-ils ces sentiments au lecteur ?

Un autre regard

ALAIN ROBBE-GRILLET ROMANCIER CONTEMPORAIN, NOUS EMMENE DANS UN COULOIR DU MÉTRO À PARIS.

Une foule clairsemée de gens pressés, marchant tous à la même vitesse, longe un couloir dépourvu de passages transversaux, limité d'un bout comme de l'autre par un coude, obtus, mais qui masque entièrement les issues terminales, et dont les murs sont garnis, à droite comme à gauche, par des affiches publicitaires toutes identiques se succédant à intervalles égaux. Elles représentent une tête de femme, presque aussi haute à elle seule qu'une des personnes de taille ordinaire qui défilent devant elle, d'un pas rapide, sans détourner le regard.

Cette figure géante, aux cheveux blonds bouclés, aux yeux encadrés de cils très longs, aux lèvres rouges, aux dents blanches, se présente de trois quarts, et sourit en regardant les passants qui se hâtent et la dépassent l'un après l'autre, tandis qu'à côté d'elle, sur la gauche, une bouteille de boisson gazeuse, inclinée à quarante-cinq degrés, tourne son goulot vers la bouche entrouverte. La légende est inscrite en écriture cursive, sur deux lignes : le mot «encore» placé au-dessus de la bouteille, et les deux mots «plus pure» au-dessous, tout en bas de l'affiche, sur une oblique légèrement montante par rapport au bord horizontal de celle-ci.

Sur l'affiche suivante se retrouvent les mêmes mots à la même place, la même bouteille inclinée dont le contenu est prêt à se répandre, le même sourire impersonnel. Puis, après un espace vide couvert de céramique blanche, la même scène de nouveau, figée au même instant où les lèvres s'approchent du goulot tendu et du liquide sur le point de couler, devant laquelle les mêmes gens pressés passent sans détourner la tête, poursuivant leur chemin vers l'affiche suivante.

Dans son roman L'Etranger, Albert Camus, romancier (1913-1960), fait parler le héros, Meursault. Cette scène se passe dans la salle d'un tribunal où Meursault comparaît pour avoir assassiné un Arabe. L'audience va bientôt commencer. Son avocat parle le premier :

Il m'a dit : «Les voilà.» J'ai demandé : «Qui ?» et il a répété : «Les journaux.» Il connaissait l'un des journalistes qui l'a vu à ce moment et qui s'est dirigé vers nous. C'était un homme déjà âgé, sympathique, avec un visage un peu grimaçant. Il a serré la main du gendarme avec beaucoup de chaleur. J'ai remarqué à ce moment que tout le monde se rencontrait, s'interpellait et conversait, comme dans un club où l'on est heureux de se retrouver entre gens du même monde. Je me suis expliqué aussi la bizarre impression que j'avais d'être de trop, un peu comme un intrus. Pourtant, le journaliste s'est adressé à moi en souriant. Il m'a dit qu'il espérait que tout irait bien pour moi. Je l'ai remercié et il a ajouté : «Vous savez, nous avons monté un peu votre affaire. L'été, c'est la saison creuse pour les journaux. Et il n'y avait que votre histoire et celle du parricide qui vaillent quelque chose.» Il m'a montré ensuite, dans le groupe qu'il venait de quitter, un petit bonhomme qui ressemblait à une belette engraissée, avec d'énormes lunettes cerclées de noir. Il m'a dit que c'était l'envoyé spécial d'un journal de Paris : «Il n'est pas venu pour vous, d'ailleurs. Mais comme il est chargé de rendre compte du procès du parricide, on lui a demandé de câbler votre affaire en même temps.» Là encore, j'ai failli le remercier. Mais j'ai pensé que ce serait ridicule. Il m'a fait un petit signe cordial de la main et nous a quittés. Nous avons encore attendu quelques minutes.

Mon avocat est arrivé, en robe, entouré de beaucoup d'autres confrères. Il est allé vers les journalistes, a serré des mains. Ils ont plaisanté, ri et avaient l'air tout à fait à leur aise, jusqu'au moment où la sonnerie a retenti dans le prétoire. Tout le monde a regagné sa place.

A ma gauche, j'ai entendu le bruit d'une chaise qu'on reculait et j'ai vu un grand homme mince, vêtu de rouge, portant lorgnon, qui s'asseyait en pliant sa robe avec soin. C'était le procureur. Un huissier a annoncé la cour. Au même moment, deux gros ventilateurs ont commencé de vrombir. Trois juges, deux en noir, le troisième en rouge, sont entrés avec des dossiers et ont marché très vite vers la tribune qui dominait la salle. L'homme en robe rouge s'est assis sur le fauteuil du milieu, a posé sa toque devant lui, essuyé son petit crâne chauve avec un mouchoir et déclaré que l'audience était ouverte.

Les journalistes tenaient déjà leur stylo en main. Ils avaient tous le même air indifférent et un peu narquois. Pourtant, l'un d'entre eux, beaucoup plus jeune, habillé en flanelle grise avec une cravate bleue, avait laissé son stylo devant lui et me regardait. Dans son visage un peu asymétrique, je ne voyais que ses deux yeux, très clairs, qui m'examinaient attentivement, sans rien exprimer qui fût définissable. Et j'ai eu l'impression bizarre d'être regardé par moi-même.

Dessinez les deux scènes telles que vous vous les imaginez.
ou
Quelle scène vous paraît la plus évocatrice ? Pourquoi ?

La femme à travers les siècles

Citation de La Bruyère, écrivain français (1645–1696).

«Il faut juger les femmes depuis la chaussure jusqu'à la coiffure exclusivement, à peu près comme on mesure le poisson entre la tête et la queue.»

Version Molière, extrait de *L'école des femmes* (1662). Le personnage Arnolphe décrit ce qu'il cherche chez une épouse.

Je prétends que la mienne, en clartés peu sublime,
Même ne sache pas ce que c'est qu'une rime ;
Et s'il faut qu'avec elle on joue au corbillon*,
Et qu'on vienne à lui dire à son tour : «Qu'y met-on ?»
Je veux qu'elle réponde : «Une tarte à la crème» ;
En un mot qu'elle soit d'une ignorance extrême ;
Et c'est assez pour elle, à vous en bien parler.
De savoir prier Dieu, m'aimer, coudre et filer.

*** jeu de société**

Extrait de la *Déclaration des droits de la femme et de la citoyenne* (1791) d'Olympe de Gouges, écrite pendant la Révolution française. Olympe de Gouges était l'une des premières à croire que les droits des citoyens devaient être également ceux des citoyennes.

Article premier - La femme naît libre et demeure égale à l'homme en droits. Les distinctions sociales ne peuvent être fondées que sur l'utilité commune...

Article 4 - La liberté et la justice consistent à rendre tout ce qui appartient à autrui ; ainsi l'exercice des droits naturels de la Femme n'a de bornes que la tyrannie perpétuelle que l'Homme lui oppose : ces bornes doivent être réformées par les lois de la nature et de la raison...

Article 5 - La loi doit être... la même pour tous ; toutes les citoyennes et tous les citoyens, étant également admissibles à toutes dignités, places et emplois publics selon leur capacité, et sans autres distinctions que celles de leurs vertus et de leurs talents...

Citation de Napoléon Bonaparte, empereur des Français (1804–1815).

«Les femmes sont l'âme de toutes les intrigues, on devrait les reléguer dans leur ménage ; les salons du gouvernement devraient leur être fermés.»

On ne naît pas femme : on le devient. Aucun destin biologique, psychique, économique ne définit la figure que revêt au sein de la société la femelle humaine ; c'est l'ensemble de la civilisation qui élabore ce produit intermédiaire entre le mâle et le castrat qu'on qualifie de féminin...

Simone de Beauvoir a examiné dans son livre *Le deuxième sexe* (1949) toute la condition féminine, biologique et sociale. Ses idées ont montré la voie à celles qui luttaient (et qui luttent toujours) pour la libération de la femme.

La femme parfaite ?

Chaque année, des centaines de jeunes filles âgées de quinze à vingt ans sont inscrites dans les *finishing schools* anglaises. On leur enseigne tout – de la cuisine à l'appréciation de l'art – comment décorer une maison, comment danser à la perfection et comment boire du thé. Parmi les matières qui apparaissent sur le bulletin scolaire sont l'éducation des enfants et les comptes du foyer. On n'oublie rien pour leur donner le *finish*, pour les transformer en véritables *ladies de la High Society*. Elles viennent de partout dans le monde, mais elles n'ont qu'un seul but en commun : devenir des femmes parfaites. Mais qu'est-ce que c'est la femme parfaite ?

Article tiré d'un magazine pour les femmes.

Selon vous, quel progrès la femme a-t-elle fait à travers les siècles ?

Que lui reste-t-il à faire pour se mettre sur un pied d'égalité avec l'homme ?

Prénom : Zineb.
Age : 16 ans.
Nationalité : comment savoir, justement ?...
«Ici, on me considère toujours comme une Arabe, alors qu'en Algérie je suis «l'immigrée», la «Française».
Pas facile d'être beur. De s'intégrer sans renier ses racines.

Mon pays, ce n'est plus mon pays

En seize ans, Zineb a vu l'Algérie une petite dizaine de fois. Toujours pour les vacances, un mois ou deux, pas plus. Son meilleur souvenir : l'arrivée à Alger en bateau. *«La terre s'approchait, c'était très emouvant.»*

Née en France de parents algériens, Zineb ne connaît de l'Hexagone qu'un périmètre bouclé à l'ouest par Marseille et à l'est par Nice. Aînée de quatre enfants, Zineb est lycéenne à Bandol, une petite station balnéaire à deux pas de Toulon. *«Ici, on me considère toujours comme une Arabe alors que je me sens chez moi. C'est en Algérie que je suis «l'immigrée», «la Française».*

Zineb se définit elle-même sans complexe comme *«une balle de ping-pong sans cesse renvoyée d'un bord à l'autre de la Méditerranée».*

Petite, elle rêvait d'être américaine, à cause des feuilletons dorés made in USA. Aujourd'hui, l'Algérie, c'est le pays de ses parents, de ses racines. Et la France n'est pas encore le sien. *«Je ne suis ni française ni algérienne, je suis beur.»* Entre la France où elle veut vivre et travailler et l'Algérie où elle retrouve, le temps des vacances, sa culture et sa grande famille.

Ahmed, son père, un maçon de 51 ans, est arrivé en France il y a trente ans. Avec une dizaine de familles arabes, ils vivent dans un environnement plutôt privilégié, «loin des cités, des banlieues difficiles».

«En arabe, je ne sais écrire que mon nom»

«La France, j'y vis, mais mon pays, c'est l'Algérie.» C'est là-bas que vit sa mère, dans un petit village près de Blida. C'est là-bas que son père vient d'acheter une maison où il prendra sa retraite dès que les enfants seront indépendants.

Autour du cou, Zineb porte en médaillon un extrait du Coran, la main de Fatma (*«ça porte bonheur»*) et le troisième œil qui protège du mauvais œil. Elle croit en Dieu et respecte les principes religieux de l'islam : elle ne boit pas d'alcool, ne mange pas de porc et ne se maquille pas. Même si toutes ses copines le font. *«Question de respect»*, précise-t-elle d'un ton très sérieux.

Zineb regrette amèrement de n'avoir pas bénéficié comme ses tantes, élevées en pleine guerre d'Algérie, de la double culture : *«Elles écrivent et parlent les deux langues. En arabe, je ne sais écrire que mon nom et mon prénom...»* Du coup, elle met les bouchées doubles pour être vraiment française, ou du moins intégrée, donc pour trouver du travail dans la région avec son BEP de comptabilité.

«Il y a une différence entre moi et mes copines du lycée. C'est que mes parents sont arabes. Et ça compte énormément, même si je suis française sur le papier.»

Le père sourit gentiment devant les affirmations tranchées de sa fille. Pour lui, Zineb a une culture arabe et c'est l'essentiel : *«A la maison, avec ma femme nous parlons arabe, même si les enfants nous répondent en français. Nous faisons la prière cinq fois par jour. Eux ne peuvent pas, ils ne comprennent pas assez l'arabe. Mais ce n'est pas grave. Un jour, ils la feront...»*

Comment est-ce que Zineb essaie de s'intégrer à la vie en France et comment est-ce qu'elle essaie de ne pas renier ses racines ?

Questions de nationalité

La nationalité dans les pays francophones

En Belgique, on est belge :

– Par la **naissance** : enfant de deux Belges, enfant légitime dont le père est belge, enfant naturel dont la mère est belge, enfant trouvé sur le territoire de la Belgique.

– Par le **mariage** : après six mois de vie commune (mais très compliqué administrativement, pour décourager les abus).

– Par la **déclaration d'option** : A partir du premier janvier 1992 pour la 2e génération, l'enfant qui habite la Belgique depuis sa naissance pourra devenir belge si ses parents le demandent avant qu'il n'ait 12 ans ; s'il le demande lui-même entre 18 et 30 ans. L'enfant de la 3e génération sera automatiquement belge.

– Par la **naturalisation**.

En France, on est français :

– Par la **naissance**, mais, à partir de 1993, les enfants nés en France de parents étrangers, résidents en France, doivent faire une demande auprès des autorités pour obtenir la nationalité française. Cette «manifestation de volonté» doit être fait entre 16 et 21 ans.

– Par le **mariage**, sans trop de difficultés.

– Par la **naturalisation**.

En Suisse :

L'acquisition de la nationalité suisse est très difficile : il faut d'abord, après douze ans de résidence ininterrompue, obtenir l'autorisation du Conseil Communal, puis l'autorisation du Canton, puis...

Article du *Figaro*, 15 avril 1993, le lendemain du vote au Parlement pour l'introduction de la nouvelle loi de nationalité, celle qui introduisait la disposition «manifestation de volonté».

Une avancée dans la liberté

Rachid Kaci, 26 ans, est le fils d'un balayeur algérien immigré en France en 1955. Il a passé les quatre premières années de sa vie dans les bidonvilles de Nanterre. Aujourd'hui, il est professeur de mathématiques dans un collège de Suresnes. Il a fondé, il y a deux ans, l'association «Democratia», qui se veut ouverte aux jeunes issus de l'immigration, mais aussi à tous les jeunes Français. Il répond à nos questions.

LE FIGARO – Qu'est-ce pour vous que la nationalité française ?

Rachid Kaci – Je suis, comme enfant d'Algérien, français de naissance. Mais je n'ai pas opté pour la double nationalité, parce que je trouve que ce n'est pas logique. Je n'ai pas ma carte d'identité française, comme certains, par pure commodité. J'adhère totalement aux valeurs qui ont fait la France, c'est pour cela que j'ai cette nationalité. J'ai seulement eu la chance d'être élevé par mes parents dans le respect de la France et de ses habitants, contrairement à tant d'autres.

– Que répondez-vous à ceux qui disent que la réforme crée une discrimination au détriment des enfants d'étrangers ?

– La réforme est une avancée dans la liberté. Il y a pas mal de jeunes qui me disent : «Je suis français de carte, mais pas de cœur.» Je trouve anormal de leur donner automatiquement la nationalité. C'est au contraire une démarche d'intégration de leur demander d'aller vers cette nationalité. C'est une chance d'avoir la nationalité française. Je n'ai pas envie qu'on la dévalorise comme on a dévalorisé le bac en donnant ce diplôme trop facilement.

Lettre au magazine «Globe»

Je suis un Français typique

Je me suis souvent demandé à quoi pouvait ressembler un Français «de souche». Je connais maintenant la réponse puisque je suis un Français typique. Dès mon plus jeune âge, l'école m'enseigna que mes ancêtres étaient des Gaulois aux cheveux longs et blonds. Grâce à Charlemagne, le savoir m'était inculqué. En grandissant pourtant, je constatais que mes cheveux étaient crépus et ma peau plutôt mate. Mon plat préféré est le colombo antillais, malgré les «odeurs». L'essentiel est sans doute là : cette identité nationale dont on nous parle n'existe pas, et n'a même jamais existé. La France est à l'image de notre planète, une terre de contraste. Avant de me sentir Antillais ou Français, je me sens citoyen du monde. Utopiste ?

Jean-Marc Chevalin

Qu'est-ce pour vous votre nationalité ? En quoi consiste pour vous les valeurs de votre nation ? Vous sentez-vous, comme Jean-Marc Chevalin, citoyen ou citoyenne du monde ?

ouest france

Justice et Liberté

Nantes - Vignoble
Pays de Retz

Lundi 29 mars 1993
Téléphone: 99 32 60 00
No 14715 4,00 F

Directeur de la publication:
François Régis Hutin

La victoire absolue de la droite

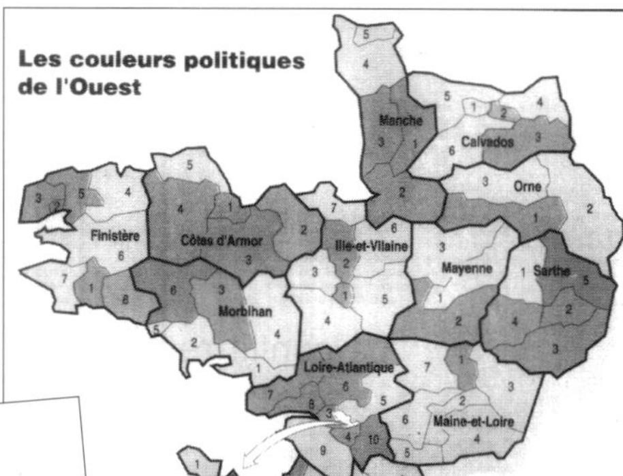
Les couleurs politiques de l'Ouest
Manche
Calvados
Orne
Finistère
Côtes d'Armor
Ille-et-Vilaine
Mayenne
Sarthe
Morbihan
Loire-Atlantique
Maine-et-Loire

Jacques Chirac : « Cette majorité doit savoir dominer sa victoire »

La répartition des sièges (estimation) : 477 pour l'ensemble de la droite ; 75 PS et 25 PC

Rocard, Jospin, Dumas, Delebarre : battus. Bérégovoy, Fabi... Lang et Tapie : élus

Aujourd'hui, la rentrée parlementaire

Les groupes RPR et UDF se disputent le «Perchoir»

(Lire page 5)

Dimanche, deuxième tour des législatives

497 circonscriptions restent à pourvoir

(Lire page 3)

Dimanche soir, les 577 députés qui constitueront la nouvelle Assemblée seront connus. Dès le 2 avril, ils se réuniront au Palais-Bourbon, à l'occasion de la rentrée parlementaire. Notre photo : le personnel, chargé de l'entretien de l'hémicycle, astique tables et bancs pour recevoir dignement les nouveaux hôtes.

Le Président a vite tiré les leçons du scrutin

Mitterrand appelle Balladur à Matignon

Le gouvernement connu aujourd'hui

- **Le septième Premier ministre de Francois Mitterrand** (Lire page 2)
- **Circonscription par circonscription, la carte de France en couleurs** (Lire page 3)
- **Ouest : un nouveau chapitre de l'histoire électorale** (Lire page 4)

5 031 candidats pour 576 sièges

Législatives dimanche : élisons nos députés

(Lire page 3)

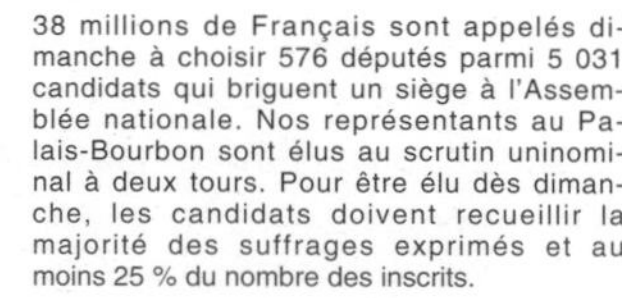

38 millions de Français sont appelés dimanche à choisir 576 députés parmi 5 031 candidats qui briguent un siège à l'Assemblée nationale. Nos représentants au Palais-Bourbon sont élus au scrutin uninominal à deux tours. Pour être élu dès dimanche, les candidats doivent recueillir la majorité des suffrages exprimés et au moins 25 % du nombre des inscrits.

21-28 MARS

Désistements : le PS appellera à voter communiste, écologiste voire centriste

Voici les élections législatives du 21-28 mars 1993 vues par la une du journal Ouest-France. Remettez ces extraits dans leur ordre chronologique et justifiez l'ordre que vous avez choisi.

La Martinique, une île française des Antilles.

■ Des milliers d'îlots dans le monde

Les confettis de l'empire européen

Difficile d'ignorer que l'UE regroupe douze Etats européens, 340 millions d'habitants et près de 2,55 millions de kilomètres carrés. Et chacun de penser que les frontières de cet ensemble s'arrêtent à la côte irlandaise, au talon de botte italienne et à la pointe du Danemark. On oublie trop souvent qu'en se réunissant six des douze Etats (France, Grande-Bretagne, Espagne, Portugal, Pays-Bas et Danemark) ont mis dans la corbeille de mariage leurs enclaves, îlots, îles, archipels, dernières poussières d'empires coloniaux et vestiges du temps où le Vieux Continent dominait le monde. Parmi ces innombrables territoires, l'Espagne possède, entre autres, les îles Canaries et les Baléares ; le Portugal, les Açores et Madère ; le Danemark, les îles Féroé et le Groenland ; les Pays-Bas, les îles de Curaçao et Bonaire. Mais la France et la Grande-Bretagne détiennent à elles seules les deux tiers de cette constellation européenne. Les Anglais ont gardé de leur ancien empire de nombreuses possessions dont les Falklands, les îles Vierges, les Bermudes ou l'île de Pitcairn sur laquelle vivent une soixantaine d'habitants, descendants des mutins du *Bounty*. Les Français ont conservé la Guadeloupe, la Martinique, la Guyane, la Nouvelle-Calédonie, l'atoll de Clipperton, l'archipel de Tuamotu et les îles Crozet. En additionnant cette galaxie de petits territoires, on obtient une Europe de 30 millions de kilomètres carrés, soit plus de trois fois la superficie des Etats-Unis. Il est vrai que, grâce à l'extension à 200 milles marins de la zone économique exclusive, le moindre petit confetti de l'autre bout du monde représente une superficie d'au moins 400 000 km². ■

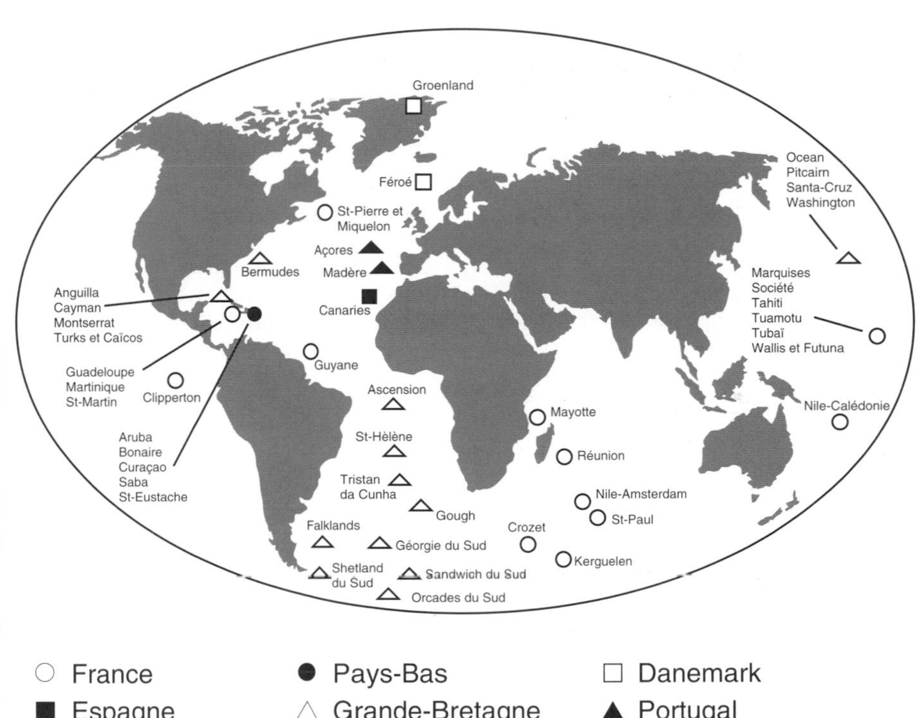
Groenland
Féroé
St-Pierre et Miquelon
Açores
Madère
Bermudes
Canaries
Anguilla
Cayman
Montserrat
Turks et Caïcos
Guadeloupe
Martinique
St-Martin
Clipperton
Guyane
Aruba
Bonaire
Curaçao
Saba
St-Eustache
Ascension
St-Hélène
Tristan da Cunha
Gough
Falklands
Géorgie du Sud
Shetland du Sud
Sandwich du Sud
Orcades du Sud
Crozet
Kerguelen
Mayotte
Réunion
Nile-Amsterdam
St-Paul
Ocean
Pitcairn
Santa-Cruz
Washington
Marquises
Société
Tahiti
Tuamotu
Tubaï
Wallis et Futuna
Nile-Calédonie
France
Espagne
Pays-Bas
Grande-Bretagne
Danemark
Portugal

L'UE : trois fois plus grande que les Etats-Unis

Derniers vestiges de la puissance coloniale européenne, ces territoires, essentiellement des îles, sont dispersés dans tous les océans.

PLUS DE DEMAGOGIE
LIBERTÉ D'ABORD!
MAI AL POTEAU
HALTE AUX ABUS
ON A TROUVÉ CE GANT

LES FEMMES EXCLUES DE LA POLITIQUE

En Europe, les femmes sont plus nombreuses que les hommes (51,4% de la population) ; elles font de plus en plus d'études, mais pourtant elles ont encore beaucoup de mal à faire de la politique. C'est dans les pays de l'Europe du Sud, et en Grèce tout particulièrement, qu'elles sont le moins présentes dans les institutions politiques.

• En Italie et en Espagne, 6% des sénateurs sont des femmes, 5,6% au Royaume-Uni. En France, la situation n'est guère plus brillante : seulement 6% des députés et 2,5% des sénateurs sont des femmes.

• En revanche, les Danoises ont su bousculer les hommes sur les bancs des institutions politiques. En effet, parmi les ministres, diplomates et députés, on trouve une femme sur cinq.

• Les Néerlandaises ont réussi également à obtenir la confiance des électeurs puisque 21% des sièges du Tweede Kamer, le Parlement, sont occupés par des femmes...

De quoi parle chaque article ? En une phrase...

Une leçon d'instruction civique

Dans son roman, la Guerre des Boutons, *Louis Pergaud (1882–1915) décrit une école de campagne. La Crique est un des élèves de l'école qui apprend toujours bien ses leçons et utilise ses talents de mime pour aider son camarade Camus.*

Le pauvre garçon ignorait totalement les conditions requises pour être électeur. Il sut tout de même, grâce à la mimique de La Crique, qu'il y en avait quatre.

Pour les déterminer, ce fut beaucoup plus dur.

La Crique, le sauveur, s'ingéniait.

D'un coup d'œil expressif il désigna à son camarade la carte de France pendue au mur ; mais Camus, peu au courant, se méprit à ce geste et, au lieu de dire qu'il faut être Français, il répondit à l'ahurissement général qu'il fallait savoir «sa giografie».

Le père Simon lui demanda s'il devenait fou ou s'il se fichait du monde, tandis que La Crique, navré d'être si mal compris, haussait imperceptiblement les épaules.

Camus se ressaisit. Une lueur brilla en lui et il dit :

– Il faut être du pays !

– Quel pays, hargna le maître, furieux d'une réponse aussi imprécise, de la Prusse ou de la Chine ?

– De la France ! reprit l'interpellé : être Français !

– Ah ! tout de même ! nous y sommes ! Et après ?

– Après ? et ses yeux imploraient La Crique.

Celui-ci saisit de sa poche son couteau, l'ouvrit, fit semblant d'égorger Boulot, son voisin, et de le dévaliser, puis il tourna la tête de droite à gauche et de gauche à droite.

Camus saisit qu'il ne fallait pas avoir tué ni volé ; il le proclama immédiatement et les autres généralisèrent la réponse en disant qu'il fallait jouir de ses droits civiques.

Cela n'allait fichtre pas si mal et Camus respirait. Pour la troisième condition, La Crique fut très expressif : il porta la main à son menton pour y caresser une absente barbiche, effila d'invisibles et longues moustaches, puis il leva simultanément en l'air et deux fois de suite ses deux mains, tous doigts écartés, puis le seul pouce de la dextre, ce qui évidemment signifiait vingt et un. Puis il toussa en faisant «han !» et Camus, victorieux, sortit la troisième condition :

– Avoir vingt et un ans.

– A la quatrième ! maintenant, fit le père Simon.

Les yeux de Camus fixèrent La Crique, puis le plafond, puis le tableau, puis de nouveau La Crique ; ses sourcils se froncèrent comme si sa volonté impuissante brassait les eaux de sa mémoire.

Le souffleur fronça le nez, ouvrit la bouche en serrant les dents, la langue sur les lèvres, et une syllabe parvint aux oreilles du naufragé : – Iste !

En colère le maître d'école s'en prit violemment à Camus qui risquait fort la retenue :

– Enfin vous ! allez-vous me dire la quatrième condition ?

La quatrième condition ne venait pas ! La Crique seul la connaissait... Aussi avec un air plein de bonne volonté et fort innocent répondit-il aux lieu et place de son féal et très vite pour que l'instituteur ne pût lui imposer silence :

– Etre inscrit sur la liste électorale de sa commune !

– Mais qui est-ce qui vous demande quelque chose ? Est-ce que je vous interroge, vous, enfin ? tonna le père Simon, de plus en plus monté, tandis que son meilleur petit écolier prenait un petit air contrit et idiot qui jurait de son ressentiment intérieur.

Ainsi s'acheva la leçon sans autre anicroche.

Elire... et être élu(e)

Djida Tadzaït, député européen

La France compte quelque 500 élus «beurs». Djida Tadzaït, co-fondatrice du JALB (Jeunes Arabes Lyon-Banlieue), créé en 1985, siège désormais au Parlement de Strasbourg.

Refus des mécanismes traditionnels de la représentation, manifeste dans toute une partie de la jeunesse ? Les campagnes pour qu'ils se fassent inscrire sur les listes électorales n'ont pas, jusqu'à présent, obtenu les résultats espérés, chez les jeunes Français issus de l'immigration ou enfants de rapatriés.

Est-ce que la leçon d'instruction civique est une véritable scène de comédie ? Pour quelle réponse La Crique se montre-t-il le plus ingénieux ?

Quel est le problème principal auquel se heurte Djida ?

PROCLAMATION DE PÉTAIN (17 juin 1940)

Francais,

A l'appel de M. le Président de la République, j'assume, à partir d'aujourd'hui, la direction du gouvernement de la France. Sûr de l'affection de notre admirable armée, qui lutte avec un héroïsme digne de ses longues traditions militaires, contre un ennemi supérieur en nombre et en armes ; sûr que par sa magnifique résistance elle a rempli nos devoirs vis-à-vis de nos alliés ; sûr de l'appui des anciens combattants que j'ai eu la fierté de commander ; sûr de la confiance du peuple tout entier, je fais à la France le don de ma personne pour atténuer son malheur.

En ces heures douloureuses, je pense aux malheureux réfugiés qui, dans un dénouement extrême, sillonnent nos routes. Je leur exprime ma compassion et ma sollicitude. C'est le coeur serré que je vous dis aujourd'hui qu'il faut cesser le combat.

Je me suis adressé cette nuit à l'adversaire pour lui demander s'il est prêt à rechercher avec nous, entre soldats, après la lutte et dans l'honneur, les moyens de mettre un terme aux hostilités.

Que tous les Français se groupent autour du gouvernement que je préside pendant ces dures épreuves et fassent taire leur angoisse pour n'écouter que leur foi dans le destin de la Patrie.

Appel du Général de Gaulle (18 juin 1940)

A TOUS LES FRANÇAIS

La France a perdu une bataille!
Mais la France n'a pas perdu la guerre!

Des gouvernants de rencontre ont pu capituler, cédant à la panique, oubliant l'honneur, livrant le pays à la servitude. Cependant, rien n'est perdu!

Rien n'est perdu, parce que cette guerre est une guerre mondiale. Dans l'univers libre, des forces immenses n'ont pas encore donné. Un jour, ces forces écraseront l'ennemi. Il faut que la France, ce jour-là, soit présente à la victoire. Alors, elle retrouvera sa liberté et sa grandeur. Tel est mon but, mon seul but!

Voilà pourquoi je convie tous les Français, où qu'ils se trouvent, à s'unir à moi dans l'action, dans le sacrifice et dans l'espérance.

Notre patrie est en péril de mort.
Luttons tous pour la sauver!

VIVE LA FRANCE !

18 JUIN 1940

C. de Gaulle

GÉNÉRAL DE GAULLE

Citations

La guerre est une chose si horrible que je m'étonne comment le seul nom n'en donne pas l'horreur.

BOSSUET (1627–1704)

La guerre est un mal qui déshonore le genre humain.

FÉNELON (1651–1715)

Il n'est permis de faire la guerre que malgré soi, à la dernière extrémité, pour repousser la violence de l'ennemi.

FÉNELON (1651–1715)

Le nombre infini de maladies qui nous tuent est assez grand, et notre vie est assez courte pour qu'on puisse se passer du fléau de la guerre.

VOLTAIRE (1694–1778)

Y a-t-il une des quatre citations sur la guerre qui corresponde particulièrement à vos idées sur ce thème ?
– Si oui, laquelle et pourquoi ?
– Si non, écrivez votre propre maxime.

La «Drôle de Guerre»

En 1939 la Guerre a été déclarée et on n'a rien ressenti dans la population civile. On a continué à vivre comme on vivait avant, si ce n'est que les jeunes soldats étaient partis au front. Mais eux-mêmes dans leurs lettres, ils disaient qu'ils ne prenaient part à aucun combat. Ils menaient une vie de désœuvrés, de gens qui ne savaient que faire dans la journée. Alors on a donc appelé ça la «Drôle de Guerre». C'est une période qui a duré à peu près neuf mois. Ce que les gens ont ressenti le plus à ce moment-là, en fait, ce sont certaines difficultés à assurer la correspondance avec ceux qui étaient partis au loin, parce que ça demandait un certain délai.

Deuxième fait, il a fallu que les hommes partis mobilisés soient remplacés par les femmes dans les postes de travail. Alors c'est ce qui a été le plus frappant pour nous qui étions jeunes écoliers. On a vu arriver dans les classes soit des professeurs soit des instituteurs retraités qui reprenaient le service, soit des femmes en quantité, alors qu'à cette époque-là en France il y avait les écoles de garçons où enseignaient uniquement les maîtres et les écoles de filles où enseignaient uniquement les femmes, et nous garçons, nous avons vu arriver des femmes pour nous faire la classe. Ça a été une surprise à l'époque. Dans les usines, pareil : on a vu beaucoup de femmes remplacer les hommes dans la fabrication, surtout qu'à Vernon, on avait quand même une usine de cartoucherie qui fabriquait des obus. Il y avait Bata, usine de chaussures qui s'est spécialisée très vite dans les chaussures militaires et dans les bottes naturellement, et puis différentes usines chimiques.

La routine de tous les jours... les trois ou quatre premières semaines tout le monde était discipliné. On s'est mis à peindre les carreaux en bleu, on a camouflé les lampes extérieures, et les commerçants ont baissé les rideaux dès qu'il faisait sombre, de manière à ce que la ville soit dans l'obscurité. Mais étant donné que le calme régnait, qu'on n'a jamais vu un avion allemand survoler la région pendant toute cette période-là, la discipline s'est très vite relâchée. Au bout de quelques semaines, on a repris nos occupations courantes et la lumière est revenue, en fait, sauf dans l'éclairage des rues. Le public a fait moins attention. Alors de temps en temps, on avait une tournée de police dans les rues pour rappeler à la prudence...

Autre fait pendant cette période, on s'est mis à creuser des tranchées partout, dans tous les lieux publics pour permettre l'évacuation en cas de besoins. On était écolier, on se souvient donc surtout de cela. Chaque école avait sa tranchée.

Le martyre de Vernon 1940–1944

La première partie du drame où la ville aimée connut la suprême douleur, se joua le samedi 8 juin 1940, vers neuf heures et demie du matin. C'était le jour du marché et la population campagnarde des environs commençait à affluer dans la ville.

Après avoir bombardé Gisors, des avions allemands apparurent dans le ciel clair, sinistres oiseaux dont le vrombissement jeta l'effroi dans les âmes.

Le martyre de Vernon commençait : des chapelets de bombes et des rafales de mitrailleuses s'abattirent sur la cité, semant la désolation et la mort.

Le parc d'artillerie reçut les premières bombes. Bilan : 10 victimes civiles et militaires. Place du Vieux-René, dans la boutique d'un coiffeur, l'on compta plusieurs morts. La rue Saint-Lazare fut copieusement arrosée et les enfants des écoles, en sortant des classes, furent miraculeusement épargnés. Place d'Armes, place d'Evreux, rues Sainte-Geneviève et aux Huiliers où, sous les décombres de l'hôtel des Trois-Marchands, l'on dégagea trois morts, partout des victimes et des dégâts matériels. Les secours s'organisèrent et il y eut de nombreux dévouements.

Après une accalmie, une seconde attaque reprit vers 14 heures, par des torpilles lancées sur la ligne du chemin de fer Paris-Le Havre, au passage à niveau de l'avenue des Capucins. La cabine du garde-barrière fut bouleversée et ensevelie sous deux mètres de terre. Tout près, l'usine Wonder, heureusement abandonnée par son personnel, flambait.

Jusqu'à 7 heures du soir, nouvelle accalmie. A ce moment, une vingtaine d'avions parurent dans le ciel et des chapelets de bombes explosives et incendiaires tombèrent en quelques instants. Des foyers d'incendie allumés un peu partout, crépitaient, polluant le ciel noir d'une odeur âcre, irrespirable.

Après le bombardement de 19 heures, l'exode de la population commença, se poursuivant le lendemain et le surlendemain, si bien qu'il ne resta plus en ville que 150 ou 200 personnes environ. Et tout ceci s'accomplit dans une atmosphère de détresse, d'affolement général, quoique d'instinct, cette foule angoissée ait eu conscience de total abandon des autorités d'un régime en déliquescence.

A minuit, quatrième bombardement qui tua deux femmes.

Le dimanche 9, vers 4, 7 et 9 heures Vernon fut de nouveau bombardé.

Une ville en flammes ! Qui n'a jamais vu pareil spectacle ne peut concevoir le frisson d'horreur s'emparant de tous ceux qui en furent les témoins.

CAFE
TABACS

Ces deux passages sont très différents parce qu'ils relatent des épisodes différents de la guerre, mais aussi parce que leurs styles sont très tranchés. Analysez l'atmosphère de ces deux passages en justifiant les différences par les effets de style.

VERNON ; JUIN QUARANTE *Marcel Luquet*

La nuit sans fin
Sans fin
La nuit sans fin
De juin quarante !
Des chevaux meurent
Sous les tilleuls de l'Avenue des Capucins
Un enfant solitaire pleure
Sur la charrette venue des Flandres
Sous les tilleuls de l'Avenue des Capucins
Deux paysans venus des Flandres
Meurent dans la nuit sans fin
La nuit sans fin
De juin quarante !
Ma ville brûle
Ma ville brûle
Ma ville éclate sous les bombes !
Les enfants de ma ville meurent
Ecrasés sous les décombres
Enfants sans lendemain
Enfants de cendre et d'ombre
Qui ne verront plus le soleil de juin,
Ni le soleil de juin quarante,
Ni le soleil d'un autre juin !
Derrière les jardins de l'Hôtel de Ville,
La rue du Soleil
Flambe.
Une femme pleure,
Poing dressé vers le ciel
Comme la femme de Guernica
Et regarde flamber la ville
Poing levé vers les stukas
Qui hurlent sur la ville
Dans l'infernale nuit,
La nuit sans fin de juin quarante.

Ballade de celui qui chanta dans les supplices

Louis Aragon (1897–1982) poète et romancier français, dans le recueil de poésies La Diane française *(1945), chante la France et l'héroïsme de ceux qui meurent pour elle pendant l'occupation allemande.*

Et s'il était à refaire
Je referais le chemin
Une voix monte des fers
Et parle des lendemains

On dit que dans sa cellule
Deux hommes cette nuit-là
Lui murmurait Capitule
De cette vie es-tu las

Tu peux vivre tu peux vivre
Tu peux vivre comme nous
Dis le mot qui te délivre
Et tu peux vivre à genoux

Et s'il était à refaire
Je referais le chemin
La voix qui monte des fers
Parle pour les lendemains

Rien qu'un mot la porte cède
S'ouvre et tu sors Rien qu'un mot
Le bourreau se dépossède
Sésame finis tes maux

Rien qu'un mot rien qu'un mensonge
Pour transformer ton destin
Songe songe songe songe
A la douceur des matins

Et s'il était à refaire
Je referais le chemin
La voix qui monte des fers
Parle aux hommes de demain

J'ai dit tout ce qu'on peut dire
L'exemple du roi Henri
Un cheval pour mon empire
Une messe pour Paris

Et s'il était à refaire
Refera-t-il le chemin
La voix qui monte des fers
Dit je le ferai demain

Je meurs et France demeure
Mon amour et mon refus
O mes amis si je meurs
Vous saurez pour quoi ce fut

Ils sont venus pour le prendre
Ils parlent en allemand
L'un traduit Veux-tu te rendre
Il répète calmement

Et si c'était à refaire
Je referais ce chemin
Sous vos coups chargés de fers
Que chantent les lendemains

Il chantait lui sous les balles
Des mots sanglant est levé
Et d'une seconde rafale
Il a fallu l'achever

Une autre chanson française
A ses lèvres est montée
Finissant la Marseillaise
Pour toute l'humanité

Résistant fusillé par des soldats allemands

Ces deux poèmes sont d'une force extrême. Expliquez comment les deux poètes ont essayé de nous faire ressentir des émotions fortes.

Le marathon d'un artiste en herbe

Yann, 19 ans, guitariste, membre du groupe "HIFI", voudrait organiser des concerts, progresser en technique, et peut-être même enregistrer un disque. Comment faire, où s'adresser ?

UNE SUBVENTION
...OU JE JOUE !

Première rencontre, la MJC (Maison des jeunes et de la culture) de sa ville. Mine d'info inexploitée, c'est vraiment par là qu'il faut commencer. Si vous n'y trouvez pas souvent d'argent pour vos projets, vous obtiendrez de précieux contacts pour continuer vos recherches.

Deuxième étape, le conseil général du département. Yann est orienté vers des associations départementales qui soutiennent les arts et la musique.

Ces associations, liées au ministère de la Culture, vous expliquent comment obtenir des subventions. Yann a donc préparé trois dossiers (pour un disque, une formation et un festival de rock).

"Je ne suis pas venu pour rien, sauf qu'il me faut obligatoirement, pour recevoir des aides, créer une association loi de 1901, seule habilité à percevoir des fonds publics."*

Qu'à cela ne tienne, il va à la préfecture pour retirer les papiers nécessaires à la création de l'association "Les amis du groupe HIFI". Dépôt des statuts (qui précisent les objectifs de l'association) et c'est terminé. *"Cela nous a coûté moins de 300 francs, tout compris. Maintenant, nous sommes prêts à partir à la pêche aux sous"*, dit Yann en riant.

La Direction régionale des affaires culturelles (DRAC) lui a donné la liste des institutions susceptibles de l'aider.

Résultat des courses pour Yann : rien d'immédiat, bien sûr. Il faut souvent attendre des mois avant de recevoir une aide. Mais n'est-ce pas aussi un moyen de tester votre résistance, votre volonté, votre détermination ? D'autres voies sont possibles. Yann s'est fait payer des T-shirts au nom de son groupe par une agence de voyages. Montez un petit dossier (4–5 pages) sur votre projet et n'hésitez pas à en parler à des partenaires privés, des magasins. Il n'y a que comme cela que ça marche. Bon courage.

* **Association 1901 :**

Droit, reconnu en 1901, pour deux personnes au minimum, de créer une association sportive, culturelle, de loisirs, etc., dans un but autre que de partager des bénéfices.

Jeu-Test : êtes-vous musicien ?

Etes-vous musicien/musicienne ou non ? Pour le savoir, faites le jeu-test !

1 Lorsque vous étiez enfant, ou si vous l'êtes encore, en jouant au Lego ;
a) vous suivez le plan de construction indiqué jusqu'au bout ;
b) vous en avez vite assez et passez rapidement à autre chose ;
c) vous essayez de construire le modèle sans regarder le plan.

2 Vos amis jouent ou apprennent à jouer d'un instrument :
a) vous aussi avez envie de jouer, sans trop savoir pourquoi ;
b) vous avez envie d'apprendre parce que cela peut vous être utile, notamment financièrement ;
c) vous pressentez et ressentez dans la musique une expression plus riche que tout autre langage.

3 Vous vouez un culte sans borne à Vladimir Horowitz, à Pablo Casals...
a) leur talent vous décourage. Lorsque vous jouez, vous prenez conscience de l'immensité qui vous sépare d'eux ;
b) leur talent est immense. Mais, lorsque vous jouez, vous ne pensez pas du tout à eux ;
c) vous êtes loin de posséder leur talent, mais les écouter vous stimule et vous engage à travailler davantage.

4 Il y a tant d'instruments que miser sur le piano vous parait le plus sûr...
a) la harpe dont le son vous enchante est trop délicate ;
b) la guitare est trop masculine ;
c) vous voulez apprendre ce que vous croyez être le plus difficile.

5 L'instrument dont vous rêvez devrait être :
a) le prolongement de vous-même ;
b) celui grâce auquel vous voulez vous exprimer ;
c) un objet qui réponde comme vous le souhaitez à ce que vous jouez.

6 Vous savez assez mal lire la musique, mais...
a) vous vous en moquez parce que vous savez vous aider de votre oreille ;
b) vous décidez avant tout de combler cette lacune ;
c) vous améliorez votre lecture tout en pratiquant.

7 Vous asseoir dans la journée, c'est...
a) pour travailler ;
b) vous n'en avez jamais le temps ;
c) pour vous retrouver.

8 Selon vous, jouer d'un instrument, cela se fait...
a) avec les dix doigts et le cerveau ;
b) avec toute son énergie et ses muscles ;
c) comme le reste.

9 Lorsqu'une personne vous parle :
a) vous êtes sensible au caractère de sa voix ;
b) vous ne vous attachez qu'au sens de ses paroles ;
c) vous faites particulièrement attention à vous.

10 Finalement, apprendre à jouer, c'est...
a) trouver du plaisir à apprendre ;
b) apprendre le plus vite possible pour trouver du plaisir ;
c) travailler.

Solution

Comptez vos points :
■ **1** a 3 ; b 0 ; c 4. ■ **2** a 1 ; b 2 ; c 5. ■ **3** a 1 ; b 2 ; c 3. ■ **4** a 0 ; b 0 ; c 1. ■ **5** a 5 ; b 2 ; c 1. ■ **6** a 2 ; b 3 ; c 4. ■ **7** a 1 ; b 0 ; c 2. ■ **8** a 1 ; b 5 ; c 0. ■ **9** a 5 ; b 3 ; c 2. ■ **10** a 2 ; b 1 ; c 2.

De 8 à 12 points. Vous manquez de temps. Mieux vaut collectionner les disques, écouter la radio que de dépenser de l'argent pour acheter un instrument qui ne servira guère et payer un professeur.

De 13 à 18 points. Vous êtes encore indécis. Bien sûr, apprendre la musique peut un jour vous aider financièrement. Vous ne manquez pas de sens pratique et nul doute que l'instrument qui répond parfaitement à vos commandes vous satisfait. Il vous manque probablement un grain de fantaisie, mais vous avez envie de travailler...
Mais, attention à ne pas glisser vers la facilité. Vous avez de l'oreille. Mais lisez les partitions plutôt que de les apprendre par cœur.

De 19 à 30 points. Vous êtes un élève modèle. Ne gâchez pas votre talent. Vous n'avez pas peur d'étudier un instrument difficile, pourvu qu'il soit le prolongement de vous-même. La musique est pour vous le plus riche des langages, aussi éprouvez-vous du plaisir à apprendre.

Au-delà de 30 points. Vous avez triché : vous jouez déjà d'un instrument de musique. Mais vous n'êtes peut-être pas complètement satisfait ou performant. Le talent de vos idoles ne vous stimulerait-il plus ?

La Belle et la Bête : journal d'un film

JEAN COCTEAU (1889–1963), écrivain, musicien, acteur, peintre et cinéaste, a tourné La Belle et la Bête *en 1946. Pendant le tournage et la production du film il a écrit un journal. En voici un extrait.*

Les images prises, le film est loin d'être terminé. Il faut encore le monter, lui donner son rythme, le sonoriser. Enfin, après deux ans de préparatifs et de travail, pour la première fois, le film sera projeté dans sa forme définitive : un poème écrit avec une «encre de lumière».

J'ai fini. C'est dire que je commence. J'ai récolté les images. Reste à les fondre les unes dans les autres et à leur donner une démarche d'autant plus solide que ce conte ne présente aucune arête et se déroule, sans drame véritable, sur un rythme lent. Impossible de prétendre à émouvoir, impossible de tendre une perche aux larmes. Il faut plaire, coûte que coûte, ou déplaire. Un point c'est tout. (…)

J'attendrai lundi. Lundi j'y verrai peut-être un peu plus clair. Je commencerai le montage. Après ce montage neuf, j'attaquerai le détail, après le détail les synchronisations, après les synchronisations le mixage et la musique. (…)

Nous enregistrons de neuf heures du matin à cinq heures dans la Maison de la Chimie. Cette opération est la plus émouvante de toutes. Je le répète, ce n'est que sur l'élément musical que ce film peut prendre le large. Désormières est au pupitre. Jacques Lebreton dispose les instrumentistes et les chœurs. Le microphone est dressé sur une longue perche au centre de la salle. Derrière l'orchestre, l'écran recevra le film que la demi-lumière et des appareils de fortune permettent de distinguer à peine.

Et voici le silence et voici les trois foudres blanches qui annoncent l'image et voici l'image et voici le prodige de ce synchronisme qui n'en est pas un, puisque Georges Auric l'évite, à ma demande, et qu'il ne doit se produire que par la grâce de Dieu.

Cet univers nouveau me trouble, me dérange, me captive. Je m'étais fait une musique sans m'en rendre compte et les ondes de l'orchestre la contredisent. Peu à peu Auric triomphe de ma gêne absurde. Ma musique cède la place à la sienne. Cette musique épouse le film, l'imprègne, l'exalte, l'achève. L'enchantement de la Bête nous endort et le spectacle de cette pénombre sonore est le rêve de notre sommeil.

Enfin l'œuvre est projetée devant son créateur.

Le film se dévidait, gravitait, étincelait, en dehors de moi, solitaire, insensible, lointain comme un astre. Il m'avait tué. Il me rejetait et vivait de sa vie propre. Je n'y retrouvais que les souvenirs attachés à chaque mètre et les souffrances qu'il m'avait coûtées. Je ne soupçonnais pas que d'autres y puissent suivre une histoire. Je les croyais tous plongés dans mes imaginations.

FETE DU CINEMA

Un jour pour écrans noirs

En juin, on fête le cinéma. Le jeudi 25 juin, toutes les salles de France ouvriront leurs portes à un public avide – de découvrir les dernières merveilles (ou les derniers navets) du septième art – et surtout économe. Pour un franc symbolique, toutes les séances sauf la première, payée le prix normal, seront accessibles. Une "fête" dont le succès ne se dément pas d'année en année.

Dès le 20 juin, les programmateurs présenteront un peu partout avant-premières et rétrospectives pour mettre l'eau à la bouche des cinéphiles. Cette année, la fête du cinema, qui se devait bien ça, s'est offert un court-métrage pour sa publicité, projeté depuis le début du mois sur les écrans. D'autres manifestations animent ce mois du cinéma. Du 23 au 29 juin se déroule, à Paris, le festival du film et de la jeunesse (15–25 ans). 30 adolescents, ambassadeurs de 15 pays, décerneront leurs prix, sélectionnés parmi huit longs métrages inédits. Comme à Cannes, il y aura le prix du jury, le prix de l'interprétation féminine, ainsi qu'un prix spécial.

La vidéothèque de Paris sortira de ses archives cinq courts métrages et cinq longs métrages qui lui paraissent avoir marqué l'histoire de la pellicule. Elle présentera aussi dans son amphithéâtre une exposition des plus belles photos du magazine *Studio*. Enfin, un ciné-village, accueillera sous la tente tous les mordus du ciné. Il sera installé cours de la Reine, près du Pont Alexandre III.

En province, La Rochelle sera le théâtre (du 26 juin au 6 juillet) du vingtième festival international du film. On y verra 120 films venus du monde entier et une rétrospective du cinéma arménien. Toujours en province (à l'exception d'une salle parisienne), l'opération "Repérages 92" se propose de donner une seconde chance aux films récents qui n'ont pas bénéficié de bonnes conditions lors de leur première diffusion. Les spectateurs pourront ainsi voir huit films, pour 100 francs seulement, dans un certain nombre de salles.

LA FETE DU CINEMA 1992

CINE
MA
FETE

jeudi 25 juin

CINE
MA
FETE
et des événements
CINE
MA
FETE

du 20 au 30 juin

Quelles émotions éprouvez-vous en regardant un film au cinéma ? Illustrez votre réponse en citant des films de genres différents.

LOUISIANE

Le rythme dans la peau

Au cœur de la Louisiane, la musique bat le rythme des saisons. Cette contrée marécageuse, placée sous le signe du Mississippi, est le domaine des "p'tits Blancs" cajuns. Originaires de l'ouest de la France, ces Américains pas comme les autres ont émigré vers la Louisiane à la fin du XVIIIe siècle après avoir été déportés par les Britanniques des provinces de l'est du Canada, l'ancienne Acadie. Agrippés à leurs traditions, ils ont refait leur vie le long des bayous, ces rivières nourries par les eaux du fleuve. Ils ont gardé leur langue, le français, qu'ils parlent encore à la mode du XVIIe siècle.

Ici, tout le monde mange le même pain noir. On trime dur toute la semaine, c'est une bonne raison pour faire la fête tous les week-ends et organiser des festivals de tout poil : festival des écrevisses, des alligators, des huîtres, des crevettes ou du boudin. Les chansons, en version française, racontent les belles blondes, le bon manger, les mauvais garçons et les pêches miraculeuses.

QUÉBEC

Troubles du langage

L'affichage «En français seulement» remis en question. Et voilà ravivée la querelle linguistique.

J'ai le goût
du
Québec

Fête nationaliste à Montréal

Le calicot tendu sur toute la longueur de l'immeuble de la Société Saint-Jean-Baptiste, rue Sherbrooke à Montréal, affiche la couleur : *«Du français, il en faut plus, pas moins !»*

Les gardiens de la flamme linguistique au Québec ressortent des boules antimites leurs slogans et leur arsenal – pacifique – de défenseurs du «visage français» de Montréal. Motif : le projet d'amendement de la loi sur la langue d'affichage et d'enseignement, déposé le 6 mai 1993 par le gouvernement québécois.

Du coup, branle-bas de combat chez les tenants du «plus de français» : le mouvement Québec français sonne l'alarme contre l'affichage bilingue : *«Si le bilinguisme des individus est une richesse, le bilinguisme des institutions est l'antichambre de l'assimilation.»* Jacques Parizeau, chef du Parti québécois, indépendantiste, fulmine contre le retour du «Montréal bilingue».

Selon un sondage récent, les deux tiers des Québécois francophones seraient d'accord avec l'affichage bilingue. Mais, en même temps, la même proportion estime que le français est menacé au Québec. Bon nombre de Québécois ont le sentiment que le fait français, bien accepté, et même revendiqué par la classe intellectuelle et artistique canadienne de Toronto ou de Vancouver, reste une source de mépris et d'incompréhension pour la population canadienne dans son ensemble, et surtout pour les néo-Canadiens, issus de l'émigration récente au Canada.

Parce qu'il est précaire, l'usage du français en Amérique du Nord doit s'appuyer sur un appareil législatif. Mais la loi qui régit depuis seize ans l'affichage commercial est tracassière, disent les anglophones. Parfois elle est cocasse : le célèbre restaurant Schwartz, rue Saint-Laurent, qui sert la spécialité juive montréalaise du «smoked meat», a dû changer son enseigne «Hebrew Delicatessen» en «Charcuterie hébraïque» (sic !).

A l'Assemblée nationale de Québec, le débat a démarré avec vigueur. La position des nationalistes n'est cependant pas très assurée. Car même le Parti québécois avait laissé entendre que la loi sur l'affichage devait être modifiée, et pourrait l'être sans danger pour le français, une fois que l'indépendance serait faite. Le voilà au pied du mur, mais un peu plus tôt que prévu !

Pourquoi, selon vous, la langue est-elle un aspect si important de la culture d'une société ?

Violence, *non-violence*

SIGNÉ WOLINSKI

MA FEMME M'A QUITTÉ!
BING
J'AI PERDU MON BOULOT!
BAM BAM
LE TABAC A AUGMENTÉ!
BAM! BAM!
ÉCOUTEZ, MONSIEUR. TOUT LE MONDE A DES PROBLÈMES. CE N'EST PAS UNE RAISON POUR BOUSILLER LES VOITURES DES AUTRES!
C'EST MA VOITURE!
POURQUOI VOULEZ-VOUS QUE JE BOUSILLE LA VOITURE DES AUTRES?
J'AI ASSEZ D'ENNUIS COMME ÇA. VOUS VOULEZ EN PLUS QUE J'AILLE EN TAULE!

...CE QU'IL NOUS FAUDRAIT, C'EST UNE BONNE GUERRE...
TON BALADEUR ET VITE!!

LA NON-VIOLENCE A TRAVERS L'HISTOIRE

Gandhi, à partir de 1919 et jusqu'à sa mort en 1948, a utilisé la non-violence à des fins politiques et sociales : libération de l'Inde de la domination anglaise, abolition du système des castes (notamment les intouchables), réconciliation des hindous et des musulmans. Il est mort assassiné par un fanatique.

Martin Luther King organise en 1955 à Montgomery (USA) le boycott des autobus de la ville pour obtenir l'égalité des droits des Noirs dans les transports publics. Jusqu'à sa mort en 1968, à la veille d'une marche non-violente en faveur des éboueurs noirs, King multiplie des actions non-violentes malgré les pressions du Black Power. Il est mort assassiné par un fanatique.

En France, pendant la guerre d'Algérie, des hommes comme **Lanza Del Vasto** et **Jean-Marie Muller** ont organisé des défilés silencieux, des grèves de la faim, des occupations de camps de prisonniers algériens en faveur de la paix.

En Sicile, depuis 1952, **Danilo Dolci** mène des campagnes non-violentes pour sensibiliser l'opinion publique à la misère des bas quartiers de Palerme.

Aux USA, **César Chavez** organise le boycott national du raisin en provenance des États du Sud, pour obtenir pour les Chicanos, ouvriers agricoles, des droits syndicaux.

Au Brésil, **Dom Helder Camara** fonde en 1968 une ligue pour la justice et la paix.

En France, les paysans du **Larzac** renvoient depuis dix ans leur livret militaire et incitent les citoyens français à refuser de payer 3 % de leurs impôts (correspondant au budget de l'armée).

Rédigez de courts paragraphes rendant compte d'autres exemples de non-violence.

CRIMES EN TROMPE L'ŒIL

Frédérique Hoë a gagné le Prix du Quai des Orfèvres en 1991 pour son roman policier *Crimes en trompe l'œil*. Voici la première page du roman et un extrait du premier chapitre.

DESTINATAIRE		RÉSERVÉ AU PARQUET

RÉPUBLIQUE FRANÇAISE

MINISTÈRE DE L'INTÉRIEUR

PRÉFECTURE DE POLICE

DIRECTION de la POLICE JUDICIAIRE

SERVICE : Commissariat de Police de NEUILLY-SOUS-BOIS

AFFAIRE
Découverte d'un corps sur la voie publique le 15/09/19.. vers 06 h 00
Victime : Inconnu de sexe masculin.

OBJET
Saisine
Transport sur les lieux et constatations.

PROCÈS - VERBAL

L'an mil neuf cent...
le quinze septembre
à six heures trente

Nous Évelyne Martin,
Commissaire de Police

Officier de Police Judiciaire, Chef de la Circonscription de Neuilly-sous-Bois......
...Sommes avisés téléphoniquement à notre domicile que le service de permanence du commissariat vient de recevoir un appel téléphonique anonyme signalant que le corps d'un inconnu apparemment sans connaissance est allongé sur le trottoir de l'Avenue Salvador-Allende, à l'angle de la Rue de l'Écluse, qui longe le canal, à la limite nord de la cité dite Résidences du Parc...........
...L'appelant, un homme à l'accent légèrement méridional, a refusé de donner son identité, alléguant n'avoir pas de temps à perdre. Il a indiqué seulement qu'il appelait d'une cabine publique immédiatement après avoir découvert le corps qu'il n'avait pas touché..........
...Nous faisons aviser à son domicile le Docteur Bertsch, médecin légiste, par le service de permanence du commissariat...
...De même suite, nous nous transportons sur les lieux aux fins de constatations et d'enquête.

LE COMMISSAIRE DE POLICE
Évelyne Martin

Il n'était pas beaucoup plus de sept heures quand la voiture de police la déposa sur les lieux : la pluie avait presque cessé de tomber, et vers l'est, au-dessus des frondaisons du Bois-Joly, les nuages commençaient à devenir plus clairs. Dans la lueur des lampadaires de l'avenue Salvador-Allende, elle reconnut la camionnette blanche de Police-Secours, la rouge des pompiers, l'ambulance du Samu, et la R 5 du docteur Bertsch, médecin légiste. Une voiture de patrouille s'était arrêtée en double file ; des gardiens en étaient descendus pour régler la circulation qui commençait à s'animer et écartaient les rares piétons.

Entourant le corps de la victime, une dizaine de personnes : quatre pompiers, dont l'un était casqué, deux hommes, une femme en blouse blanche sous un imperméable jeté sur ses épaules; puis le docteur Bertsch et l'inspecteur Sanchez, accroupis près du corps, qu'éclairaient deux grosses lampes électriques à batterie placées sur le trottoir. Sanchez se leva en voyant arriver le commissaire. Il avait sur la tête une sorte de capuchon court en plastique transparent qui lui couvrait aussi les épaules ; il l'enleva quand Évelyne Martin s'approcha de lui, comme on retire un chapeau par politesse.

L'homme mort était étendu sur le dos, en travers du trottoir, les pieds vers le caniveau, la jambe gauche repliée sur le côté, la tête à même le gazon du terre-plein.

Évelyne Martin avait eu du mal à s'endurcir face à l'atrocité de certains spectacles. Pour les policiers, comme pour les étudiants en médecine, la première autopsie est une épreuve assez horrible. Puis on s'y fait... Elle finissait par considérer comme de la routine la vue des cadavres éventrés, brûlés, défigurés ou démembrés par les crimes ou les accidents de la route ; et ne s'étonnait plus de l'incroyable quantité de sang qui peut sortir d'un corps. Quand on l'avait prévenue, elle s'était, comme chaque fois, mentalement préparée au choc. Mais, en l'occurrence, le choc, c'était justement l'absence totale de violence de la scène, cette impression de tristesse et de gâchis devant la mort. Elle s'accroupit à son tour auprès du corps, ramenant sur ses genoux le pan de son imperméable, ayant surpris le regard intéressé du médecin légiste.

L'homme semblait âgé de quarante à cinquante ans. Il reposait, détrempé, aussi paisible qu'un dormeur, un bras sur la poitrine, l'autre étendu sur le trottoir, main ouverte vers le ciel...

Lisez-vous des romans policiers ? Regardez-vous des séries policières à la télévision ? Selon vous, qu'est-ce qui, dans ce genre d'histoire, attire le lecteur ou le téléspectateur ?

Deux grandes causes

Un animal sacré ?

Marguerite Yourcenar (1903–1987) est la première femme à entrer l'Académie française en 1980. Son style et son univers sont jugés «virils et masculins». Dans son roman, *Souvenirs pieux*, Fernande de C. vient de mettre au monde une petite fille. «Il n'est pas question que Fernande se déforme les seins. L'enfant sera donc nourrie au biberon».

Le lait apaise les cris de la petite fille. Elle a vite appris à tirer presque sauvagement sur la mamelle de caoutchouc ; la sensation du bon liquide coulant en elle est sans doute son premier plaisir. Le riche aliment sort d'une bête nourricière, symbole animal de la terre féconde, qui donne aux hommes non seulement son lait, mais plus tard, quand ses pis se seront définitivement épuisés, sa maigre chair et finalement son cuir, ses tendons et ses os dont on fera de la colle et du noir animal. Elle mourra d'une mort presque toujours atroce, arrachée aux prés habituels, après le long voyage dans le wagon à bestiaux qui la cahotera vers l'abattoir, souvent meurtrie, privée d'eau, effrayée en tout cas par ces secousses et ces bruits nouveaux pour elle. Ou bien, elle sera poussée en plein soleil, le long d'une route, par des hommes qui la piquent de leurs longs aiguillons, la malmènent si elle est rétive ; elle arrivera pantelante au lieu de l'exécution, la corde au cou, parfois l'œil crevé, remise entre les mains de tueurs que brutalise leur dur métier, et qui commenceront peut-être à la dépecer pas tout à fait morte. Son nom même qui devrait être sacré aux hommes qu'elle nourrit, est ridicule en français, et certains lecteurs de ce livre trouveront sans doute cette remarque et celles qui la précèdent également ridicules.

Contre la peine de mort

Victor Hugo (1802–1885) est le chef de file des romantiques en France et l'auteur d'une œuvre immense et variée qui inclut des romans comme *Notre-Dame de Paris* (1831), *Les misérables* (1862), des pièces de théâtre et de nombreux recueils de poésie. Quand on demandait à André Gide qui était le plus grand poète français, il répondait : «Hugo, hélas !» Hugo était aussi un artiste graphique : ses dessins révèlent sa puissante imagination. Toute sa vie il a été totalement engagé politiquement. Cet extrait du *Dernier Jour d'un condamné* montre sa verve et son éloquence.

Ceux qui jugent et qui condamnent disent la peine de mort nécessaire. D'abord – parce qu'il importe de retrancher de la communauté sociale un membre qui lui a déjà nui et qui pourrait lui nuire encore. S'il ne s'agissait que de cela, la prison perpétuelle suffirait. A quoi bon la mort ? Vous objectez qu'on peut s'échapper d'une prison ? Faites mieux votre ronde. Si vous ne croyez pas à la solidité des barreaux de fer, comment osez-vous avoir des ménageries ?

Pas de bourreau où le geôlier suffit.

Mais, reprend-on, – il faut que la société se venge, que la société punisse. – Ni l'un, ni l'autre. Se venger est de la société, punir est de Dieu.

La société est entre les deux. Le châtiment est au-dessus d'elle, la vengeance au-dessous. Rien de si grand et de si petit ne lui sied. Elle ne doit pas «punir pour se venger»; elle doit *corriger pour améliorer*...

Reste la troisième et dernière raison, la théorie de l'exemple. Il faut faire des exemples ! Il faut épouvanter par le spectacle du sort réservé aux criminels ceux qui seraient tentés de les imiter !... Eh ! nous nions d'abord qu'il y ait exemple. Nous nions que le spectacle des supplices produise l'effet qu'on attend. Loin d'édifier le peuple, il le démoralise et ruine en lui toute sensibilité, partant toute vertu. Les preuves abondent, et encombreraient notre raisonnement si nous voulions en citer...

Que si malgré l'expérience, vous tenez à votre théorie routinière de l'exemple, alors rendez-nous le seizième siècle, soyez vraiment formidables, rendez-nous le gibet, la roue, le bûcher, l'estrapade, l'essorillement, l'écartèlement, la fosse à enfouir vif, la cuve à bouillir vif... Voilà de la peine de mort bien comprise. Voilà un système de supplice qui a quelque proportion. Voilà qui est horrible, mais qui est terrible...

Mais vous, est-ce bien sérieusement que vous croyez faire un exemple quand vous égorgillez misérablement un pauvre homme dans le recoin le plus désert des boulevards extérieurs ? En Grève, en plein jour, passe encore ; mais à la barrière Saint-Jacques ! Mais à huit heures du matin ! Qui est-ce qui passe là ? Qui est-ce qui va là ? Qui est-ce qui sait que vous tuez un homme là ? Un exemple pour qui ? Pour les arbres du boulevard apparemment.

Ne voyez-vous donc pas que vos exécutions publiques se font en tapinois ? Ne voyez-vous donc pas que vous vous cachez ? Que vous avez peur et honte de votre œuvre ? Que vous balbutiez ridiculement votre *discite justiciam moniti* ? Qu'au fond vous êtes ébranlés, interdits, inquiets, peu certains d'avoir raison, gagnés par le doute général, coupant des têtes par routine et sans trop savoir ce que vous faites ? ...

Vous quittez la Grève pour la barrière Saint-Jacques, la foule, la solitude, le jour pour le crépuscule. Vous ne faites plus fermement ce que vous faites. Vous vous cachez, vous dis-je.

Ces deux auteurs défendent des causes différentes. A votre avis, réussissent-ils tous les deux à convaincre le lecteur ? Relevez les effets de style qu'ils utilisent et dites lesquels vous semblent les plus efficaces.

Questions d'éthique

	Population des 15–24 ans	Plutôt pour	Plutôt contre	NSP
Êtes-vous personnellement plutôt pour ou plutôt contre les applications possibles de certaines recherches médicales telles que...	... dépister à l'avance les enfants anormaux	**92 %**	7 %	1 %
	... pouvoir choisir à l'avance le sexe des enfants	21 %	**77 %**	2 %
	... les mères porteuses (le fait qu'une femme porte l'enfant d'une autre)	45 %	**47 %**	8 %

Nous sommes tous passés par l'état d'embryon... Et si nous sommes là, c'est parce que cette étape de notre vie a été protégée. On peut désormais trier, détruire ces embryons. Demain peut-être, pourrons-nous les manipuler génétiquement. En a-t-on le droit ? L'embryon est-il une personne humaine ?

PAUL RICŒUR philosophe

C'est une question très embarrassante et nouvelle. Avant, on savait qu'il fallait respecter les personnes et qu'on pouvait manipuler les objets. Et nous voilà devant ce problème très troublant : qu'est-ce qu'un embryon ? Ce n'est pas encore une personne humaine et ce n'est pas non plus un objet. Je réponds, moi, comme le comité d'éthique : c'est une personne humaine potentielle. Mais en tant qu'embryon, il n'a pas d'autonomie. Il n'a pas capacité à réflexion. Nous sommes là dans un domaine aux frontières incertaines. C'est d'ailleurs le cas, plus généralement, pour tous les problèmes éthiques : ils ne se posent jamais dans les zones bien délimitées (le noir, le blanc) mais toujours dans la zone grise.

ENTRETIEN AVEC FRANCE QUÉRÉ

Faire entrer l'éthique à l'école

Face aux nouvelles découvertes médicales, les jeunes se sentent souvent inquiets ; ils sont demandeurs de règles mais refusent la notion de morale. Comment analysez-vous cette attitude ?

France Quéré : Leur attitude n'a rien de surprenant. En acceptant le diagnostic prénatal, ils expriment leur refus de mettre au monde des enfants anormaux qui, plus tard, les accuseront de les avoir mis au monde, comme c'est le cas de nombreux myopathes. Cela dit, ils n'entrevoient pas forcément les excès auxquels ces recherches peuvent conduire. Il suffit qu'une nation accepte la sélection des individus pour amener au dérapage. Leur demande de règles est donc légitime. Il n'en reste pas moins qu'en la matière il n'y a pas une règle unique. On peut juste parler d'un principe de base, respecté par tous, y compris ceux que l'on croirait les plus dévoyés : ne pas nuire à autrui. A partir de là, il s'agit d'apprendre aux jeunes à réfléchir à la question fondamentale, qui n'est malheureusement pas abordée avant la terminale : qu'est-ce que la vie humaine et la dignité de l'homme ?

On a l'impression que le besoin d'information des jeunes est largement insatisfait. Que faut-il faire pour que cela change ?

F.Q. : Il est évident que les jeunes, mais aussi la population française dans son ensemble, ne sont pas suffisamment informés. Il est nécessaire d'introduire ces questions dans les collèges et les lycées. C'est la raison pour laquelle nous avons constitué, au sein du Comité d'éthique, un groupe de travail sur «l'éthique et la pédagogie», avec pour axes de travail l'enseignement supérieur et secondaire. L'éthique doit être conçue comme un enseignement transversal, c'est-à-dire une matière où les professeurs de différentes disciplines, biologie, histoire, français, philosophie, puissent intervenir. L'expérience a déjà été mise en place dans deux collèges de la région parisienne avec un succès. Les jeunes ont participé en mars aux Journées annuelles de l'éthique à la Sorbonne. Malheureusement, dans ce domaine, on se heurte à la rigidité de l'Education nationale et au carcan des disciplines.

France Quéré, théologienne, est membre du Conseil national d'éthique

Répondez aux questions du sondage. Comment votre établissement scolaire traite-t-il des questions d'éthique ?

Demain, une Terre virtuelle ?

Faisons un rêve. Nous sommes en 2030. Un chercheur de l'«Institut de Calculateurs Neuroniques» a créé une nouvelle génération de supraconducteurs qui décuplent au million les capacités de transmission des ordinateurs. Découverte extraordinaire. Le plus grand projet scientifique jamais imaginé par l'homme peut enfin aboutir : connecter entre eux les milliers de laboratoires qui, à travers le monde, modélisent des fragments de la Terre : le fonctionnement du climat, la vitalité des cours d'eau, les interactions du sol, des herbes et éléphants dans la savane. Des milliards de données qui se cognent, s'interpénètrent en un indescriptible chaos.

L'enjeu : accoucher d'une planète bis, une Terre virtuelle. Une construction mathématique de la vie sous toutes ses formes, alimentée et corrigée en permanence par l'infinie quantité d'informations des satellites, sondes et radars.

Réveillons-nous, aujourd'hui. Quand, comment et où le climat va se réchauffer ? On attend la réponse des modèles que les scientifiques perfectionnent à longueur de journée à coups d'équations mathématiques censées traduire des phénomènes réels. Tels les modèles de Météo France et du Laboratoire de Météorologie Dynamique (LMD).

Première étape : découper la couche atmosphérique en une ribambelle de cubes enrobant la Terre d'une couronne de fragments collés. A chaque cube, on affecte les coefficients : température, vitesse du vent, eau et vapeur d'eau, etc. On fixe ainsi l'atmosphère dans un état initial. Seconde étape : le mouvement. On applique à chaque portion d'atmosphère les lois de la dynamique des fluides. Plus facile à dire qu'à faire : pas moins d'un millier d'équations à résoudre pour chaque loi ! Une fois mis en route, le modèle simule les nuages et la pluie, calcule le rayonnement solaire et infrarouge, indique les flux de chaleur au niveau du sol et, enfin, affiche le bilan hydrique.

«Lancé, le modèle a sa propre vie, explique Hervé Le Treut du LMD, mais il faut souvent corriger ses écarts pour préserver la stabilité du climat et éviter qu'il ne se mette à dériver».

Et les plantes ? Et les animaux ? Et les bactéries ? La mise en question du vivant en est à l'âge de la pierre. «Imaginez, soupire Jean Clobert du Laboratoire d'Ecologie de Normale Sup, qu'il faut tenir compte de toutes les espèces végétales, de leurs multiples interconnexions, des transferts de matière incessants entre le sol et les plantes, ajouter les herbivores et remonter ainsi de suite à chaque maillon de la chaîne alimentaire. Dans un univers pareil, le pouvoir de prédiction est nul. Car chaque espèce a sa propre dynamique de reproduction, aléatoire et chaotique.» Modéliser la savane, on y arrive. A condition de se limiter au sol, herbes et autres termites. Mais la forêt tropicale, avec ses dix mille espèces à l'hectare, autant traverser le Pacifique à la nage.

Que la Terre virtuelle semble loin.

Au MIT de Boston, Alan Kay programme des poissons, qu'il dote de patrimoines génétiques différents. Puis les met dans un aquarium virtuel. Les poissons se lancent alors dans des courses poursuites, des love-parties ou des séances de cannibalisme. Alan Kay n'avait pas prévu ces débordements. Ses animaux artificiels dépassent le programme imposé, et en deviennent plus vrais. Kay ne cherche pas à copier la nature. Il la réinvente. Mais alors en 2030, quand les scientifiques connecteront les poissons d'Alan Kay, les mésanges de Clobert et les cubes de le Treut, peut-être ne comprendront-ils pas la Terre virtuelle qu'ils auront créée.

Interprétation et discussion

a Donnez un avantage envisagé de la formulation d'un modèle mathématique d'une Terre virtuelle.
b Donnez une raison pour laquelle l'auteur utilise l'expression : «Plus facile à dire qu'à faire».
c Pourquoi la création du modèle de la forêt tropicale, semble-t-elle impossible, selon Jean Clobert ?
d Comment réagissez-vous à l'exemple des poissons d'Alan Kay dans le dernier paragraphe ?
e Croyez-vous que la création éventuelle d'une Terre virtuelle apportera autant de mal que de bien ? Expliquez votre réponse.

Une fantaisie du Dr. Ox

Jules Verne : «prophète de la science», «historien du futur», «chantre de la description du globe rendu intelligible par la Science» – autant de portraits célèbres classiques de l'auteur de *10 000 mètres sous les mers*.

Ces extraits sont, pourtant, tirés de la nouvelle burlesque, peu connue, intitulée *Une fantaisie du Dr. Ox*, publiée en 1872.

Le conseil municipal de Quiquendone, petite ville endormie, voudrait installer l'éclairage des rues. Le docteur Ox, récemment arrivé dans la ville, propose d'entreprendre le travail à ses frais…

Et maintenant, pourquoi le docteur Ox avait-il soumissionné, et à ses frais, l'éclairage de la ville ? Pourquoi avait-il précisément choisi les paisibles Quiquendoniens, ces Flamands entre tous les Flamands, et voulait-il doter leur cité des bienfaits d'un éclairage hors ligne ? Sous ce prétexte, ne voulait-il pas essayer quelque grande expérience physiologique, en opérant *in anima vili ?* Enfin qu'allait tenter cet original ?

En apparence, tout au moins, le docteur Ox s'était engagé à éclairer la ville, qui en avait besoin, «la nuit surtout», disait finement le commissaire Passauf. Aussi, une usine pour la production d'un gaz éclairant avait-elle été installée. Les gazomètres étaient prêts à fonctionner et les tuyaux de conduite, circulant sous le pavé des rues, devaient avant peu s'épanouir sous forme de becs dans les édifices publics et même dans les maisons particulières de certains amis du progrès. […]

L'éclairage de la ville serait obtenu, non point par la combustion du vulgaire hydrogène carburé que fournit la distillation de la houille, mais bien par l'emploi d'un gaz plus moderne et vingt fois plus brillant, le gaz oxy-hydrique, que produisent l'hydrogène et l'oxygène mélangés. […]

Il était certain que la cité de Quiquendone gagnerait, à cette généreuse combinaison, un éclairage splendide. Mais c'était là ce dont le docteur Ox et son préparateur se préoccupaient le moins, ainsi qu'on verra par la suite.

Précisément, le lendemain du jour où le commissaire Passauf avait fait cette bruyante apparition dans le parloir du bourgmestre, Gédéon Ygène et le docteur Ox causaient tous les deux dans le cabinet de travail qui leur était commun, au rez-de-chaussée du principal bâtiment de l'usine.

«Eh bien, Ygène, eh bien ! s'écriait le docteur Ox en se frottant les mains. Vous les avez vus, hier, à notre réception, ces bons Quiquendoniens, vous les avez vus, se disputant, se provoquant de la voix et du geste ! Et cela ne fait que commencer ! Attendez-les au moment où nous les traiterons à haute dose ! Ah ! ces Flamands ! vous verrez ce que nous en ferons un jour !

– Nous en ferons des ingrats, répondit Gédéon Ygène du ton d'un homme qui estime l'espèce humaine à sa juste valeur.

– Bah ! fit le docteur, peu importe qu'ils nous sachent gré ou non, si notre expérience réussit !

– D'ailleurs, ajouta le préparateur en souriant d'un air malin, n'est-il pas à craindre qu'en produisant une telle excitation dans leur appareil respiratoire, nous ne désorganisons un peu leurs poumons, à ces honnêtes habitants de Quiquendone ?

– Tant pis pour eux, répondit le docteur Ox. C'est dans l'intérêt de la science ! Que diriez-vous si les chiens ou les grenouilles se refusaient aux expériences de vivisection ?»

Il est probable que si l'on consultait les grenouilles et les chiens, ces animaux feraient quelques objections aux pratiques des vivisecteurs ; mais le docteur Ox croyait avoir trouvé là un argument irréfutable, car il poussa un vaste soupir de satisfaction. […]

«Bien, docteur, bien, répondit maître Ygène. L'expérience se fera en grand, et elle sera décisive.

– Et si elle est décisive, ajouta le docteur Ox d'un air triomphant, nous reformerons le monde !»

Selon le critique Francis Lacassin, dans cette nouvelle de Jules Verne : «La science déréglée est outragée de façon savoureuse.» Etes-vous d'accord ?

CONSEILS D'UTILISATION DE LA CASSETTE PERSONNELLE

1 Il faut vivre sa vie !

Magasins Inter-discount ***Page 5 et*** **2**
Ecoutez la cassette et remplissez les trous sur **2**.

Fais pas ci, fais pas ça ***Page 7***
Chanson de Jacques Dutronc.
A votre avis, qui parle à qui ?

Voici une page ***Page 10***
Ecoutez le poème et décidez si les noms en *-age* sont masculins ou féminins. Raffinez la règle que vous avez écrite pour l'exercice 3 à la page 10.

2 Entre toi et moi...

Ami cherche ami ***Page 13***
Francis Cabrel est un chanteur français qui chante beaucoup de ballades.

Ecoutez la chanson *Ami cherche ami*. Un seul de ces quatre vers est prononcé dans la chanson. Lequel ?

Vers 1 : Ami cherche ami pour faire la fête
Vers 2 : Et m'a laissé seul dans ce monde abandonné
Vers 3 : Je suis parti sur un nuage
Vers 4 : J'ai toujours eu très peur de l'orage

La vie en rose ***Page 15***
Edith Piaf (1915-1963) est un des symboles de la chanson française. Elle a eu une vie assez malheureuse et a connu des amours assez tumultueux. Ecoutez l'extrait d'une de ses plus célèbres chansons, *La vie en rose*.

A votre avis, est-ce que cette personne a besoin d'écrire au «Courrier du cœur» ? Pourquoi ou pourquoi pas ?

Ecrivez un paragraphe de la lettre que cette personne pourrait écrire à un(e) ami(e) pour parler de ses relations avec cet homme.

Amour Amitié
Couplets de la rue Saint-Martin ***Lectures***
Voir page 69.

3 Une école pour la réussite ?

Prononcez : tout un tas de... ***Page 23***
Ecoutez *Prononcez : tout un tas de...*

Répétez doucement d'abord, puis de plus en plus vite. Attention de bien prononcer le «t» à la française.

Finissez les exemples qui ne sont pas finis. Inventez deux ou trois exemples sur le même modèle.

La leçon buissonnière ***Page 29***
Jean Ferrat est un chanteur engagé. Dans cette chanson *La leçon buissonnière* il prétend être quelqu'un qui donne des cours particuliers.

A votre avis, quelle est l'attitude de Jean Ferrat envers les cours particuliers ? Essayez de justifier votre réponse.

Prononcez : Je ne suis ni... ni... mais tout simplement... ***Page 29***
Ecoutez *Prononcez : Je ne suis ni... ni... mais tout simplement...* en regardant la transcription.

Répétez plusieurs fois. Attention à bien garder le rythme.

Inventez deux ou trois exemples sur le même modèle.

L'éducation dans les pays francophones ***Page 30***
Ecoutez *L'education dans les pays francophones : en République de Côte d'Ivoire et au Zaïre* sur la cassette.

Présentez le système d'enseignement publique de ces deux pays de la même manière dont on a présenté le système français à la page 22.

4 En pleine forme

La dinde du Gers et **Le chapon du Gers** ***Page 35***
Le département du Gers, près des Pyrénées, est renommé pour l'élevage de volaille.

Notez, dans les pubs, tous les adjectifs qui décrivent la qualité de ces deux oiseaux.

Lisez, à haute voix, les deux pubs en imitant l'intonation et l'accent des acteurs.

Volet fermé ***Page 35***
Comment interprétez-vous le dernier mot de la chanson ?

La loi antitabac et les sports mécaniques ***Page 41***
Le Ministre de la Jeunesse et des Sports s'exprime au Palais Bourbon (siège de l'Assemblée Nationale) sur la question du sponsorat des sports par les fabricants du tabac. Les Grand Prix «Auto» et «Moto» risquent d'être annulés.

Quelle est la solution proposée par le Ministre ? Que pensez-vous du sponsorat des sports par les compagnies qui fabriquent des cigarettes ?

La prévention du Sida ***Page 42***
Pensez-vous, comme Sarah, que c'est une bonne décision de la part du conseil du lycée d'installer un distributeur de préservatifs ? Posez cette question à vos camarades de classe.

5 Evasion

L'autostop ***Page 44***
Ecoutez cette chanson de Maxime le Forestier.

Vous êtes journaliste et vous décidez de publier un article sur cette histoire amusante. Faites un résumé des événements sous quatre titres : le premier jour, quatre jours plus tard, quinze jours plus tard, la décision. Au besoin, consultez le texte de la chanson.

Des chantiers au Sénégal ***Page 49***
Y a-t-il des différences entre l'accent français de Monsieur Gningue et celui de vos connaissances françaises ? Lesquelles ? Suivez le texte pour mieux découvrir les caractéristiques de son accent.

Exercices de prononciation ***Page 50***
Répétez chaque expression au moins deux fois.

6 Si j'avais des sous...

La Bourse de Paris ***Page 53***
Emission de France-Inter.

Sans regarder la transcription, écrivez autant de chiffres que possible.

La cigale et la fourmi ***Page 54***
Fable de Jean de la Fontaine (1621–1695).

Racontez l'histoire en deux ou trois phrases, sans regarder la transcription. Vérifiez en regardant la transcription. Répétez la fable.

Tatie ***Page 57***
Emission de France-Inter.

Ne regardez pas la transcription. Résumez l'histoire en une courte phrase. Vérifiez en lisant la transcription.

Imaginez… Quel scénario, les deux jeunes, ont-ils inventé pour parvenir à leur fin ? Ecrivez ou enregistrez votre version et comparez-la avec la vérité (voir fiche de correction).

La chanson des restos du cœur ***Page 58***
Ne regardez pas la transcription. Complétez les deux phrases suivantes :

a Aujourd'hui on n'a plus le droit d'avoir … ni d'avoir … .
b Je ne te promets pas les grands soirs, mais juste à … et à …, un peu de … et de … dans les restos du cœur.

7 Ce que je crois

Le hasard du chiffre 7 ***Page 87***
Ecrivez toutes les fois où le chiffre 7 semble avoir joué un rôle important.

Y a-t-il un chiffre important dans votre vie ?

Pratique de prononciation ***Page 88***
Répétez deux fois chaque mot qui se termine en *-isme*. Pouvez-vous en trouver d'autres exemples ?

Verbes irréguliers au subjonctif ***Page 91***
Ecoutez et répétez.

Utile ***Page 93***
Ecoutez la chanson *Utile* de Julien Clerc.

Que signifient pour vous les images utilisées dans cette chanson, c'est-à-dire les Chiliens, la langue ancienne, la lune fidèle ?

Destin ou coïncidence ? ***Page 95***
Notez tous les événements tragiques après la mort de James Dean. Croyez-vous qu'il s'agit de coups de destin, ou simplement d'une série de coïncidences bizarres ?

8 Terre, ou est ton avenir ?

La sécheresse au Sénégal ***Page 108***
Monsieur Gningue est coordonnateur du bureau national sénégalais du tourisme à l'Ambassade du Sénégal à Londres. Il a accordé une interview exclusive à l'équipe d'**Au point**.

Faites une liste de tous les problèmes que Monsieur Gningue associe au manque d'eau.

9 Culture des masses ?

Le téléphone sonne ***Page 110***
Les jouets et les jeux de l'enfance ont-ils une influence sur la vie d'adulte ?

Sans regarder la transcription de la cassette :
a Pourquoi la jeune femme téléphone-t-elle à l'émission de radio ?
b Selon l'homme qui répond, qui est le plus marqué par les jeux de son enfance, le garçon ou la fille ?

c Donnez l'anglais pour l'expression «garçon manqué». Imaginez, ces garçons manqués, quel type de profession risquent-ils d'avoir quand ils seront adultes ?

Le groupe Psy ***Page 117***
La télé n'a pas seulement une image négative. Expliquez comment, dans ce cas, la télé a une image positive.

Pubs à la radio ***Page 119***
Pour quels produits, ces cinq publicités, sont-elles ?

Faites une liste des moyens techniques employés par les publicitaires à la radio. (Pensez à des choses simples comme dialogues, etc.)

10 Sur un pied d'égalité ?

Conjugaisons et interrogations ***Page 127***
Ce poème de Jean Tardieu utilise les constructions grammaticales pour créer l'atmosphère d'abandon et de solitude.

Ecrivez un poème intitulé «Concordance» en utilisant les notes grammaticales de ce chapitre d'**Au point** et en considérant aussi ses thèmes principaux.

Banlieue ***Page 129***
Ecoutez la chanson *Banlieue* de Karim Kacel.

Né à Paris de parents algériens, Karim Kacel a dit qu'il chante «pour les êtres humains, pas seulement pour les Beurs».

Quelles images donne-t-il de la vie des jeunes dans la banlieue ?

Le racisme à Moscou ***Page 131 et*** **58**
Pendant l'émission de radio *Là-bas, si j'y suis* deux étudiants africains, étudiants à l'Université de Moscou, parlent de leurs expériences.

Faites l'exercice sur **58**.

11 Citoyen, citoyenne

Les enfants ne respectent rien ***Page 136***
Ecoutez la cassette et faites une liste des choses que les enfants trouvent intéressantes pendant le spectacle.

Pourquoi le reporter parle-t-il de «commentaires des petits diables» ?

Exercice de prononciation ***Page 139 et*** **62**

a Répétez deux fois chaque mot qui se termine en *-tion*.
b Trouvez les mots que vous entendrez parmi les mots cachés sur **62**.
c Trouvez le mot que vous n'avez pas entendu sur la cassette. Prononcez-le correctement.

L'opportuniste ***Page 144***
Chanson de Jacques Dutronc.

a Relevez les mots en *-tion*.
b Comment prononce-t-on en français les mots en *-isme* ? Ecrivez les trois mots en *-isme* que vous entendez dans le chanson. Chantez-les avec la chanson. Ecrivez et prononcez les autres mots en *-isme* que vous connaissez.
c Auriez-vous confiance en l'homme politique que Jacques Dutronc prétend être ? Pourquoi ? Pourquoi pas ?

12 Je m'en souviens bien !

La Résistance en France ***Page 153***
Ecoutez ce bref historique de ce mouvement.

Au choix, relevez les faits saillants, ou transcrivez le passage en entier.

Le chant des partisans ***Page 153***
Ecoutez tout simplement. Cette chanson fait partie de l'histoire du vingtième siècle.

13 La culture : tous azimuts

J'explore les livres ! ***Page 160***
Que découvre-t-il au salon du livre ?

Un remake ***Page 164***
Faites une liste des raisons pourquoi Laure n'aime pas le film.

Le rap alphabétique ***Page 168***
Ecrivez un rap en utilisant les lettres de votre nom et votre prénom, en suivant le style du rap alphabétique.

14 Qui juge ?

Cobaye humain ***Page 171***
Interview réalisée pour France-Inter.

Ecoutez la cassette et réfléchissez à ces questions :

a Que pensez-vous de Bernard et de ce qu'il fait ?
b Feriez-vous quelque chose de semblable ? Pourquoi ou pourquoi pas ?

L'économie est une déesse ***Page 175***
Un extrait d'une autre chanson à message, cette fois chantée par Florent Pagny.

Répondez aux questions suivantes :

a Quels problèmes reconnaissez-vous dans cette chanson ?
b Selon l'auteur de la chanson, quelle est la source de tous ces problèmes ?
c Etes-vous d'accord avec cette analyse de la situation et avec les sentiments exprimés dans la chanson ?

Le pas des ballerines ***Page 178***
Une autre chanson signée Francis Cabrel dans laquelle un prisonnier s'exprime.

Pourquoi cet homme est-il en prison ?

Jeune conductrice ***Page 179***
A votre avis, c'est sérieux, ça ? Expliquez pourquoi ou pourquoi pas.

15 Demain déjà ?

Maturité ***Page 185***
Poème de Denise Jallais.

Denise Jallais est née à Saint-Nazaire et a fait ses études à Nantes et à La Baule, toutes les trois villes près de la mer. Recueillez toutes les influences possibles du paysage marin.

On trouve dans ce petit poème plusieurs images. Laquelle, selon vous, est la plus originale ?

Le courrier des auditeurs ***Page 189***
Ecoutez les cinq extraits de lettres et donnez pour chacun des problèmes suivants le nom de l'auteur de la lettre.

- l'avortement
- la définition de la normalité
- la disparition de la perspective humaine
- la disparition des libertés individuelles
- la dissémination de renseignements personnels et confidentiels
- la multiplication de clones
- la sélection (abusive) de caractères physiques et moraux

La machine est mon amie ***Page 192***
Cette chanson, du Québécois Luc de Larochellière, fait mention de 39 gadgets de la vie moderne. Pouvez-vous les identifier tous, sans regarder la transcription, bien sûr !

Table des matières

PUNCTUATION

MAIN PUNCTUATION MARKS

1 The comma [,] (*la virgule*) serves to indicate a short pause, a breath-mark in a sentence. It can act as a link between words and phrases. It can also help to separate words and phrases, for stylistic emphasis:
- *Ses parents, terrorisés, vont encore se lever, impuissants.*
- *Et la nuit s'écoulera, lourde, lente, ...*

2 The full-stop [.] (*le point*) signals a more significant break in the text. It marks the end of one idea and the beginning of another. It is also used in abbreviations:
- *l'A.D.N. ; un B.T.S. ; l'O.N.U. ; la S.N.C.F. ; un T.G.V.*

3 The colon [:] (*deux points*) is generally used to introduce a quotation, an enumeration or an explanation:
- *Exemples de thèmes : pluies acides, forêts tropicales, déchets nucléaires,...* (enumeration)
- *Le médecin n'a pas laissé grand espoir aux parents : «Le traitement aura lieu... »* (quotation)

4 The semi-colon [;] (*point-virgule*) is used to break up longer sentences, separating ideas or the stages of development of complicated thoughts. Its use is not common in modern French.

5 Quotation or speech marks [« »] (*les guillemets*). These symbols are placed at either end of a quotation contained within a text. They are sometimes used around titles or names of, for example, organisations. They can also be used for ironic effect:
- *Fondée en 1970, l'association «Les Amis de la Terre» fait partie de...*
- *C'est, en effet, en 1492 que Christophe Colomb «découvrit» l'Amérique.*

Note:
In the middle of a speech, when you wish to indicate how the direct speech was delivered, inversion of the verb – subject takes place.
- *«Tout va bien, dit Marcelle à son frère, je n'ai pas besoin de toi.»*

6 The dash [–] (*le tiret*) announces, at the beginning of a line, a change of speaker in a dialogue.

7 Brackets ( ) (*les parenthèses*) are used to contain a comment or clarification within a sentence:
- *... plus de dix milliards d'hommes (14 milliards dans l'hypothèse la plus pessimiste).*
- *Il souffre d'une maladie génétique (myosite ossifiante) qui le transforme en pierre.*

ARTICLES

THE DEFINITE ARTICLE (LE ; LA ; L' ; LES)

Literally translated, the definite article means 'the'. However, in French it is often required where 'the' is not used in English. Remember especially the following uses:

1 Before abstract nouns or nouns used to generalise:
- *L'argent donne la liberté.*

2 Before names of continents, countries, regions and languages:
- *La France vieillit.*
- *Le français n'est pas trop difficile.*

But note that no definite article is required:

a after *en* and *de* with feminine names only:
- *Cette année nous allons en Normandie.*
- *Elle revient de Norvège.*

b with languages placed immediately after the verb *parler*:
- *Ici, on parle japonais.*

3 Before arts, sciences, school subjects, sports, illnesses:
- *La physique nous permet de mieux comprendre l'univers.*
- *Le sida nous fait bien peur.*

4 Before parts of the body:
- *Pliez les genoux.*
- *Il s'est cassé la jambe dans un accident de moto.*

5 Before substances, meals and drinks:
- *Greenpeace estime que le plutonium est dangereux à transporter.*
- *Le petit déjeuner est servi à partir de sept heures.*

6 Before fractions:
- *Les trois quarts de l'électorat sont indifférents.*

7 Before titles or names preceded by an adjective:
- *Le Président Mittérand*
- *Le petit Jean*

THE INDEFINITE ARTICLE (UN ; UNE ; DES)

In the singular form, the indefinite article means 'a' or 'an'. But *un* or *une* is not needed in the following situations:

1 When stating a person's occupation:
- *Ma mère est chef d'entreprise et mon père est professeur.*

2 After *quel; comme; en; en tant que; sans; ni:*
- *Quel frimeur !* (What a show off!)
- *Je vous parle en tant que professeur.* (In my capacity as a...)
- *Mais, dis donc : Tu n'as ni crayon ni stylo ?*
- *Ils sont sans domicile.*
- *Vous cherchez quoi, comme travail ?*

3 In a list:
- *Etudiants, ouvriers, cadres – tous étaient à la manif.*

4 Before a noun in apposition (i.e. explaining a noun or phrase just used):
- *Et au micro aujourd'hui : Jean Ferrat, chanteur-compositeur.*

In the plural form the indefinite article means 'some' or 'any'.

THE PARTITIVE ARTICLE (DU ; DE LA ; DE L')

The partitive article also means 'some' or 'any' and therefore describes an unspecified quantity:
- *Je voudrais du beurre, s'il vous plaît.*

All these forms are modified to *de* in the following situations:

1 After a negative verb (this also applies to the indefinite article *un* and *une*):
- *Les diplomates n'offrent pas d'espoir.*
  Il ne me reste plus de cassettes.

But note that there is no change after *ne... que* or *ne... pas que*:
- *Il ne mange que du poisson.*
- *Je ne bois pas que du vin.* (I don't only drink wine.)

2 In expressions of quantity:
- *Il faut beaucoup de courage.*
- *Ça cause trop de pollution.*

3 With plural nouns preceded by an adjective:
- *Voilà de beaux sentiments !*
- *On fait de gros efforts pour rassurer la population.*

4 In numerous set expressions, such as:

– *bordé de*	lined with
– *couvert de*	covered with
– *entouré de*	surrounded by
– *plein de*	full of
– *rempli de*	filled with

NOUNS

GENDER OF NOUNS

Knowing the gender of a French noun is largely a question of careful learning, but there are guidelines to help you. The following general rules apply. But beware! For many of these there are notable exceptions.

MASCULINE NOUNS

Meanings

Names of males, days, months, seasons, trees, fruits, substances, colours, languages, flowers not ending in *-e* and most countries not ending in *-e*.

Exception: *l'automne (f.); le Mexique*

Endings

Note the following patterns with examples and some exceptions:

	Examples
-acle :	*un obstacle, un spectacle*
-age :	*le courage, le jardinage*
	Exceptions: *une cage, une image, une page, une plage, la rage*
-al :	*un animal, le total*
-ail :	*un portail, le rail*
-amme :	*un diagramme, un programme*
	Exception: *la gamme*
-eau :	(words of two syllables or more) *un oiseau, un écriteau*
-ème :	*un thème, un système, un problème*
-er :	*un verger, le fer*
	Exception: *la mer*
-et :	*un livret, le billet*
-isme :	*le réalisme, le tabagisme*
-ment :	*un élément, le commencement*
	Exception: *une jument*
-oir :	*un miroir, un séchoir*

FEMININE NOUNS

Meanings

Names of females, continents, most countries and rivers ending in *-e*, most fruits and shrubs ending in *-e*.

Endings

Note the following patterns with examples and some exceptions.

	Examples
-ance :	*une tendance, l'indépendance*
-anse :	*la danse*
-ée :	*une journée, une soirée*
	Exceptions: *un lycée, un musée*
-ence :	*la prudence, la conscience*
	Exception: *le silence*
-ense :	*la défense*
-esse :	*la jeunesse, une promesse*
-eur :	(abstract nouns) *la douceur, la peur*
	Exceptions: *le bonheur, le malheur, l'honneur*
-ie :	*une partie, la philosophie, la vie*
	Exception: *le génie*
-ière :	*une matière, une chaudière*
	Exception: *un cimetière*
-ise :	*une bêtise, une valise*
-sion :	*une mission, une expression*
-tié :	*l'amitié, la pitié*
-té :	*la bonté, la santé*
	Exceptions: *un côté, le pâté, un traité, un comité*
-tion :	*une nation, une fonction*
	Exception: *un bastion*
-ure :	*la nature, une mesure*

MASCULINE NOUNS WITH MODIFIED FEMININE FORM

The feminine equivalent of many masculine forms is formed simply by adding an extra *-e*:

- *un commerçant* → *une commerçante*

Further changes are, however, common with masculine noun endings as follows:

-eur	→	*-euse :*	*un chanteur*	*une chanteuse*
		-rice :	*un instituteur*	*une institutrice*
-eau	→	*-elle :*	*un jumeau*	*une jumelle*
-er	→	*-ère :*	*un boulanger*	*une boulangère*
-ien	→	*-ienne :*	*un Italien*	*une Italienne*
-on	→	*-onne :*	*un Breton*	*une Bretonne*
-f	→	*-ve :*	*un veuf*	*une veuve*
-x	→	*-se :*	*un époux*	*une épouse*

Some nouns have different meanings according to gender. Here are some common ones. Watch out for others!

Noun	Masculine meaning	Feminine meaning
crêpe	crepe	pancake
critique	critic	criticism
livre	book	pound sterling
manche	handle	sleeve
mémoire	thesis	memory
mode	method, (mood of verb)	fashion
moule	mould	mussel
oeuvre	complete works	work (e.g. a book)
pendule	pendulum	clock
physique	physique	physics
poêle	stove	frying-pan
poste	post, job	post-office
tour	turn, trick, tour	tower
voile	veil	sail, sailing

SINGLE GENDER NOUNS

The nouns shown below retain the same gender, irrespective of the person described.

Nouns always masculine

un amateur, un auteur, un bébé, un écrivain, un ingénieur, un médecin, un peintre, un professeur, un sculpteur, un témoin

It is sometimes possible to create a feminine form of these nouns by making a compound with the word *femme*, e.g. *une femme-médecin.*

Nouns always feminine

une connaissance, une personne, une recrue, une sentinelle, une vedette, une victime

PLURAL OF NOUNS

The plural of a noun is normally formed by adding an *-s*:
un livre → *des livres*

The following patterns should, however, be noted:

1 *-al* → *-aux : un animal – des animaux*

Exceptions: *un bal – des bals;*
un festival – des festivals

2 *-ail* → normally add *-s*:
un détail – des détails

But often the ending is *-aux*:
un travail – des travaux
un vitrail – des vitraux

3 *-au ; -eau ; -eu* → add *-x*:
un bateau – des bateaux
un jeu – des jeux

Exception: *un pneu – des pneus*

4 *-ou* → normally add *-s*, but the following end in *-oux* in the plural:
un bijou — *des bijoux*
un caillou — *des cailloux* (pebbles)
un chou — *des choux*
un genou — *des genoux*
un hibou — *des hiboux* (owls)
un joujou — *des joujoux* (playthings)
un pou — des poux (lice)

5 *-s; -x; -z* → no change:
un fils — *des fils*
une voix — *des voix*
un gaz — *des gaz*

6 Special cases:
le ciel — *des cieux*
un œil — *des yeux*
madame — *mesdames*
mademoiselle — *mesdemoiselles*
monsieur — *messieurs*

PRONOUNS

PERSONAL PRONOUNS

Subject pronouns

je = I
tu = you
il = he
elle = she
on = one, you
nous = we
vous = you (plur. or polite sing.)
ils = they (m.)
elles = they (f.)

These are the familiar pronouns which are learnt with verbs.

Use of on

1 Meaning 'one', 'you' or 'someone'.
– *On ne sait jamais !* (You never know!)
– *On t'attend dehors.* (Someone's waiting for you outside.)

2 As an alternative to *nous*, provided people are involved in the action:
– *On a bien rigolé ce soir-là.* (We had a good laugh that evening.)

3 As an alternative to the passive:
– *Je crois qu'on nous suit.* (I think we're being followed.)

Object pronouns

Direct object pronouns

me = me
te = you
le (l') = him; it
la (l') = her; it
nous = us
vous = you (plur. or polite sing.)
les = them

Indirect object pronouns

me = to me
te = to you
lui = to him, to her
nous = to us
vous = to you (plur. or polite sing.)
leur = to them

Reflexive pronouns

me = myself
te = yourself
se = himself, herself, oneself
nous = ourselves
vous = yourselves (plur.), yourself (polite sing.)
se = themselves

Y

The pronoun **y** has two uses :

1 Meaning '(to) there', replacing a place already mentioned: *On y va ?* (Shall we go (there)?)

2 Replacing a noun (not a person) or a verb introduced by *à*:
 – *As-tu pensé aux conséquences? – Non, je n'y ai pas pensé.*

En

The pronoun **en** also has two uses:

1 Meaning 'from (out of) there':
 – *Il a mis la main dans sa poche. Il en a sorti un billet de 100 francs.*

2 Replacing a noun (not a person) or a verb introduced by *de*:
 – *Que penses-tu de ton cadeau ? – J'en suis ravie.*
 – *Pourquoi n'a-t-il pas protesté ? – Parce que les pouvoirs publics l'en ont empêché. – (...de protester)*

Often, in the latter case, *en* means 'some', 'any', 'of it', 'about it', 'of them' etc:
 – *Tu n'as pas de l'argent à me prêter ? – Attends... si, j'en ai. En voilà.*

Position of personal pronouns

The normal position for both direct and indirect pronouns is immediately before the verb:
– *Je t'aime, tu sais. – Non, ce n'est pas vrai. Tu ne m'aimes pas !*
– *Ils ont vendu leur maison ? – Non, ils ne l'ont pas encore vendue.*

Notes:
When the verb is an affirmative imperative (a command to do something), object pronouns follow the verb. Note the hyphen.
– *Ecris-moi bientôt.*

me and *te* change to *moi* and *toi* when placed after the verb, except when followed by *en*.
– *Ecoute-moi bien ! Lève-toi. Va-t-en !*

With a negative imperative (a command not to do something), object pronouns adopt their normal form and their usual position, before the verb.
– *Ne m'oublie pas, je t'en prie !*
– *Michèle est malade. Ne lui faites pas de bêtises !*

Order of pronouns

The sequence of pronouns before the verb is as follows:

me *te* *se* *nous* *vous*	*le* *la* *les*	*lui* *leur*	*y*	*en*

– *Il m'en a déjà parlé.*
– *Il ne comprend pas encore la blague. Il faut la lui expliquer après tout.*

After the verb, object pronouns normally occur in the same order as in English, but note the hyphens:
– *Donnez-le-moi !*

Stressed pronouns (emphatic pronouns)

moi = me
toi = you
lui = him
elle = her
soi = oneself (used with *on*)
nous = us
vous = you
eux = them (m.)
elles = them (f.)

Stressed pronouns, which always refer to people, are used:

1 For emphasis:
 – *Moi, je ne suis pas d'accord.*
 – *C'est lui qui devrait céder, pas elle.*

2 Before *-même(s)*, meaning '-self; -selves':
 – *Il l'a construit lui-même.*

3 After prepositions:
 – *Tu vas rentrer directement chez toi ?*
 – *Chacun pour soi !*

4 After certain verbs followed by prepositions:
Verb + *à* (i.e. instead of an indirect pronoun)

e.g. *avoir affaire à ; faire appel à ; faire attention à ; penser à ; s'adresser à ; s'intéresser à*
 – *Elle pense toujours à lui.*
 – *Il faut faire attention à eux.*

Verb + *de*
e.g. *dépendre de ; penser de ; profiter de ; s'approcher de*
 – *Qu'est-ce qu'elle pense de moi ?*
 – *Elle s'est approchée de lui.*

DEMONSTRATIVE PRONOUNS

Celui, celle, ceux, celles

These pronouns replace clearly identifiable nouns.

	singular	**plural**
masculine	celui	ceux
feminine	celle	celles

The literal meaning of these pronouns is 'the one', 'the ones'. They cannot stand on their own, but are used in combination:

1 with a relative pronoun (*qui, que, dont*):

Quelle moto préfères-tu ? – Celle que j'ai vue hier.
Jean-Marie, qui est-ce ? – Tu le connais. C'est celui qui porte toujours un blouson noir.

2 with *de* expressing possession:
   – *C'est la petite amie de Robert ? – Mais non, imbécile ! C'est celle de son frère.*

3 with *-ci* or *-là* meaning 'this one', 'that one', these', 'those'.
   – *Quel guide veux-tu acheter ? – Celui-ci.*

Note:
celui-ci, celle-là etc. can also mean 'the latter' and 'the former':
– *La femme du Président parlait à la Reine. Celle-là* (the former – the President's wife) *avait l'air mal à l'aise.*

– ***cela (ça)*** = that, this
Unlike *celui* etc., *cela* (*ça* generally in conversation only) represents an idea rather than an individual noun. It is therefore invariable:
– *Ça ne m'intéresse pas du tout !*

Ceci = this

Used only to introduce an idea, and rather rare in modern French having been replaced by *cela* or *ça*.
– *Je vous dirai ceci : le marché libre ne résoudra pas tous nos problèmes.*

Ce = that (this) + être

ce is often used as an alternative to *cela (ça)* when the following verb is *être, devoir être* or *pouvoir être*.
– *Ce n'est pas vrai !* (**That's** not true!)
– *C'est une honte !* (**This** is a disgrace!)
– *Ce doit être sa dernière tentative.* (**This** must be his last attempt.)

PERSONAL OR DEMONSTRATIVE IL EST OR C'EST ?

C'est + adjective

This always refers back to an idea already mentioned:
– *Communiquer bien avec ses parents ? – Mais, c'est essentiel.*

In spoken French, it is also common to use *c'est* when referring to particular nouns already mentioned:
– *Comment trouves-tu le service ? – C'est excellent.*
– *Tu aimes la salade niçoise ? – Oui, c'est délicieux.*

Il est + adjective

This construction is required when the adjective introduces a verb:
– *Il est difficile de comprendre cette règle grammaticale.*

In spoken French, however, you will also find, increasingly, *c'est* + adjective + *à* or *de* + verb:
– *C'est dur à couper, cette viande.*

Il est, elle est, ils sont, elles sont are required, strictly speaking, when particular, clearly indentifiable nouns are being described:
– *Comment est ta maison ? Elle est assez petite...*
– *Pouah ! Ne mange pas ces pommes-là. Elles ne sont pas mûres.*

'he is', 'she is', 'they are' + adjective
With people, and sometimes animals, personal pronouns are used in the normal way:
– *Tu connais Jules ? Il est très riche.*

'it is' or 'he/she is', 'they are' + noun
For all these combinations use *c'est* or *ce sont* + noun:
– *C'est une belle chanson.*
– *Ce sont des élèves très intelligents.*

Exception: Simple statements of a person's occupation or profession:
– *Il est instituteur. Elle est actrice. Ils sont médecins.*

But if more information is added use *c'est* or *ce sont*:
– *C'est un instituteur doué. C'est une actrice qui est bien connue en France.*

RELATIVE PRONOUNS

Qui (Subject pronoun)

qui = who, which, that

Que (Object pronoun)

que or qu' (before a vowel) = who(m), which, that
Both *qui* and *que* may refer to people or things, singular and plural:
– *Michelle, ma belle, sont des mots qui vont très bien ensemble.*
– *C'est cette jupe que tu as choisie ?*

Note:
After *que* the order subject + verb may be reversed, especially when the subject is a noun as opposed to a pronoun:
– *Les histoires qu'ils racontent sont peu polies.*
– *Les histoires que racontent les vieilles personnes sont passionnantes.*

Dont

dont = 'of which', 'of whom' (replacing *de* + noun), or 'whose', indicating possession:
– *Voilà le château dont j'ai parlé tout à l'heure.*
– *Voilà Jérôme dont la petite amie s'appelle Alissa.*

Remember the following principal differences from English:

1 The definite article required after *dont*:
   – whose girlfriend = *dont la petite amie...*

2 If the following noun is the direct object, it is placed after the verb:
   – *Je te présente mon cousin Alphonse dont tu connais la sœur, n'est-ce pas ?*

3 After a preposition followed by a noun, *de qui* replaces *dont*:
   – *Elle a remercié ses profs sans l'aide de qui elle n'aurait jamais réussi.*

Ce qui, ce que

ce qui – subject; ce que – object = what
These are reported forms of the direct questions *Qui* or *Qu'est-ce qui ?* and *Que or Qu'est-ce que ?*
– *Qu'est-ce qui intéresse ces jeunes ? – Moi, je ne sais pas ce qui les intéresse.*
– *Que fera le Président ? – On ignore ce qu'il a l'intention de faire.*

ce qui, ce que = which

Referring to an idea rather than to a particular noun or pronoun:
- *Il ne parle que rarement, ce qui me paraît bizarre.*
- *On m'a sauvé la vie, ce que je n'oublierai jamais.*

Ce dont = what

Used with verb constructions followed by *de*. e.g. *s'agir de, être question de, se souvenir de:*
- *Ils n'ont jamais compris ce dont il s'agissait.* (... what it was about.)

Preposition + qui

preposition + *qui* = preposition + who(m)
- *Tu sors avec qui ce soir ?*
- *C'était la dame à qui tu as donné l'adresse ?*

Lequel, laquelle, lesquels, lesquelles

	singular	plural
masculine	*lequel*	*lesquels*
feminine	*laquelle*	*lesquelles*

preposition + *lequel* = preposition + which
- *J'ai perdu la clé, sans laquelle je ne pourrai pas ouvrir.*
- *Voici le lac dans lequel ils ont jeté les armes.*

Note:
Lequel? Laquelle? etc., is also an interrogative pronoun, having the same number and gender as the noun for which it stands:
- *Il nous reste trois gîtes. Lequel voulez-vous ?*
- *Une de ces clés ouvre la porte principale. Mais laquelle ?*

à and *de* combine with *lequel* as follows:

	singular		plural	
masculine	*auquel*	**duquel*	*auxquels*	**desquels*
feminine	*à laquelle*	**de laquelle*	*auxquelles*	**desquelles*

- *C'est bien le film auquel je pensais.*
- *Voilà la gare à côté de laquelle vous trouverez un parking.*

**duquel, de laquelle* etc., are used exclusively with compound prepositions e.g. *près de, à côté de*. They are not interchangeable with *dont*.

A common alternative to *dans lequel* etc. is *où* which can have a meaning of space or time:
- *La région où (dans laquelle) je passe la plupart de mes vacances.*
- *Le jour où l'accident a eu lieu.*

POSSESSIVE PRONOUNS

	masc. sing.	fem. sing.	masc. plur.	fem. plur.
mine	*le mien*	*la mienne*	*les miens*	*les miennes*
yours	*le tien*	*la tienne*	*les tiens*	*les tiennes*
his, hers, one's	*le sien*	*la sienne*	*les siens*	*les siennes*
ours	*le nôtre*	*la nôtre*	*les nôtres*	*les nôtres*
yours	*le vôtre*	*la vôtre*	*les vôtres*	*les vôtres*
theirs	*le leur*	*la leur*	*les leurs*	*les leurs*

The number and gender of possessive pronouns are determined by those of the noun(s) which they replace:
- *As-tu ta montre ? J'ai oublié la mienne.*

Possession can also be expressed by *à* + emphatic pronoun. To express the idea: 'This wallet is mine.'
Literal translation: *Ce portefeuille est le mien.*
More common version: *Ce portefeuille est à moi.*

ADJECTIVES

QUALIFICATIVE ADJECTIVES (ORDINARY ADJECTIVES)

Adjective endings

In French, an adjective must, through its ending, indicate the number and gender of the noun it qualifies. This is called adjectival agreement.

Regular adjective endings

	singular	plural
masculine	–	*-s*
feminine	*-e*	*-es*

un grand succès — *les petits enfants*
la haute saison — *de jolies robes*

Notes:
1. Adjectives ending in *-e* do not take an extra *e* in the feminine forms.
2. Adjectives ending in *-s* or *-x* do not add an *s* in the masculine plural.
3. An adjective qualifying two (or more) nouns of different genders takes the masculine plural endings:
   - *Est-ce que ta mère et ton père sont contents maintenant?*

Irregular adjective endings

The following patterns may help you produce the correct forms of endings.

Feminine forms
1. *-s*, double the *-s*. e.g. *bas - basse.*
2. *-eil, -el, -en, -on*, double the consonant. e.g. *pareil – pareille; traditionnel – traditionnelle; ancien – ancienne; bon – bonne.*
3. *-x*, generally becomes *-se*. e.g. *heureux – heureuse*
   Exceptions: *faux – fausse; roux – rousse; doux – douce.*
4. *-er*, becomes *-ère; -ier* becomes *-ière*. e.g. *léger – légère; premier – première.*
5. *-f*, generally becomes *-ve*. e.g. *naïf – naïve*
   Exception: *bref – brève.*
6. *-et*, generally becomes *-ète*. e.g. *inquiet – inquiète*
   Exceptions: *net – nette; coquet – coquette.*
7. *-c*, generally becomes *-che* or *-que*. e.g. *blanc – blanche; public – publique*
   Exceptions: *grec – grecque; sec – sèche.*
8. *-eur*, generally becomes *-eure*. e.g. *inférieur – inférieure*
   Exception: *rêveur – rêveuse.*

9 *-teur*, becomes *-trice*. e.g. *conservateur – conservatrice.*

10 some adjectives have irregularities of their own: e.g. *aigu – aiguë; favori – favorite; frais – fraîche; long – longue; malin – maligne*

Irregular masculine singular forms
Some adjectives have a special form before a masculine word beginning with a vowel or mute *h*:
beau – bel; nouveau – nouvel; vieux – vieil; fou – fol; mou – mol
– *Mon nouvel ami. Un vieil hôpital. Un fol amour.*

Irregular masculine plural forms
-al generally becomes *-aux*. e.g. *égal – égaux*
Exceptions: *fatal – fatals; final – finals; natal – natals; naval – navals*

Invariable adjectives
Adjectives endings never change with:

1 **compounds**, that is, adjectives made up of more than one word:
des souliers bleu foncé; des livres bon marché

2 **colours**, where a noun is used as an adjective:
des drapeaux orange; des yeux marron

Position of adjectives
1 Most adjectives are placed **after** the noun they qualify:
– *une cérémonie religieuse; un sentiment bizarre; du vin rouge*

2 Several common adjectives are, however, normally placed **in front of** the noun they qualify:

beau	mauvais
bon	méchant
grand	nouveau
gros	petit
haut	premier
jeune	vaste
joli	vieux
long	vilain

Note:
prochain (next) normally precedes the noun
e.g. *la prochaine fois*
But it is placed after: *an; année; mois; semaine*

Variation on normal position
A change in the 'normal' position of an adjective can come about for three main reasons.

1 Emphasis: *C'est une excellente idée !*

2 Usage: In set expressions such as *le moyen âge* (the Middle Ages).

3 Change of meaning: some adjectives have different meanings according to their position.

The most common are as follows:

adjective	meaning when before noun	meaning when after noun
ancien	former	old (ancient)
brave	good	brave
certain	some	undeniable
cher	dear (cherished)	expensive
dernier	last (latest in series)	last, previous
grand	great, famous	tall, big
même	same	very
pauvre	unfortunate	poor (not rich)
propre	own	clean
pur	pure (sheer)	pure (perfect)
seul	sole, only	alone
simple	mere	plain, simple
vrai	real	true

Adjectives as nouns
1 Masculine singular adjectives can be used as abstract nouns:
– *L'important est de faire un effort.*
– *Le plus difficile, c'est de sauver les forêts tropicales.*

2 Adjectives can be used as nouns where in English we would add the word 'one':
– *Je ne connais pas cette route, mais je crois que c'est la bonne.* (the right one)

Negative forms of adjectives
Many French adjectives have a negative form with a prefix. Here are some common ones:

content → *mécontent*
croyable → *incroyable*
heureux → *malheureux*
possible → *impossible*
rationnel → *irrationnel*

Where no such form exists, it is common to find the words *peu/pas très* being used to give a negative meaning:
– *un personnage peu intéressant*

Adjectives after certain expressions
Note the use of *de* to introduce an adjective after the following expressions:
quelqu'un; quelque chose; personne; rien
– *Il n'y a rien d'étrange en tout cela.*

DEMONSTRATIVE ADJECTIVES (this/that; these/those + noun)

	singular	plural
masculine	*ce (cet)*	*ces*
feminine	*cette*	*ces*

As with all other adjectives in French, the demonstrative adjectives must agree in number and gender with the noun to which they are attached.

Notes:

1 *Cet* is used before a masculine singular word beginning with a vowel or mute *h*: *cet avion, cet hôtel*

2 In order to distinguish more precisely between 'this/these' and 'that/those', add *-ci* or *-là* to the noun.

– *Ces chemises-là* (those) *sont assez chères, mais ces pulls-ci* (these) *sont bon marché.*

POSSESSIVE ADJECTIVES

	masculine	feminine	plural
my	*mon*	*ma (mon*)*	*mes*
your	*ton*	*ta (ton*)*	*tes*
his, her, its, ones	*son*	*sa (son*)*	*ses*
our	*notre*	*notre*	*nos*
your	*votre*	*votre*	*vos*
their	*leur*	*leur*	*leurs*

Notes:

1 Possessive adjectives are singular, plural, masculine or feminine depending on the noun they qualify, NOT the gender or number of the person(s) referred to.
son frère aîné = his or her older brother
(the context will indicate the appropriate meaning)

2 *In the feminine singular form *mon, ton,* and *son* replace *ma, ta* and *sa* if the following word begins with a vowel or mute *h.*
mon amie Joséphine; ton attitude sceptique

COMPARISON OF ADJECTIVES

Comparative

plus + adj. + *que* = more ... than
aussi + adj. + *que* = as ... as
moins + adj. + *que* = less ... than

– *Le meurtre est plus grave que le vol.*
– *Notre économie est aussi forte que celle de l'Allemagne.*
– *Ce système de gouvernement est moins démocratique que le nôtre.*

Note:
If a comparative adjective introduces a relative clause with *que, ne* is used before the verb. In this case, *ne* has no negative value:
– *Ce traitement est plus cher qu'on ne le pensait.*

Superlative

le/la/les plus + adj. = the most
le/le/les moins + adj. = the least

– *C'est le problème le plus difficile à résoudre.*
– *Ce sont les quartiers les moins privilégiés de* la ville.*

*After a superlative adjective, use *de* to express 'in'.

Irregular comparatives and superlatives

	comparative	superlative
bon	*meilleur*	*le/la/les meilleur(e/s/es)*
mauvais	*pire*	*le/la/les pire(s)*
	**plus mauvais*	**le/la/les plus mauvais(e/es)*

* These regular forms are increasingly used in preference to *pire* which is more formal and literary.

ADVERBS

ORDINARY ADVERBS

Adverbs provide further information about the word they qualify, usually a verb, but also an adjective or another adverb. An adverb will usually answer one of the following questions:

How? How much? To what extent? When? Where? Whether or not?

Formation of adverbs

Adverbs formed from adjectives

Take the feminine singular form and add *-ment*:
e.g. *heureux : heureuse* → *heureusement* (happily, luckily)

Do not add *-e* to adjectives ending in a vowel:
e.g. *vrai – vraiment*

Learn the following common exceptions:

bref → *brièvement*
gai → *gaiement*
gentil → *gentiment*
constant → *constamment*
(and other adjectives ending in *-ant*)
évident → *évidemment*
(and others adjectives ending in *-ent*)

A number of adverbs end in *-ément*:
e.g. *aveugle* → *aveuglément*

Other adverbs in this group:

communément *obscurément*
confusément *précisément*
énormément *profondément*

Note:
bon → *bien*
mauvais → *mal*

Adjectives used as adverbs

These are invariable and tend to be found in set expressions:

parler bas *marcher droit*
sentir bon *travailler dur*
coûter cher *sentir mauvais*
s'arrêter court *frapper juste*
voir clair

An adjective is, however, used sometimes where the English equivalent involves an adverb. In these cases it will agree with the noun it qualifies.
– *Les experts, unanimés, condamnent la publicité du tabac.* (The experts unanimously condemn...)

Adverbs formed from prepositions

preposition	adverb
dans	dedans
sur	dessus
sous	dessous

– *C'est ça ton cahier? Mets ton nom dessus!*

Usage: contrast between English and French

The one word adverb ending in '-ly' is common in English. In French, there are many more alternative adverbial phrases available. For example, in expressions of manner – describing HOW something happened – the choice is:

Adverb from adjective

– Elle parle clairement.

Adjective used after phrases

de façon
d'une façon
de manière
d'une manière
d'un air
d'un ton
d'une voix
etc.

– *Elle s'est exprimée d'une voix claire.*

(The adjective must agree with the noun *voix, façon, air* etc.)

Noun used after the prepositions avec, sans, par etc.

– *Elle s'est exprimée avec clarté.*

Position of adverbs

With adjective or another adverb

As in English, adverbs are placed before the adjective or adverb they qualify:
– *quelques mots bien placés*
– *celui-là va trop vite*

With verb

The adverb is normally placed after the verb it qualifies and, unlike in English, never between subject and verb:
– *Il oublie souvent.* (He often forgets.)

In compound tenses and verb + infinitive constructions, the following guidelines usually apply:

1 Imprecise, and mostly short adverbs (e.g. *souvent, déjà, bien, bientôt*) generally come before the past participle or infinitive:
   – *Vous avez bien joué.*
   – *Je vais souvent jouer au foot.*

2 Short adverbs with more precise meanings (e.g. *ici, hier*) and most adverbs ending in *-ment* (the majority) come after the past participle or infinitive:
   – *Les ouvriers veulent participer directement à la gestion.*
   – *On va assister au concert demain.*

3 When an adverb expresses a personal feeling or judgement, it may be placed almost anywhere in the sentence, but especially at the beginning. In formal language, you may find in these cases that the subject – verb order is inverted:
   – *Certes, ces programmes de réhabilitation ne sont pas toujours efficace.*
   – *Peut-être le végétarisme offre-t-il certains avantages.*

Comparison of adverbs

Comparative

plus + adverb + *que* = more ... than
aussi + adverb + *que* = as ... as
pas si + adverb + *que* = not as ... as
moins + adverb + *que* = less ... than

– *Lui, il court moins vite que son fils.*

Superlative

le plus (invariable) + adverb
– *C'est le groupe minoritaire qu'on néglige le plus souvent.*

Irregular forms	Comparative	Superlative
bien (well)	*mieux* (better)	*le mieux* (best)
mal (badly)	*plus mal*	*le plus mal*
	**pis* (worse)	**le pis* (worst)

* These are formal, literary forms.

Other expressions of comparison

de plus en plus = more and more
de moins en moins = less and less
de mieux en mieux = better and better

Expressions of compared quantity

plus de = more
moins de = less
autant de = as much/many
tant de = so much/many

Note:
au moins = at least (minimum):
– *Ça vous coûtera au moins mille francs.*

du moins = at least (some reservations):
– *Du moins, je l'espère.*

d'autant plus... que = all the more (so) ... because:
– *La situation est d'autant plus dangereuse que les deux armées manquent de discipline.*

INDEFINITE ADVERBS

comme	*Comme c'est joli!* (How pretty it is!) – *Il s'est arrêté comme pour me parler.* (...as if to speak to me.) – *Comme par miracle...* (As if by miracle...)	
comment	– *Comment se fait-il que...?* (How is it that....?) – *Comment ? Vous partez déjà ?* (What? You're off already?)	
combien	*combien de fois*	how many times
	combien de temps	how long
	Combien je regrette que...	How (much) I regret that...
même	*L'équipe n'a même pas essayé.*	(The team didn't even try.)
	quand même/tout de même	all the same, even so

n'importe	*n'importe qui*	anybody
	n'importe où	anywhere
	n'importe comment	anyhow, however you like
	de n'importe quelle façon	any way at all
	n'importe quand	any time, whenever
	n'importe quoi	anything
peu	*peu de gens*	few people
	un peu d'argent	a little money
	peu à peu	little by little
quelque	*les quelque 300 mille estivants* (invariable) (the 300,000 or so holidaymakers)	
tout	*Le pneu est tout dégonflé.* (...completely deflated) *Elle est toute prête.* (...completely/quite ready) *des recherches toutes récentes* (very recent research)	

Agreement with *tout* occurs only before a feminine adjective (sing. or plur.) beginning with a consonant. It is the unique example of adverbial agreement in French.

NEGATIVE ADVERBS

List 1		List 2	
ne ... pas	not	*ne ... personne*	nobody
ne ... point	not at all	*ne ... que*	only
ne ... nullement	not in the slightest	*ne ... aucun(e)*	not any
ne ... plus	no longer	*ne ... nulle part*	nowhere
ne ... guère	hardly	*ne ... ni... ni...*	neither ... nor
ne ... jamais	never		
ne ... rien	nothing		

Position

ne is placed before the verb (and any object pronouns preceding the verb):

In simple one word tenses:
pas, plus, rien etc., is placed immediately after the verb:
– *Je ne comprends pas.*

In compound tenses:
words in List 1 come before the past participle:
– *Il n'a jamais visité le Canada.*

But words in List 2 come after the past participle:
– *Nous ne l'avons vu nulle part.*

Ne...que is a special case because *que* must always come immediately before the idea it qualifies:
– *Je n'ai lu ce roman qu'une seule fois.*

If the idea 'only' applies to the verb itself, use *ne faire que* + infinitive:
– *Tu ne fais que regarder la télévision.*
You only watch the telly. (All you do is...)

With infinitives, the negative elements generally precede the infinitive together:
– *On a décidé de ne rien faire.*
– *Il a promis de ne jamais mentir.*

In combination, negative expressions are placed in the order in which they appear in lists 1 and 2:
– *On n'a jamais rien dit à personne.*

Negatives as subject

If a negative is the subject of the verb, note the word order:
– *Personne ne me l'a expliqué.*
– *Rien ne lui fait peur.*

Without a verb

When negative adverbs stand alone, no *ne* is used:
– *Qu'est-ce que tu as appris ? Rien !*
– *Tu vas au théâtre quelquefois ? Non, jamais.*

In modern colloquial usage, you will find that the *ne* is frequently dropped.
– *Ils trouvent pas leur rythme.*
– *Je sais pas...* or even: '*Chaispas !*'

QUESTIONS

QUESTIONS FOR YES/NO ANSWERS

There are three ways of asking questions which can be answered by 'yes' or 'no'.

1 Speech only – by raising the pitch of the voice approaching the question mark (*le point d'interrogation*):
 – *Tu aimes ce programme ?*

2 Using *Est-ce que (qu') :*
 – *Est-ce que tu aimes ce programme ?*

3 By inverting subject and verb (formal language):
 – *Aimes-tu ce programme ?*

Notes:

1 Add *-t-* in the 3rd person singular:
 – *Aime-t-il ce programme ?*

2 In compound tenses, the participle is not included in the inversion:
 – *Avez-vous bien dormi ?*
 – *N'a-t-il rien dit avant de partir ?*

3 When the subject is a noun, an extra pronoun is required:
 – *Les jeunes, n'ont-ils pas le droit de faire ça ?*

WHO? AND WHAT?

As the subject of the verb

Who...? = *Qui?* or: *Qui est-ce qui... ?*
What...? = *Que?* or: *Qu'est-ce qui... ?*

As the object of the verb

Who(m)...? = *Qui?* or: *Qui est-ce qu (qu')... ?*
What...? = *Qu'est-ce que (qu')... ?*

Preposition + who(m)?

– *Pour qui l'achètes-tu ?*
– *De qui parlent-ils ?*

Preposition + what?

– *Avec quoi va-t-on le payer ?*
– *A quoi tu penses ?*

INTERROGATIVE ADJECTIVES

	singular	plural
masculine	*quel...?*	*quels...?*
feminine	*quelle...?*	*quelles...?*

Like all adjectives, *quel, quelle*, etc., must agree with the noun it qualifies.
– *Quels sports préférez-vous ?*

FORMATION AND USE OF TENSES

PRESENT TENSE (*LE PRESENT*)

Formation

Regular

Most verbs have a regular present tense and belong in one of three main groups (or conjugations). In each case the stem is found in the infinitive of the verb. Use your dictionary to check up the meanings of those you do not know and learn them!

-er verbs	-ir verbs	-re verbs
e.g. *parler*	e.g. *finir*	e.g. *vendre*
je parle	*je finis*	*je vends*
tu parles	*tu finis*	*tu vends*
il/elle/on parle	*il/elle/on finit*	*il/elle/on vend*
nous parlons	*nous finissons*	*nous vendons*
vous parlez	*vous finissez*	*vous vendez*
ils/elles parlent	*ils/elles finissent*	*ils/elles vendent*

Remember, the *-s* on the *tu* form ending is never pronounced, nor is the *-ent* on the 3rd person plural.

Semi-irregular -er verbs

Some verbs have regular endings but slightly irregular patterns in their stem. In the first four categories, the irregularity occurs in the 1st, 2nd, 3rd singular persons of the present tense (*je, tu, il/elle/on*) and in the 3rd person plural (*ils/elles*).

1 **Consonant doubles:**
– *jeter* → *jette, jettes, jette, jetons, jetez, jettent*

Other verbs in this group: *(r)appeler, épeler, étinceler, feuilleter, rejeter, renouveler.* This irregularity also applies in all persons of the future and conditional tense.

2 **Accent changes *é* → *è*:**
– *espérer* → *espère, espères, espère, espérons, espérez, espèrent*

Other verbs in the same group: *céder, compléter, délibérer, exagérer, excéder, (s')inquiéter, libérer, posséder, préférer, protéger, refléter, répéter, sécher, suggérer, tolérer.*

With these verbs, there is no accent change in the future and the conditional. e.g. *je préférerais.*

3 **Grave accent (*è*) added:**
– *mener* → *mène, mènes, mène, menons, menez, mènent*

Other verbs in the same group: *amener, emmener, (se) promener, ramener; acheter, achever, crever, geler, peser.*

The accent change is also found in the future and conditional,
– *j'achèterai.*

4 ***y* changes to *i* in verbs ending in *-oyer, -uyer* and *-ayer*:**
– *envoyer: envoie, envoies, envoie, envoyons, envoyez, envoient*

Other verbs in this group: *coudoyer, employer, nettoyer, (se) noyer, tutoyer, vouvoyer, (s')ennuyer, (s')essuyer; payer, essayer* (although *je paye* and *j'essaye* are also acceptable).

5 ***ç* or *e* added to *nous* form** (to keep same pronunciation throughout):

Verbs ending in *-cer*: e.g. *avancer: j'avance* but *nous avançons* (also applies to *commencer, forcer, lancer*)

Verbs ending in *-ger*: e.g. *manger : je mange* but *nous mangeons* (also applies to *bouger, partager, protéger, voyager*)

-ir verbs with -er endings

A small, but common group of verbs end in *-ir* but take *-er* endings in the present tense.
– *offrir* → *offre, offres, offre, offrons, offrez, offrent*

Other verbs in this category: *(r)ouvrir, (dé)couvrir, souffrir, cueillir, accueillir.*

Irregular verbs

Many common verbs are irregular in the present. A useful, but not exhaustive list is provided in the verb tables.

Present tense meaning and uses

1 There is only one form of the present tense in French whereas English has three:

L'étudiant travaille dur = The student works hard.
The student is working hard.
The student does work hard.

2 *être en train de* + infinitive
This expression conveys the idea of 'to be in the process of...'
– *Le comité est en train de considérer votre proposition.*

3 The present can also be used in story-telling to convey past meaning to make the events more immediate:
– *Huit heures ce matin, un automobiliste ivre fait deux morts et six blessés...*

4 Note also the use of the present in the following special constructions:
– *J'apprends le français depuis sept ans...*
(I have been learning... [and still am])
– *Il y a trois ans que l'équipe olympique se prépare...*
(The team has been preparing... [and still is])
– *Nous venons d'apprendre la triste nouvelle.*
(We have just heard...)

PERFECT TENSE (*LE PASSE COMPOSE*)

Formation

The perfect tense is a compound tense consisting of the present tense of the auxiliary verb *avoir* or *être* (see page 237) plus the past participle of the required verb.
– *Tu as trouvé du pain ?*
– *Je suis né(e) il y a 18 ans.*
– *Elle s'est bien amusée hier soir.*

The past participle (*Le participe passé*) of regular verbs is formed as follows:

Verbs ending in *-er*	Verbs ending in *-ir*	Verbs ending in *-re*
trouver → *trouvé*	*finir* → *fini*	*vendre* → *vendu*

Many common verbs have irregular past participles:

avoir – eu	*mourir – mort*
boire – bu	*naître – né*
connaître – connu	*ouvrir – ouvert*
courir – couru	*pouvoir – pu*
devoir – dû	*prendre – pris*
dire – dit	*recevoir – reçu*
écrire – écrit	*savoir – su*
être – été	*venir – venu*
faire – fait	*vivre – vécu*
lire – lu	*voir – vu*
mettre – mis	*vouloir – voulu*

Auxiliary: Avoir or être ?

The auxiliary verb (*l'auxiliaire*) in compound tenses may be either *avoir* or *être*. Transitive verbs (those capable of having a direct object) use *avoir*. This is the vast majority of verbs. Verbs requiring the use of *être* are:

1 Reflexive verbs: *je me suis levé, elle s'est dépêchée*

2 Verbs in the following list, usually known as 'verbs of motion':

aller	*partir*
arriver	**passer*
**descendre*	**rentrer*
devenir	*rester*
entrer	*retourner*
**monter*	**sortir*
mourir	*tomber*
naître	*venir*

Verbs marked * are capable of transitive use and will take avoir when used in this way:

- *On a monté la tente.*
- *As-tu rentré ton vélo, Philippe ?*

Perfect tense use

The perfect tense is used when referring to a completed action in the past. It can translate the simple past tense in English e.g. 'saw', 'went', 'worked', and the idea 'have seen', 'have gone', 'have worked'. In appropriate contexts, it can also convey the idea 'have been doing':

- *Cette semaine on a travaillé sur nos projets.* (This week we have been working on our projects.)

Was and were? Imperfect or Perfect?

- *Ma sœur était institutrice à Lille.*
- *J'étais très content de vous voir.*

(Presented as a state of affairs or state of mind, lasting some time in the past without reference to the present.)

- *Ma sœur a été institutrice à Lille (pendant sept ans).*
- *J'ai été très content (en vous voyant).*

(Presented as a completed action at a specific time or period in the past.)

PLUPERFECT TENSE (*LE PLUS-QUE-PARFAIT*)

Formation

This is a compound past tense consisting of the imperfect tense of the auxiliary verb *avoir* or *être* (see above) plus the past participle of the required verb.

- *j'avais donné*
- *elle était rentrée*
- *nous nous étions amusé(e)s*

Pluperfect tense use

As in English, the pluperfect tense expresses the idea 'had done'. Its use in the two languages is identical.

1 To describe what had happened before another action in the past:
   - *J'avais fait mon service militaire avant de me lancer dans le journalisme.*

2 As a reported form of the perfect tense:
   - *Le gendarme a compris que l'automobiliste n'avait pas vu le feu rouge.*

IMPERFECT TENSE (*L'IMPARFAIT*)

Formation

To the stem of the *nous* form of the present tense, simply add the imperfect endings:

je	*-ais*
tu	*-ais*
il/elle/on	*-ait*
nous	*-ions*
vous	*-iez*
ils/elles	*-aient*

- *faire* → *(nous) fais(ons)* → *je faisais, tu faisais, il/elle/on faisait, nous faisions, vous faisiez, ils/elles faisaient*

The only exception is the verb *être:*

j'étais, tu étais, il/elle/on était,
nous étions, vous étiez, ils/elles étaient

With *-çer* verbs, no cedilla is needed in the *nous* and *vous* forms:
je commençais but *nous commencions*

With *-ger* verbs, no extra *e* is needed in the *nous* and *vous* forms:
je mangeais but *vous mangiez*

Imperfect tense use

This tense describes:

1 a state of affairs or a state of mind in the past (how things were at the time):
   - *La mer était agitée. Il se sentait tellement triste.*

2 an action presented as background to another event in the past (was/were doing):
   - *Pendant que tu dormais, je suis allée me baigner.*

3 an habitual action in the past (used to do):
   - *Quand elle habitait à Strasbourg, elle faisait souvent ses courses en Allemagne.*

Further uses of the imperfect tense

1 In the expression *être en train de* + infinitive:
   – *J'étais en train de me laver quand on a sonné à la porte.*

2 With *depuis* meaning 'had been doing':
   – *Ils attendaient depuis une heure quand le train est finalement arrivé.*

3 With *venir de* + infinitive to express the idea 'had just':
   – *Nous venions d'arriver lorsqu'il a cessé de pleuvoir.*

4 After *si* when the main verb is in the conditional tense:
   – *Si j'avais assez d'argent, je passerais mes vacances au Sénégal.*

5 After *si* when making a suggestion:
   – *Si on sortait ce soir?* (What if we went out...)

FUTURE TENSE (*LE FUTUR*)

Formation

Regular verbs form the future tense by adding the following endings to the *-r* of the infinitive ending:

je	*-ai*
tu	*-as*
il/elle/on	*-a*
nous	*-ons*
vous	*-ez*
ils/elles	*-ont*

donner → *je donnerai, tu donneras* etc.
finir → *je finirai, tu finiras* etc.
vendre → *je vendrai, tu vendras* etc.

Irregular verbs have an irregular stem (always ending in *-r*) but regular endings throughout. The verb tables include verbs with common irregular future stems.

Future tense use

As in English, *le futur* describes what will happen in the future:
– *Demain matin, je partirai de bonne heure.*

Note that after *quand, lorsque, dès que, aussitôt que*, the future is used in French even when it is only implied in English.

– *Dès que le camp sera prêt, on accueillera les réfugiés.*
(As soon as the camp is ready...)

The immediate future is expressed by means of:

1 present tense of *aller* + infinitive:
   – *Je vais en parler à mes parents.* (I am going to talk about it...)

2 *être sur le point de* + infinitive:
   – *Elle est sur le point de sortir.* (She is just about to go out.)

FUTURE PERFECT TENSE (*LE FUTUR ANTERIEUR*)

Formation

The future perfect is a compound tense consisting of the future tense of *avoir* or *être* plus the past participle of the required verb. The past participle rules for compound tenses apply.

– *j'aurai fait* (I will have made)
– *elle sera partie* (she will have left)
– *ils se seront couchés* (they will have gone to bed)

Future perfect tense use

The rules affecting tense usage after prepositions of time (*quand, dès que* etc.) also apply to the future perfect.
– *Téléphone-moi dès que tu auras trouvé une maison convenable.* (...when you have found a suitable house...)

CONDITIONAL TENSE (*LE CONDITIONNEL*)

Formation

The conditional is formed by combining the future stem with the imperfect endings. A secure knowledge of the irregular future stems is, therefore, essential.
donner → *je donnerais, tu donnerais, il/elle/on donnerait nous donnerions, vous donneriez, ils/elles donneraient*

avoir → *j'aurais* etc.
choisir → *je choisirais* etc.
être → *je serais* etc.
vendre → *je vendrais* etc.
vouloir → *je voudrais* etc.

Conditional tense use

The tense conveys the meaning of 'would do'. It is used in the following situations:

1 In combination with *si* + imperfect tense:
   – *Je t'écrirais plus souvent si j'avais moins de travail.*

2 When reporting speech that was originally in the future tense:
   – *Mon copain a dit qu'il vendrait sa mobylette à la fin du mois.*

3 When making a polite request:
   – *Pourriez-vous m'aider ?*

4 When attributing reports or opinions to someone else:
   – *Selon le porte-parole des Nations-Unies, la situation serait de plus en plus grave.* (... the situation would appear to be getting worse and worse.)

CONDITIONAL PERFECT TENSE (*LE CONDITIONNEL PASSE*)

Formation

This is a compound tense consisting of the conditional tense of *avoir* or *être* and the past participle of the required verb. The past participle rules for compound tenses apply.
venir → *je serais venu(e)*
prendre → *ils auraient pris*
vouloir → *on aurait voulu*
s'amuser → *elle se serait amusée*

Conditional perfect tense use

As in English, the conditional perfect tense conveys the idea of 'would have done'. It is used in the following situations:

1 In combination with *si* + pluperfect tense:
   – *Je t'aurais écrit plus souvent si j'avais eu moins de travail.*

2 With *devoir*, to express 'ought to have'/'should have':
   – *Ils auraient dû être plus honnêtes.*

3 With *pouvoir*, to express 'could have'/'might have':
   – *Mais tu aurais pu nous le dire.*

4 When attributing reports of past events to someone else:
- *Un général inconnu aurait saisi le pouvoir.*
  (It would appear that an unknown general has seized power.)

PAST HISTORIC TENSE (*LE PASSE SIMPLE*)

Formation

The stem of the past historic of regular verbs is the *nous* stem of the present tense. To this the following endings are added:

-er verbs:

je	*-ai*	*nous*	*-âmes*
tu	*-as*	*vous*	*-âtes*
il/elle/on	*-a*	*ils/elles*	*-èrent*

-ir and *-re* verbs may have endings with *-i* being the key letter:

je	*-is*	nous	*-îmes*
tu	*-is*	*vous*	*-îtes*
il/elle/on	*-it*	*ils/elles*	*-irent*

e.g. je saisis; nous battîmes; elles dormirent

Some verbs (mostly with infinitives ending in *-re* and *-oir*) have endings in which *u* is the dominant letter:

je	*-us*	*nous*	*-ûmes*
tu	*-us*	*vous*	*-ûtes*
il/elle/on	*-ut*	*ils/elles*	*-urent*

e.g. *vivre - elle vécut; falloir - il fallut; courir - je courus*

For irregular verbs consult the verb tables.

Past historic tense use

This tense is reserved exclusively for written French to describe single, completed actions in the past. It is commonly found in novels, history books, newspapers etc. You need to learn the endings and the most common irregular verbs.

THE PRESENT PARTICIPLE (*LE PARTICIPE PRESENT*)

Formation

To the stem of the nous form of the present tense (also the imperfect tense stem) add the ending *-ant*, the equivalent of '-ing' in English.

trouver → *trouvant*
choisir → *choisissant*
prendre → *prenant*
boire → *buvant*

There are only three exceptions:
avoir → *ayant*
être → *étant*
savoir → *sachant*

Present participle use

1 By itself, usually at the beginning of a sentence, to express the idea 'because' or 'since':
- *Croyant qu'il s'était trompé de chemin, il a fait demi-tour.*
  (Thinking = Because he thought...)

2 After the preposition *en*:
- *Il s'est cassé la jambe en faisant du ski.*

Notes:

1 French idiom often requires this construction when verb + preposition may be found in English:
- The firefighters ran into the building.
  Les pompiers sont entrés dans le bâtiment en courant.

2 To emphasize simultaneous actions, *tout* may be added:
- *Tout en mangeant son sandwich, il se précipita vers la gare.*

Beware! There are several situations where a present participle may be used in English but the French idiom requires another form of the verb:
- I found them sitting by the tree.
  Je les ai trouvés assis près d'un arbre.
- We watched them leaving.
  On les a vus partir.
- Lying is not acceptable.
  Mentir est inacceptable.

THE PAST PARTICIPLE (*LE PARTICIPE PASSE*)

Past participle use

The most frequent use of the past participle is in compound tenses. The following rules apply for the agreement of the past participle:

1 Verbs requiring *être* as auxiliary verb – past participle agrees with subject of the verb.
- *Elle est déjà partie.*
- *Ils sont morts dans l'incendie.*

2 Verbs requiring *avoir* verbs and reflexive verbs – past participle agrees with the preceding direct object pronoun (if there is one):
- *J'ai vu mes copains en ville.* BUT: *Je les ai vus en ville.*
- *C'est la voiture qu'il a choisie.*
- *Ils se sont réveillés tard.*

Notes:

1 In compound tenses of the *faire faire* construction (literally to make/get someone to do something), no agreement takes place:
- *On les a fait sortir.*

2 Special care is needed with reflexive pronouns, because the reflexive pronoun is not always the **direct** object of the verb. In the following examples it is the **indirect** object and therefore there is no agreement of the past participle:
- *Elle s'est lavé les mains.*
- *Ils ne se sont pas rendu compte que j'étais parti.*

THE INFINITIVE (*L'INFINITIF*)

This is the form of the verb found in dictionaries and vocabulary lists.

Verbs + Infinitive

In French, when one verb introduces another, the second one is always in the infinitive.

The way in which the two verbs are linked varies as follows:

1 Verbs followed by the infinitive with no preposition between.

aimer	to like to
aimer mieux	to prefer
avouer	to admit to
compter	to intend to
croire	to believe
désirer	to desire to
devoir	to have to
espérer	to hope to
faire	to make, to get to do
falloir (*il faut* etc.)	to be necessary
laisser	to let
oser	to dare
paraître	to appear to
penser	to intend to
pouvoir	to be able to
préférer	to prefer to
prétendre	to claim to
savoir	to know how to
sembler	to seem to
souhaiter	to wish to
valoir mieux (*il vaut mieux* etc.)	to be better to
vouloir	to want to

Notes:

1 Verbs of movement and perception (the senses) are also followed by another verb without a preposition:
– *J'ai couru le chercher.*

2 With a negative infinitive, both negative words are placed before the verb:
– *Je préfère ne pas le savoir.*

3 In using the construction *faire* + infinitive, note carefully what happens when the infinitive after *faire* is followed by its own direct object:
– *On l'a fait partir.* BUT: *On lui a fait signer la confession.*
(Indirect object pronoun in use)

2 Verbs followed by *à* + infinitive.
Here are some useful verbs following this pattern:

aider à	to help to
s'amuser à	to enjoy oneself
apprendre à	to learn to
arriver à	to manage to
s'attendre à	to expect
avoir à	to have (something) to do,
avoir du mal à	to have difficulty in
chercher à	to try to
commencer à	to begin to
consister à	to consist in
continuer à	to continue to
contribuer à	to contribute to
se débrouiller à	to cope with
se décider à	to make up one's mind to
s'habituer à	to get used to
hésiter à	to hesitate to
se mettre à	to start to
passer son temps à	to spend one's time in
penser à	to think of
perdre son temps à	to waste one's time in
se préparer à	to prepare onself to
réussir à	to succeed in
servir à	to be used for
songer à	to think, to dream of
tenir à	to be keen to

3 Verbs followed by *de* + infinitive.
Here are some useful verbs following this pattern:

accepter de	to agree to
(s') arrêter de	to stop
avoir envie de	to feel like
avoir peur de	to be afraid to
cesser de	to stop
choisir de	to choose to
décider de	to decide to
s'efforcer de	to make an effort to
essayer de	to try to
éviter de	to avoid
faire semblant de	to pretend to
finir de	to finish
manquer de	to fail to
oublier de	to forget to
refuser de	to refuse to
regretter de	to regret
rêver de	to dream of
risquer de	to risk, to be likely to
se souvenir de	to remember to
tenter de	to attempt to
venir de	to have just

4 *à* + person, *de* + infinitive
A number of verbs followed by *de* + infinitive require an indirect object (*à* + person). They are generally verbs describing some kind of inter-personal communication:

– *J'ai conseillé à mon frère de laisser tomber l'affaire.*

Here are some of the common verbs which operate like this:

dé(conseiller)	to advise (not to)
défendre	to forbid
demander	to ask
dire	to tell
interdire	to forbid
offrir	to offer
ordonner	to order
pardonner	to forgive
permettre	to allow
persuader	to persuade
promettre	to promise
proposer	to propose
reprocher	to reproach

Prepositions + Infinitive

When a preposition introduces a verb, the infinitive form is required in French while in English the present participle is often preferred:
– *Elle est partie sans dire au revoir.* (... without saying good-bye.)
– *Il a fini par parler.* (He ended up by speaking.)

Prepositions requiring infinitive:
au lieu de – instead of
afin de – so as to
avant de – before
de crainte de – } for fear that
de peur de – }
en train de – in the process of
par – by
pour – to/in order to
sans – without
sur le point de – about to

The only exception is *en* which is followed by the present participle.

– *Elle est partie en courant.*

Adjective + Infinitive

Adjective + à + infinitive

**difficile à* – difficult to
disposé à – willing to
enclin à – inclined to
**facile à* – easy to
**impossible à* – impossible to
lent à – slow to
lourd à – heavy to
**possible à* – possible to
prêt à – ready to
propre à – good to
le premier/la première à – the first to
le/la seul(e) à – the only to

– *Tu es la seule à le savoir.*
– *La théorie est facile à comprendre.*

*But note the use of *de* after the construction:
il est + adjective + *de* + infinitive:
– *Il est facile de critiquer.*

Adjective + de + infinitive

heureux de – happy to
capable de – able to
certain de – sure to
content de – happy to
ravi de – delighted to
sûr de – sure to

– *Je suis sûr de ne pas l'avoir vu aujourd'hui.*

Noun + Infinitive

Normally, nouns are linked to a following infinitive with *de*.

Examples:
le besoin de – the need to
la bonté de – the kindness to
le désir de – the desire to
le devoir de – the duty to
le droit de – the right to
l'envie de – the longing to
l'honneur de – the honour to
l'obligeance de – the kindness to
l'occasion de – the opportunity to
le plaisir de – the pleasure to

– *Vous n'avez pas le droit de me traiter comme ça.*

Quantity + Infinitive

The following expressions of quantity are linked to the infinitive by *à*:

beaucoup à
énormément à
moins à
plus à
quelque chose à
rien à
suffisamment à
trop à

– *Si tu as quelque chose à me dire, dis-le-moi vite !*

THE PAST INFINITIVE (*L'INFINITIF PASSE*)

The past infinitive means 'to have done' and is formed with the infinitive of *avoir* or *être* (as appropriate to the required verb) + past participle. The normal rules about past participle agreement apply.

– *J'espère avoir fini bientôt.*
– *Ils nous a pardonnés d'être partis sans rien dire.*
– *Après m'être habillé(e), je suis descendu(e) à la cuisine.*

THE IMPERATIVE (*L'IMPERATIF*)

The imperative is the form of the verb with which 'commands' are given. It is formed from the present tense as shown:

	Present tense	**Imperative**
tu form	*tu prends*	*Prends !* (Take!)
nous form	*nous prenons*	*Prenons !* (Let's take!)
vous form	*vous prenez*	*Prenez !* (Take!)

Notes:

1 In *-er* verbs , the final *s* is removed from the *tu* form:
– *tu regardes* → *regarde!*

2 The following verbs have irregular imperative forms:
avoir → *Aie ! Ayons ! Ayez !*
être → *Sois ! Soyons ! Soyez !*
savoir → *Sache ! Sachons ! Sachez !*
vouloir → *Veuille ! Veuillons ! Veuillez !*

The *tu* form of *aller* is *va !* except in the expression *vas-y* (go on!) where the *s* is pronounced like a *z*.

3 Reflexive verbs always require the extra reflexive pronoun.

se dépêcher to hurry (up)

	affirmative	**negative**
tu form	*dépêche-toi !*	*ne te dépêche pas !*
nous form	*dépêchons-nous !*	*ne nous dépêchons pas !*
vous form	*dépêchez-vous !*	*ne vous dépêchez pas !*

4 The infinitive can be used as an alternative to the imperative in written formal language such as notices and instructions, e.g. *Secouer avant d'ouvrir.*

THE SUBJUNCTIVE (LE SUBJONCTIF)

The subjunctive is, strictly speaking, what is known as a 'mood'. The Indicative mood comprising the various tenses detailed above (*le présent, le passé composé* etc.) is used mainly to express facts. *L'impératif*, also a mood, is used to make commands. However, *le subjonctif* is used largely when statements are not to be taken as pure fact, but more as a matter of judgement or attitude.

There are four tenses in the subjunctive – present, perfect, imperfect and pluperfect – but only the present tense of the subjunctive is used with any frequency in modern French and even its use is dying away, especially in day-to-day speech.

FORMATION OF TENSES

Present subjunctive

For most verbs, the endings *-e, -es, -e, -ions, -iez, -ent*, are added to the stem of the third person plural (*ils/elles* form) of the present indicative.

e.g. *finir* *present indicative* → *Ils/elles (finissent)*
present subjunctive →
je finisse, tu finisses, il/elle/on finisse,
nous finissions, vous finissiez, ils/elles finissent

Notes:

1 The *nous* and *vous* forms are the same as the imperfect indicative.

2 Irregular forms worth learning are:

aller → *aille, ailles, aille, allions, alliez, aillent*
avoir → *aie, aies, ait, ayons, ayez, aient*
être → *sois, sois, soit, soyons, soyez, soient*
faire → *fasse, fasses, fasse, fassions, fassiez, fassent*
falloir → *il faille*
pouvoir → *puisse, puisses, puisse, puissions, puissiez, puissent*
savoir → *sache, saches, sache, sachions, sachiez, sachent*
valoir → *il vaille*
vouloir → *veuille, veuilles, veuille, voulions, vouliez, veuillent*

Imperfect subjunctive

This little used tense is based on the second person singular (*tu* form) of the past historic. A few examples will be enough for you to recognise it in use:

donner → *je donnasse*
vendre → *tu vendisses*
recevoir → *elle reçût*
aller → *nous allassions*
avoir → *vous eussiez*
être → *ils fussent*

Perfect subjunctive

A rarely used compound tense consisting of present subjunctive of *avoir* or *être*, plus the past participle of the required verb. The rules about agreement of past participles apply:

– *qu'elle soit arrivée, qu'ils se soient levés*

Pluperfect subjunctive

A very rarely used compound tense consisting of imperfect subjunctive of *avoir* or *être*, plus the past participle of required verb. The rules about agreement of past participles apply:

– *qu'elle fût arrivée, qu'ils se fussent levés*

USE OF THE SUBJUNCTIVE

The tenses of the subjunctive are virtually always introduced by *que* or *qu'* (+ vowel) sometimes as part of a conjunction, sometimes in combination with a verb or verbal expression. The subjunctive is used in subordinate clauses (the clause following *que*) when the subject of the verb following is *different* from the subject of the main verb.

The subjunctive is used in the following types of subordinate clause:

1 After conjunctions of time including:

avant que	before
après que	after
jusqu'à ce que	until

– *L'enquête continuera jusqu'à ce qu'on sache la vérité.*

2 After conjunctions indicating concession including:

bien que / *quoique*	although

– *Bien qu'on y aille assez souvent, j'ai oublié le chemin.*

3 After conjunctions indicating purpose including:

afin que / *pour que*	so that/in order that
de façon à ce que / *de manière à ce que*	in such a way that

– *Le gouvernement a pris des mesures pour que l'air devienne plus pur.*

4 After conjunctions of condition including:

à condition que	on condition that
à moins que	unless
pourvu que	provided that
supposé que	assuming that
Que... (at beginning of sentence)	Whether...

– *Qu'il parte ou non, ça m'est égal.*

5 After conjunctions indicating fear including:

de peur que + ne / *de crainte que + ne*	for fear that/lest

– *Elle avait caché son argent de peur que son neveu ne le lui prenne.*

6 After negative conjunctions and expressions such as:

sans que	without
non que	not that
ce n'est pas que	it is not that
cela ne veut pas dire que	this does not mean that

– *Ce n'est pas qu'il y faille un à tout prix, mais...*

7 After expressions of necessity such as

il faut que / *il est nécessaire que*	it is necessary that

– *Il faut que j'y aille.*

8 After expressions of possibility such as:

il arrive que	it happens that
il est impossible que	it is impossible that
il se peut que / *il est possible que*	it is possible that

– *Il se peut qu'elle parte de bonne heure.*

9 After verbs of wishing and wanting such as:

aimer que	to like
désirer que	to wish that
préférer que	to prefer that
souhaiter que	to wish that
vouloir que	to want

– *Claire préfère que son père ne vienne pas à la réunion.*

10 After verbs of asking, allowing or forbidding such as:

consentir à ce que	to to agree that
défendre que	to forbid that
demander que	to ask that
empêcher que	to prevent
exiger que	to demand that
insister que	to insist that
interdire que	to forbid that
ordonner que	to order that
permettre que	to allow

11 After verbs expressing emotions such as:

avoir honte que	to be ashamed that
**avoir peur que*	to be afraid that
**craindre*	to fear that
être content (etc.) *que*	to be pleased that
être surpris/étonné (etc.) *que*	to be surprised that
regretter que	to regret that

**Je crains qu'il ne soit trop tard.* (Note use of *ne*)

12 After verbs of doubt, denial or uncertainty such as:

douter que	to doubt that
il est douteux que	it is doubtful whether
nier que	to deny that
**il semble que*	it seems that

– *Il semble que le pétrole ait pollué tout le littoral.*

*BUT when *il semble* is combined with *me, te, lui* etc., the indicative is used:

– *Il me semble que cette doctrine est inadmissible.*

The negative and question forms of certain expressions are also followed by the subjunctive since doubt or uncertainty is being expressed:

– *Croyez-vous vraiment que les experts aient raison ?*
– *Il n'est pas sûr qu'elle puisse venir.*

13 After impersonal constructions (except those of certainty or probability), including:

il vaut mieux que	it is better that
il est temps que	it is time that
c'est dommage que	it is a pity that
il est préférable que	it is preferable that
il est important que	it is important that
il est honteux que	it is a scandal that

14 The subjunctive is also needed in relative clauses after a negative:
– *Je ne dirai rien qui puisse l'offenser.*

and after a superlative:
– *C'est le meilleur film que j'aie jamais vu.*

and after *premier, dernier, seul, unique:*
– *C'est la seule région de France que je connaisse vraiment.*

THE PASSIVE FORM (LE PASSIF)

Study these two sentences:
a I beat them all.
b I was beaten by them all.

a illustrates the ACTIVE use of the verb 'to beat'. (I was actively involved in the beating!)
b illustrates the PASSIVE use of the same verb. (I was on the receiving end of the beating!)

To express the passive in French, several options are available.

1 The passive 'proper' (much rarer in French than in English):
– *Le chanteur a été chaudement applaudi.*
– *Les tableaux seront exposés à Paris.*

2 Use of *on* + active verb:
– *On ne les trouvera jamais.* (They will never be found.)

Note:
This construction must be used if the required verb is normally followed by *à* + person (i.e. indirect person). Verbs such as:
défendre à, demander à, dire à, donner à, envoyer à, offrir à, téléphoner à.
– *On me demande toujours de parler.* (I am always being asked to speak.)

3 Reflexive verb.
– *Ça se fait très couramment.* (It's commonly done.)
– *Ce vin se vend un peu partout.* (This wine is sold virtually everywhere.)

REFLEXIVE VERBS (LES VERBES REFLEXIFS/PRONOMINAUX)

Tenses and other parts of reflexive verbs are formed in the same way as with other types of verbs, except that the 'extra' pronoun (the reflexive pronoun) is always present. The auxiliary verb for compound tenses is always *être.*

Note the position of the reflexive pronoun in the following sentences:

– *Dépêchez-vous !*
– *Je ne me dépêche pas ce matin.*
– *Un jour, en me baignant j'ai failli me noyer.*

REGULAR VERBS

Many common verbs are regular. That means that all parts can be derived from the application of fixed rules governing the formation of tenses.

TABLE A: REGULAR VERBS

Each verb shown illustrates one of the three regular verb groups or conjugations (*-er, -ir, -re*).

infinitive (and meaning)	pronoun	present	imperative	future	past historic	present subjunctive	present participle	past participle
porter	je	porte		porterai	portai	porte	portant	porté
(to carry,	tu	portes	porte !	porteras	portas	portes		
to wear)	il/elle/on	porte		portera	porta	porte		
	nous	portons	portons !	porterons	portâmes	portions		
	vous	portez	portez !	porterez	portâtes	portiez		
	ils/elles	portent		porteront	portèrent	portent		
finir	je	finis		finirai	finis	finisse	finissant	fini
(to finish)	tu	finis	finis !	finiras	finis	finisses		
	il/elle/on	finit		finira	finit	finisse		
	nous	finissons	finissons !	finirons	finîmes	finissions		
	vous	finissez	finissez !	finirez	finîtes	finissiez		
	ils/elles	finissent		finiront	finirent	finissent		
vendre	je	vends		vendrai	vendis	vende	vendant	vendu
(to sell)	tu	vends	vends !	vendras	vendis	vendes		
	il/elle/on	vend		vendra	vendit	vende		
	nous	vendons	vendons !	vendrez	vendîmes	vendions		
	vous	vendez	vendez !	vendrons	vendîtes	vendiez		
	ils/elles	vendent		vendront	vendirent	vendent		

IRREGULAR VERBS

Irregular verbs will show their irregularities in one or more of the following:

present tense (indicative and subjunctive)
future tense
past participle
past historic

Such irregularities must, of course, be learnt but once this is done, all other parts of the verbs can be constructed using the normal rules for the formation of tenses.

The following verbs have an irregular present participle:

avoir → *ayant*
être → *étant*
savoir → *sachant*

The same three verbs have an irregular imperative:

avoir → *aie ! ayons ! ayez !*
être → *sois ! soyons ! soyez !*
savoir → *sache ! sachons ! sachez !*

The *tu* form of the imperative of *aller* is *va !* – except in the expression *vas-y !*.

TABLE B: IRREGULAR VERBS

How to use the list: You need to learn (preferably by heart) all parts of irregular verbs shown on this list. A blank column opposite a verb indicates that this particular part is regular and, therefore, does not require special attention. All other parts not shown (e.g. conditional tense, pluperfect tense, imperative) can be derived from the parts given, using the normal rules of formation.

infinitive (meaning)	pronoun	present indicative	future	past historic	present subjunctive	past participle	other similar verbs
avoir	j'	ai	aurai	eus	aie	eu	
(to have)	tu	as	auras	eus	aies		
	il/elle/on	a	aura	eut	ait		
	nous	avons	aurons	eûmes	ayons		
	vous	avez	aurez	eûtes	ayes		
	ils/elles	ont	auront	eurent	aient		
être	je	suis	serai	fus	sois	été	
(to be)	tu	es	seras	fus	sois		
	il/elle/on	est	sera	fut	soit		
	nous	sommes	serons	fûmes	soyons		
	vous	êtes	serez	fûtes	soyez		
	ils/elles	sont	seront	furent	soient		
acquérir	j'	acquiers	acquerrai	acquis	acquière	acquis	conquérir
(to acquire)	tu	acquiers	acquerras	acquis	acquières		(to conquer);
	il/elle/on	acquiert	acquerra	acquit	acquière		s'enquérir
	nous	acquérons	acquerrons	acquîmes	acquérions		(to enquire);
	vous	acquérez	acquerrez	acquîtes	acquériez		requérir
	ils/elles	acquièrent	acquerront	acquirent	acquièrent		(to require)
aller	je/j'	vais	irai		aille		
(to go)	tu	vas	iras		ailles		
	il/elle/on	va	ira		aille		
	nous	allons	irons		allions		
	vous	allez	irez		alliez		
	ils/elles	vont	iront		aillent		
s'asseoir	je	m'assieds	assiérai	assis	asseye	assis	
(to sit down)	tu	t'assieds	assiéras	assis	asseyes		
	il/elle/on	s'assied	assiéra	assit	asseye		
	nous	nous asseyons	assiérons	assîmes	asseyions		
	vous	vous asseyez	assiérez	assîtes	asseyiez		
	ils/elles	s'asseyent	assiéront	assirent	asseyent		
	or						
	je	m'assois	assoirai	assis	assoie	assis	
	tu	t'assois	assoiras	assis	assoies		
	il/elle/on	s'assoit	assoira	assit	assoie		
	nous	nous assoyons	assoirons	assîmes	assoyions		
	vous	vous assoyez	assoirez	assîtes	assoyiez		
	ils/elles	s'assoient	assoiront	assirent	assoient		
battre	je	bats					abattre
(to beat)	tu	bats					(to knock down);
	il/elle/on	bat					combattre
	nous	battons					(to fight);
	vous	battez					débattre
	ils/elles	battent					(to debate)

infinitive (meaning)	pronoun	present indicative	future	past historic	present subjunctive	past participle	other similar verbs
boire (to drink)	je tu il/elle/on nous vous ils/elles	bois bois boit buvons buvez boivent		bus but but bûmes bûtes burent	boive boives boive buvions buviez boivent	bu	
conclure (to conclude)	je tu il/elle/on nous vous ils/elles	conclus conclus conclut concluons concluez concluent		conclus conclus conclut conclûmes conclûtes conclurent		conclus	inclure (to include); exclure (to exclude)
conduire (to lead, to drive)	je tu il/elle/on nous vous ils/elles	conduis conduis conduit conduisons conduisez conduisent		conduisis conduisis conduisit conduisîmes conduisîtes conduisirent	conduise conduises conduise conduisions conduisiez conduisent	conduit	most verbs ending in -uire e.g. construire (to construct); introduire (to introduce); produire (to produce)
connaître (to know)	je tu il/elle/on nous vous ils/elles	connais connais connaît connaissons connaissez connaissent		connus connus connut connûmes connûtes connurent		connu	(ap)paraître (to appear); disparaître (to disappear); reconnaître (to recognise)
courir (to run)	je tu il/elle/on nous vous ils/elles	cours cours court courons courez courent	courrai courras courra courrons courrez courront	courus courus courut courûmes courûtes coururent		couru	accourir (to run up); recourir à (to have recourse to)
craindre (to fear)	je tu il/elle/on nous vous ils/elles	crains crains craint craignons craignez craignent		craignis craignis craignit craignîmes craignîtes craignirent	craigne craignes craigne craignions craigniez craignent	craint	all verbs ending in -aindre, e.g. plaindre (to pity); -eindre e.g. peindre (to paint); -oindre e.g. joindre (to join)
croire (to believe)	je tu il/elle/on nous vous ils/elles	crois crois croit croyons croyez croient		crus crus crut crûmes crûtes crurent	croie croies croie croyions croyiez croient	cru	

infinitive (meaning)	pronoun	present indicative	future	past historic	present subjunctive	past participle	other similar verbs
croître	je	croîs		crûs	croisse	crû	s'accroître
(to grow)	tu	croîs		crûs	croisses	(fem. crue)	(to increase);
	il/elle/on	croît		crût	croisse		décroître
	nous	croissons		crûmes	croissions		(to decrease)
	vous	croissez		crûtes	croissiez		
	ils/elles	croissent		crûrent	croissent		
cueillir	je	cueille	cueillerai				accueillir
(to pick)	tu	cueilles	cueilleras				(to welcome);
	il/elle/on	cueille	cueillera				recueillir
	nous	cueillons	cueillerons				(to collect)
	vous	cueillez	cueillerez				
	ils/elles	cueillent	cueilleront				
devoir	je	dois	devrai	dus	doive	dû	
(to have to, to owe)	tu	dois	devras	dus	doives	(fem. due)	
	il/elle/on	doit	devra	dut	doive		
	nous	devons	devrons	dûmes	devions		
	vous	devez	devrez	dûtes	deviez		
	ils/elles	doivent	devront	durent	doivent		
dire	je	dis		dis		dit	Compounds e.g.
(to say, to tell)	tu	dis		dis			contredire
	il/elle/on	dit		dit			(to contradict);
	nous	disons		dîmes			interdire
	vous	dites		dîtes			(to forbid);
	ils/elles	disent		dirent			prédire
							(to predict)
écrire	je	écris		écrivis	écrive	écrit	verbs ending in
(to write)	tu	écris		écrivis	écrives		-crire e.g.
	il/elle/on	écrit		écrivit	écrive		décrire
	nous	écrivons		écrivîmes	écrivions		(to describe);
	vous	écrivez		écrivîtes	écriviez		-scrire e.g.
	ils/elles	écrivent		écrivirent	écrivent		inscrire
							(to note down)
envoyer	je	envoie	enverrai		envoie		renvoyer
(to send)	tu	envoies	enverras		envoies		(to send back)
	il/elle/on	envoie	enverra		envoie		
	nous	envoyons	enverrons		envoyions		
	vous	envoyez	enverrez		envoyiez		
	ils/elles	envoient	enverront		envoient		
faire	je	fais	ferai	fis	fasse	fait	Compounds e.g.
(to do, to make)	tu	fais	feras	fis	fasses		défaire
	il/elle/on	fait	fera	fit	fasse		(to undo);
	nous	faisons	ferons	fîmes	fassions		refaire
	vous	faites	ferez	fîtes	fassiez		(to do again)
	ils/elles	font	feront	firent	fassent		
falloir						fallu	
(to be necessary –							
impersonal verb)	il	faut	faudra	fallut	faille		

infinitive (meaning)	pronoun	present indicative	future	past historic	present subjunctive	past participle	other similar verbs
fuir	je	fuis	fuirai	fuis	fuie	fui	s'enfuir
(to flee)	tu	fuis	fuiras	fuis	fuies		(to flee)
	il/elle/on	fuit	fuira	fuit	fuie		
	nous	fuyons	fuirons	fuîmes	fuyions		
	vous	fuyez	fuirez	fuîtes	fuyiez		
	ils/elles	fuient	fuiront	fuirent	fuient		
lire	je	lis		lus		lu	relire
(to read)	tu	lis		lus			(to re-read);
	il/elle/on	lit		lut			(r)élire
	nous	lisons		lûmes			(to (re)elect)
	vous	lisez		lûtes			
	ils/elles	lisent		lurent			
mettre	je	mets		mis		mis	Compounds e.g.
(to put)	tu	mets		mis			remettre
	il/elle/on	met		mit			(to put back);
	nous	mettons		mîmes			permettre
	vous	mettez		mîtes			(to allow)
	ils/elles	mettent		mirent			promettre;
							(to promise)
mourir	je	meurs	mourrai	mourus	meure	mort	
(to die)	tu	meurs	mourras	mourus	meures		
	il/elle/on	meurt	mourra	mourut	meure		
	nous	mourons	mourrons	mourûmes	mourions		
	vous	mourez	mourrez	mourûtes	mouriez		
	ils/elles	meurent	mourront	moururent	meurent		
mouvoir	je	meus	mouvrai	mus	meuve	mû	émouvoir
(to drive,	tu	meus	mouvras	mus	meuves	(fem. mue)	(to move –
to propel	il/elle/on	meut	mouvra	mut	meuve		emotionally)
a machine)	nous	mouvons	mouvrons	mûmes	mouvions		past. part. = ému;
	vous	mouvez	mouvrez	mûtes	mouviez		promouvoir
	ils/elles	meuvent	mouvront	murent	meuvent		(to promote)
							past. part. = promu
naître	je	nais		naquis		né	renaître
(to be born)	tu	nais		naquis			(to be reborn)
	il/elle/on	naît		naquit			
	nous	naissons		naquîmes			
	vous	naissez		naquîtes			
	ils/elles	naissent		naquirent			
ouvrir	je	ouvre				ouvert	couvrir (to cover);
	tu	ouvres					découvrir (to
	il/elle/on	ouvre					discover);
	nous	ouvrons					offrir (to offer);
	vous	ouvrez					rouvrir (to re-open);
	ils/elles	ouvrent					souffrir (to suffer)
partir	je	pars					dormir (to sleep);
(to depart,	tu	pars					mentir (to tell a lie);
to leave)	il/elle/on	part					se repentir (to repent);
	nous	partons					(se) sentir (to feel);
	vous	partez					servir (to serve);
	ils/elles	partent					sortir (to go out)

infinitive (meaning)	pronoun	present indicative	future	past historic	present subjunctive	past participle	other similar verbs
plaire (to please)	je tu il/elle/on nous vous ils/elles	plais plais plaît plaisons plaisez plaisent		plus plus plut plûmes plûtes plurent		plu	déplaire (to displease)
pleuvoir (to rain – impersonal verb)	il	pleut	pleuvra	plut	pleuve	plu	
pouvoir (to be able to)	je tu il/elle/on nous vous ils/elles	peux (puis-je?) peux peut pouvons pouvez peuvent	pourrai pourras pourra pourrons pourrez pourront	pus pus put pûmes pûtes purent	puisse puisses puisse puissions puissiez puissent	pu	
prendre (to take)	je tu il/elle/on nous vous ils/elles	prends prends prend prenons prenez prennent		pris pris prit prîmes prîtes prirent	prenne prennes prenne prenions preniez prennent	pris	Compounds e.g.: méprendre (to mistake); reprendre (to take again); surprendre (to surprise)
recevoir (to receive)	je tu il/elle/on nous vous ils/elles	reçois reçois reçoit recevons recevez reçoivent	recevrai recevras recevra recevrons recevrez recevront	reçus reçus reçut reçûmes reçûtes reçurent	reçoive reçoives reçoive recevions receviez reçoivent	reçu	(s')apercevoir (to notice); concevoir (to conceive); décevoir (to deceive); percevoir (to perceive, to collect taxes)
résoudre (to resolve)	je tu il/elle/on nous vous ils/elles	résous résous résout résolvons résolvez résolvent		résolus résolus résolut résolûmes résolûtes résolurent		résolu	
rire (to laugh)	je tu il/elle/on nous vous ils/elles	ris ris rit rions riez rient				ri	sourire (to smile)
rompre (to break)	je tu il/elle/on nous vous ils/elles	romps romps rompt rompons rompez rompent					corrompre (to corrupt); interrompre (to interrupt)

infinitive (meaning)	pronoun	present indicative	future	past historic	present subjunctive	past participle	other similar verbs
savoir	je	sais	saurai	sus	sache	su	
(to know)	tu	sais	sauras	sus	saches		
	il/elle/on	sait	saura	sut	sache		
	nous	savons	saurons	sûmes	sachions		
	vous	savez	saurez	sûtes	sachiez		
	ils/elles	savent	sauront	surent	sachent		
suffire	je	suffis				suffi	
(to be enough,	tu	suffis					
to suffice)	il/elle/on	suffit					
	nous	suffisons					
	vous	suffisez					
	ils/elles	suffisent					
suivre	je	suis				suivi	poursuivre
(to follow)	tu	suis					(to pursue)
	il/elle/on	suit					
	nous	suivons					
	vous	suivez					
	ils/elles	suivent					
taire	je	tais		tus		tu	se taire
(to say nothing	tu	tais		tus			(to be silent)
about)	il/elle/on	tait		tut			
	nous	taisons		tûmes			
	vous	taisez		tûtes			
	ils/elles	taisent		turent			
tenir	je	tiens	tiendrai	tins	tienne	tenu	Compounds e.g.
(to hold)	tu	tiens	tiendras	tins	tiennes		maintenir
	il/elle/on	tient	tiendra	tint	tienne		(to maintain);
	nous	tenons	tiendrons	tînmes	tenions		venir
	vous	tenez	tiendrez	tîntes	teniez		(to come);
	ils/elles	tiennent	tiendront	tinrent	tiennent		souvenir
							(to remember)
vaincre	je	vaincs		vainquis	vainque	vaincu	convaincre
(to conquer)	tu	vaincs		vainquis	vainques		(to convince)
	il/elle/on	vainc		vainquit	vainque		
	nous	vainquons		vainquîmes	vainquions		
	vous	vainquez		vainquîtes	vainquiez		
	ils/elles	vainquent		vainquirent	vainquent		
valoir	je	vaux	vaudrai	valus	vaille	valu	Compounds e.g.
(to be worth)	tu	vaux	vaudras	valus	vailles		revaloir
	il/elle/on	vaut	vaudra	valut	vaille		(to get one's own
	nous	valons	vaudrons	valûmes	valions		back)
	vous	valez	vaudrez	valûtes	valiez		
	ils/elles	valent	vaudront	valurent	vaillent		
vêtir	je	vêts				vêtu	Compounds e.g.
(to dress)	tu	vêts					dévêtir
	il/elle/on	vêt					(to undress);
	nous	vêtons					revêtir
	vous	vêtez					(to clothe, to dress)
	ils/elles	vêtent					

infinitive (meaning)	pronoun	present indicative	future	past historic	present subjunctive	past participle	other similar verbs
vivre	je	vis		vécus		vécu	Compounds e.g.
(to live)	tu	vis		vécus			survivre
	il/elle/on	vit		vécut			(to survive)
	nous	vivons		vécûmes			
	vous	vivez		vécûtes			
	ils/elles	vivent		vécurent			
voir	je	vois	verrai	vis	voie	vu	Compounds e.g.
(to see)	tu	vois	verras	vis	voies		pourvoir
	il/elle/on	voit	verra	vit	voie		(to provide);
	nous	voyons	verrons	vîmes	voyions		revoir
	vous	voyez	verrez	vîtes	voyiez		(to see again)
	ils/elles	voient	verront	virent	voient		
vouloir	je	veux	voudrai	voulus	veuille	voulu	
(to want)	tu	veux	voudras	voulus	veuilles		
	il/elle/on	veut	voudra	voulut	veuille		
	nous	voulons	voudrons	voulûmes	voulions		
	vous	voulez	voudrez	voulûtes	vouliez		
	ils/elles	veulent	voudront	voulurent	veuillent		

Abréviations du glossaire

adj.	adjectif	*loc. n.*	locution nominale	*prép.*	préposition
adv.	adverbe	*loc. prép.*	locution prépositionnelle	*pron.*	pronom
conj.	conjonction	*loc. v.*	locution verbale	*qqc*	quelque chose
indéf.	indéfini	*n.f.*	nom féminin	*qqu*	quelqu'un
interj.	interjection	*n.m.*	nom masculin	*v.*	verbe
loc.	locution	*part.*	participe		
loc. adv.	locution adverbiale	*pl.*	pluriel		

a

à deux *loc. adv.* in pairs
à la fois *loc. adv.* at a time
à part (+ nom) *loc. prép.* apart from
à partir de *loc. prép.* from
à quelques exceptions près *loc. adv.* apart from a few exceptions
à tour de rôle *loc. adv.* in turn
à travers *prép.* by means of, through
à voix haute *loc. adv.* out loud
à vous *loc.* your turn
à vous de choisir *loc.* it's up to you (to choose)
abord *n.m.* access, approach • **d'abord** *adv.* firstly
aborder *v.* to deal with, to treat
accessible *adj.* accessible, understandable
accord *n.m.* agreement
acharnement thérapeutique *n.m.* taking desperate measures to cure someone
achevé *part.* finished
actif *n.m.* the active (voice)
activité *n.f.* activity
actuel *adj.* current
additionner *v.* to add up
adjectif *n.m.* adjective
adresser (s') à *v.* to be aimed at
adverbe *n.m.* adverb
affiche *n.f.* poster
afficher *v.* to display
affirmation *n.f.* statement
affres *n.f.pl.* throes, pangs
afin de *loc. prép.* in order to
agence de voyages *n.f.* travel agency
agenda *n.m.* diary
agir *v.* to act • **s'agir de** *v.* to be about
aide *n.f.* help
aider *v.* to help
aïeul *n.m.* ancestor, forefather
ainsi que *loc.* as well as
ajouter *v.* to add
alimenter *v.* to feed
allégresse *n.f.* joy
allonger *v.* to lengthen
alloué *part.* allocated, granted
allusion *n.f.* hint • **faire allusion à** *loc. v.* to hint at, to refer to
alourdir (s') *v.* to grow heavy
ambassade *n.f.* embassy
amélioration *n.f.* improvement
ami(e) *n.m/f.* friend
amitié *n.f.* friendship
ampoulé *adj.* inflated, turgid
amusant *adj.* amusing
anagramme *n.f.* anagram
analyser *v.* to analyse
année *n.f.* year
anonymat *n.m.* anonymity
apercevoir *v.* to perceive, to catch sight of
apparaître *v.* to appear
appartenir à *v.* to belong to
appesantir (s') sur *v.* to dwell on, to go over and over
appliquer, appliquer (s') à *v.* to apply
apporter *v.* to bring, to contribute
apprendre *v.* to learn
appris *part.* learnt
approprié *adj.* suitable
argent *n.m.* money
argotique *adj.* slang
arriver *v.* to arrive, to happen
article *n.m.* article
asservi *part.* enslaved, servile
assister à *v.* to attend, to be present at
associé à *part.* associated with
assurer (s') *v.* to make sure
attendre *v.* to wait for
attention *n.f.* attention, care, heed • **attention !** *interj.* be careful !
attentivement *adv.* carefully
attrayant *adj.* attractive
au lieu de *loc. prép.* instead of
au-delà *n.m.* the beyond • **au-delà** *prép.* beyond
aucun *adj.* no
audimat *n.m.* device to measure television audience size
auditeur *n.m.* listener
auprès de *loc. prép.* with/to • **protester auprès de** *loc. v.* to make a protest to
aussitôt que *conj.* as soon as
autant de ... que *adv.* as many ... as
auteur *n.m.* author
autour de *loc. prép.* around
autre *adj.* other
autrefois *adv.* in the past
auxiliaire *n.m.* auxiliary, assistant
avancer *v.* to move forward • **avancer des raisons** *loc. v.* to give reasons
avant de (+ inf.) *loc. prép.* before
avantage *n.m.* advantage
avenir *n.m.* future
avis *n.m.* opinion • **à votre avis** *loc. n.* in your opinion

b

bagages *n.m.* luggage
bague *n.f.* ring
bande dessinée *n.f.* strip cartoon
bande sonore *n.f.* sound track
banderole *n.f.* banner
banque de données *n.f.* database
bas *n.m.* foot (of page, etc.)
base de données *n.f.* database
basé *part.* based
baser (se) sur qqc *v.* to use something as a basis
besoin *n.m.* need • **au besoin** *loc.* if necessary
bibliothécaire *n.m./f.* librarian
bibliothèque *n.f.* library
bien sûr *loc. adv.* of course
bilan *n.m.* evaluation
bilingue *adj.* bilingual
blanc *n.m.* blank, gap
boîte *n.f.* box
bout à bout *loc.* end to end
bref *adj.* brief • **en bref** *loc. adv.* in short, briefly
brouillon *n.m.* scribbling pad • **au brouillon** *loc.* in rough
bruit *n.m.* noise
bulle *n.f.* bubble
bureau *n.m.* office
but *n.m.* aim, purpose

c

ça veut dire *loc. v.* it means
cacher *v.* to hide
caisson *n.m.* cubicle, cell
camarade *n.m/f.* friend

camembert *n.m.* pie chart
caméscope *n.m.* camcorder
carrière *n.f.* career
carte *n.f.* map
carton *n.m.* card
cas *n.m.* case • **au cas où** *loc.* if, in case
case *n.f.* box
casse-tête *n.m.* a puzzle, a headache
cassette-vidéo *n.f.* video
célèbre *adj.* famous
centaine *n.f.* about a hundred
centrale *n.f.* power station
centre de documentation *n.m.* information centre
cependant *adv.* however
cercle *n.m.* circle
certain *adj.* certain, some
certes *adv.* most certainly
cerveau *n.m.* brain
chacun *pron. indéf.* each one
champ *n.m.* field
chanson *n.f.* song
chapitre *n.m.* chapter
chaque *adj.* each
charger qqn de faire qqc *loc.v.* to entrust sb to do sthg
chercheur d'emploi *n.m.* jobseeker
chiffre *n.m.* figure
choisir *v.* to choose
choix *n.m.* choice • **au choix** *loc.* whichever you prefer
chose *n.f.* thing
ci-contre *adv.* opposite
ci-dessous *loc. adv.* underneath
ci-dessus *loc. adv.* above
circonscription *n.f.* constituency
citation *n.f.* quotation
citer *v.* to quote
civique *adj.* civic • **instruction civique** *loc. n.* citizenship
clairement *adv.* clearly
classe *n.f.* class
classer *v.* to classify
clé *n.f.* key
cocher *v.* to tick
cœur *n.m.* heart • **par cœur** *loc. adv.* by heart
coffre *n.m.* trunk
collectionner *v.* to collect, to assemble
coller *v.* to stick, to stump
colonne *n.f.* column
combattre *v.* to fight (against)
commencement *n.m.* beginning
commencer *v.* to start
comment *adv.* how
commun *adj.* common
comparaison *n.f.* comparison
comparatif *n.m.* comparative
comparer *v.* to compare
complément *n.m.* object
complément d'objet direct *n.m.* direct object
compléter *v.* to complete, to fill in
composer *v.* to compose, to make up • **composer (se) de** *v.* to consist of
comprendre *v.* to understand
compris *part.* understood
compte rendu *n.m.* account, report
compter *v.* to count
concordance (des temps) *n.f.* sequence (of tenses)
concours *n.m.* competition, selective examination
conçu *part.* conceived
conditionnel *n.m.* conditional (tense)
conduire *v.* to lead
confort *n.m.* comfort
conjonction *n.f.* conjunction
connaissance *n.f.* knowledge
connaître *v.* to know (a person or a place)
conseil *n.m.* advice
conseil d'administration *n.m.* board of directors
conseiller d'orientation *n.m.* careers adviser
conserver *v.* to keep, to retain
considérer *v.* to consider
consommer *v.* to consume
constitution *n.f.* make-up, composition
contenir *v.* to contain
contenu *n.m.* contents
contexte *n.m.* context
continuité *n.f.* continuity
contraire *n.m.* opposite
contre *prép.* against
contribuer *v.* to contribute
convenir *v.* to be appropriate • **comme il convient** *loc.* as appropriate
copain/copine *n.m./f.* friend, mate
corps *n.m.* body
corriger *v.* to correct
coup de téléphone *n.m.* ring, telephone call
couramment *adv.* commonly, fluently
courant *adj.* current, everyday
cours *n.m.* course, stream • **au cours de** *loc. prép.* during, in the course of • **en cours** *loc.* current • **laisser libre cours à** *loc. v.* to allow/give free rein to
court *adj.* brief short
coutume *n.f.* custom, habit
créer *v.* to create, to make
critère *n.m.* criterion
croyance *n.f.* belief
cruauté *n.f.* cruelty

d

d'abord *loc. adv.* first of all
d'accord avec *loc. prép* in agreement with
dé *n.m.* die (pl. dice)
décor *n.m.* scenery
débat *n.m.* debate, discussion
début *n.m.* beginning
déchiffrer *v.* to decipher, to unravel
décision *n.f.* decision
décontracter *v.* to relax
découverte *n.f.* discovery
découvrir *v.* to find out, to discover
décrire *v.* to describe
décroissant *adj.* decreasing
défendre *v.* to defend
défenseur *n.m.* defender, advocate
défi *n.m.* challenge
défini *adj.* definite
définition *n.f.* definition
déjà *adv.* already
délit *n.m.* offence
demander *v.* to ask (for)
démarche *n.f.* step, measure
dénoncer *v.* to denounce, to expose
dépendant (de) *part.* dependent (on)
dépenser *v.* to spend
déplaisant *adj.* unpleasant
dépliant *n.m.* leaflet
déréglé *part.* out of control
dernier *adj.* last, latest
désigner *v.* to refer to
désir *n.m.* wish, desire
dessin *n.m.* picture, drawing
dessiner *v.* to draw
détail *n.m.* detail
détester *v.* to hate
développer *v.* to develop
devenir *v.* to become
deviner *v.* to guess
devinette *n.f.* riddle
devoir *n.m.* duty
diagramme *n.m.* diagram
dictionnaire *n.m.* dictionary
difficulté *n.f.* difficulty
diffuser *v.* to broadcast
diffusion *n.f.* distribution (of a paper)
directeur *n.m.* principal, head(teacher)
discours *n.m.* speech, discourse • **discours direct** *loc. n.* direct speech • **discours indirect** *loc. n.* indirect speech
discuter *v.* to discuss
disparaître *v.* to disappear
diviser *v.* to divide
divorcer *v.* to divorce
documentaliste *n.m.* archivist
documentation *n.f.* literature, information
données *n.f.* data
dossier *n.m.* file, folder
dossier sonore *n.m.* cassette, personal recording
doute *n.m.* doubt
drapeau *n.m.* flag
dresser *v.* to draw up
droit *n.m.* right

e

échanger *v.* to exchange, to swap
écologique *adj.* ecological
écrit *part.* written • **par écrit** *loc. adv.* in writing
éditeur *n.m.* editor
éducatif *adj.* educational
effectuer *v.* to carry out

effet *n. m.* effect • **en effet** *loc. adv.* in fact
efficace *adj.* effective
efficacité *n.f.* effectiveness
également *adv.* also, equally
égalité *n.f.* equality
élargir *v.* to expand
électeur *n.m.* voter
élément *n.m. part,* element
élire *v.* to elect
élu(e) *n.m.* elected person
embêtant *adj.* annoying
embrouillé *part.* mixed up
émission *n.f.* programme, broadcast
emploi *n.m.* job
encadré *part.* framed, boxed
endroit *n.m.* place
énergie *n.f.* energy
énerver (s') *v.* to get worked up
enfantin *adj.* childhood, infantile
enfermer *v.* to lock up, to enclose
enlever *v.* to remove
énoncé *n.m.* statement
enquête *n.f.* survey, investigation
enregistrer *v.* to record
ensemble *adv.* together
ensuite *adv.* then, next
entendre *v.* to hear
entier *adj.* whole
entre *prép.* between
entrée *n.f.* admission, entry
entrevoir *v.* to catch a glimpse of
entrevue *n.f.* interview
envahir *v.* to invade
envers *prép.* towards
envie *n.f.* desire • **avoir envie de** *loc. v.* to feel like
environ *adv.* about
envoyer *v.* to send
épais *adj.* thick
épreuve *n.f.* test • **mettre à l'épreuve** *loc. v.* to put to the test
éprouver *v.* to feel, to experience
équipe *n.f.* team
équivalent *n.m.* equivalent
équivalents (des mots) *n.m.pl.* corresponding (words)
erreur *n.f.* mistake
erroné *adj.* erroneous
esgourde *n.f.* lughole
espace *n.m.* space
espoir *n.m.* hope
esprit *n.m.* mind
essai *n.m.* essay, try
essayer (de) *v.* to try (to)
essentiel *adj.* basic, main
établir *v.* to establish
établissement *n.m.* establishment, institution
étape *n.f.* stage
état *n.m.* state
été *n.m.* summer
ethnie *n.f.* ethnic group
étoile *n.f.* star
étranger *adj.* foreign • **étranger** *n. m.* foreigner • **à l'étranger** *loc. adv.* abroad
études *n.f.pl.* studies
étudiant *n.m.* student
européen *adj.* European
eux-mêmes *pron.* themselves
événement *n.m.* event
éventuel *adj.* likely, possible
évident *adj.* obvious
éviter *v.* to avoid
exemple *n.m.* example
exercice *n.m.* exercise
exigence *n.f.* demand, requirement
expérience *n.f.* experiment
explication *n.f.* explanation
expliquer *v.* to explain
exposé *part.* put forward, displayed
expression *n.f.* phrase, expression
exprimer *v.* to express
extrait *n.m.* extract

f

face *n.f.* face • **faire face à** *loc. v.* to face up to
facile *adj.* easy
facilement *adv.* easily
faciliter *v.* to make easier
façon *n.f.* way
factuel *adj.* factual
facultatif *adj.* optional
faire partie de *loc. v.* to be among, to belong to
fait *n.m.* fact
fait divers *loc. n.* unimportant piece of news
faux (fausse) *adj.* false
faveur *n.f.* favour
féminin *adj.* feminine
fête *n.f.* celebration, feast
feuille *n.f.* sheet (of paper), leaf
feutre *n.m.* felt-tip pen
fiche d'inscription *n.f.* application form
fiche de travail *n.f.* worksheet
fichier *n.m.* file
figurer *v.* to appear
fin *n.f.* end
finalement *adv.* finally
fois *n.f.* time
fond *n.m.* bottom • **à fond** *loc. adv.* in depth
fondateur *n.m.* creator
fonder *v.* to found, to start
format *n.m.* size
forme *n.f.* form, shape • **sous forme de** *loc. prép.* in the form of
formel *adj.* formal
formule *n.f.* form, formula
formulé *part.* expressed
fournir *v.* to give, to provide
frais *n.m.pl.* expenses
francophone *adj.* French-speaking
fréquemment *adv.* frequently
fréquenter *v.* to attend
fusillé *part.* shot
futur *n.m.* future tense

g

gagnant *n.m.* winner
genre *n.m.* gender, type
géographique *adj.* geographical
glossaire *n.m.* glossary
gouvernement *n.m.* government
graphique *n.m.* graph
gras *adj.* fat • **en caractères gras** *loc. adv.* in bold print
grave *adj.* serious
grille *n.f.* grid
groupe *n.m.* group
guetter *v.* to lie in wait for

h

handicapé *adj.* handicapped
hantise *n.f.* haunting memory
haut *adj.* high • **en haut de** *loc. prep.* at the top of
hésiter *v.* to hesitate
heurter *v.* to hit, to crash into
histoire *n.f.* story, history
histoire d'amour *n.f.* love story
historique *n.f.* historical account
honnêtement *adv.* honestly
hôpital *n.m.* hospital
humoristique *adj.* humorous
hymne *n.m.* anthem

i

idée *n.f.* idea
ignorer *v.* to be ignorant of, not to know
il y a (des milliers d'années) *loc. adv.* (thousands of years) ago
illustrer *v.* illustrate
image *n.f.* picture
imaginaire *adj.* imaginary
imparfait *n.m.* imperfect tense
impératif *n.m.* imperative
impersonnel *adj.* impersonal
importance *n.f.* importance
impôt *n.m.* tax
imprimer *v.* to print
inattendu *adj.* unexpected
incertitude *n.f.* uncertainty
inclure *v.* include
inconvénient *n.m.* disadvantage, drawback
indéfini *adj.* indefinite
indicatif *adj.* indicative mood
indice *n.m.* clue, indication
indiquer *v.* to indicate
individuellement *adv.* individually
infantile *adj.* childhood, infantile
infériorité *n.f.* inferiority
infinitif *n.m.* infinitive
influer *v.* to have an influence
initiale *n.f.* initial
injurieux *adj.* insulting

inscrit *part.* written down
inspirer *v.* to inspire
intérêt *n.m.* interest
interprétation *n.f.* interpretation
interpréter *v.* to interpret
interrogatif *n.m.* interrogative
interroger *v.* to question, to interrogate
intersidéral *adj.* interplanetary
interview *n.f.* interview
intitulé *adj.* entitled
intrus *n.m.* intruder, odd one out
ironie *n.f.* irony
ironique *adj.* ironic
irrégulier *adj.* irregular

j
jeter *v.* to throw
jeton *n.m.* token
jeu *n.m.* game
joindre *v.* to join
jouer *v.* to play, to act out
jouet *n.m.* toy
journée *n.f.* day
juger *v.* to judge, to consider
jumeau (jumelle) *adj.* twin
jumelé *part.* twinned
juste *adj.* fair, just, correct • **juste** *adv.* only
justifier *v.* to justify

l
laisser *v.* to allow
langue *n.f.* tongue, language
lecteur *n.m.* reader
lecture *n.f.* reading
légal *adj.* legal
léger (légère) *adj.* light • **à la légère** *loc. adv.* lightly, not seriously
législatives (élections) *adj. f. pl.* general elections
liberté *n.f.* freedom
lieu *n.m.* place • **lieu de domicile** *n.m.* place of residence, home • **au lieu de** *loc. prép.* instead of
limité *part.* limited
lire *v.* to read
locution *n.f.* phrase, saying
logement *n.m.* lodging, housing
logiciel *n.m.* piece of software, program
loi *n.f.* law
long *adj.* long • **en long et en large** *loc. adv.* in great detail
lourd *adj.* heavy
lycée *n.m.* upper school

m
maintenant *adv.* now
majeur *adj.* main
majuscule *n.f.* capital letter
mal (pl. maux) *n.m.* bad thing, evil
malade *adj.* ill
maladie *n.f.* illness
manie *n.f.* habit • **petites manies** *loc. n.* funny little ways
manière *n.f.* way
manifeste *n.m.* manifesto
manquer *v.* to lack • **il manque ...** *v.* ... is missing
marié *part.* married
marier *v.* to join, to link together
marquant *part.* important
marquer *v.* to indicate, to mark
masculin *adj.* masculine
matériel *adj.* material
meilleur *adj.* best
même *adv.* even, same
mémoire *n.f.* memory
mener ... de front *loc. v.* to manage ... at the same time
mention *n.f.* mention • **faire mention de** *loc. v.* to mention
métier *n.m.* profession, job
mieux, le mieux *adv.* better, (the) best
milieu *n.m.* middle
mode *n.f.* fashion • **à la mode** *loc.* fashionable
modèle *n.m.* pattern
mœurs *n.f.pl.* lifestyles
moins *adv.* less • **au moins** *adv.* at least
moitié *n.f.* half
monde *n.m.* world
monolingue *adj.* monolingual
mot *n.m.* word
moyen *n.m.* means
multiples *adj. pl.* many, numerous
municipal *adj.* municipal, local

n
nature *n.f.* type
naturel *adj.* natural
nécessaire *adj.* necessary
négatif *adj.* negative
négocier *v.* to negotiate
niveau *n.m.* level
nom *n.m.* noun, name
nombre *n.m.* number
nombreux *adj. pl.* numerous, many
note *n.f.* mark, point
nourrir *v.* to feed
nouveau *adj.* new
nucléaire *adj.* nuclear
nuisance *n.f.* harmful effect, nuisance
nuisant *adj.* damaging
numéro *n.m.* number

o
objet *n.m.* object
obligé *part.* forced, obliged
observer *v.* to notice, to observe
obtenir *v.* to obtain
offert *part.* offered
ombre *n.f.* shadow
onomatopée *n.f.* onomatopoeia
or *conj.* well, now
oralement *adv.* orally
ordinateur *n.m.* computer
ordre *n.m.* order
original *adj.* original
orthographe *n.f.* spelling
oublier *v.* to forget
outil *n.m.* tool
outrager *v.* to attack scurrilously
outre-mer *loc. adv.* overseas
ouvrage *n.m.* work, book

p
paire *n.f.* pair
papier à poster *n.m.* poster paper
par *prép.* by (means of)
paragraphe *n.m.* paragraph
paraître *v.* to appear, to be published
pareil *adj.* similar
parenthèse *n.f.* bracket • **entre parenthèses** in brackets
parfois *adv.* occasionally
parlement *n.m.* parliament
parler *v.* speak
parmi *prép.* among
paroles *n.f.pl.* words of a song
part *n.f.* share • **d'une part ... de l'autre** *loc. adv.* on one hand ... on the other
partenaire *n.m./f.* partner
parti *n.m.* party (political)
participe passé *n.m.* past participle
participe présent *n.m.* present participle
particulier *adj.* particular • **en particulier** *loc. adv.* in particular
partie *n.f.* part
partir *v.* to leave • **à partir de** *loc. prép.* from
partitif *n.m.* partitive article
paru *part.* published
passé *n.m.* past
passé composé *n.m.* perfect tense
passer *v.* to pass • **se passer** *v.* to happen
passif *n.m.* passive
pays *n.m.* country
peloton *n.m.* group • **peloton d'exécution** *n.m.* firing squad
pencher *v.* to lean • **se pencher sur** *loc.* to brood over, to deal with
pendant *conj.* for, during
pensée *n.f.* thought
penser à *v.* to think about
personnage *n.m.* character
personne *n.f.* person, people • **personne de langue française** *n.f.* French speaker
personnel *adj.* personal
personnellement *adv.* personally
perspective *n.f.* viewpoint
peuplé *part.* populated
peur *n.f.* fear
peut-être *adv.* perhaps
phrase *n.f.* sentence
physique *adj.* physical
ping-pong *n.m.* table tennis

plage *n.f.* beach
plaindre (se) *v.* complain • **plaignez-vous** *v.* complain
plein *adj.* full
plier *v.* to fold
pluriel *n.m.* plural • **au pluriel** *loc. adv.* in the plural
plus *adv. et conj.* more
plus-que-parfait *n.m.* pluperfect
plusieurs *adj.* several
plutôt *adv.* rather
poème *n.m.* poem
poésie *n.f.* poetry
point *n.m.* mark, point • **faire le point (de la situation)** *loc. v.* to take stock (of the situation)
pointillé *adj.* dotted
poli *adj.* polite
poliment *adv.* politely
ponctuation *n.f.* punctuation
porter (se) *v.* to proceed, to come forward, to stand • **se porter volontaire** *loc. v.* to volunteer
portrait *n.m.* description
poser (se) *v.* to come up, to rise • **se poser à qqn** *v. loc.* to be faced by
poser une question *loc.* to ask a question
poste *n.m.* position, place, job
pour (+ inf.) *prép.* for (in order to)
pousser *v.* to push
pouvoir *v.* to be able to
pratique *n.f.* practice
pratiquer *v.* to practise
précédé (de) *part.* preceded (by)
précédent *adj.* previous, preceding
précipitamment *adv.* (too) hurriedly
précisant *part.* specifying
précisément *adv.* precisely
précision *n.f.* detail, information
prendre *v.* to take
préoccupation *n.f.* worry
préparer *v.* to prepare
présent *n.m.* present tense
présenter *v.* to display, to present
préserver *v.* to protect
présider *v.* to chair
prêter (se) *v.* to lend (oneself)
prévoir *v.* to forecast, to plan
prévu *part.* planned
priorité *n.f.* priority • **en priorité** *loc. adv.* as a (matter of) priority
prix *n.m.* price, cost • **à tout prix** *loc. adv.* at all costs
problème *n.m.* problem
prochain *adj.* next
produire *v.* to produce • **se produire** *v.* to happen
produit *n.m.* product
profession (de foi) *n.f.* declaration (of principles)
programme de traitement de texte *n.m.* word processing package
projet *n.m.* plan, project
projetant *part.* planning, projecting
promesse *n.f.* promise
promouvoir *v.* to promote
pronom *n.m.* pronoun
pronom personnel *n.m.* personal pronoun
pronominal *adj.* reflexive • **la voix pronominale** *n.f.* reflexive form
prononcé *part.* pronounced heard
propos *n.m.* words • **à propos de(s)** *loc. prép.* concerning, about
proposition *n.f.* suggestion
proposition subordonnée *n.f.* subordinate clause
propre *adj.* own
prouver *v.* to prove
proverbe *n.m.* proverb
provisoirement *adv.* provisionally
pub *n.f.* advert
publicité *n.f.* publicity, advert • **faire de la publicité** *loc. v.* to advertise
publiquement *adv.* publicly
puissance *n.f.* power

q

qualifier *v.* to qualify, to describe
qualité *n.f.* quality
quand même *loc.* all the same
quantité *n.f.* quantity
quiétude *n.f.* peaceful tranquillity
quitter *v.* to leave
quolibet *n.m.* gibe, jeer
quotidien *adj.* everyday, daily

r

raconter *v.* to tell
radical *n.m.* stem (of word)
radiophonique *adj.* radio
raison *n.f.* reason
ranger *v.* to order, to arrange
rappeler *v.* to remind • **rappeler (se) qqc** *v.* to remember something
rapport *n.m.* report, connection • **par rapport à** *loc. prép.* with regard to
rapporter *v.* to relate, to refer to
rater *v.* to miss, to slip up on
rayer *v.* to cross out, to eliminate
réagir à qqc *v.* to react
réaliser *v.* to carry out, to produce
réalité *n.f.* reality, fact
recherche *n.f.* research
recherché *adj.* sought-after
rechercher *v.* to investigate, to look up
récit *n.m.* narrative
reconstituer *v.* to put back together
recopier *v.* to copy out
recourir *v.* to have recourse to
reçu *part.* received
recueillir *v.* to collect
rédaction *n.f.* essay
rédiger *v.* to write out
redonner *v.* to restore, to give back again
redoubler *v.* to double, to repeat a class
réécrire *v.* to rewrite
réel *adj.* real, actual
référer (se) à *v.* to refer to
réfléchir *v.* to think, to consider, to reflect
règle *n.f.* rule
régulier *adj.* regular
rejeter *v.* to throw again
relation *n.f.* relationship
relever *v.* to note
relire *v.* to read again
remarquer *v.* to notice
remède *n.m.* cure
remettre *v.* to put back
remplacement *n.m.* alternative • **solution de remplacement** *loc. n.* alternative solution
remplacer *v.* to replace
remplir *v.* to fill in
rencontre *n.f.* meeting, encounter
rencontrer *v.* to meet, to come across
rendre compte *v.* to relate, to give an account of • **se rendre compte** *v. loc.* to realise
renforcer *v.* to reinforce
renseignement(s) *n.m. (pl.)* information
renseigner *v.* to inform • **se renseigner** *v.* to find out, to get information
repas *n.m.* meal
repérer *v.* to find, to locate
répéter *v.* to repeat
répondre *v.* to reply
réponse *n.f.* answer
reportage *n.m.* article
représentant *n.m.* representative
représenter *v.* to set out, to present, to mean
réseau *n.m.* network
réserver *v.* to reserve, to make a reservation
résoudre *v.* to solve
responsable *adj.* responsible
ressembler à *v.* to resemble, to look like
ressentir *v.* to feel
ressource *n.f.* resource
rester *v.* to stay, to remain • **il vous restera** *v.* you will be left with
restituer *v.* to restore, to put back
résultat *n.m.* result
résumé *n.m.* summary
résumer *v.* to summarise
retenir *v.* to remember, to keep
retirer *v.* to take away
rétroprojecteur *n.m.* overhead projector
retrouver *v.* to find (again)
réunir (se) *v.* to meet together, to get together
réussi *part.* successful
révéler *v.* to reveal
revenir *v.* to crop up again
réviser *v.* to review, to revise
rime *n.f.* rhyme
risque *n.m.* risk
rôle *n.m.* role • **jeu de rôle** *loc. n.* role play
rubrique *n.f.* column (of newspaper)

s

sac à dos *n.m.* rucksack
sans (+ inf.) *prép.* without
santé *n.f.* health
savoir *v.* to know (a fact, a language or how to)
scolaire *adj.* school
sécurité *n.f.* safety
sélection *n.f.* selection, choice
selon *prép.* according to
semaine *n.f.* week
sémantique *adj.* semantic
semblable *adj.* similar
sembler *v.* to seem
sens *n.m.* meaning, sense, direction • **sens de l'humour** *n.m.* sense of humour • **sens de la longueur (dans le)** *loc. n.* lengthwise
sentiment *n.m.* feeling
séparation *n.f.* separation
série *n.f.* series
service *n.m.* section, department
servir (se) de *v.* to use
seul *adj.* on your own, alone
seulement *adv.* only
siècle *n.m.* century
signification *n.f.* meaning
signifier *v.* to mean
similaire *adj.* similar
singulier *n.m.* singular • **au singulier** *loc. adv.* in the singular
sinon *adv.* otherwise
sketch (théâtral) *n.m.* sketch, piece of drama
soir *n.m.* evening
soirée *n.f.* evening
soit ... soit *conj.* either ... or
sombre *adj.* dark
son *n.m.* sound
sondage *n.m.* poll, survey
sorte *n.f.* kind
souffrance *n.f.* suffering
souffrir *v.* to suffer
souhaiter *v.* to wish
soulever *v.* to raise
souligner *v.* to underline
sous-entendu *part.* implied
sous-titre *n.m.* subtitle
soutenir *v.* to support
souvenir (se) de *v.* to remember
souvent *adv.* often
station de radio *n.f.* radio station
statistique *n.f.* statistic
strophe *n.f.* verse
style *n.m.* style • **style direct** *n.m.* direct speech • **style indirect** *n.m.* indirect speech
subir *v.* to suffer
subjonctif *n.m.* subjunctive
subordonné *adj.* subordinate
suggérer *v.* to suggest
suite *n.f.* continuation • **de suite** *loc. adv.* on the trot • **par la suite** *loc. adv.* afterwards • **tout de suite** *loc. adv.* immediately
suivant *adj.* following
suivant *prép.* according to
suivre *v.* to follow
sujet *n.m.* subject • **au sujet de** *loc. prép.* about
supériorité *n.f.* superiority
superlatif *n.m.* superlative
support *n.m.* aid
sûr *adj.* sure
surpopulation *n.f.* overpopulation
surpris *adj.* surprised
surtout *adv.* particularly
synonyme *n.m.* synonym

t

tabagisme *n.m.* tobacco addiction
tableau *n.m.* table, chart
tâche *n.f.* task
tant *adv.* so much • **tant que** *conj.* as long as • **en tant que** *loc. prép.* as, from the position of • **tant mieux** *interj.* so much the better
tarif *n.m.* price
technique *adj.* technical
tel *adj.* such a
téléphoner *v.* to telephone
témoignage *n.m.* account, testimony
temps *n.m.* tense, time, weather • **de temps en temps** *loc. adv.* from time to time
tendance *n.f.* trend, leaning
terme *n.m.* term, word • **en vos propres termes** *loc.* in your own words
terminaison *n.f.* ending
terminer (se) *v.* to end
tête *n.f.* head, top • **en tête de** *loc. prép.* at the top of, at the beginning of
théâtral *adj.* theatrical, dramatic
thème *n.m.* topic, theme, point
tirage *n.m.* number of papers printed
tirailleur *n.m.* rifleman, native Senegalese or Algerian light infantry
tirer *v.* to draw, to pull
tirer (de) *v.* to draw, to extract, to take (from)
tiret *n.m.* dash, hyphen
titre *n.m.* title • **au même titre** *loc.* in the same way • **gros titre** *n.m.* headline
toujours *adv.* always, still
tour *n.m* turn • **à tour de rôle** *loc. adv.* in turn • **un mauvais tour** *n.m.* a trick • **tour à tour** *loc. adv.* in turn
touristique *adj.* tourist
tract *n.m.* pamphlet, leaflet
traduire *v.* to translate
trait *n.m.* feature, trait • **avoir trait à** *loc. v.* to be connected with
traitement de texte *n.m.* wordprocessing
traiter de *v.* to deal with
trancher *v.* to contrast strongly
transcription *n.f.* transcript
transparent *n.m.* transparency (for overhead projector)
travail *n.m.* work
travailler *v.* to work
trier *v.* to sort
trop *adv.* too much
trou *n.m.* hole, gap • **à trous** *loc.* gapped
trouver *v.* to find
tuer *v.* to kill
tutoyer *v.* to use the 'tu' form
typique *adj.* typical

u

usage *n.m.* usage, use
utiliser *v.* to use

v

valise *n.f.* suitcase
varier *v.* to vary
venir *v.* to come • **venir de** (+ inf.) *v.* to have just
verbal *adj.* verbal
verbe *n.m.* verb
vérifier *v.* to check
vers *n.m.* line
vertical *adj.* vertical, down
vie *n.f.* life
vif *adj.* keen, intense
visuel *adj.* visual
vite *adv.* quickly
vitesse *n.f.* speed
vivre *v.* to live
vœu(x) *n.m.* wish(es)
voir *v.* to see
voisin *n.m.* neighbour
voix *n.f.* voice • **à haute voix, à voix haute** *loc. adv.* out loud
voter *v.* to vote, to pass (a law)
voulu *adj.* required
voyelle *n.f.* vowel
vrai *adj.* true
vraisemblablement *adv.* probably, conceivably

ACKNOWLEDGEMENTS

The authors and publishers wish to thank the following for use of copyright material:

1 IL FAUT VIVRE SA VIE !

'Temps de vivre', 'Bonheur', 'Réussir sa vie' from *Phosphore* No. 123, Bayard Presse; 'Mettre' from *Petit Larousse Illustré*, 1991; 'Réponses à Zoë' from *Phosphore* No. 124, Bayard Presse; *Fais pas ci, fais pas ça,* authors Jacques Lanzmann and Anne Segalen, composer Jacques Dutronc, Editions Musicales Alpha, Paris; 'Je demande aux adultes' from *Phosphore* No. Spécial, 1990, Bayard Presse; 'Jeunesse' from *Petit Robert 1,* 1992; 'Comment vous voyez-vous ?' from *OK* No. 804; 'L'adultisme' from *L'expression lycéenne*, CNDP; *Chronique d'un joueur de flipper* by Thierry Belhassen, Hachette Livre; *Les petits enfants du siècle* by Christiane Rochefort, Editions Bernard Grasset.

2 ENTRE TOI ET MOI...

'Mariage', L'amoureux idéal' from *Phosphore* No. 123, Bayard Presse; *Ami cherche ami*, Francis Cabrel, CBS/Sony; 'Cubitus', Excalibur Press; *La vie en rose*, Edith Piaf, EMI; 'L'union libre et la loi' from *Le nouvel intimité* 4/3/92, Editions Mondiales; 'Sélection de poèmes' from *OK* No 804; 'Couplets de la rue Saint-Martin' from *Etat de Veille* in *Destinée arbitraire* by Robert Desnos, Editions Gallimard; 'L'amour à la carte' from *Femme Actuelle*, No. 411; 'L'amour en France' from *Télé-7 Jours* 18/7/92; 'Comment présenter sa moitié en société ?' from *20 ans* No. 73; *La tête sur les épaules* by Henri Troyat, Plon.

3 UNE ECOLE POUR LA REUSSITE ?

'Salon européen étudiant' from *Actualquarto* No. 176; 'L'étudiant pratique' from *L'Etudiant* No. 126; 'A l'école, orientons-nous toutes directions' from Ministère des droits de la femme; 'Orientation', 'Orienter' from *Petit Larousse Illustré,* 1991; 'Boussole, Carte et Compas' from *Les années lycée*, MA Editions; 'Prêts à tout pour réussir ?' from *Phosphore* No. 113, Bayard Presse; *La leçon buissonière,* Jean Ferrat, Polygram; 'CV' from *Génération Formation*; CV cartoon by Mathieu; 'J'ai eu mon bac en 3 fois' by JEF, 'Le bac nouveau remet sa copie' by Lise Jolly, 'Etudes' from *Les Clés de l'Actualité* No. 36/37, Milan Presse; 'Bac : la reculade' from *France-Soir* 29/1/93; *La civilisation, ma mère !...* by Driss Chraïbi, Editions Denoël; *Le nègre et l'amiral* by Raphaël Confiant, Editions Bernard Grasset; *Mère la mort* by Jeanne Hyvrard, Editions de Minuit; 'L'école' by Maurice Carême, Fondation Maurice Carême; 'De l'eau pour les élèves de Djiélibougou' from *Le nouveau Fécampois* 25/6/85; 'Scolarité à la maison' from *Modes et travaux* No. 1053, Editions Edouard Boucherit; Peanuts 'C'est aujourd'hui', by Schulz, United Features Syndicate, Dargaud Editeur Paris; 'Koudougou' from *Croissance* No. 342, Malesherbes Publications.

4 EN PLEINE FORME

'Poulet', Daregal; 'E111' by Pertuzé, from *Les Clés de l'Actualité* No. 36/37, Milan Presse; 'Epaules et Jambes' from *Femme Actuelle* No. 223; 'Pour lutter contre le tabac...' from *Ça m'intéresse* No. 134; *Volet fermé*, Dick Annegarn, Polygram; Cartoon 'Ouaip, je bouffe...' from *Actualquarto* 7/1/93; 'Inspirez, Expirez' by Wolinski, from *Phosphore* No. 113; 'La pub tue' from *Viva* No. 55; 'Moins de jeunes fumeurs' from *Les Clés de l'Actualité*, Milan Presse; 'Témoignage' from *Phosphore* No. 115, Bayard Presse; 'Alors jeune homme !...' from *Impact Médecin* No. 77; 'Guide de la cuisine française' from *Rendez-vous en France*, by A Reboullet, JL Malandain, J Verdol, Hachette 1990; 'Le minitel se met à table' from *Ça m'intéresse* No. 134; 'A table !' from *Science & Vie Junior* No. 45, Excelsior Publications; 'Santé' from *Les Clés de l'Actualité* No. 36/37, Milan Presse; 'Jeunes et médecins – rendez-vous manqué' from *Impact Médecin* No. 77; 'La relaxation jusqu'au bout des doigts' from *Réponse à tout* No. 16; *Rose Noël* by Huguette Bouchardeau, Editions Seghers; 'Remèdes d'autrefois' from Bayard Presse.

5 EVASION

'Plus que trois jours' by Royer, France; *L'autostop,* Maxime Le Forestier, Polygram; 'Vacances à la carte' from *Les Clés de l'Actualité* 16/7/92, Milan Presse; 'Vacances ratées' from *OK* No. 498; 'Tiens ! Regarde ça !' from *20 ans* No. 266; 'Sénégal' from *VVF OCCAJ Jeunes*; 'Togo banlieue' from *L'aventure utile*, UNAREC; '... par le train' from *SNCF*; '... en bateau' from Brittany Ferries; '... à pied ou à dos d'animaux' from *Premier Métier*; 'Itinéraire' from Ligue française pour les auberges de la jeunesse; 'Vacances flop !' from *20 ans* No. 266; 'Mes vacances aux staa...tes' by Wolinski, from *Phosphore* No. 115, Bayard Presse; 'Les parasites de la route' by Jean-François Mailloux; *La goutte d'or* by Michel Tournier, Editions Gallimard.

6 SI J'AVAIS DES SOUS...

'Bourse de Paris' from Côte Bleue Press Agency; Article/test 'Etes-vous cigale ou fourmi ?' from OK No. 589; 'Les petits boulots d'été' from *Réponse à tout* 6/92; 'Je préfère braquer maman' from *Actualquarto* No. 462; 'Toi, tu manges où ?' from *La Jeunesse du Quart Monde* 1/92; *La chanson des restos du cœur*, les Restos du Cœur; 'Cyndy Crawford' from *Réponse à tout* 1/93; 'Tiers-Monde' from *Phosphore* No. 117, Bayard Presse; *Rap Tout* by Les Inconnus, Sony/BMG; 'Richesse et Chance' from *Réponse à tout*, 1/93; 'Paul-Loup Sulitzer' from *Paris-Match* 8/8/86; 'Des centimètres qui valent une fortune' from *Les Clés de l'Actualité* No. 36/37, Milan Presse; 'Le parcours d'un habitué' from *Cobayes Humains* by A Richard and S Veyret, Editions La Découverte; 'Lettre du paradis' from *Phosphore* No. 132, Bayard Presse; 'Claudie et Jean-Rémy Fauvet' by D Leberman, from *Marie-Claire* 12/89; 'Famine' from *Phosphore* No. 130, Bayard Presse; *Les Choses* by

Georges Perec, Editions Julliard; *La chronique des Pasquier* from *Vue de la terre promise* by Georges Duhamel, Mercure de France.

7 CE QUE JE CROIS
'Pensez-vous que Dieu existe ?' and 'Y-crois-tu vraiment ?' from *Textes et Documents pour la Classe* 11/12/91, CNDP; 'La seule chose...', Pierre Kroll, *Dossier-Presse Actualquarto* No. 86; 'Le fana des grigris', Pierre Milon, *Ça m'intéresse* No. 135; 'Sondage – Croire en Dieu ?' from *Juniorscopie* 10/86; 'Deux jeunes parlent de leur foi' from *Badge* No. 47; *Qu'y a-t-il après ?*, Yves Duteil, EMI/Pathé-Marconi; *Utile,* Julien Clerc, Virgin/Sidonie/Crecelles; *Les choses de la vie* by Paul Guimard, Editions Denoël; 'Quelque part dans l'Univers' from *Ça m'intéresse* No. 142; 'Black hole' by David A Hardy, Astro Art; 'Elle veut voir les miracles avant d'y croire' from *Voici* No. 144; 'A la recherche d'E.T.' and 'L'Hypnose' from *Science & Vie Junior* No. 47, Excelsior Publications.

8 TERRE, OU EST TON AVENIR ?
'Pollution !.. Pollution !..' from *Dossier-Presse Actualquarto* No. 72; 'J'économise l'eau... etc.' from *Actualquarto Junior* 17/9/92; 'Et si on n'ouvre pas...' from *L'événement du jeudi* 26/11/92; 'Brésil : massacres en direct' and C'est décidé : je ne skie plus' from *Phosphore* No. 118, Bayard Presse; 'Que fait le gouvernement ?' from *Dossier-Presse Actualquarto* No. 72; 'Décibels' from *Okapi* 1/1/91, Bayard Presse; 'Les niveaux de bruit' from Ministère de l'Environnement; 'Risques majeurs' from *Merci la Terre*, by Alain Hervé, Editions JC Lattès; 'Non, c'est pas mes chaussettes...' from *Dossier-Presse Actualquarto* No. 72; 'Vingt millions d'années...' from *Phosphore* 11/92, Bayard Presse; 'Un jour, mon fils...' from *Actualquarto Junior* 17/9/92; 'En 1994...' from *L'événement du jeudi* 26/11/92; 'A vous de jouer' from *Okapi* No. 493, Bayard Presse; 'Environnement : renvoyez les emballages' from *Phosphore* No. 118, Bayard Presse; 'Nous stockons les déchets...' from *Actualquarto Junior* 17/9/92; Picture of *Le Petit Prince* from Editions Gallimard; *Le notaire du Havre* by Georges Duhamel, Mercure de France; *Voyage au bout de la nuit* by Louis-Ferdinand Céline, Editions Gallimard; *Djinn* by Alain Robbe-Grillet, Editions de Minuit.

9 CULTURE DES MASSES ?
'Journalistes' from *Phosphore* No. 135, Bayard Presse; 'Demandez les dernières rumeurs' from *La Vie* 22/8/91; 'MCM' from *L'Etudiant* No. 142; 'De l'influence des médias' from *Réponse à tout* 1/93; 'Le Nouveau Quotidien' from *Actualquarto-Junior* No. 10; 'Journalist and globe' by Royer, France; 'Journaliste : plus qu'un métier...' from *Le Soir*; Media graphs from *Télérama* No. 2192; 'Radio, la FM en tête' from *Phosphore* No. 135, Bayard Presse; 'La télé-vérité est-elle bonne à voir ?' from *Modes et Travaux* No. 1101; 'Avant de tirer...' from *Télérama* No. 2192; 'Selon les deux mille personnes...' from *Dossier-Presse Actualquarto* No. 76; 'On sert Kronenbourg Aux Copains' from *Paris-Match* No. 2304; 'Préservatif' from *Glamour* 8/93; 'Max' from Nike; 'Un jeu d'enfant' from *Francoscopie* 1989, Gérard Mermet, Editions Larousse; 'L'Aventure Sous le Signe de la Nuit' from *Glamour* 8/93; 'L'humour' by Philippe Bouvard; 'Vivre sans télévision' from *Phosphore* No. 122, Bayard Presse; 'Télémaniaque' from *Téléloisirs;* 'Créer' from *L'expression lycéenne*, CNDP; *Le désert de Bièvres* by Georges Duhamel, Mercure de France; *Dans les couloirs du métropolitain* from *Instantanés* by Alain Robbe-Grillet, Editions de Minuit; *L'Etranger* by Albert Camus, Methuen & Co.

10 SUR UN PIED D'EGALITE ?
'Le chemin de l'égalité sera long' from *Ouest-France* 18/3/93; 'L'orientation a un sexe ?' from *Châtelaine* Vol. 33 No. 9; 'Prise entre deux feux', 'Front Féodal' and 'La question «logement»' from *Dossier-Presse Actualquarto* No. 87; 'Conjugaisons et interrogations' by Jean Tardieu, Editions Bordas; 'Touche pas à mon pote' from SOS Racisme; *Banlieue*, Karim Kacel, EMI/Pathé-Marconi; 'Racisme' from *Phosphore* No. Spécial, 1990, Bayard Presse; 'Je veux devenir français...' and 'Nationalité ?...' from *Le Monde*; 'Une place à mes côtés' from *Actualquarto* No. 471; *Le deuxième sexe* by Simone de Beauvoir, Editions Gallimard; 'La femme parfaite ?' by Bibi; 'Mon pays, ce n'est plus mon pays' from *Phosphore* No. 139, Bayard Presse; 'La nationalité dans les pays francophones' from *Actualquarto* No. 469; 'Une avancée dans la liberté' from *Le Figaro* 15/4/93; 'Je suis un Français typique' from *Globe* No. 17.

11 CITOYEN, CITOYENNE
'La gauche voulait nationaliser le bonheur...' by Wolinski; 'Tu te rends compte... ?' from *L'événement du jeudi* 18/3/93; Political leaflets from *L'Entente des Ecologistes, Le Front National* and *Le Parti Socialiste*; 'Ils sont nuls !...' by Wolinski; 'L'Europe : guide pratique' (drawings by Pertuzé) from *Les Clés de l'Actualité* No. 36/37, Milan Presse; 'Avant de partir...' and statistics from *Réponse à tout* No. 33 and No. 31; 'Les partis français et l'Union Européenne' from *Ouest-France* 18/6/92; *L'opportuniste,* Jacques Dutronc, Columbia/Sony; Election newspaper extracts from *Ouest-France*; 'Les confettis de l'empire européen' from *Ça m'intéresse* No. 141; 'On a trouvé ce gant' from *Tout se complique* by Sempé, Editions Denoël; 'Les femmes exclues de la politique' from *Réponse à tout* Hiver 93; 'Elire... et être élu(e)' from *Textes et Documents pour la Classe* No. 582.

12 JE M'EN SOUVIENS BIEN !
'Peuple de Paris' from *L'Encyclo*, Editions Bordas; *Le chant des partisans*, Yves Montand, Sony; *L'ironie du sort* by Paul Guimard, Editions Denoël; 'La guerre, une affaire de vieux' from *Phosphore*, 11/90, Bayard Presse; many extracts and illustrations from *Vernon dans la Tourmente* by Lucien Le Moal.

13 LA CULTURE : TOUS AZIMUTS
'La francophonie... ça swingue, ça ??' from *Les Clés de l'Actualité* 23/4/92, Milan Presse; 'De futures étoiles de l'opéra ?' from *Jeune et Jolie* No. 70; 'L'écrivain journaliste' from *Phosphore* 5/93, Bayard Presse; 'Librairie' by Sempé, from *Paris-Match* No. 2283; 'Le cinéma en danger de mort ?' from *Phosphore* 6/93, Bayard Presse; 'Le château de ma mère' from *Ciné-Fiches* No. 1; 'Claude Berri tourne «Germinal»' from *Télérama* No. 2248; 'La francophonie : une mosaïque de peuples' from *Les Clés de l'Actualité* 23/4/92, Milan Presse; *La langue de chez nous*, Yves Duteil, EMI/Pathé-Marconi; 'Le marathon d'un artiste en herbe' from *Les Clés de l'Actualité* 28/1/93, Milan Presse; 'Jeu-test : êtes-vous musicien ?' from *Le Monde de l'Education* No. 189; *La Belle et la Bête, Journal d'un film* by Jean Cocteau, Editions JB Janin; 'Un jour pour écrans noirs' from *Les Clés de l'Actualité* 18/6/92, Milan Presse; 'Louisiane – Le rythme dans la peau' from *Phosphore* 6/93, Bayard Presse; 'Québec – Troubles du langage' from *Le Point* No. 1082.

14 QUI JUGE ?
'Mon portefeuille...' from *Dossier-Presse Actualquarto* No. 73; 'Les éleveurs en colère...' from *L'Etat de la France*, Editions La Découverte; Animal leaflets from Société nationale pour la défense des animaux; 'Le marché noir des greffes d'organes' from *Ça m'intéresse* No. 134; 'Il me faudrait encore deux reins...' from *Dossier-Presse Actualquarto* No. 88; 'La violence en chiffres' from *Phosphore* No. 141, Bayard Presse; *L'économie est une déesse*, Florent Pagny, Polygram; *Le pas des ballerines*, Francis Cabrel, CBS/Sony; 'Une population à haut risque' and '3 mois...' from *Textes et Documents pour la Classe*; 'La poursuite...' from *La Presse* 11/1/92, Montréal; 'Ma femme m'a quitté' by Wolinski, from *Paris-Match* No. 2297; 'La non-violence à travers l'histoire', 'Ce qu'il nous faudrait...' and 'Ton baladeur...' from *Dossier-Presse Actualquarto* No. 73; *Crimes en trompe l'œil* by Frédérique Hoë, Librairie Arthème Fayard; *Souvenirs pieux* by Marguerite Yourcenar, Editions Gallimard.

15 DEMAIN DEJA ?
'En tous cas...' and 'Juju, mon chéri...' from *Dossier-Presse Actualquarto* No. 82; 'En pensant à l'avenir...' from *Phosphore* No. Spécial, 1990, Bayard Presse; 'Demain, je grandis' from *L'Etudiant* No. 142; 'Maturité' by Denise Jallais, Librairie St Germain des Prés; 'La bombe démographique' from *La Tribune de Genève* 14/5/91; 'Depuis quatre ans j'espère avoir un enfant' from *Ouest-France* 17/3/93; 'Quel avenir pour Pierre-Yves ?' from *Télérama* No. 2238; 'Les maladies génétiques' and 'Demain, des mutants ?' from *Actualité/Jeunesse 1993*, Livres de Paris/Hachette; 'Le solaire renaît dans l'espace' from *Science et Avenir* No. 535; 'Manque d'espace' from *Les Clés de l'Actualité* No. 35, Milan Presse; *La machine est mon amie*, Luc de Larochellière, Revaux/Talor/Tréma/EMI; 'On croyait au progrès' from *Paris-Match* No. 2304; 'Grâce à la copie...' from *Dossier-Presse Actualquarto* No. 82; 'Etes-vous personnellement...' and 'Faire entrer l'éthique à l'école' from *Impact-Médecin* No. 77; 'Paul Ricœur' from *Phosphore* No. 119, Bayard Presse; 'Demain, une Terre virtuelle ?' from *Actuel*, No. 18.

PHOTOGRAPHS
Barnabys p. 43e; Bizkor p. 20; Brittany Ferries p. 50; Camera Press p. 205; J Allan Cash pp. 22c, 45, 137b; John Urling Clarke pp. 12ab, 70c, 85a, 86b; James Dean Gallery p. 95; Eye Ubiquitous p. 157a; Gamma pp. 70a, 75, 78abcde, 141, 146b; Keith Gibson pp. 12, 98, 130a, 158a, 178; Greenhill pp. 121; Hulton Deutsch p. 74; Robert Harding p. 3ac; Hutchison pp. 163b, 182b, 188, 207; Image Bank p. 43d; Jodrell Observatory p. 181b; Jean-Pierre Le Loir p. 129b; Magnum p. 58; Military Picture Library p. 110b; Musée d'Histoire p. 150a; Ouest-France pp. 123, 187; Panos pp. 73, 157c; Popperfoto p. 199; Rapho p. 150b; Redferns pp. 85b, 90c; Keith Reed pp. 2cd, 3b, 4ab, 6, 10, 11; Rex Features pp. 49, 59, 92ab, 93ab, 111; Michel Rougié p. 37; Science Photo Library p. 124a; David A Simson pp. 2b, 7, 8, 11, 12c, 13, 17, 18, 21, 22ab, 23, 24ab, 25abcd, 35, 36, 43a, 44a, 86a, 87bc, 88, 89ab, 90ab, 110c, 112, 124b, 130bc, 131, 133d, 134ab, 135 184, 185; Spectrum p. 43bc; Frank Spooner pp. 89c, 108; Sporting Pictures p. 87a; Tony Stone pp. 146a, 157b, 181a; Sygma pp. 40, 60, 62, 110d, 128, 137c, 151, 164; Universal p. 110a; Vu p. 129a.

Other photographs by Thomas Nelson & Sons Ltd.

ILLUSTRATIONS
Clive Goodyer; Rosemary Harrison; Miles Jefcoate; Julian Mosedale.

The authors and publishers would also like to thank the following for their invaluable help:

John Fletcher; Carole Shepherd; the staff and students of the Lycée Claude Monet, Le Havre, and the Collège César Lemaître, Vernon; *France-Inter*, for permission to use off-air recordings; *Actualquarto*, magazine of French news extracts (20 allée des Bouleaux, 6280 Gerpinnes-Belgium).